D0474912

LA PARFAITE LUMIÈRE

Eiji Yoshikawa

LA PARFAITE LUMIÈRE

Traduit de l'anglais par Léo Dilé

BALLAND

Du même auteur :

La pierre et le sabre, *Balland, 1983.*

Titre original : Musashi

© Fumiko Yoshikawa 1971
English Translation Copyright
© 1981, by Kodanska International Ltd
© Éditions Balland, 1983

« La parfaite lumière » est la suite des aventures de Miyamoto Musashi racontées dans « La pierre et le sabre ».

Livre V

LE CIEL

L'enlèvement

Au-delà du col, sur le mont Koma, la neige étincelait en rayons pareils à des lances, alors que sur le mont Ontake, visible à travers les bourgeons rougeâtres, elle s'étendait en plaques clairsemées. Le vert léger, annonciateur de la saison de croissance, paraissait luire au long de la route et dans les champs.

Otsū rêvait éveillée. Jōtarō ressemblait à une plante nouvelle : opiniâtre et vigoureuse. Il ne serait pas facile de la piétiner, de la maintenir longtemps couchée. Il grandissait vite, à l'époque ; Otsū croyait parfois entrevoir l'homme qu'il serait un jour.

Pourtant, la ligne de démarcation entre la pétulance et l'insolence était bien ténue, et, même en tenant compte de l'éducation peu orthodoxe de l'enfant, son comportement consternait de plus en plus la jeune fille. Ses exigences, surtout en matière de nourriture, étaient sans limites. Chaque fois qu'ils passaient devant un magasin d'alimentation, il s'arrêtait pile et refusait de bouger tant qu'il n'avait pas obtenu de quoi manger.

Après avoir acheté des croquettes de riz à Suhara, elle se jura : « C'est la dernière fois. » Mais ils n'avaient pas fait un kilomètre que les croquettes étaient englouties, et que Jōtarō se prétendait mort de faim. La crise suivante ne fut évitée de justesse qu'en s'arrêtant dans un salon de thé de Nezame pour déjeuner de bonne heure ; le temps de franchir un nouveau col, et le jeune ogre était de nouveau affamé.

— Ecoutez, Otsū ! Cette boutique vend des kakis séchés. Si nous en achetions, juste pour emporter ?...

Feignant de ne pas entendre, Otsū continua sa route.

Lorsqu'ils arrivèrent à Fukushima, dans la province de Shinano, lieu célèbre pour l'abondance et la variété de ses produits alimentaires, on était au milieu de l'après-midi, vers l'heure où ils avaient coutume de prendre une collation.

— Reposons-nous un peu, pleurnicha-t-il. Je vous en prie.

Elle fit la sourde oreille.

— ... Allons, Otsū ! Prenons de ces gâteaux de riz saupoudrés de farine de soja. Ceux que l'on fait ici sont célèbres. Vous n'en voulez pas ?

Comme il tenait maintenant la corde de la vache, Otsū vit qu'il allait être malaisé de dépasser la boutique.

— Tu n'as donc pas eu assez ? dit-elle avec impatience.

La vache, comme alliée en secret à Jōtarō, fit halte et se mit à brouter au bord de la route.

— ... Bon ! dit sévèrement Otsū. Si tu te conduis comme ça, je prends les devants et je vais le dire à Musashi.

Comme elle faisait mine de descendre de sa monture, Jōtarō éclata de rire, sachant parfaitement qu'elle ne mettrait pas sa menace à exécution.

Son défi relevé, Otsū résignée descendit de la vache, ensemble, ils s'approchèrent du comptoir, devant la boutique. Jōtarō lança la commande de deux portions, puis revint attacher la vache. A son retour, Otsū lui dit :

— Tu n'aurais pas dû en commander pour moi. Je n'ai pas faim.

— Vous ne voulez rien manger ?

— Non. Les gens qui mangent trop se transforment en cochons stupides.

— Ah ! je devine qu'il va me falloir manger votre part aussi.

— Tu n'as pas honte ?

Il avait la bouche trop pleine pour entendre. Mais bientôt, il observa une pause assez longue pour faire passer son sabre de bois dans son dos, où il ne le gênerait pas. Il se remit à manger, mais soudain se fourra le dernier gâteau de riz dans la bouche et fila comme un dard.

— ... Déjà fini ? lui cria Otsū.

Elle posa de l'argent sur la table et s'apprêtait à le suivre lorsqu'il revint sur ses pas et la repoussa rudement à l'intérieur.

— Attendez ! dit-il, tout excité. Je viens de voir Matahachi.

— Pas possible ! dit-elle en pâlissant. Que pourrait-il bien faire par ici ?

— Aucune idée. Vous ne l'avez pas vu ? Il portait un chapeau de vannerie, et nous regardait fixement.

— Je ne te crois pas.

— Vous voulez que je vous le prouve en vous l'amenant ?

— Ne fais surtout pas une chose pareille !

— Oh ! ne vous inquiétez pas. S'il arrive quoi que ce soit, je vais chercher Musashi.

Le cœur d'Otsū battait à se rompre ; mais, se rendant compte que plus ils s'attarderaient là, plus Musashi prendrait de l'avance, elle remonta sur la vache. Comme ils repartaient, Jōtarō dit :

— ... Je n'y comprends rien. Jusqu'à notre arrivée aux chutes de Magome, nous étions tous les meilleurs amis du monde. Depuis, Musashi ne dit plus un mot, et vous ne lui parlez pas non plus. Qu'est-ce qui se passe ?

Comme elle ne répondait pas, il reprit :

— ... Pourquoi donc est-ce qu'il marche devant nous ? Pourquoi donc est-ce que nous couchons dans des chambres séparées, maintenant ? Vous vous êtes disputés, ou quoi ?

Otsū ne put se résoudre à lui donner une réponse sincère, car elle avait été dans l'incapacité de s'en donner une à elle-même. Est-ce que tous les hommes traitaient les femmes comme Musashi l'avait fait, en essayant ouvertement de lui imposer son amour par la force ? Et pourquoi l'avait-elle repoussé avec autant de véhémence ? Sa détresse et sa confusion actuelles étaient, en un sens, plus pénibles que la maladie dont elle ne s'était remise que récemment. La source d'amour qui l'abreuvait depuis des années s'était soudain transformée en chute d'eau furieuse.

Le souvenir de l'autre chute d'eau résonnait à ses oreilles, ainsi que son propre cri de détresse et la protestation irritée de Musashi.

Il lui arrivait de se demander s'ils continueraient de la sorte éternellement, sans jamais se comprendre l'un l'autre ; mais la raison pour laquelle elle traînait maintenant à sa remorque, en tâchant de ne pas le perdre de vue, la frappait par son illogisme. Ils avaient beau, par gêne, rester séparés et se parler rarement, Musashi ne faisait pas mine de rompre sa promesse d'aller avec elle à Edo.

Au Kōzengi, ils prirent une autre route. Il y avait une barrière au sommet de la première colline. Otsū avait ouï dire que depuis la bataille de Sekigahara, sur cette route, des fonctionnaires gouvernementaux examinaient minutieusement les voyageurs, en particulier les femmes. Pourtant, la lettre d'introduction du seigneur Karasumaru fit merveille, et ils passèrent sans difficulté le contrôle. Comme ils atteignaient le dernier des salons de thé à l'autre extrémité de la barrière, Jōtarō demanda :

— Otsū, que veut dire « Fugen » ?

— Fugen ?

— Oui. Là-bas, devant un salon de thé, un prêtre vous désignait du doigt en disant que vous aviez « l'air de Fugen sur une vache ». Qu'est-ce que ça signifie ?

— Je suppose qu'il voulait parler du bodhisattva Fugen.

— C'est le bodhisattva qui monte un éléphant, n'est-ce pas ? Dans ce cas, je dois être le bodhisattva Monju. Ils sont toujours ensemble.

— Un Monju très glouton, à mon avis.

— Assez bon pour un Fugen pleurnichard !

— Ah ! tu trouves !

— Pourquoi donc est-ce que Fugen et Monju sont toujours ensemble ? Il ne s'agit pas d'un homme et d'une femme.

Intentionnellement ou non, il frappait de nouveau près du but. Ayant beaucoup entendu parler de ces matières alors qu'elle vivait au Shippōji, Otsū aurait pu donner à cette question une réponse détaillée, mais elle se contenta de répliquer :

— Monju représente la sagesse ; Fugen, le comportement dévot.

— Halte !

La voix, celle de Matahachi, venait de derrière eux. Ecœurée, Otsū pensa : « Le lâche ! » Elle se retourna pour le considérer froidement. Matahachi lui répondàit par un regard furibond, ses sentiments plus embrouillés que jamais. A Nakatsugawa, il s'était agi de jalousie pure, mais il avait continué d'espionner Musashi et Otsū. Lorsqu'il vit qu'ils restaient séparés, il interpréta cela comme une tentative pour tromper le monde, et s'imagina toutes sortes d'agissements scandaleux quand ils se trouvaient seuls.

— ... Descends ! ordonna-t-il.

Otsū, incapable de dire un mot, regardait fixement la tête de la vache. Ses sentiments à l'égard de Matahachi s'étaient mués une fois pour toutes en haine et en mépris.

— ... Allons, femme, descends !

Bien qu'elle brûlât d'indignation, elle répondit froidement :

— Et pourquoi donc ? Je n'ai rien à voir avec toi.

— Vraiment ? gronda-t-il d'un ton menaçant, en l'empoignant par la manche. Peut-être n'as-tu rien à voir avec moi, mais moi, j'ai à voir avec toi. Descends !

Jōtarō lâcha la corde et cria :

— Laissez-la tranquille ! Si elle ne veut pas descendre, pourquoi le ferait-elle ?

Et il repoussa des poings la poitrine de Matahachi.

— Pour qui te prends-tu, espèce de petit coquin ?

Déséquilibré, Matahachi rajusta ses sandales, et bomba le torse d'un air menaçant.

— ... Je me disais bien que j'avais déjà vu ta vilaine figure quelque part. Tu es le va-nu-pieds de chez le marchand de saké de Kitano.

— Oui, et je sais maintenant pourquoi vous vous soûliez à mort. Vous viviez avec une vieille garce quelconque, et vous n'aviez pas le cran de lui tenir tête. Pas vrai ?

Jōtarō n'aurait pu toucher un point plus sensible.

— Sale petit morveux !

Matahachi tenta de le saisir au collet, mais Jōtarō plongea et ressortit de l'autre côté de la vache.

— Si je suis un sale petit morveux, qu'est-ce que vous êtes ? Un sale ours mal léché ! Effrayé par une femme !

Matahachi s'élança pour contourner la vache, mais de nouveau Jōtarō se glissa sous le ventre de l'animal et réémergea de l'autre côté. Ce jeu de scène se reproduisit trois ou quatre fois, avant que Matahachi réussît à refermer la main sur le col de l'enfant.

— Bon, maintenant, répète ça encore une fois.

— Sale ours mal léché ! Effrayé par une femme !

Le sabre de bois de Jōtarō n'était qu'à demi dégainé quand Matahachi, ayant solidement empoigné le gamin, l'envoya voltiger assez loin de la route, dans une touffe de bambous. Il atterrit sur le dos dans un petit cours d'eau, étourdi et presque inconscient.

Le temps de reprendre ses esprits suffisamment pour regagner la route en se faufilant comme une anguille, il était trop tard. La vache trottait pesamment sur la route, Otsū toujours sur son dos ; Matahachi courait devant, la corde en main.

— ... Le salaud ! gémissait Jōtarō, accablé par sa propre impuissance.

Trop étourdi pour se relever, il restait là, par terre, fumant de colère et jurant comme un charretier.

Sur une colline, environ un kilomètre et demi plus loin, Musashi reposait ses jambes en se demandant vaguement si les nuages bougeaient ou, comme il semblait, s'ils restaient suspendus à tout jamais entre le mont Koma et les larges vallonnements, à ses pieds.

Il tressaillit, comme à une communication sans parole, se secoua et se releva.

Il pensait en effet à Otsū, et plus il pensait à elle, plus il s'irritait. Le bassin tourbillonnant, sous les chutes, l'avait bien purifié de sa honte et de son ressentiment, mais, à mesure que les jours passaient, les doutes ne cessaient de revenir. Est-ce qu'il avait été mal de sa part de se révéler à la jeune fille ? Pourquoi donc l'avait-elle repoussé, s'était-elle écartée de lui comme si elle le méprisait ?

— Laisse-la, dit-il à voix haute.

Pourtant, il savait bien qu'il ne faisait que se duper lui-même. Il avait dit à Otsū que lorsqu'ils arriveraient à Edo, elle pourrait étudier ce qui lui convenait le mieux cependant qu'il suivrait sa propre voie. Implicitement, c'était là une promesse pour un avenir plus éloigné. Musashi avait quitté Kyoto avec la jeune fille. Il avait des responsabilités envers elle.

« Qu'adviendra-t-il de moi ? Etant donné que nous sommes deux, qu'adviendra-t-il de mon sabre ? » Il leva les yeux sur la montagne et se mordit la langue, honteux de sa mesquinerie. Regarder le grand pic, voilà qui rendait humble.

Il se demanda ce qui pouvait bien les retarder, et se leva. Il voyait la forêt sur plus d'un kilomètre en arrière, mais personne.

« Se pourrait-il qu'on les ait retenus à la barrière ? »

Le soleil allait bientôt se coucher ; ils auraient dû le rattraper depuis longtemps.

Soudain, il éprouva de l'inquiétude. Il devait être arrivé quelque chose. Sans réfléchir, il se mit à dévaler la colline, si rapidement que les animaux des champs détalaient dans toutes les directions.

Le guerrier de Kiso

Musashi n'avait pas couru bien loin lorsqu'un voyageur lui cria :

— Dites donc, vous n'étiez pas tout à l'heure avec une jeune femme et un petit garçon ?

Musashi s'arrêta net.

— Si, répondit-il, le cœur battant. Il leur est arrivé quelque chose ?

Apparemment, il était le seul à ne pas avoir appris l'histoire que l'on se transmettait de bouche en bouche sur la grand-route. Un jeune homme avait abordé la jeune fille et... l'avait enlevée. On l'avait vu fouetter la vache... la mener sur une route latérale, près de la barrière. A peine le voyageur avait-il achevé de répéter son histoire, que Musashi était en chemin.

Il eut beau courir à toute vitesse, il lui fallut une heure pour atteindre la barrière, laquelle avait fermé à six heures ainsi que les salons de thé de part et d'autre. L'air assez affolé, Musashi s'approcha d'un vieil homme en train d'empiler des tabourets devant sa boutique.

— Qu'est-ce qui vous arrive, mon bon monsieur ? Vous avez oublié quelque chose ?

— Non. Je cherche une jeune femme et un petit garçon qui sont passés par ici, il y a quelques heures de cela.

— Ça ne serait pas la jeune fille qui ressemblait à Fugen sur une vache ?

— C'est elle ! répondit Musashi sans réfléchir. On me dit qu'un rōnin l'a emmenée quelque part. Savez-vous de quel côté ils sont allés ?

— A vrai dire, je n'ai pas assisté moi-même à l'incident, mais j'ai appris qu'ils avaient quitté la route principale à la « butte aux têtes enfouies ». Ça devrait les conduire aux environs de l'étang de Nobu.

Musashi n'avait pas la moindre idée de l'identité du ravisseur d'Otsū ni de la raison du rapt. A aucun moment le nom de Matahachi ne lui vint à l'esprit. Il se figurait qu'il s'agissait d'un de ces bons à rien de rōnins, pareils à ceux qu'il avait rencontrés à Nara. Ou peut-être un des maraudeurs connus pour hanter les bois d'alentour. Il espérait que c'était un filou minable, plutôt qu'un des voyous qui faisaient métier d'enlever les femmes pour les vendre, et dont on savait qu'ils pouvaient être dangereux.

Il courut, courut, à la recherche de l'étang de Nobu. Une fois le soleil couché, il n'y voyait plus à un mètre, même avec les étoiles qui brillaient. La route commençait à monter ; il se crut sur les contreforts du mont Koma.

N'ayant rien vu qui ressemblât à un étang, et craignant d'être sur la mauvaise route, il s'arrêta et regarda autour de lui. Dans l'océan de ténèbres, il put distinguer une ferme isolée et un rideau d'arbres, dominés par la sombre montagne.

En se rapprochant, il constata que la maison était vaste et solidement construite, bien que de la mousse poussât sur le toit de chaume, et que le chaume lui-même fût en décomposition. Dehors, il y avait de la lumière — torche ou feu, il n'aurait su le dire — et, près de la cuisine, une vache tachetée. Il était sûr qu'il s'agissait de l'animal qu'avait monté Otsū.

Il s'approcha à pas de loup, en restant dans l'ombre. Lorsqu'il fut assez près pour distinguer l'intérieur de la cuisine, il entendit une forte voix masculine qui venait d'un hangar, par-delà des tas de paille et de bois de chauffage.

— Laisse là ton travail, mère, disait l'homme. Tu n'arrêtes pas de te plaindre que tu as de mauvais yeux, mais tu continues à travailler dans le noir.

Il y avait du feu dans l'âtre de la salle, à côté de la cuisine, et Musashi croyait entendre le bourdonnement d'un rouet. Au bout d'une ou deux secondes, le bruit cessa, et il entendit quelqu'un aller et venir. L'homme sortit du hangar, dont il ferma la porte derrière lui.

— ... J'arrive aussitôt que je me serai lavé les pieds ! cria-t-il. Tu peux mettre le dîner en train.

Il posa ses sandales sur une pierre, au bord d'un ruisseau qui coulait derrière la cuisine. Comme il était assis, à se rincer les pieds dans l'eau, la vache approcha sa tête de son épaule. Il lui caressa le mufle.

— ... Mère ! cria-t-il, viens ici une minute. J'ai fait une vraie trouvaille aujourd'hui. Que crois-tu que ce soit ?... Une vache ; et une belle.

Musashi dépassa silencieusement la porte du devant de la maison. Tapi sur une pierre, sous une fenêtre latérale, il épiait la grand-salle. La première chose qu'il vit fut une lance, pendue à un râtelier noirci près du sommet du mur, une belle arme polie et soignée avec amour. Des fragments d'or luisaient doucement sur le cuir de son fourreau. Musashi ne savait qu'en penser ; ce n'était pas le genre d'objet que l'on rencontre généralement dans les fermes. Les fermiers n'avaient pas le droit d'avoir des armes, même s'ils pouvaient se les offrir.

L'homme apparut un instant à la lumière du feu extérieur. Au premier coup d'œil, Musashi sut qu'il ne s'agissait pas d'un paysan ordinaire. Il avait les yeux trop brillants, trop vifs. Il portait un kimono de travail qui lui arrivait aux genoux, et des guêtres maculées de boue. Sa face était ronde, et ses cheveux touffus liés dans le dos par de la paille. Bien qu'il fût court —

moins d'un mètre soixante-dix —, il était solidement charpenté, le torse massif. Il marchait d'un pas assuré, décidé.

De la fumée se mit à s'échapper de la fenêtre. Musashi leva sa manche pour se protéger le visage, mais trop tard ; ayant respiré de la fumée, il ne put s'empêcher de tousser.

— Qui est là ? cria de la cuisine la vieille femme.

Elle passa dans la grand-salle, et dit :

— ... Gonnosuke, as-tu bien fermé le hangar ? Il me semble qu'il y avait un voleur de millet dans les parages. Je l'ai entendu tousser.

Musashi s'éloigna de la fenêtre sur la pointe des pieds, et se cacha parmi les arbres du brise-vent.

— Où ça ? cria Gonnosuke, en arrivant à grands pas de derrière la maison.

La vieille femme parut à la petite fenêtre.

— Il doit être tout près. Je l'ai entendu tousser.

— Tu es sûre que ce n'étaient pas des bourdonnements d'oreilles ?

— Je ne suis pas sourde. Et je suis certaine d'avoir vu une tête à la fenêtre. La fumée du feu doit l'avoir fait tousser.

Lent, soupçonneux, Gonnosuke s'avança de quinze ou vingt pas en regardant attentivement à droite et à gauche, comme une sentinelle qui garde une forteresse.

— Tu as peut-être raison, déclara-t-il. Je crois sentir un être humain.

En se fondant sur le regard du Gonnosuke, Musashi attendit le bon moment. Quelque chose, dans l'attitude de cet homme, conseillait la prudence. Il paraissait légèrement penché en avant à partir de la taille. Musashi ne distinguait pas quel genre d'arme il portait, mais lorsqu'il se tourna il constata que l'homme avait un bâton d'un mètre vingt derrière le dos. Il ne s'agissait pas d'un gourdin quelconque : il avait le poli d'une arme qui servait beaucoup, et paraissait faire partie intégrante du corps de l'homme. Musashi ne doutait pas qu'il vivait avec à longueur de journée, et en connaissait parfaitement l'usage. Musashi se montra et cria :

— Vous, là-bas... qui que vous soyez ! Je viens chercher mes compagnons !

Gonnosuke le foudroyait du regard en silence.

— ... Rendez-moi la femme et l'enfant que vous avez enlevés sur la grand-route. S'ils sont indemnes, nous en resterons là. Mais s'ils ont été blessés, gare à vous.

La neige fondue qui alimentait les cours d'eau, dans cette région, rendait la brise mordante, ce qui accentuait en quelque sorte le silence.

— ... Rendez-les-moi. Tout de suite !

La voix de Musashi était plus mordante que le vent. Gonnosuke tenait son bâton, comme on disait, « à revers ». Ebouriffé comme un hérisson, il se dressa de toute sa hauteur et cria :

— Espèce de vermine ! Qui oses-tu traiter de ravisseur ?

— Toi ! Tu dois avoir vu que l'enfant et la femme étaient sans défense ; alors, tu les as enlevés et amenés ici. Je veux les voir !

Le bâton s'écarta du flanc de Gonnosuke d'un mouvement si rapide que Musashi ne savait pas où se terminait le bras de l'homme et où commençait l'arme. Musashi sauta de côté.

— ... Ne fais rien que tu risques de regretter ensuite, dit-il, et il recula de quelques pas.

— Pour qui te prends-tu donc, espèce de sale fou ?

Tout en crachant sa réponse, il passa de nouveau rapidement à l'action, bien décidé à ne pas laisser un instant de répit à Musashi. Quand ce dernier s'écartait de dix pas, il couvrait simultanément la même distance.

Deux fois, Musashi entreprit de porter la main droite à la poignée de son sabre, mais les deux fois il y renonça. Durant l'instant où il empoignerait son arme, son coude serait exposé. Musashi avait vu la prestesse du bâton de Gonnosuke, et savait qu'il n'aurait pas le temps d'achever son mouvement. Il constatait aussi que s'il faisait bon marché de son robuste adversaire, il aurait des ennuis. Et s'il ne gardait pas son calme, une simple respiration risquait de le mettre en péril.

Musashi avait encore à jauger son ennemi, qui, jambes raides et torse bombé, présentait l'image type de l' « Indestructible-Parfait ». Déjà, Musashi commençait à sentir que ce fermier possédait une technique supérieure à celle d'aucun spécialiste au sabre qu'il eût rencontré jusqu'alors, et son regard donnait à penser qu'il avait maîtrisé cette Voie que Musashi recherchait sans cesse.

Mais il n'avait guère le temps de l'évaluer. Les coups succédaient aux coups, de seconde en seconde, presque, tandis que la bouche de Gonnosuke vomissait un juron après l'autre. Tantôt il se servait des deux mains, tantôt d'une seule, exécutant avec une souple dextérité le coup par-dessus la tête, le coup latéral, le coup d'estoc et de taille. Un sabre, étant nettement divisé en lame et en poignée, n'a qu'une seule pointe, mais les deux bouts d'un bâton peuvent être mortels. Gonnosuke maniait le sien avec la même agilité qu'un fabricant de bonbons sa pâte : tantôt il était long, tantôt court, tantôt invisible, tantôt haut, tantôt bas... partout à la fois, semblait-il. De sa fenêtre, la vieille femme pressait son fils de faire attention :

— Gonnosuke ! Il ne ressemble pas à un samouraï ordinaire !

Elle avait l'air aussi impliquée dans le combat que lui.

— Ne t'inquiète pas !

Savoir qu'elle regardait semblait hausser l'esprit combatif de Gonnosuke à un niveau plus élevé encore.

A ce moment, Musashi esquiva un coup porté à son épaule ; du même élan il se glissa près de Gonnosuke et lui saisit le poignet. L'instant suivant, le fermier se trouvait les quatre fers en l'air.

— Attendez ! cria la mère en brisant le montant de la fenêtre dans son excitation.

Ses cheveux se dressaient sur sa tête ; elle semblait frappée par la foudre de voir son fils à terre. Son expression hagarde empêcha Musashi de faire ce qui logiquement aurait dû suivre : tirer son sabre et achever Gonnosuke.

— Très bien, j'attendrai ! cria-t-il en se mettant à califourchon sur la poitrine de Gonnosuke pour le clouer au sol.

Gonnosuke se débattait vaillamment pour se libérer. Le dos arqué, ses jambes, sur lesquelles Musashi n'avait aucune prise, volaient dans les airs, puis se rabattaient sur le sol. Musashi ne pouvait faire plus que de le maintenir au sol. La mère s'élança de la porte de la cuisine en vitupérant :

— Regarde-toi ! Comment donc as-tu pu te fourrer dans un pétrin pareil ?

Mais elle ajouta :

— ... Ne renonce pas. Je suis là pour t'aider.

Comme elle avait demandé à Musashi d'attendre, il supposait qu'elle allait se jeter à genoux pour le supplier de ne pas tuer son fils. Mais un coup d'œil lui montra qu'il se trompait lourdement. Derrière elle, elle tenait la lance, maintenant tirée de son fourreau ; il aperçut la lueur de la lame. Et il sentit les yeux de la vieille lui brûler le dos.

— ... Sale rōnin ! cria-t-elle. Tu veux faire le malin ? Tu nous prends pour de simples lourdauds de fermiers, n'est-ce pas ?

Musashi ne pouvait se retourner pour repousser une attaque venue de l'arrière : Gonnosuke se tortillait de manière à placer Musashi dans une position avantageuse pour sa mère.

— Ne t'inquiète pas, mère ! disait-il. Je me débrouillerai. Ne t'approche pas trop.

— Garde ton calme, lui recommandait-elle. Tu ne dois pas te laisser vaincre par des gens de son espèce. Souviens-toi de mes ancêtres ! Qu'est-il advenu du sang que tu as hérité du grand Kakumyō, qui s'est battu aux côtés du général de Kiso.

— Je n'oublierai pas ! hurla Gonnosuke.

A peine ces mots étaient-ils sortis de sa bouche qu'il parvint à lever la tête et à planter ses dents dans la cuisse de Musashi ; en même temps, il lâchait son bâton pour frapper des deux mains son adversaire. La vieille choisit cet instant pour viser de sa lance le dos de Musashi.

— Attendez ! cria ce dernier.

Ils étaient parvenus à un stade où l'affaire ne semblait pouvoir se régler que par la mort de l'un d'eux. Si Musashi avait été absolument certain qu'en l'emportant il pourrait délivrer Otsū et Jōtarō, il aurait insisté. Or, il lui semblait plus valeureux d'observer une pause afin de discuter. Il se tourna vers la vieille pour lui dire d'abaisser sa lance.

— Que dois-je faire, mon fils ?

Gonnosuke avait beau se trouver encore cloué au sol, il nourrissait aussi des arrière-pensées. Peut-être ce rōnin avait-il une raison quelconque de croire que ses compagnons étaient là. Il était absurde de risquer la mort sur un malentendu.

Une fois qu'ils se furent séparés, il ne leur fallut que quelques minutes pour comprendre qu'il s'agissait d'une grosse erreur. Tous trois regagnèrent la maison et le feu ardent. S'agenouillant près du foyer, la mère dit :

— Très dangereux ! Dire qu'il n'y avait aucune raison de se battre !

Comme Gonnosuke se disposait à prendre place à côté d'elle, elle secoua la tête.

— ... Avant de t'asseoir, dit-elle, fais visiter à ce samouraï la maison tout entière, pour qu'il voie bien que ses amis ne sont pas ici.

Puis, à Musashi :

— ... Je tiens à ce que vous vous en assuriez par vous-même.

— Bonne idée, admit Gonnosuke. Venez avec moi, monsieur. Examinez la maison de fond en comble. Il me déplaît d'être soupçonné d'enlèvement.

Déjà assis, Musashi déclina l'invitation.

— Inutile. D'après ce que vous m'avez dit, je suis certain que vous n'avez rien à voir avec cet enlèvement. Pardonnez-moi de vous en avoir accusé.

— J'étais en partie responsable, dit Gonnosuke d'un ton d'excuse. J'aurais dû m'informer sur ce dont vous parliez avant de perdre mon calme.

Musashi l'interrogea alors, non sans quelque hésitation, sur la vache, en lui expliquant qu'il était tout à fait sûr qu'il s'agissait de celle qu'il avait louée à Seta.

— Je venais de la trouver par hasard, répondit Gonnosuke. Ce soir, j'étais là-bas, à l'étang de Nobu, à prendre au filet des loches, et sur le chemin du retour, j'ai vu la vache, une patte enfoncée dans la vase. C'est marécageux, par là. Plus elle se débattait, plus elle s'enfonçait. Elle faisait un foin de tous les diables ; aussi, je l'ai dégagée. J'ai interrogé le voisinage ; elle ne semblait appartenir à personne ; aussi, j'ai cru qu'on l'avait volée et ensuite abandonnée... Dans une ferme, une vache vaut à peu près la moitié d'un homme, et celle-ci est une bonne bête aux pis jeunes.

Gonnosuke se mit à rire.

— ... En somme, je me suis dit que le ciel devait m'avoir envoyé cette vache parce que je suis pauvre et ne peux rien faire pour ma mère sans un peu d'aide surnaturelle. Je veux bien rendre la bête à son propriétaire, mais je ne sais pas qui c'est.

Musashi nota que Gonnosuke racontait son histoire avec la simplicité sincère d'un être né et élevé à la campagne. Sa mère se mit à compatir :

— Je suis sûre, dit-elle, que ce rōnin s'inquiète au sujet de ses amis. Mange ton dîner, et emmène-le à leur recherche. J'espère seulement qu'ils sont quelque part près de l'étang. Les collines ne sont pas un endroit pour des étrangers. Elles pullulent de bandits qui volent n'importe quoi : chevaux, légumes, tout ! Cette affaire m'a bien l'air d'être leur ouvrage.

La brise commençait par un chuchotement, se développait en rafale violente, puis mugissait à travers les arbres en malmenant les plantes plus petites.

Au cours d'une accalmie où seul subsistait l'inquiétant silence des étoiles, Gonnosuke leva sa torche pour attendre que Musashi le rattrapât.

— Je regrette, dit-il, mais personne ne semble rien savoir d'eux. Il ne reste plus qu'une seule maison entre ici et l'étang. Elle se trouve derrière ces bois, là-bas. Son propriétaire est mi-fermier, mi-chasseur. S'il ne peut nous aider, il n'y a plus nulle part où chercher.

— Merci de vous donner tout ce mal. Nous avons déjà fait plus de dix maisons ; aussi, je suppose qu'il n'y a pas grand espoir qu'ils soient par ici. Si nous ne trouvons rien à cette dernière maison, — renonçons et rentrons.

Il était minuit passé. Musashi avait espéré qu'ils trouveraient au moins une trace quelconque de Jōtarō, mais nul ne l'avait vu. Les descriptions d'Otsū n'avaient suscité que regards vides et longs silences paysans.

— Si c'est à la marche que vous pensez, pour moi ce n'est rien. Je pourrais marcher toute la nuit. Est-ce que cette femme et cet enfant sont vos serviteurs ? Un frère ? Une sœur ?

— Ce sont les êtres qui me sont les plus proches.

Chacun eût aimé questionner l'autre davantage sur lui-même, mais Gonnosuke se tut, s'avança d'un pas ou deux, et guida Musashi le long d'un étroit sentier vers l'étang de Nobu.

Musashi était curieux de l'adresse au bâton de Gonnosuke et de la manière dont il l'avait acquise, mais son sens des convenances l'empêcha de l'interroger là-dessus. Songeant que sa rencontre avec cet homme était due à une mésaventure — ainsi qu'à sa propre étourderie —, il en éprouvait pourtant une extrême gratitude. Quelle malchance c'eût été de ne pas connaître la technique éblouissante de ce grand combattant !

Gonnosuke s'arrêta et dit :

— Mieux vaut que vous attendiez ici. Ces gens-là doivent être endormis, et il ne faut pas les effrayer. Je vais y aller seul, voir si je peux découvrir quelque chose.

Il désignait la maison, dont le toit de chaume avait l'air presque enfoui dans les arbres. Un froissement de bambous accompagna sa course. Bientôt, Musashi l'entendit frapper fort à la porte.

Quelques minutes plus tard, il revint avec une histoire qui paraissait fournir à Musashi son premier indice véritable. Il avait fallu un moment à Gonnosuke pour faire comprendre à l'homme et à sa femme ce qu'il demandait, mais la femme avait fini par lui raconter quelque chose qui lui était arrivé l'après-midi même.

Un peu avant le coucher du soleil, en rentrant de faire des courses, la femme avait vu un jeune garçon courir en direction de Yabuhara, les mains et la figure couvertes de boue, un long sabre de bois passé dans son obi. Lorsqu'elle l'eut arrêté pour lui demander ce qui n'allait pas, il lui répondit en lui demandant où se trouvait le bureau du représentant du shōgun. Après quoi, il lui déclara qu'un méchant homme avait emporté la personne avec laquelle il voyageait. Elle lui représenta qu'il perdait son temps ; jamais les gens du shōgun n'organiseraient des recherches pour une personne du commun. S'il s'agissait de quelqu'un d'important, ils retourneraient la moindre miette de crottin de cheval, le moindre grain de sable, mais ils n'avaient que faire des gens ordinaires. En tout cas, pour une femme d'être enlevée ou pour un voyageur d'être détroussé par des brigands de grand chemin n'avait rien de bien extraordinaire. Des choses pareilles se produisaient matin, midi et soir.

Elle avait dit à l'enfant d'aller, au-delà de Yabuhara, à un endroit appelé Narai. Là, à un croisement facile à repérer, il trouverait un marchand d'herbes en gros. Cet homme, du nom de Daizō, écouterait son histoire et selon toute probabilité s'offrirait à l'aider. A la différence des fonctionnaires, Daizō non seulement avait de la compassion envers les faibles, mais se donnait beaucoup de mal pour les secourir s'il estimait que leur cause le méritait. Gonnosuke termina en disant :

— Il m'a semblé que l'enfant était Jōtarō. Qu'en pensez-vous ?

— J'en suis convaincu, répondit Musashi. Je suppose que le mieux serait d'aller à Narai le plus rapidement possible, trouver ce Daizō. Grâce à vous, j'ai au moins une idée de ce que je dois faire.

— Pourquoi ne pas passer chez moi le reste de la nuit ? Vous pourriez partir dans la matinée, après avoir pris le petit déjeuner.

— Vraiment ?

— Sûr. En traversant l'étang de Nobu, nous pouvons rentrer en moins de la moitié du temps que nous avons mis pour venir ici. J'ai demandé à l'homme ; il nous permet de prendre son bateau.

L'étang, au bout d'une petite marche pour descendre la colline, ressemblait à une gigantesque peau de tambour. Entouré de saules pourpres, il pouvait avoir douze à treize cents mètres de diamètre. L'ombre obscure du mont Koma se reflétait dans ses eaux, ainsi qu'un ciel plein d'étoiles.

Musashi tenant la torche, Gonnosuke manœuvrant la perche, ils glissaient en silence au milieu de l'étang. Le reflet de la torche dans l'eau calme était bien plus rouge que la torche même.

Crochets venimeux

De loin, la torche et son reflet avaient l'air d'un couple d'oiseaux de feu nageant à travers la calme surface de l'étang de Nobu.

— Quelqu'un vient ! chuchota Matahachi. Bon, nous irons par là, dit-il en tirant sur la corde avec laquelle il avait attaché Otsū. Allons !

— Je ne bougerai pas ! protesta la jeune fille.

— Debout !

Avec l'extrémité de la corde, il lui fouetta le dos, encore et encore. Mais chaque coup renforçait sa résistance. Matahachi perdit courage.

— ... Allons, viens, implora-t-il. Je t'en prie, marche.

Comme elle refusait toujours de se lever, la colère du jeune homme explosa de nouveau, et il la saisit au collet.

— ... Tu viendras, que ça te plaise ou non.

Otsū tenta de se tourner vers l'étang pour crier, mais il la bâillonna rapidement avec un mouchoir. Enfin, il parvint à l'entraîner jusqu'à un minuscule sanctuaire caché parmi les saules.

Otsū, brûlant d'avoir les mains libres pour attaquer son ravisseur, se disait qu'il serait merveilleux d'être métamorphosée en un serpent comme celui qu'elle voyait peint sur une plaque. Lové autour d'un saule, il sifflait en direction d'un homme qui lui jetait un sort.

— ... J'ai eu de la chance.

Avec un soupir de soulagement, il poussa la jeune fille dans le sanctuaire et referma la porte contre laquelle il s'appuya pesamment en regardant fixement le petit bateau accoster dans une crique, à environ quatre cents mètres de là.

Il avait passé une journée épuisante. Lorsqu'il avait tenté de recourir à la force brutale pour s'emparer d'Otsū, elle avait clairement indiqué qu'elle préférerait mourir plutôt que se soumettre. Elle avait été jusqu'à menacer de se trancher la langue avec les dents, et Matahachi la connaissait assez pour savoir qu'il ne s'agissait pas d'une menace vide. La frustration du jeune homme le poussa presque au meurtre, mais cette idée même lui ôta ses forces et calma sa convoitise.

Il n'arrivait pas à comprendre pourquoi la jeune fille aimait Musashi au lieu de l'aimer lui, alors que ç'avait si longtemps été l'inverse. Les femmes ne le préféraient-elles pas à son vieil ami ? Cela n'avait-il pas toujours été le cas ? Okō n'avait-elle pas été attirée aussitôt vers Matahachi lorsqu'ils l'avaient pour la première fois rencontrée ? Bien sûr que si. Il n'y avait qu'une seule explication possible : Musashi déblatérait sur lui derrière son dos. En méditant sur sa trahison, Matahachi se mit en fureur.

« Quel âne stupide et facile à duper je suis ! Comment ai-je pu le laisser se moquer à ce point de moi ? Dire que j'étais en larmes, à l'écouter parler d'éternelle amitié, et m'assurer combien elle lui était précieuse ! Ha ! »

Il se reprocha vertement de n'avoir pas tenu compte de la mise en garde de Sasaki Kojirō, qui résonnait encore à ses oreilles : « Si vous faites confiance à ce coquin de Musashi, vous le regretterez toute votre vie. »

Jusqu'à ce jour, il avait hésité entre l'affection et l'antipathie à l'égard de son ami d'enfance, mais maintenant il le vomissait. Et bien qu'il ne pût se résoudre à s'exprimer à voix haute, il pria en lui-même pour l'éternelle damnation de Musashi.

Il se persuadait que Musashi était son ennemi, né pour lui mettre des bâtons dans les roues à tous les coins de rue, et finalement pour le détruire. « Le sale hypocrite ! pensait-il. Il me rencontre après tant d'années, me dit que je dois me montrer un homme digne de ce nom, que je dois me ressaisir, que nous irons désormais main dans la main, amis pour la vie. Je me rappelle ses moindres mots... je le revois me dire tout ça avec une telle sincérité ! Rien que d'y penser, ça me rend malade. D'un bout à l'autre, il devait bien rire en lui-même... Les soi-disant justes de ce monde sont tous des faux jetons comme Musashi, se rassurait Matahachi. Eh bien, maintenant je les perce à jour. Ils ne peuvent plus me duper. Etudier un tas de livres stupides et subir toutes sortes d'épreuves à seule fin de devenir un hypocrite de plus, quelle absurdité ! A partir de maintenant, ils pourront me dire tout ce qu'ils voudront. Même si je dois recourir au crime pour cela, d'une manière ou d'une autre j'empêcherai ce coquin de devenir célèbre. Durant le reste de sa vie, je me mettrai en travers de sa route ! »

Il se retourna et poussa d'un coup de pied la porte. Puis il ôta le bâillon et dit froidement :

— ... Encore en train de pleurer ?

Pas de réponse.

— ... Réponds-moi ! Réponds à la question que je t'ai posée tout à l'heure.

Mis en fureur par son silence, il frappa du pied sa forme sombre, à terre. Elle s'écarta, hors de sa portée, et dit :

— Je n'ai rien à te répondre. Si tu veux me tuer, fais-le en homme.

— Ne dis pas de sottise ! Je suis décidé. Toi et Musashi, vous avez ruiné ma vie, et je me vengerai, quel que soit le temps qu'il faudra.

— Absurdité. Personne d'autre que toi-même ne t'a écarté de ta route. Bien sûr, cette Okō t'a peut-être donné un coup de main.

— Prends garde à ce que tu dis !

— Oh ! toi et ta mère !... Quelle famille ! Pourquoi faut-il toujours que vous haïssiez quelqu'un ?

— Tu parles trop ! Ce que je veux savoir, c'est ceci : vas-tu m'épouser, oui ou non ?

— Il m'est facile de répondre à cette question.

— Alors, réponds.

— Durant toute cette existence et l'éternité à venir, mon cœur est lié à un seul homme, Miyamoto Musashi. Comment pourrais-je aimer quelqu'un d'autre, sans parler d'une mauviette comme toi ? Je te déteste !

Matahachi se mit à trembler. Avec un rire cruel, il dit :

— Ainsi, tu me détestes ? Eh bien, c'est fâcheux, parce que, que ça te plaise ou non, à partir de cette nuit ton corps m'appartient !

Otsū frémissait de colère.

— ... Tu veux encore me résister ?

— J'ai été élevée dans un temple. Je n'ai jamais vu mon père ni ma mère. La mort ne m'effraie pas le moins du monde.

— Tu veux rire ? gronda-t-il en se laissant tomber par terre à côté d'elle et en pressant son visage contre le sien. Qui parle de mourir ? Te tuer ne me donnerait aucune satisfaction. Voici ce que je vais faire !

La saisissant par l'épaule et par le poignet gauche, il enfonça les dents à travers sa manche, en plein dans la partie supérieure de son bras. Elle cria et se débattit pour essayer de se dégager mais ne parvint qu'à accentuer la morsure. Il continua même lorsque le sang ruissela jusqu'au poignet qu'il tenait.

La face livide, elle s'évanouit de douleur. Sentant son corps s'abandonner, il la lâcha et vite, lui ouvrit de force la bouche afin de s'assurer qu'elle ne s'était pas vraiment tranché la langue. Elle avait le visage baigné de sueur.

— Otsū ! gémit-il. Pardonne-moi !

Et il la secoua jusqu'à ce qu'elle revînt à elle. Aussitôt qu'elle fut en état de parler, elle s'étendit tout de son long en poussant des plaintes hystériques :

— Oh ! que j'ai mal ! Que j'ai mal ! Jōtarō, Jōtarō, au secours !

Matahachi, pâle et le souffle court, lui dit :

— Tu as mal ? Tant pis ! Même une fois guérie, la marque de mes dents restera là longtemps. Que diront les gens lorsqu'ils verront ça ? Qu'en pensera Musashi ? J'imprime ça là pour que tout le monde sache qu'un de ces jours, tu m'appartiendras. Si tu veux t'enfuir, enfuis-toi, mais ainsi tu te souviendras toujours de moi.

Dans le sombre sanctuaire, légèrement embrumé de poussière, le silence n'était rompu que par les sanglots d'Otsū.

— ... Cesse de pleurnicher. Ça me tape sur les nerfs. Je ne te toucherai pas ; aussi, tais-toi. Veux-tu que j'aille te chercher de l'eau ?

Il prit sur l'autel une coupe en terre, et se disposa à sortir. Il eut la surprise de voir un homme debout au-dehors, qui regardait à l'intérieur. L'homme détala ; Matahachi bondit à sa suite et l'empoigna.

L'homme, un fermier qui se rendait au marché de gros de Shiojiri avec plusieurs sacs de grain empilés sur le dos de son cheval, tomba aux pieds de Matahachi en tremblant d'épouvante.

— Je ne faisais rien de mal. Seulement, j'ai entendu pleurer une femme et regardé à l'intérieur pour voir ce qui se passait.

— Vraiment ? C'est bien sûr ?

Il avait le comportement sévère d'un magistrat local.

— Oui ; je le jure.

— En ce cas, je te laisse la vie sauve. Ote ces sacs de sur le cheval, et attache cette femme à la place. Puis tu resteras avec nous jusqu'à ce que je n'aie plus besoin de toi.

Ses doigts menaçants jouaient avec la poignée de son sabre. Le fermier, trop effrayé pour désobéir, fit ce qu'on lui disait, et le trio se mit en route. Matahachi ramassa une baguette de bambou en guise de cravache.

— ... Nous allons à Edo et ne voulons pas de compagnie ; aussi, reste à l'écart de la grand-route, ordonna-t-il. Prends une route où nous ne rencontrerons personne.

— Ça n'est pas commode.

— Je me moque du fait que ce soit commode ou non ! Prends une route secondaire. Nous irons à Ina, et de là à Kōshū sans emprunter la grand-route.

— Mais ça nous oblige à grimper un très mauvais sentier de montagne entre Ubagami et le col de Gombei.

— Soit, va pour l'ascension ! Et n'essaie pas de tricher, ou je te fends le crâne. Je n'ai pas spécialement besoin de toi. Tout ce que je veux, c'est le cheval. Tu devrais me remercier de t'emmener avec moi.

Le sombre sentier paraissait devenir plus abrupt à chaque pas. Le temps d'arriver à Ubagami, à peu près à mi-pente, hommes et cheval tombaient de fatigue. A leurs pieds, des nuages moutonnaient. Une faible lueur teintait le ciel à l'orient. Otsū avait chevauché toute la nuit sans prononcer un mot ; mais quand elle vit les rayons du soleil, elle dit doucement :

— Matahachi, je t'en prie, laisse aller cet homme. Rends-lui son cheval. Je promets de ne pas m'enfuir.

Matahachi hésitait, mais elle renouvela sa prière une troisième et une quatrième fois ; il céda. Tandis que le fermier s'éloignait, Matahachi dit à Otsū :

— Maintenant, viens avec moi sans te plaindre, et n'essaie pas de t'enfuir.

Elle posa la main sur son bras blessé, se mordit la lèvre et dit :

— Je ne m'enfuirai pas. Tu ne crois tout de même pas que je veuille montrer à quiconque la marque sur moi de tes crochets venimeux ?

Une mise en garde maternelle

— Mère, dit Gonnosuke, tu vas trop loin. Tu ne vois donc pas que je suis bouleversé, moi aussi ?

Il balbutiait en pleurant.

— Chut ! Tu vas le réveiller.

La voix de sa mère était douce, mais sévère. On aurait dit qu'elle grondait un enfant de trois ans.

— ... Si tu es si malheureux, la seule chose à faire est de te ressaisir et de suivre la Voie de tout ton cœur. Pleurer ne t'avancera à rien. Du reste, c'est inconvenant. Essuie-toi la figure.

— D'abord, promets de me pardonner mon honteux combat d'hier.

— Mon Dieu, je n'ai pu m'empêcher de te gronder mais je suppose après tout que c'est une question d'adresse. On dit que plus un homme reste sans affronter un défi, plus il s'affaiblit. Il n'est que naturel que tu aies été vaincu.

— Entendre ça de ta bouche le rend d'autant plus pénible. Malgré tous tes encouragements, j'ai été vaincu. Je vois bien, maintenant, que je n'ai ni le talent ni l'esprit qu'il faut pour être un véritable guerrier. Je vais devoir renoncer aux arts martiaux, et me contenter d'être fermier. Je peux faire plus pour toi avec ma houe qu'avec mon bâton.

Musashi était déjà réveillé. Il se redressa, stupéfait que le jeune homme et sa mère eussent pris tellement au sérieux l'échauffourée. Lui-même l'avait déjà chassée de son esprit comme une erreur de sa part aussi bien que de celle de

Gonnosuke. « Quel sens de l'honneur ! » murmura-t-il en se glissant dans la pièce voisine. Il la traversa et colla son œil à la fente, entre les panneaux du shoji.

Faiblement éclairée par le soleil levant, la mère de Gonnosuke était assise dos à l'autel bouddhiste. Gonnosuke se tenait agenouillé devant elle avec humilité, les yeux baissés, la face ruisselante de larmes. Saisissant le dos de son col, elle lui demanda sur un ton véhément :

— Qu'est-ce que tu dis ? Qu'est-ce que c'est que cette histoire, de rester fermier toute ta vie ?

Elle l'attira plus près jusqu'à ce que sa tête reposât sur ses genoux, et reprit avec indignation :

— ... Une seule chose m'a maintenue en vie, toutes ces années : l'espérance de pouvoir faire de toi un samouraï, et de restaurer le renom de notre famille. C'est pourquoi je t'ai fait lire tous ces livres, et apprendre les arts martiaux. Et c'est pourquoi je suis parvenue à vivre de si peu, toutes ces années. Et maintenant... maintenant, tu dis que tu vas tout envoyer promener !

Elle se mit à pleurer, elle aussi.

— ... Puisque tu l'as laissé l'emporter sur toi, il faut songer à te venger. Il est encore ici. Quand il se réveillera, provoque-le à un nouveau combat. C'est le seul moyen de regagner ta confiance en toi.

Gonnosuke, levant la tête, dit avec tristesse :

— Si je pouvais faire ça, mère, je n'éprouverais pas ce que j'éprouve en ce moment.

— Qu'est-ce qui te prend ? Tu ne te conduis pas comme d'habitude. Où donc est ton courage ?

— La nuit dernière, quand je suis allé avec lui à l'étang, j'ai guetté une occasion de l'attaquer, mais je n'ai pu m'y décider. Je me disais sans arrêt qu'il n'était qu'un rōnin obscur. Pourtant, quand je l'examinais avec attention, mon bras refusait de bouger.

— C'est parce que tu penses comme un lâche.

— Et alors ? Ecoute : je sais que le sang d'un samouraï de Kiso coule dans mes veines. Je n'ai pas oublié comment j'ai prié durant vingt et un jours devant le dieu d'Ontake.

— N'as-tu pas juré devant le dieu d'Ontake que tu te servirais de ton bâton pour créer ta propre école ?

— Si, mais je crois que j'avais trop de confiance en moi. Je ne me suis pas dit qu'il y a d'autres hommes qui savent se battre, eux aussi. Si je suis aussi immature que je me suis montré hier, comment pourrai-je jamais fonder mon école à moi ? Plutôt que de vivre dans la pauvreté et de te voir mourir de faim, je ferais mieux de casser en deux mon bâton et de penser à autre chose.

— Jusqu'ici, tu n'as jamais été vaincu, et tu as disputé un grand nombre de combats. Peut-être que le dieu d'Ontake voulait te donner une leçon grâce à ta défaite d'hier. Peut-être es-tu puni de ton excès de confiance. Renoncer au bâton pour prendre davantage soin de moi n'est pas le moyen de me rendre heureuse. Quand ce rōnin se réveillera, provoque-le. Si tu perds à nouveau, alors il sera temps de briser ton bâton et de renoncer à tes ambitions.

Musashi regagna sa chambre afin de réfléchir à la question. Si Gonnosuke le défiait, il lui faudrait se battre. Et s'il se battait, il savait bien qu'il gagnerait. Il écraserait Gonnosuke, et sa mère en aurait le cœur déchiré.

« Il n'y a rien à faire pour éviter cela », conclut-il.

Il ouvrit sans bruit la porte coulissante qui donnait sur la véranda, et sortit. Le soleil du matin répandait une clarté blanchâtre à travers les arbres. A l'angle de la cour, près d'une grange, se tenait la vache, heureuse du nouveau jour et de l'herbe qui poussait à ses pieds. Musashi adressa un adieu silencieux à l'animal, franchit le rideau d'arbres, et s'éloigna à grands pas sur un sentier qui serpentait à travers champs.

Ce jour-là, le mont Koma était visible du pied au sommet. D'innombrables nuages, petits et cotonneux, chacun de forme différente, se jouaient dans la brise.

« Jōtarō est petit, Otsū est faible, se disait-il. Mais il y a des gens assez bons pour prendre soin des jeunes et des faibles. Une quelconque puissance de l'univers décidera si je les retrouverai ou non. » L'esprit de Musashi, bouleversé depuis le jour de la chute d'eau, avait paru en danger de perdre le sens de la direction. Maintenant, il revenait à la voie qu'il était fait pour suivre. Par un matin comme celui-ci, ne penser qu'à Otsū et

Jōtarō paraissait de la myopie, quelle que fût leur importance à ses yeux. Il devait maintenir son esprit sur la Voie qu'il avait juré de suivre à travers toute cette vie et jusque dans l'autre.

Narai, qu'il atteignit un peu après midi, était une communauté florissante. Une boutique exposait à l'étalage toute une variété de peaux. Une autre se spécialisait dans les peignes de Kiso.

Dans l'intention de demander son chemin, Musashi passa la tête à l'intérieur d'une échoppe qui vendait une drogue à base de fiel d'ours. Sur une enseigne on lisait « Le Gros Ours », et près de l'entrée il y avait un gros ours en cage. Le patron, le dos tourné, acheva de se verser une tasse de thé en disant :

— Que puis-je pour vous ?

— Pourriez-vous m'indiquer le magasin d'un certain Daizō ?

— Daizō ? Il est là-bas, au prochain carrefour.

L'homme sortit, sa tasse de thé à la main, et désigna un point de la route. Apercevant son apprenti qui rentrait d'une course, il l'appela :

— ... Viens ici. Ce monsieur veut aller chez Daizō. Pour qu'il ne risque pas de le manquer, tu ferais mieux de l'y accompagner.

L'apprenti, qui portait la tête rasée de manière à laisser une touffe de cheveux devant et une autre derrière, mais rien sur le dessus, repartit, Musashi à sa remorque. Ce dernier, reconnaissant pour le service rendu, se fit la réflexion que Daizō devait jouir du respect des autres habitants de sa ville.

— C'est là-bas, dit le garçon en désignant l'établissement situé sur la gauche et en tournant aussitôt les talons.

Musashi, qui s'était attendu à une boutique pareille à celles où s'approvisionnaient les voyageurs, fut surpris. La vitrine grillagée avait plus de cinq mètres de longueur, et derrière le magasin se trouvaient deux entrepôts. La maison, vaste et qui semblait s'étendre à bonne distance derrière le haut mur qui fermait le reste de l'enceinte, possédait une entrée imposante, pour le moment fermée. Avec une certaine hésitation, Musashi ouvrit la porte et cria :

— Bonjour !

L'intérieur spacieux, peu éclairé, lui évoquait celui d'une

distillerie de saké. A cause du sol en terre battue, l'air était d'une agréable fraîcheur.

Un homme se tenait debout devant un classeur de comptable, dans le bureau, une salle au sol surélevé couvert de tatami. Musashi referma derrière lui la porte, et exposa le but de sa visite. Avant qu'il n'eût terminé, l'employé acquiesça du chef et dit :

— Tiens, tiens, alors, vous venez pour le garçon.

Il s'inclina et offrit à Musashi un coussin.

— ... J'ai le regret de vous dire que vous le manquez de peu. Il est arrivé vers minuit, alors que nous préparions le voyage du maître. Il semble que l'on ait enlevé la femme avec laquelle il voyageait ; il voulait que le maître l'aide à la retrouver. Le maître a répondu qu'il essaierait volontiers, mais qu'il ne pouvait rien lui promettre. Si elle avait été prise par un maraudeur ou un bandit du voisinage, ça ne serait pas difficile. Mais il semblait s'agir d'un autre voyageur, et il aurait soin de rester à l'écart des grand-routes... Ce matin, le maître a envoyé des gens faire des recherches, mais ils n'ont trouvé aucun indice. En l'apprenant, le gosse était effondré ; aussi, le maître lui a proposé de l'emmener avec lui. Alors, ils pourraient rechercher la jeune fille en route, ou même peut-être qu'ils tomberaient sur vous. L'enfant avait l'air vivement désireux d'y aller, et ils sont partis peu après. Je suppose qu'il y a environ quatre heures de ça. Quel dommage que vous les ayez manqués !

Musashi était bien déçu ; pourtant, il ne serait pas arrivé à temps, même en partant plus tôt et en allant plus vite. Il se consolait en songeant au lendemain.

— Où va Daizō ? demanda-t-il.

— Difficile à dire. Nous ne tenons pas boutique au sens ordinaire. Les herbes sont préparées dans les montagnes, et apportées ici. Deux fois par an, au printemps et à l'automne, des commis voyageurs nous approvisionnent et prennent la route. Etant donné que le maître n'est pas très occupé, il fait souvent des petits voyages ; tantôt il se rend à des temples ou des sanctuaires, tantôt à des stations de sources chaudes ; d'autres fois, il va voir des paysages célèbres. Cette fois-ci, je suppose qu'il ira au Zenkōji, qu'il circulera un peu autour d'Echigo, puis continuera jusqu'à Edo. Mais ce n'est là qu'une supposition. Il n'a jamais dit où il allait... Voulez-vous du thé ?

Musashi attendait impatiemment, mal à l'aise en un pareil endroit, pendant que l'on allait chercher du thé frais à la cuisine. Quand le thé arriva, il demanda à quoi ressemblait Daizō.

— Oh ! si vous le voyez vous le reconnaîtrez tout de suite. Il a cinquante-deux ans, très robuste — fort, même —, plutôt carré, la face rougeaude avec quelques marques de petite vérole. La tempe droite dégarnie.

— Quelle taille ?

— Moyenne, il me semble.

— Comment s'habille-t-il ?

— Maintenant que vous me posez la question, j'imagine que c'est le moyen le plus facile de le reconnaître. Il porte un kimono de coton de Chine à rayures qu'il s'est commandé à Sakai spécialement pour ce voyage. Il s'agit d'un tissu très original. Je doute que personne d'autre le porte encore.

Musashi se fit une idée du caractère de l'homme aussi bien que de son aspect. Par politesse, il s'attarda assez longtemps pour terminer son thé. Il ne pouvait les rattraper avant le coucher du soleil, mais calcula qu'en voyageant de nuit, il serait à l'aube au col de Shiojiri, et pourrait les y attendre.

Lorsqu'il arriva au pied du col, le soleil avait disparu, et une brume vespérale tombait doucement sur la grand-route. On était à la fin du printemps ; les lumières, dans les maisons du bord de la route, soulignaient la solitude des montagnes. Il y avait encore près de huit kilomètres jusqu'au sommet du col. Musashi continua de grimper sans s'arrêter pour reprendre haleine avant d'atteindre Inojigahara, un haut plateau situé juste à côté du col. Là, il s'étendit sous les étoiles, et laissa vagabonder son esprit. Il ne fut pas long à s'endormir profondément.

Le minuscule sanctuaire de Sengen marquait la cime de l'éminence rocheuse qui se dressait comme un furoncle sur le plateau. C'était le point le plus élevé de la région de Shiojiri.

Le sommeil de Musashi fut interrompu par un bruit de voix :

— Monte donc ici ! criait un homme. On peut voir le mont Fuji.

Musashi se mit sur son séant, et regarda autour de lui sans voir personne. La lumière matinale était éblouissante. Et là, flottant sur un océan de nuages, se dressait le cône rouge du mont Fuji, encore vêtu de son manteau de neige hivernal. Cette vision fit monter à ses lèvres un cri de joie enfantine. Il avait vu des tableaux figurant la célèbre montagne, et s'en était formé une image mentale, mais c'était la première fois qu'il la voyait en réalité. Bien qu'à près de cent cinquante kilomètres de distance, elle avait l'air au même niveau que lui.

« Magnifique », soupira-t-il, sans se donner la peine d'essuyer les larmes de ses yeux qui ne clignaient pas.

Il se sentait impressionné par sa propre petitesse, attristé à la pensée de son insignifiance dans l'immensité de l'univers. Depuis sa victoire au pin parasol, il avait en secret osé penser que rares étaient les hommes aussi qualifiés que lui pour être appelés grands hommes d'épée, si tant est qu'il en existât. Sa propre vie sur la terre était brève, limitée ; éternelle, la beauté, la splendeur du mont Fuji. Agacé, un peu déprimé, il se demanda comment il pouvait attacher la moindre importance à ses exploits au sabre.

Il y avait un caractère inévitable dans la façon dont la nature se dressait majestueusement et sévèrement au-dessus de lui ; il était dans l'ordre des choses qu'il fût condamné à rester au-dessous d'elle. Il tomba à genoux devant la montagne en espérant que sa présomption lui serait pardonnée, et joignit les mains pour prier — pour l'éternel repos de sa mère, pour la sécurité d'Otsū et Jōtarō. Il exprima ses remerciements à son pays, et supplia qu'il lui fût permis de devenir un grand homme, même s'il ne pouvait partager la grandeur de la nature.

Pourtant, même à genoux, des pensées étrangères affluaient à son esprit. Qu'est-ce qui lui avait fait croire que l'homme était petit ? La nature elle-même n'était-elle grande que lorsqu'elle se reflétait en des yeux humains ? Les dieux eux-mêmes n'existaient-ils que lorsqu'ils communiquaient avec le cœur des mortels ? Les hommes — esprits vivants, et non pierre morte — accomplissaient les plus grandes de toutes les actions.

« En tant qu'homme, se disait-il, je ne suis pas tellement éloigné des dieux et de l'univers. Je puis les toucher avec le sabre de trois pieds que je porte. Mais non point tant que je sentirai qu'il existe une distinction entre la nature et l'humanité. Non point tant que je resterai éloigné du domaine du véritable expert, de l'homme pleinement développé. »

Sa contemplation fut interrompue par le bavardage de quelques marchands grimpés à proximité de l'endroit où il était, et qui admiraient le pic.

— Ils disaient vrai. On peut le voir.

— Pourtant, ça n'est pas souvent que l'on peut s'incliner d'ici devant la montagne sacrée.

Les voyageurs se déplaçaient dans les deux sens en cortèges de fourmis, chargés de tout un assortiment de bagages. Tôt ou tard, Daizō et Jōtarō graviraient la colline. Si par hasard il ne réussissait pas à les distinguer parmi les autres voyageurs, à coup sûr ils verraient la pancarte qu'il avait laissée au pied de la falaise : « A Daizō de Narai. Je souhaite vous voir à votre passage du col. J'attendrai au-dessus, au sanctuaire. Musashi, maître de Jōtarō. »

Maintenant, le soleil était bien au-dessus de l'horizon. D'un œil d'aigle, Musashi avait surveillé la route, mais pas trace de Daizō. De l'autre côté du col, la route se divisait en trois. L'un des embranchements, en passant par Kōshū, gagnait directement Edo. Un autre, la route principale, franchissait le col d'Usui pour entrer dans Edo par le nord. Un troisième se détournait vers les provinces du Nord. Que Daizō se dirigeât vers l'est pour gagner Edo, ou vers le nord pour gagner le Zenkōji, il devrait emprunter ce col. Toutefois, Musashi se rendait bien compte que les gens ne se déplacent pas toujours comme on s'y attendrait. Le marchand de gros pouvait s'être écarté des sentiers battus, ou passer une seconde nuit au pied de la montagne. Musashi se dit que ce ne serait peut-être pas une mauvaise idée que d'y retourner s'informer au sujet de Daizō.

Il commençait à descendre le sentier taillé à flanc de falaise, lorsqu'il entendit une voix rauque qui lui était familière :

— Le voilà, là-haut !

Cette voix lui évoqua aussitôt le bâton qui lui avait frôlé le corps, deux nuits auparavant.

— ... Descendez de là ! criait Gonnosuke, bâton en main, foudroyant Musashi du regard. Vous avez fui ! Vous vous disiez que je vous provoquerais, et vous vous êtes défilé. Descendez me combattre encore une fois !

Musashi s'arrêta entre deux rochers, s'appuya contre l'un d'eux, et regarda fixement Gonnosuke en silence. Comprenant par là qu'il ne viendrait pas, Gonnosuke dit à sa mère :

— ... Attends ici. Je monte là-haut le jeter en bas. Regarde un peu.

— Halte ! gronda sa mère, à califourchon sur la vache. Voilà ce qui ne va pas, avec toi. Tu es impatient. Il faut apprendre à lire les pensées de ton ennemi avant de voler au combat. Imagine qu'il te lance une grosse pierre dessus, qu'est-ce que tu dirais ?

Musashi entendait leurs voix, mais les paroles n'étaient pas nettes. Pour ce qui le concernait, il avait déjà gagné ; il comprenait déjà comment Gonnosuke se servait de son bâton. Ce qui le bouleversait, c'était leur amertume et leur désir de revanche. Si Gonnosuke perdait à nouveau, ils en éprouveraient d'autant plus de ressentiment. Depuis son aventure avec la Maison de Yoshioka, Musashi connaissait la folie de prendre part à des duels qui menaient à une hostilité encore plus grande. Et puis, il y avait la mère de cet homme, en qui Musashi voyait une seconde Osugi, une femme qui aimait aveuglément son fils et nourrirait une éternelle rancune envers quiconque lui porterait tort. Musashi fit demi-tour et se mit à grimper.

— Attendez !

Retenu par la force de la voix de la vieille femme, Musashi s'arrêta et se retourna.

Elle descendit de sa monture et s'avança jusqu'au pied de la falaise. Une fois certaine d'avoir obtenu son attention, elle s'agenouilla, posa les deux mains à terre et s'inclina profondément.

Musashi n'avait rien fait pour qu'elle s'humiliât devant lui mais, du sentier caillouteux, il lui rendit de son mieux sa révérence. Il tendit la main comme afin de la relever.

— ... Bon samouraï! cria-t-elle. J'ai honte de paraître ainsi devant vous. Je suis sûre que vous n'avez que mépris pour mon entêtement. Mais je n'agis ni par haine, ni par méchanceté ni par mauvaise volonté. Je vous prie de prendre pitié de mon fils. Voilà dix ans qu'il s'exerce tout seul : ni maîtres, ni amis, ni adversaires vraiment dignes de lui. Je vous supplie de lui donner une autre leçon dans l'art du combat.

Musashi écoutait en silence.

— ... Je serais consternée de vous voir nous quitter ainsi, continua-t-elle avec émotion. La performance de mon fils, avant-hier, ne valait rien. S'il ne fait pas quelque chose pour prouver sa valeur, ni lui ni moi ne pourrons regarder en face nos ancêtres. En cet instant, il n'est rien de plus qu'un fermier qui a perdu un combat. Etant donné qu'il a eu la chance de rencontrer un guerrier de votre stature, il serait grand dommage pour lui de ne point profiter de cette expérience. Voilà pourquoi je l'ai amené ici. Je vous implore d'écouter mes supplications et de relever son défi.

Son discours achevé, elle s'inclina de nouveau, presque comme si elle se fût prosternée aux pieds de Musashi. Il descendit la colline, lui prit la main et l'aida à remonter sur la vache.

— Gonnosuke, dit-il, prenez la corde. Discutons en marchant de cette affaire. Je vais réfléchir à la question de savoir si je veux ou non vous combattre.

Musashi marchait légèrement devant eux, et, bien qu'il eût proposé de discuter la question, ne soufflait mot. Gonnosuke ne quittait pas le dos de Musashi de son regard soupçonneux ; de temps à autre, il donnait sans y penser un petit coup aux pattes de la vache. Sa mère avait l'air anxieuse, inquiète. Peut-être avaient-ils parcouru un kilomètre et demi quand Musashi poussa un grognement et se retourna.

— ... Je me battrai contre vous, dit-il.

Lâchant la corde, Gonnosuke répliqua :

— Etes-vous prêt maintenant ?

Il regarda autour de lui pour vérifier sa position, comme disposé à en découdre sur-le-champ. Sans tenir compte de lui, Musashi s'adressa à sa mère :

— Etes-vous préparée au pire ? Il n'y a pas un atome de différence entre une rencontre comme celle-ci et une lutte à mort, même si les armes diffèrent.

Pour la première fois, la vieille femme se mit à rire.

— Inutile de me dire cela. S'il est vaincu par un homme plus jeune tel que vous, alors il fera mieux de renoncer aux arts martiaux, et dans ce cas, à quoi bon continuer de vivre ? Si les choses se passent ainsi, je ne vous garderai pas rancune.

— Alors, soit.

Il ramassa la corde que Gonnosuke avait jetée à terre.

— ... Si nous restons sur la route, les gens nous gêneront. Attachons la vache, et je me battrai aussi longtemps que vous le souhaiterez.

Il y avait un énorme mélèze en plein milieu de la surface plate où ils se trouvaient. Musashi le désigna et les y conduisit.

— ... Préparez-vous, Gonnosuke, dit-il calmement.

Gonnosuke n'avait pas besoin d'être stimulé. En un instant, il fut debout devant Musashi, le bâton pointé vers le sol. Musashi se tenait là, les mains vides, les épaules et les bras détendus.

— Vous n'allez pas vous préparer ? demanda Gonnosuke.

— Pour quoi faire ?

La colère de Gonnosuke explosa :

— Allez chercher quelque chose pour vous battre avec. Ce que vous voudrez.

— Je suis prêt.

— Sans arme ?

— J'ai mon arme ici, répliqua Musashi en portant la main gauche à la poignée de son sabre.

— Vous vous battez au sabre ?

La seule réponse de Musashi fut un petit sourire en coin. Il en était déjà au stade où il ne pouvait se permettre de gaspiller son souffle en paroles. Sous le mélèze se tenait assise la mère de Gonnosuke, pareille à un bouddha de pierre.

— Ne vous battez pas encore. Attendez ! dit-elle.

Les yeux fixés l'un sur l'autre, sans faire le moindre mouvement, les deux hommes ne semblaient pas entendre. Le bâton de Gonnosuke attendait sous son bras l'occasion de frapper comme s'il avait inhalé tout l'air du plateau, et se trouvait sur le point de l'exhaler en un seul grand coup cinglant. Musashi avait la main collée sous la poignée de son sabre, et ses yeux paraissaient percer le corps de Gonnosuke. A l'intérieur, la bataille avait déjà commencé car l'œil peut endommager un homme plus gravement qu'un sabre ou qu'un bâton. Une fois que l'œil a opéré la première percée, le sabre ou le bâton pénètre sans effort.

— ... Attendez ! cria de nouveau la mère.

— Qu'y a-t-il ? demanda Musashi, sautant de quatre ou cinq pieds en arrière pour se mettre à l'abri.

— Vous vous battez avec un vrai sabre ?

— De la façon dont je me bats, ça ne fait aucune différence que j'utilise un sabre de bois ou bien un sabre véritable.

— Je n'essaie pas de vous empêcher.

— Je veux être sûr que vous comprenez. Le sabre, de bois ou d'acier, est un absolu. Dans un véritable duel, il n'y a pas de demi-mesures. L'unique moyen d'éviter le risque est de fuir.

— Vous avez parfaitement raison, mais j'ai pensé que dans une rencontre de cette importance, vous deviez vous déclarer de façon protocolaire. Chacun de vous affronte un adversaire tel qu'il en affrontera peu souvent. Le combat une fois terminé, il sera trop tard.

— Exact.

— Gonnosuke, nomme-toi le premier.

Gonnosuke s'inclina cérémonieusement devant Musashi.

— Notre lointain ancêtre passe pour avoir été Kakumyō qui s'est battu sous la bannière du grand guerrier de Kiso, Minamoto no Yoshinaka. Après la mort de Yoshinaka, Kakumyō est devenu un disciple de saint Hōnen, et il se peut que nous soyons de la même famille que lui. A travers les siècles, nos ancêtres ont vécu dans cette région mais à la génération de mon père nous avons subi le déshonneur ; je me tairai là-dessus. Dans ma détresse, je me suis rendu avec ma mère au sanctuaire d'Ontake, où j'ai fait vœu par écrit de restaurer notre bon renom en suivant la Voie du samouraï. Devant le dieu du sanctuaire d'Ontake, j'ai acquis ma technique du bâton. Je la nomme le style Musō, c'est-à-dire le style de la Vision car j'en ai reçu la révélation au sanctuaire. Les gens m'appellent Musō Gonnosuke.

Musashi lui rendit son salut.

— Ma famille descend de Hirata Shōgen, dont la maison était une branche des Akamatsu de Harima. Je suis le fils unique de Shimmen Munisai, lequel vivait au village de Miyamoto, dans le Mimasaka. L'on m'a donné le nom de Miyamoto Musashi. Je n'ai pas de parents proches, et j'ai consacré ma vie à la Voie du sabre. Si je devais tomber sous votre bâton, inutile de vous soucier de mes restes.

Reprenant sa posture, il cria :

— ... En garde !

— En garde !

La vieille femme semblait à peine respirer. Loin que le péril eût fondu sur elle et son fils, elle s'était dérangée pour le chercher, exposant délibérément son fils au sabre étincelant de Musashi. Pareille conduite eût été inimaginable pour une mère ordinaire, mais elle était convaincue que c'était la seule chose à faire. Maintenant, elle se tenait assise de façon protocolaire, les épaules un peu voûtées, les mains disposées comme il fallait sur ses genoux, l'une sur l'autre. Son corps paraissait petit, ratatiné ; l'on aurait eu peine à croire qu'elle avait mis plusieurs enfants au monde, qu'elle les avait tous enterrés sauf un, et qu'elle s'était obstinée, à travers d'innombrables difficultés, à faire un guerrier du seul survivant.

Ses yeux brillaient comme si tous les dieux et bodhisattva de l'univers s'étaient rassemblés dans sa personne en vue d'assister au combat.

A l'instant où Musashi dégaina, Gonnosuke sentit un frisson lui parcourir le corps. Il sentait instinctivement que son sort, exposé au sabre de Musashi, était déjà décidé car à ce moment il voyait devant lui un homme qu'il n'avait pas vu auparavant. L'avant-veille, il avait observé Musashi dans une humeur fluide, flexible, une humeur que l'on pourrait assimiler aux lignes souples, coulantes, de la calligraphie en style cursif.

Il ne s'attendait pas à l'homme qu'il avait en face de lui maintenant, un modèle d'austérité pareil à un caractère carré, écrit sans bavure avec chaque ligne et chaque point bien en place.

Se rendant compte qu'il avait mal jugé son adversaire, il se trouvait incapable de se lancer dans un violent assaut comme auparavant. Son bâton restait brandi mais impuissant au-dessus de sa tête.

Tandis que les deux hommes s'affrontaient en silence, les dernières brumes du matin se dissipaient. Un oiseau vola paresseusement entre eux et la montagne imprécise, au loin. Puis, tout à coup, un cri aigu déchira l'air, comme si l'oiseau était tombé droit au sol. Impossible de savoir si ce son provenait du sabre ou du bâton. Il était irréel : le claquement d'une seule main dont parlent les adeptes du Zen.

Simultanément, les corps des deux combattants, se mouvant en parfaite coordination avec leurs armes, changèrent de position. Ce changement prit moins de temps qu'il n'en faut à une image pour être transmise de l'œil au cerveau. Gonnosuke avait manqué son coup. Musashi, sur la défensive, avait relevé l'avant-bras du flanc de Gonnosuke en un point situé au-dessus de sa tête, manquant de peu son épaule et sa tempe droites. Musashi recourait alors à son magistral choc en retour, celui qui avait précédemment fait échouer tous ses adversaires ; mais Gonnosuke, empoignant à deux mains son bâton près des extrémités, arrêta le sabre au-dessus de sa propre tête.

Si le sabre n'avait pas rencontré le bois obliquement, l'arme de Gonnosuke aurait à coup sûr été fendue en deux. En changeant de position, il avait avancé le coude gauche et levé le droit dans l'intention de frapper Musashi au plexus solaire ; mais à ce qui aurait dû être l'instant de l'impact, le bout du bâton se trouvait encore à quelques millimètres du corps de Musashi.

Sabre et bâton croisés au-dessus de la tête de Gonnosuke, aucun des deux adversaires ne pouvait avancer ni reculer. Tous deux savaient qu'un faux mouvement signifiait la mort brutale. Bien que la position fût analogue à une impasse sabre contre sabre, Musashi était conscient des importantes différences entre sabre et bâton. Il saute aux yeux qu'un bâton n'a ni garde, ni lame, ni poignée, ni pointe. Pourtant, aux mains d'un spécialiste tel que Gonnosuke, n'importe quelle partie de l'arme de quatre pieds pouvait devenir lame, pointe ou poignée. Le bâton était donc beaucoup plus universel que le sabre, et pouvait même servir de courte lance.

Dans l'incapacité de prévoir la réaction de Gonnosuke, Musashi ne pouvait retirer son arme. Mais Gonnosuke se trouvait dans une situation plus périlleuse encore : son arme jouait le rôle passif consistant à arrêter la lame de Musashi. S'il laissait son esprit hésiter ne fût-ce qu'un instant, le sabre lui ouvrait le crâne.

Sa face pâlit ; il se mordit la lèvre inférieure ; une sueur épaisse brilla aux coins bridés de ses yeux. Tandis que les armes croisées commençaient à trembler, son souffle se fit plus court.

— Gonnosuke ! s'écria sa mère, plus livide que son fils.

Elle dressa le buste et se claqua la hanche.

— ... Ta hanche est trop haute ! cria-t-elle, puis elle tomba en avant.

Elle semblait avoir perdu connaissance ; elle avait eu la voix d'une personne qui crache le sang.

Sabre et bâton avaient paru devoir rester immobiles jusqu'à ce que les combattants se changeassent en pierre. Au cri de la vieille femme, ils se séparèrent avec une force plus effrayante que celle avec laquelle ils s'étaient heurtés.

Musashi, d'un coup de ses talons dans le sol, bondit en arrière de plus de deux mètres. En un éclair, Gonnosuke et la longueur de son bâton comblèrent l'intervalle. Musashi parvint de justesse à sauter de côté.

Contrecarré dans son attaque où il risquait le tout pour le tout, Gonnosuke trébucha en avant, perdit l'équilibre en exposant son dos. Musashi fut rapide comme un faucon pèlerin ; un mince éclair entra en contact avec les muscles dorsaux de son adversaire, lequel, poussant un meuglement de veau terrifié, tomba face contre terre. Musashi se laissa choir dans l'herbe, la main à son cœur.

— J'abandonne ! cria-t-il.

Gonnosuke se taisait. Sa mère, trop accablée pour parler, couvait sa forme prostrée d'un regard hébété.

— ... Je me suis servi de l'arête du sabre, dit Musashi en se tournant vers elle.

Comme elle ne semblait pas comprendre, il reprit :

— ... Allez lui chercher de l'eau. Il n'est pas gravement blessé.

— Quoi ? cria-t-elle, incrédule.

Voyant qu'il n'y avait pas de sang sur le corps de son fils, elle vint près de lui en titubant et l'étreignit. Elle cria son nom, lui apporta de l'eau puis le secoua jusqu'à ce qu'il reprît connaissance. Durant quelques minutes, Gonnosuke considéra Musashi d'un regard vide, puis s'approcha de lui et se prosterna.

— Je regrette, dit-il avec simplicité. Vous êtes trop fort pour moi.

Musashi, comme s'éveillant d'une transe, lui saisit la main et répliqua :

— Pourquoi dites-vous ça ? Vous n'avez pas perdu ; c'est moi qui ai perdu.

Il ouvrit le devant de son kimono.

— ... Regardez.

Il désignait une tache rouge à l'endroit où le bâton l'avait frappé.

— .. Un peu plus, et j'étais tué.

Sa voix tremblait car, en vérité, il n'avait pas encore compris quand ni comment il avait reçu la blessure. Gonnosuke et sa mère regardaient fixement la marque rouge, mais se taisaient.

Remettant son kimono en place, Musashi demanda à la vieille femme pourquoi elle avait mis son fils en garde au sujet de ses hanches. Avait-elle observé dans sa posture quelque chose de fautif ou de dangereux ?

— Mon Dieu, je ne suis pas experte en ces matières, mais en le voyant consacrer toutes ses forces à écarter votre sabre, il m'a semblé qu'il manquait une occasion. Il ne pouvait ni avancer ni reculer, et il était trop excité. Mais j'ai vu que s'il abaissait tout simplement les hanches, en tenant les mains telles qu'elles étaient, le bout de son bâton vous frapperait naturellement la poitrine. Tout cela s'est passé en une seconde. Sur le moment, je n'étais pas vraiment consciente de ce que je disais.

Musashi approuvait de la tête ; il se considérait comme chanceux d'avoir reçu une leçon utile sans devoir la payer de sa vie. Gonnosuke, lui aussi, écoutait avec respect ; il avait à coup sûr appris également quelque chose de nouveau. Ce qu'il venait de vivre n'était pas une révélation éphémère, mais un voyage à la frontière entre la vie et la mort. Sa mère, le voyant au bord du désastre, lui avait donné une leçon de survie.

Des années plus tard, quand Gonnosuke eut mis au point son propre style et fut devenu célèbre, il nota la technique découverte en cette circonstance par sa mère. Bien qu'il s'étendît assez longuement sur la dévotion de sa mère et sur son combat avec Musashi, il s'abstint d'écrire qu'il l'avait emporté. Au contraire, durant le reste de sa vie il dit aux gens qu'il avait perdu, et que sa défaite avait représenté pour lui une leçon inestimable.

Musashi, ayant souhaité bonne chance à la mère et au fils, poursuivit son chemin d'Inojigahara à Kamisuwa sans savoir qu'il était suivi par un samouraï qui demandait à tous les palefreniers des relais de chevaux, ainsi qu'aux autres voyageurs, s'ils avaient vu Musashi sur la route.

L'idylle d'un soir

Musashi souffrait de sa blessure ; aussi, au lieu de s'attarder à Kamisuwa pour enquêter sur Otsū et Jōtarō, continua-t-il sa route jusqu'aux sources chaudes de Shimosuwa. Cette ville, située au bord du lac Suwa, était assez importante : les seules maisons des bourgeois dépassaient le millier.

A l'auberge destinée aux daimyōs, les bains étaient couverts ; sinon, les bassins situés le long de la route se trouvaient à ciel ouvert et accessibles à tout le monde.

Musashi suspendit ses vêtements et ses sabres à un arbre, et se délassa dans l'eau fumante. Tout en massant l'enflure, à droite de son ventre, il reposa la tête contre une pierre, au bord du bassin, ferma les yeux et savoura un agréable sentiment de faiblesse. Le soleil commençait à se coucher ; une brume rougeâtre s'élevait de la surface du lac, que Musashi apercevait entre les maisons de pêcheurs, le long de la rive.

Deux petits carrés de légumes s'étendaient entre le bassin et la route, où gens et chevaux allaient et venaient dans le bruit et l'agitation habituels. A une boutique qui vendait de l'huile de lampe et d'autres articles, un samouraï achetait des sandales de paille. En ayant choisi une paire à sa convenance, il s'assit sur un tabouret, retira les anciennes et chaussa les nouvelles.

— Vous devez en avoir entendu parler, disait-il au marchand. C'est arrivé sous le grand pin parasol d'Ichijōji, près de Kyoto. Ce rōnin a affronté seul toute la Maison de Yoshioka, et s'est battu avec un courage dont on n'entend plus guère parler. Je suis certain qu'il est passé par ici. Vous êtes bien sûr de ne pas l'avoir vu ?

Malgré son enthousiasme, le samouraï ne semblait pas savoir grand-chose sur l'homme qu'il cherchait, ni son âge, ni comment il pouvait être habillé. Déçu de recevoir une réponse négative, il répéta deux ou trois fois, tout en finissant d'attacher ses sandales :

— Il faut absolument que je le trouve.

Le samouraï, homme d'une quarantaine d'années, était bien vêtu et hâlé par le soleil de la route. A ses tempes, les cheveux dépassaient les cordons de son chapeau de vannerie ; son expression énergique seyait à sa carrure virile. Musashi supposait que son corps portait les marques et les callosités dues à l'armure. « Je ne me souviens pas de l'avoir jamais vu, se disait-il. Mais s'il parle à qui veut l'entendre de l'école Yoshioka, peut-être en est-il un des élèves. L'école a eu tant d'élèves ! Quelques-uns doivent avoir du caractère. Peut-être fomentent-ils un autre complot de revanche. »

Lorsque l'homme eut terminé son affaire et fut parti, Musashi se sécha et se rhabilla en se disant que la voie était libre. Mais lorsqu'il reprit la grand-route, il faillit se heurter à lui. Le samouraï s'inclina et, lui scrutant le visage, demanda :

— ... N'êtes-vous pas Miyamoto Musashi ?

Musashi répondit oui de la tête, et le samouraï, sans tenir compte de la suspicion qui se lisait sur sa figure, ajouta :

— ... Je m'en doutais.

Après s'être brièvement félicité de sa perspicacité, il continua sur un ton familier :

— ... Vous ne pouvez savoir combien je suis heureux de vous rencontrer enfin. Je savais bien que j'allais tomber sur vous quelque part au long de la route.

Sans s'arrêter pour laisser à Musashi la possibilité de placer un mot, il le pressa de passer la nuit dans la même auberge que lui.

— ... Laissez-moi vous assurer que vous n'avez pas d'inquiétude à vous faire à mon sujet. Mon rang, si vous me permettez de le dire, est tel que je voyage d'ordinaire avec une suite de douze personnes et des chevaux de relais. Je fais moi-même partie de la suite de Date Masamune, le seigneur du château d'Aoba, à Mutsu. Je me nomme Ishimoda Geki !

Quand Musashi eut passivement accepté l'invitation, Geki décida qu'ils descendraient à l'auberge destinée aux daimyōs, et l'y mena.

— Que diriez-vous d'un bain ? demanda-t-il. Mais bien sûr, vous venez d'en prendre un. Alors, mettez-vous à l'aise pendant que je prends le mien. Je ne serai pas long.

Il ôta ses vêtements de voyage, prit une serviette et quitta la chambre. Bien que cet homme eût des manières avenantes, la tête de Musashi fourmillait de questions. Pourquoi ce guerrier de haut rang le recherchait-il ? Pourquoi se montrait-il aussi cordial ?

— Ne voulez-vous pas mettre des vêtements plus confortables ? demanda la servante en lui présentant l'un des kimonos rembourrés de coton que l'on fournissait aux clients.

— Non, merci. Je ne suis pas certain de rester.

Musashi sortit sur la véranda. Derrière lui, il entendait la servante disposer doucement les plateaux du dîner. Tout en regardant les rides du lac passer de l'indigo profond au noir, l'image des yeux tristes d'Otsū se forma dans son esprit. « Je suppose que je ne cherche pas au bon endroit, pensa-t-il. Quiconque est assez mauvais pour enlever une femme a sûrement l'instinct d'éviter les villes. » Il avait l'impression d'entendre Otsū appeler au secours. Etait-il vraiment juste d'adopter le point de vue philosophique voulant que tous les événements résultent de la volonté du Ciel ? Debout là, à ne rien faire, il éprouvait du remords.

De retour de son bain, Ishimoda Geki s'excusa de l'avoir laissé seul et s'assit devant le plateau de son dîner. S'apercevant que Musashi portait encore son propre kimono, il demanda :

— Pourquoi ne vous changez-vous pas ?

— Je me sens bien dans les vêtements que je porte. Je les porte tout le temps : sur la route, à la maison, quand je dors par terre, sous les arbres.

Geki fut impressionné favorablement.

— J'aurais dû m'en douter, dit-il. Vous voulez être prêt pour agir à tout moment, où que vous soyez. Le seigneur Date admirerait cela.

Il contemplait avec une fascination non dissimulée le visage de Musashi, éclairé de côté par la lampe. Revenant à lui au bout d'un moment, il dit :

— ... Venez. Asseyez-vous et prenez un peu de saké.

Il rinça une coupe dans une cuve d'eau, et l'offrit à Musashi. Ce dernier s'assit et s'inclina. Les mains posées sur les genoux, il demanda :

— Pourriez-vous me dire, monsieur, pourquoi vous me traitez de manière aussi amicale ? Et, si vous n'y voyez pas d'inconvénient, pourquoi vous vous renseigniez sur moi, là-bas, sur la grand-route ?

— Votre surprise n'est que toute naturelle, mais en vérité, il n'y a pas grand-chose à expliquer. La façon la plus simple d'exprimer la chose est peut-être de dire que j'ai pour vous une sorte de penchant.

Il s'arrêta un instant, rit et reprit :

— ... Oui, c'est une question d'engouement, une histoire d'homme attiré par un autre homme.

Geki semblait juger que cette explication suffisait, mais Musashi était plus perplexe que jamais. Bien qu'il ne parût pas impossible qu'un homme s'entichât d'un autre, lui-même n'avait jamais ressenti pareil attachement. Takuan était trop sévère pour inspirer une affection puissante. Kōetsu vivait dans un monde entièrement différent. Sekishūsai occupait un plan tellement supérieur à celui de Musashi que l'aimer était tout aussi inconcevable que ne pas l'aimer. Bien qu'il s'agît peut-être chez Geki d'une façon de le flatter, un homme qui faisait de pareilles déclarations s'exposait à l'accusation d'insincérité. Musashi doutait pourtant que ce samouraï fût un flagorneur ; il était pour cela trop solide, trop viril d'aspect.

— Qu'entendez-vous au juste, demanda Musashi d'un ton sérieux, en disant que vous êtes attiré vers moi ?

— Peut-être suis-je présomptueux, mais dès l'instant où j'ai entendu parler de votre exploit d'Ichijōji, j'ai eu la conviction que vous étiez un homme que j'aimerais, que j'aimerais beaucoup.

— Vous étiez à Kyoto, à ce moment-là ?

— Oui ; j'étais arrivé durant le premier mois de l'année, et séjournais à la résidence du seigneur Date, avenue Sanjō. Comme je faisais une petite visite au seigneur Karasumaru Mitsuhiro, le lendemain du combat, j'ai beaucoup entendu parler de vous. Il a dit vous avoir rencontré ; il a parlé de votre jeunesse et de ce que vous aviez fait dans le passé. Comme j'éprouvais l'attrait puissant que j'ai dit, j'ai résolu de m'efforcer de vous rencontrer. A mon départ de Kyoto, j'ai vu le message que vous aviez placardé au col de Shiojiri.

— Ah ! vous l'avez vu ?

Quelle ironie, songeait Musashi, qu'au lieu de Jōtarō, ce message lui eût amené quelqu'un dont il ignorait totalement l'existence ! Mais plus il réfléchissait à la question, moins il croyait mériter l'estime où Geki paraissait le tenir. Douloureusement conscient de ses propres erreurs, de ses propres lacunes, il était gêné par l'adulation de Geki. Avec une sincérité parfaite, il déclara :

— ... Je crois que vous avez trop haute opinion de moi.

— Nombre d'éminents samouraïs servent sous les ordres du seigneur Date — son fief a un revenu de cinq millions de boisseaux, vous savez —, et en son temps j'ai rencontré beaucoup d'hommes d'épée émérites. Mais d'après ce que j'ai ouï dire, il semblerait qu'il y en ait peu qui vous soient comparables. Qui plus est, vous êtes encore très jeune. Vous avez tout l'avenir devant vous. Et voilà, je suppose, ce qui me séduit en vous. Quoi qu'il en soit, maintenant que je vous ai trouvé, soyons amis. Prenez une coupe, et parlez-moi de tout ce qui vous intéresse.

Musashi accepta de bon gré la coupe de saké, et se mit à boire autant que son hôte. Bientôt, son visage s'enlumina. Geki, toujours en forme, disait :

— ... Nous autres, samouraïs du Nord, pouvons beaucoup boire. Nous buvons pour nous tenir chaud. Le seigneur Date est capable de boire plus que n'importe lequel d'entre nous. Avec en tête un puissant général, il ne siérait pas aux troupes de rester en arrière.

La servante ne cessait d'apporter davantage de saké. Même après qu'elle eut plusieurs fois éméché la lampe, Geki ne manifestait aucun désir de s'arrêter.

— ... Buvons toute la nuit, proposa-t-il. Comme ça, nous pourrons causer toute la nuit.

— Très bien, répondit Musashi, puis avec un sourire : Vous disiez que vous aviez parlé avec le seigneur Karasumaru. Vous le connaissez bien ?

— L'on ne pourrait nous qualifier d'amis intimes, mais au fil des années je suis allé chez lui nombre de fois porter des messages. Il est très gentil, vous savez.

— Oui, je lui ai été présenté par Hon'ami Kōetsu. Pour un noble, il paraissait remarquablement plein de vie.

L'air un peu mécontent, Geki demanda :

— C'est là votre seule impression ? Si vous aviez assez longuement causé avec lui, je crois que vous auriez été frappé par son intelligence et par sa sincérité.

— Mon Dieu, à ce moment-là, nous étions au quartier réservé.

— Dans ce cas, je suppose qu'il s'est abstenu de révéler sa véritable nature.

— Il est comment, en réalité ?

Geki prit une attitude plus cérémonieuse, et répondit sur un ton assez grave :

— C'est un homme inquiet. Un homme de douleurs, si vous voulez. Les façons dictatoriales du shogunat le troublent grandement.

Un instant, Musashi fut conscient du son rythmé venu du lac, et des ombres portées par la blanche clarté de la lampe. Brusquement, Geki lui demanda :

— ... Musashi, pour qui donç essayez-vous de perfectionner votre escrime ?

N'ayant jamais réfléchi à la question, Musashi répondit candidement :

— Pour moi-même.

— Soit, mais pour qui donc essayez-vous de vous améliorer ? Votre but n'est sûrement pas la seule gloire et le seul honneur personnels. Cela n'est guère suffisant pour un homme de votre stature.

Hasard ou dessein, Geki en était parvenu au sujet dont il voulait réellement parler.

— ... Maintenant que tout le pays est sous la domination de Ieyasu, déclara-ţ-il, nous avons un semblant de paix et de prospérité. Mais est-il authentique ? Le peuple peut-il vraiment vivre heureux sous le système actuel ?... Au cours des siècles, nous avons eu les Hōjō, les Ashikaga, Oda Nobunaga, Hideyoshi — une longue série de dirigeants militaires qui opprimaient sans cesse non seulement le peuple, mais aussi l'empereur et la cour. Ils ont profité du gouvernement impérial, et exploité sans merci le peuple. Tous les bénéfices sont passés à la classe militaire. Il en va ainsi depuis Minamoto no Yoritomo, n'est-ce pas ? Et aujourd'hui, la situation reste inchangée... Nobunaga semble avoir eu quelque idée de l'injustice que cela représentait ; du moins a-t-il bâti pour l'empereur un nouveau palais. Hideyoshi a non seulement honoré l'empereur Go-Yōzei en demandant à tous les daimyōs de lui rendre hommage, mais a même essayé d'apporter un certain bien-être, un certain bonheur au peuple. Et Ieyasu ? Pratiquement, il ne s'intéresse qu'à la fortune de son propre clan. Ainsi de nouveau le bonheur du peuple et le bien-être de la famille impériale sont-ils sacrifiés pour apporter richesse et pouvoir à une dictature militaire. Il semble que nous soyons au seuil d'un nouvel âge de tyrannie. Nul ne s'inquiète plus de cet état de choses que le seigneur Date Masamune ou, parmi la noblesse, le seigneur Karasumaru.

Geki s'interrompit dans l'attente d'une réponse, mais il n'en vint aucune à l'exception d'un « je vois » à peine articulé.

Musashi était comme tout le monde au courant des transformations politiques radicales qui avaient eu lieu depuis la bataille de Sekigahara. Toutefois, il n'avait jamais prêté la moindre attention aux activités des daimyōs de la faction d'Osaka, ni aux motifs cachés des Tokugawa ni aux positions prises par de puissants seigneurs extérieurs comme Date et Shimazu. Sur Date, il ne savait qu'une chose : son fief rapportait officiellement un revenu de trois millions de boisseaux par an mais en réalité devait en rapporter cinq millions, ainsi que l'avait dit Geki.

— Deux fois par an, reprit ce dernier, le seigneur Date envoie des produits de notre fief au seigneur Konoe, à Kyoto, pour être présentés à l'empereur. Jamais il n'y a manqué, même en temps de guerre. Voilà pourquoi je me trouvais à Kyoto... Le château d'Aoba est le seul du pays à posséder une chambre spéciale réservée à l'empereur. Il est peu probable, bien sûr, qu'elle serve jamais ; pourtant, le seigneur Date la lui a réservée, et construite en bois emprunté au vieux palais impérial lorsqu'on l'a rebâti. Il a fait venir le bois de Kyoto à Sendai par bateau... Et laissez-moi vous parler de la guerre de Corée. Durant les campagnes, là-bas, Katō, Konishi et d'autres généraux rivalisaient pour obtenir une gloire et des triomphes personnels. Pas le seigneur Date. Au lieu des armes de sa propre famille, il portait celles du soleil levant, et disait à tout le monde qu'il n'aurait jamais conduit ses hommes en Corée pour la gloire de son propre clan ou pour celle de Hideyoshi. Il y allait par amour pour le Japon lui-même.

Tandis que Musashi écoutait avec attention, Geki s'absorbait dans son monologue, décrivant son maître en termes chaleureux, et assurant à Musashi qu'il était sans rival dans sa dévotion absolue à la nation et à l'empereur. Un temps, il en oublia de boire ; mais soudain, ayant abaissé le regard, il déclara :

— ... Le saké est froid.

Frappant dans ses mains pour appeler la servante, il allait en commander d'autre quand Musashi se hâta de l'arrêter :

— J'en ai eu plus qu'assez. Si vous n'y voyez pas d'inconvénient, je préférerais prendre du riz et du thé maintenant.

— Déjà ? marmonna Geki.

Il était visiblement déçu mais, par déférence envers son hôte, dit à la fille d'apporter le riz.

Geki continua à parler pendant qu'ils mangeaient. Musashi eut l'impression que les samouraïs du fief du seigneur Date, à la fois en tant qu'individus et en tant que groupe, se sentaient concernés vitalement par la Voie du samouraï et les moyens de se discipliner eux-mêmes en accord avec la Voie.

Cette Voie existait depuis les temps anciens où la classe des guerriers était née ; mais ses valeurs et obligations morales n'étaient maintenant guère plus qu'un vague souvenir. Durant le chaos des querelles intestines des XVe et XVIe siècles, l'éthique du militaire s'était déformée, si on ne l'ignorait pas totalement, et maintenant, presque tout homme capable de manier un sabre ou de tirer à l'arc se voyait considéré comme un samouraï, sans tenir compte de l'attention — ou du manque d'attention — qu'il accordait à la signification plus profonde de la Voie.

Les soi-disant samouraïs de l'époque étaient souvent des hommes ayant un caractère plus bas et des instincts plus vils que les paysans ou les bourgeois ordinaires. Ne disposant que de leurs muscles et de leur technique pour commander le respect à leurs inférieurs, à long terme ils étaient condamnés à l'anéantissement. Rares étaient les daimyōs capables de s'en rendre compte, et seule une poignée des principaux vassaux des Tokugawa et des Toyotomi se souciaient le moins du monde d'instaurer une nouvelle Voie du samouraï, qui pût devenir le fondement de la puissance et de la prospérité nationales.

La pensée de Musashi revenait aux années de son emprisonnement au château de Himeji. Takuan, se souvenant que le seigneur Ikeda possédait dans sa bibliothèque une copie manuscrite du *Nichiyō Shūshin-kan,* de Fushikian, l'y avait prise pour la faire étudier à Musashi. Fushikian était le pseudonyme littéraire du célèbre général Uesugi Kenshin ; dans son livre, il notait certains éléments d'entraînement éthique quotidien en vue de guider ses principaux vassaux. Là, Musashi s'était non seulement instruit sur les activités personnelles de Kenshin, mais encore il avait compris pourquoi le fief de Kenshin, à Echigo, s'était fait connaître dans tout le pays pour sa richesse et pour ses prouesses militaires.

Impressionné par les descriptions enthousiastes de Geki, il commença de se dire que le seigneur Date, outre qu'il égalait Kenshin en intégrité, avait créé dans son domaine une atmosphère où des samouraïs se voyaient encouragés à élaborer une Voie nouvelle, une Voie qui leur permettrait de résister même au shogunat si cela devenait nécessaire.

— ... Il faut me pardonner de discourir sans fin sur des sujets d'intérêt personnel, dit Geki. Qu'en pensez-vous, Musashi ? Cela ne vous dirait rien de venir à Sendai voir par vous-même ? Sa Seigneurie est sincère et directe. Si vous vous efforcez de trouver la Voie, votre position présente ne lui importe pas. Vous pourrez vous entretenir avec Sa Seigneurie comme avec n'importe quel autre homme... On a grand besoin de samouraïs qui se consacrent à leur pays. Je me ferai une joie de vous recommander. Si cela vous convient, nous pourrons aller ensemble à Sendai.

A cette heure, on avait enlevé les plateaux du dîner mais l'ardeur de Geki n'était nullement refroidie. Impressionné mais encore circonspect, Musashi répondit :

— Il va falloir que j'y réfléchisse avant de vous donner une réponse.

Après qu'ils se furent souhaité bonne nuit, Musashi gagna sa chambre où il resta étendu dans le noir, les yeux étincelants.

La Voie du samouraï... Il se concentra sur ce concept, tel qu'il s'appliquait à lui-même et à son sabre.

Soudain, il vit la vérité : les techniques de l'homme d'épée n'étaient pas son but ; il cherchait une Voie du sabre qui embrassât toute chose. Le sabre devait être beaucoup plus qu'une simple arme ; il devait être une réponse aux questions existentielles. La Voie d'Uesugi Kenshi et de Date Masamuno était trop étroitement militaire, trop étriquée. A lui d'ajouter à son aspect humain, de lui donner une plus grande profondeur, une plus grande élévation.

Pour la première fois, il se demanda s'il était possible à un être humain insignifiant de ne faire qu'un avec l'univers.

Un don en espèces

La première pensée de Musashi, à son réveil, fut pour Otsū et Jōtarō, et bien qu'au petit déjeuner il eût avec Geki une conversation animée, la question de savoir comment les retrouver le préoccupait fort. Au sortir de l'auberge, il scrutait inconsciemment chaque visage rencontré sur la grand-route. Une ou deux fois, il crut apercevoir Otsū devant lui, mais pour aussitôt constater qu'il s'était trompé.

— Vous avez l'air de chercher quelqu'un, dit Geki.

— Je cherche quelqu'un. Mes compagnons et moi nous sommes trouvés séparés en chemin, et je suis inquiet à leur sujet. Je crois que je ferais mieux de renoncer à l'idée d'aller avec vous à Edo, pour inspecter les autres routes.

Déçu, Geki répondit :

— Quel dommage ! Je me faisais une joie de voyager en votre compagnie. J'espère que mes trop longs bavardages d'hier au soir ne vous feront pas changer d'avis au sujet de la visite à Sendai.

Les manières de Geki, franches et viriles, plaisaient à Musashi.

— C'est fort aimable à vous, dit-il. J'espère en avoir l'occasion, un de ces jours.

— Je tiens à ce que vous voyiez par vous-même comment nos samouraïs se comportent. Et si cela ne vous intéresse pas, alors considérez-le comme un simple voyage d'agrément. Vous pourrez écouter les chants locaux, et visiter Matsushima. Le paysage en est célèbre, vous savez.

Ayant pris congé, Geki se dirigea d'un pas alerte vers le col de Wada. Musashi fit demi-tour afin de revenir à l'endroit où la grand-route de Kōshū bifurquait à partir du Nakasendō. Comme il se tenait là, à combiner sa stratégie, un groupe d'ouvriers à la journée de Suwa vint à lui. Leurs vêtements donnaient à penser qu'il s'agissait de portefaix, de palefreniers ou de porteurs des palanquins primitifs utilisés dans la région. Ils s'approchaient lentement, les bras croisés, pareils à une armée de crabes. Tandis que leurs yeux le jaugeaient avec grossièreté, l'un d'eux lui dit :

— Monsieur, vous avez l'air de chercher quelqu'un. Une belle dame, peut-être, ou seulement un serviteur ?

Musashi secoua la tête, les écarta d'un geste un peu dédaigneux, et se détourna. Il ne savait pas s'il devait aller vers l'est ou vers l'ouest, mais finit par décider de passer la journée à voir ce qu'il pourrait trouver dans le voisinage. Si ses enquêtes ne donnaient rien, il pourrait alors gagner la capitale du shōgun avec la conscience claire. Un des ouvriers l'interrompit dans ses pensées :

— Si vous cherchez quelqu'un nous pourrions vous aider, dit-il. Ça vaut mieux que de faire le pied de grue en plein soleil. Elle est comment, votre amie ?

Un autre ajouta :

— Nous ne vous fixerons même pas un prix pour nos services. Nous le laisserons à votre bon cœur.

Musashi se laissa aller à décrire en détail Otsū et Jōtarō Après s'être consulté avec ses camarades, le premier homme déclara :

— Nous ne les avons pas vus ; mais en nous divisant nous sommes certains de les trouver. Les ravisseurs ont dû prendre une des trois routes, entre Suwa et Shiojiri. Vous ne connaissez pas cette région mais nous la connaissons.

Guère optimiste sur ses chances de succès dans un domaine aussi délicat, Musashi répondit :

— Bon, partez à leur recherche.

— Marché conclu ! s'écrièrent les hommes.

De nouveau ils se réunirent, ostensiblement, pour décider qui devait aller où. Puis le chef s'avança en se frottant les mains avec déférence.

— Il y a seulement une petite chose, monsieur. Voyez-vous... Je suis gêné d'en parler, mais nous ne sommes que des ouvriers sans le sou. Vous savez, pas un de nous n'a encore rien eu à manger de la journée. Nous nous demandons si vous ne pourriez pas nous avancer la moitié d'un jour de paie et, mettons, un petit quelque chose en plus. Je vous garantis que nous retrouverons vos compagnons avant la nuit.

— Bien sûr. J'avais l'intention de vous donner quelque chose.

L'homme cita un chiffre que Musashi, après avoir compté son argent, trouva supérieur à ce qu'il possédait. Il connaissait la valeur de l'argent mais étant seul, sans personne à sa charge, il y était en fin de compte indifférent. Des amis et des admirateurs lui donnaient parfois des fonds de voyage, et il y avait des temples où il pouvait souvent se faire loger gratis. D'autres fois, il couchait à la belle étoile ou se passait de nourriture. D'une manière ou d'une autre, il avait toujours réussi à s'en sortir.

Au cours de ce voyage, il avait laissé les finances à Otsū, laquelle avait reçu en cadeau, du seigneur Karasumaru, une coquette somme. Elle payait les notes et lui donnait chaque matin, comme le ferait n'importe quelle ménagère, une certaine quantité d'argent de poche.

N'en gardant qu'un peu pour lui-même, il distribua le reste de son argent aux hommes ; bien qu'ils en eussent espéré davantage, ils acceptèrent d'entreprendre les recherches, à titre de « faveur spéciale ».

— Attendez-nous près du portail à deux étages du sanctuaire de Suwa Myōjin, recommanda leur porte-parole. Avant ce soir, nous serons de retour avec des nouvelles.

Et ils partirent dans plusieurs directions. Au lieu de perdre sa journée à ne rien faire, Musashi alla voir le château de Takashima et la ville de Shimosuwa, s'arrêtant çà et là pour noter des traits de la topographie locale, qui pourraient lui être utiles un jour, et pour observer les méthodes d'irrigation. Il demanda plusieurs fois s'il y avait dans la région d'éminents spécialistes des armes, mais n'apprit rien d'intéressant.

Aux approches du couchant, il gagna le sanctuaire et s'assit, las et déprimé, sur l'escalier de pierre qui montait au portail à deux étages. Nul ne venant, il fit un tour dans les spacieux jardins du sanctuaire. Mais quand il retourna au portail, il n'y avait toujours personne.

Bien qu'il ne fût pas fort, le bruit de chevaux frappant le sol du sabot commença à l'agacer. Il descendit les marches et tomba sur une écurie, à l'ombre des arbres, où un vieux palefrenier nourrissait le cheval blanc sacré du sanctuaire. Il lança à Musashi un regard accusateur.

— Vous désirez quelque chose ? demanda-t-il avec brusquerie. Vous avez quelque chose à voir avec le sanctuaire ?

En apprenant pourquoi Musashi se trouvait là, il éclata d'un rire inextinguible. Musashi, qui ne trouvait pas ses ennuis drôles du tout, n'essaya pas de réprimer un froncement de sourcils. Mais avant qu'il n'ouvrît la bouche, le vieux lui dit :

— On ne devrait pas vous laisser courir les routes tout seul : vous êtes par trop naïf. Vous avez cru vraiment que cette vermine de grand chemin passerait la journée entière à rechercher vos amis ? Si vous les avez payés d'avance, vous ne les reverrez jamais.

— Vous voulez dire que ce n'était que de la comédie lorsqu'ils se sont divisés avant de partir ?

L'expression du palefrenier devint compatissante.

— Vous vous êtes fait voler ! répondit-il. On m'a dit qu'il y a eu toute la journée d'aujourd'hui une dizaine de vagabonds qui buvaient et jouaient pour de l'argent dans le petit bois, de l'autre côté de la montagne. Il y a de fortes chances pour que ce soient eux. Ces choses-là arrivent tout le temps.

Là-dessus, il raconta des histoires de voyageurs escroqués de leur argent par des ouvriers peu scrupuleux, mais conclut d'un ton bénin :

— ... Ainsi va le monde. Vous feriez mieux d'être plus prudent à l'avenir.

Sur ce sage conseil, il ramassa son seau vide et s'en alla, laissant Musashi tout penaud. « Il est trop tard pour faire quoi que ce soit maintenant, soupira-t-il. Je m'enorgueillis de ne pas prêter le flanc à mon adversaire, après quoi je me laisse berner par une bande de tâcherons illettrés ! » Cette preuve de sa crédulité lui fit l'effet d'une gifle. De pareilles lacunes risquaient aisément d'entacher sa pratique de l'Art de la guerre. Comment un homme aussi facile à duper par ses inférieurs pourrait-il avec efficacité commander une armée ? Tout en montant lentement vers le portail, il résolut de prêter plus d'attention désormais aux mœurs du monde environnant.

L'un des ouvriers guettait dans l'obscurité ; des qu'il l'aperçut, il l'appela et descendit quelques marches en courant.

— Content de vous trouver, monsieur, dit-il. J'ai des nouvelles d'une des personnes que vous cherchez.

— Ah ?

Musashi, qui venait de se reprocher sa naïveté, fut stupéfait mais content d'apprendre qu'en ce monde, il n'y avait pas que des escrocs.

— ... Par « une des personnes », veux-tu parler de la femme ou du garçon ?

— Du garçon. Il est avec Daizō de Narai, et j'ai découvert où Daizō se trouve, ou du moins où il se dirige. Je ne croyais pas que la bande avec laquelle j'étais ce matin tiendrait sa promesse. Ils ont pris leur journée pour jouer, mais vous me faisiez de la peine. Je suis allé de Shiojiri à Seba en interrogeant tous les gens que je rencontrais. Personne ne savait quoi que ce soit au sujet de la fille, mais j'ai appris de la servante de l'auberge où j'ai mangé que Daizō était passé par Suwa aujourd'hui vers midi pour se rendre au col de Wada. Elle a dit qu'il avait un jeune garçon avec lui.

Gêné, Musashi répondit un peu cérémonieusement :

— C'est bien aimable à vous de m'en informer.

Il sortit sa bourse, en sachant bien qu'elle ne contenait que de quoi payer son propre repas. Il hésita un instant mais réfléchit que l'honnêteté ne devait pas rester sans récompense, et donna tout ce qui lui restait à l'ouvrier. Satisfait de ce pourboire, l'homme éleva l'argent à son front en un geste de remerciement, et, ravi, poursuivit son chemin.

Se voyant sans argent, Musashi se dit qu'il l'avait mieux employé que pour se remplir la panse. Peut-être l'ouvrier, ayant appris que la bonne conduite est parfois profitable, irait le lendemain sur la route aider un autre voyageur.

Il faisait déjà nuit ; mais il décida qu'au lieu de dormir sous l'auvent de quelque chaumière, il franchirait le col de Wada. En voyageant toute la nuit, il devrait être en mesure de rattraper Daizō. Il se mit en marche, savourant une fois de plus le plaisir de se trouver la nuit sur une route déserte. Il y avait là quelque chose qui plaisait à sa nature. Comptant ses pas, écoutant la voix silencieuse du ciel, il était capable de tout oublier pour se réjouir de sa propre existence. Au milieu d'une foule de gens affairés, il paraissait souvent triste et solitaire, mais maintenant il se sentait vivant, alerte. Il pouvait penser froidement, objectivement à la vie, et même se juger comme s'il eût été un parfait inconnu.

Un peu après minuit, il fut distrait de sa rêverie par une lumière, au loin. Depuis qu'il avait traversé le pont de la rivière Ochiai, il grimpait régulièrement. Un col était derrière lui ; le suivant, à Wada, se devinait en face de lui sous le ciel étoilé ; au-delà, c'était la passe encore plus élevée de Daimon. La lumière se trouvait dans un creux parallèle aux deux crêtes.

« On dirait un feu de joie, se dit-il en souffrant de la faim pour la première fois depuis des heures. Peut-être qu'ils me laisseront sécher mes manches, et me donneront un peu de gruau, ou quelque chose comme ça. »

En s'approchant, il vit que ce n'était pas un feu extérieur, mais la lumière d'une petite maison de thé au bord de la route. Il y avait quatre ou cinq poteaux pour attacher des chevaux, mais pas de chevaux. Il paraissait incroyable qu'il y eût quelqu'un dans un tel endroit à pareille heure ; et pourtant Musashi entendait des voix éraillées, mêlées au crépitement du feu. Durant quelques minutes, il se tint, hésitant, sous l'auvent. S'il s'était agi d'une cabane de cultivateur ou de bûcheron, il n'eût pas hésité à demander un abri et quelques reliefs, mais il s'agissait d'un commerce.

L'odeur de nourriture exaspérait son appétit. La fumée chaude l'enveloppait ; il ne pouvait s'arracher à cet endroit. « Allons, si je leur expose ma situation, peut-être accepteront-ils en paiement la statue. » La « statue », c'était la petite image de Kannon qu'il avait taillée dans le bois d'un vieux prunier.

A son entrée dans la boutique, les clients saisis se turent. L'intérieur était simple, un sol en terre battue avec au centre un foyer et une hotte, autour de quoi se serraient trois hommes sur des tabourets. Dans une marmite mijotait de la viande de sanglier au radis noir. Une jarre de saké chauffait sous la cendre. Debout, le dos tourné pour couper des marinades en bavardant avec bonne humeur, le patron.

— Qu'est-ce que vous voulez ? demanda l'un des clients, un homme aux yeux perçants et aux longs favoris.

Trop affamé pour entendre, Musashi dépassa les hommes et, s'asseyant au bord d'un tabouret, dit au patron :

— Donnez-moi quelque chose à manger, vite. Du riz et des marinades feront l'affaire. N'importe quoi.

L'homme versa une part de ragoût sur un bol de riz froid, et posa le tout devant lui.

— Vous avez l'intention de passer le col cette nuit ? demanda-t-il.

— Hum, marmonna Musashi, qui s'était déjà emparé de baguettes et s'attaquait à la nourriture avec entrain.

Après la seconde bouchée, il demanda :

— ... Savez-vous si un nommé Daizō — il vient de Narai — est passé par ici cet après-midi en direction du col ? Il est accompagné d'un jeune garçon.

— Je crains bien de ne pouvoir vous être utile.

Puis, aux autres :

— ... Tōji, vous et vos amis, avez-vous vu un homme d'un certain âge qui voyageait avec un petit garçon ?

Après quelques chuchotements, le trio répondit par la négative en secouant la tête à l'unisson. Musashi, rassasié et réchauffé par la nourriture, commença de se tracasser au sujet de la note. Il avait hésité à en discuter d'abord avec le patron, à cause de la présence des autres, mais pas un instant il n'eut le sentiment de mendier. Il lui avait simplement paru plus important de s'occuper en premier lieu des besoins de son estomac. Il décida que si le commerçant refusait la statue, il lui proposerait son poignard.

— Ça m'ennuie d'avoir à vous le dire, commença-t-il, mais je n'ai pas du tout d'argent liquide. Je ne vous demande pas un repas gratis, notez bien. J'ai là quelque chose à vous proposer en paiement, si vous voulez.

Avec une amabilité imprévue, le patron répondit :

— Je suis certain que ça ira. Qu'est-ce que c'est ?

— Une statue de Kannon.

— Une vraie statue ?

— Oh ! ce n'est pas l'œuvre d'un sculpteur célèbre — juste quelque chose que j'ai taillé moi-même. Peut-être que ça ne vaut même pas le prix d'un bol de riz, mais jetez-y un coup d'œil.

Tandis qu'il se mettait à délier les cordons de son sac, celui qu'il portait depuis des années, les trois hommes cessèrent de boire pour concentrer leur attention sur ses mains. Le sac, outre la statue, contenait un seul rechange de sous-vêtements et un nécessaire à écrire. Lorsqu'il le vida, quelque chose tomba par terre en tintant. Les autres en eurent le souffle coupé : l'objet tombé aux pieds du jeune homme était une bourse d'où s'étaient répandues plusieurs pièces d'or et d'argent. Musashi lui-même écarquillait les yeux, muet de stupeur.

« D'où cela vient-il ? » se demandait-il.

Les autres, bouche bée, tendaient le cou pour contempler le trésor.

Sentant autre chose dans le sac, Musashi en tira une lettre. Elle ne comportait qu'une seule ligne : « Ceci devrait subvenir à vos dépenses de voyage, pour le moment. » Signé : « Geki. »

Musashi voyait clairement ce que cela signifiait : c'était la façon dont Geki tentait d'acheter ses services pour le seigneur Date Masamune de Sendai et du château d'Aoba. La probabilité croissante d'un affrontement final entre les Tokugawa et les Toyotomi rendait impératif, pour les grands daimyōs, de garder un grand nombre de combattants émérites. Une méthode favorite employée dans la concurrence acharnée en vue d'obtenir les rares samouraïs vraiment éminents consistait à tenter d'endetter de tels hommes, fût-ce pour une petite somme, puis à conclure un accord tacite de collaboration future.

Il était de notoriété publique que Toyotomi Hideyori versait de grosses sommes d'argent à Gotō Matabei et Sanada Yukimura. Bien que Yukimura fût ostensiblement en retraite sur le mont Kudo, le château d'Osaka lui envoyait tant d'or et d'argent que Ieyasu avait entrepris une enquête approfondie. Etant donné que les besoins personnels d'un général en retraite vivant dans un ermitage étaient assez modestes, il était presque certain que l'argent se trouvait transmis à plusieurs milliers de rōnins indigents qui traînaient dans les petites et grandes villes proches, en attendant qu'éclatent les hostilités.

Découvrir un guerrier capable, ce que Geki croyait avoir fait, et l'inciter d'une façon quelconque à travailler pour son seigneur était l'un des plus précieux services que pouvait rendre un vassal. Voilà précisément pourquoi Musashi ne s'intéressait pas à l'argent de Geki : le dépenser impliquerait une obligation indésirable. En quelques secondes, il résolut d'ignorer ce don, de faire comme s'il n'existait pas. Sans un mot, il se baissa, ramassa la bourse et la remit dans le sac. S'adressant au patron comme si rien ne s'était passé, il lui dit :

— ... Très bien, alors, je vous laisse en paiement la statue.

Mais l'homme regimba :

— Je ne peux accepter ça maintenant, monsieur !

— Il y a quelque chose qui ne va pas ? Je n'ai pas la prétention d'être un sculpteur, mais...

— Oh ! ce n'est pas mal, et je l'aurais prise si vous n'aviez pas eu d'argent, comme vous le disiez, mais vous en avez beaucoup. Pourquoi montrez-vous votre argent à tout le monde, si vous voulez faire croire que vous êtes fauché ?

Les autres clients, dégrisés et excités par la vue de l'or, exprimaient vigoureusement du chef leur accord. Musashi, s'avouant qu'il était vain de prétendre que cette bourse ne lui appartenait pas, en tira une pièce d'argent et la tendit à l'homme.

— ... C'est beaucoup trop, monsieur, gémit le patron. Vous n'avez rien de plus petit ?

Un rapide examen révéla quelques variantes dans la valeur des pièces, mais rien de moins précieux.

— Ne vous inquiétez pas de la monnaie, dit Musashi. Vous pouvez la garder.

Ne pouvant plus maintenir la fiction de la non-existence de cet argent, pour plus de sûreté Musashi glissa la bourse dans sa ceinture.

Puis, bien qu'on le pressât de rester un peu, il réendossa son sac et sortit dans la nuit. Ayant mangé et repris des forces, il calculait qu'il pourrait se trouver à l'aube au col de Daimon. De jour, il aurait vu autour de lui quantité de fleurs d'altitude — rhododendrons, gentianes, chrysanthèmes sauvages —, mais de nuit, là, dans l'immense océan de ténèbres, il ne pouvait distinguer qu'un brouillard cotonneux agrippé à la terre. Il était à environ trois kilomètres de la maison de thé quand l'un des hommes qu'il y avait vus le héla :

— Attendez ! Vous avez oublié quelque chose.

Rattrapant Musashi, l'homme lui dit, tout essoufflé :

— ... Dites donc, ce que vous marchez vite ! Après votre départ, j'ai trouvé cet argent, et je vous le rapporte. Il doit être à vous.

Il tendait une pièce d'argent que Musashi refusa, disant qu'elle n'était sûrement pas à lui. L'homme affirma que si :

— Elle doit avoir roulé dans le coin quand vous avez laissé tomber votre bourse.

N'ayant pas compté l'argent, Musashi n'était pas en mesure de prouver que l'homme se trompait. Avec un mot de remerciement, il prit la pièce et la fourra dans la manche de son kimono. Cependant, Dieu sait pourquoi, cette manifestation d'honnêteté ne le toucha point.

Bien que l'homme eût accompli sa mission, il emboîta le pas à Musashi et se mit à parler de la pluie et du beau temps :

— Peut-être que je suis indiscret, mais étudiez-vous l'escrime auprès d'un maître célèbre ?

— Non. Je pratique mon propre style.

Cette réponse lapidaire ne découragea pas l'homme, qui déclara que lui-même avait été samouraï, et ajouta :

— Mais pour le moment, j'en suis réduit à vivre ici, dans les montagnes.

— Vraiment ?

— Oui. Les deux autres, de là-bas, aussi. Nous étions tous des samouraïs. Maintenant, nous gagnons notre vie à couper des arbres et à cueillir des herbes. Nous ressemblons au dragon de la fable, qui attend son heure dans un étang. Je ne prétends pas être Sano Genzaemon, mais le moment venu j'empoignerai mon vieux sabre, je mettrai mon armure rouillée, et j'irai me battre pour un grand daimyō quelconque. Je vis dans l'attente de ce jour-là !

— Vous êtes pour Osaka ou pour Edo ?

— Peu importe. Le principal, c'est d'être dans le camp de quelqu'un ; sinon, je gâcherai ma vie à traînasser par ici.

Musashi eut un rire poli.

— Merci de m'avoir rapporté l'argent.

Puis, pour essayer de semer l'homme, il se mit à faire de

longues enjambées rapides. L'homme ne décollait pas. Il essayait aussi de presser Musashi du côté gauche, empiétement que n'importe quel homme d'épée expérimenté considérerait comme suspect. Mais au lieu de révéler sa circonspection, Musashi ne faisait rien pour protéger son flanc gauche. L'homme devenait de plus en plus cordial :

— Puis-je vous faire une proposition ? Si vous voulez, pourquoi ne viendriez-vous pas passer la nuit chez nous ? Après le col de Wada, vous avez encore devant vous Daimon. Vous pourriez le passer demain matin mais il est très abrupt : une route difficile pour un homme qui n'a pas l'habitude de ces régions.

— Merci. Je crois que je vais vous prendre au mot là-dessus.

— Vous faites bien, vous faites bien. Seulement, nous n'avons rien à vous offrir en fait de nourriture ou d'hospitalité.

— Je serai content d'avoir un endroit où m'étendre. Où donc est votre maison ?

— A environ huit cents mètres à gauche et un peu plus haut.

— Vous êtes vraiment en pleine montagne, n'est-ce pas ?

— Je vous l'ai dit, avant que l'heure ne sonne, nous nous faisons tout petits, nous cueillons des herbes, nous chassons, ce genre de chose. Je partage une maison avec les deux autres hommes.

— A propos, où sont-ils passés ?

— Ils doivent être encore en train de boire. Chaque fois que nous allons là-bas, ils se soûlent, et finalement je les ramène ivres morts. Ce soir, j'ai décidé de les laisser, tout simplement... Prenez garde ! Il y a ici un ravin... une rivière en bas. C'est dangereux.

— Nous passons la rivière ?

— Oui. Ici, c'est étroit, et un tronc d'arbre la traverse, juste au-dessous de nous. Une fois que nous aurons traversé, nous tournerons à droite et grimperons le long de la berge.

Musashi sentit que l'homme s'était arrêté mais ne regarda pas en arrière. Il trouva le tronc, et commença à traverser. Un instant plus tard, l'homme bondit en avant et souleva l'extrémité du tronc pour essayer de jeter Musashi dans la rivière.

— Qu'est-ce que vous faites ?

Le cri venait d'en dessous, mais l'homme leva une tête stupéfaite. Musashi ayant prévu sa manœuvre traîtresse, avait déjà sauté du tronc et atterri sur une grosse pierre aussi légèrement qu'une bergeronnette. Son assaillant, saisi, laissa choir le tronc dans la rivière. Avant que l'eau projetée en l'air ne retombât, Musashi avait d'un bond regagné la rive, sabre au clair, et fauché son agresseur. Tout arriva si rapidement que l'homme ne vit même pas Musashi dégainer.

Le corps se convulsa durant une ou deux secondes avant de s'immobiliser. Musashi ne daigna pas lui accorder un coup d'œil. Il s'était déjà mis en garde pour l'attaque suivante, car il avait la conviction qu'il y en aurait une. Tandis qu'il s'y préparait, ses cheveux se dressaient sur sa tête ainsi qu'un plumage d'aigle.

Suivit un bref silence, puis une détonation assez violente pour faire voler en éclats la gorge. Le coup de feu semblait provenir d'un point quelconque de l'autre rive. Musashi l'évita ; la balle bien dirigée siffla à travers l'espace qu'il venait d'occuper, et s'enfouit derrière lui dans la berge. S'écroulant comme s'il était blessé, Musashi regarda vers l'autre rive où il vit des étincelles rouges voler dans l'air comme autant de lucioles. Il distinguait à peine deux silhouettes qui s'avançaient en rampant avec circonspection.

Un feu purificateur

Les dents serrées sur l'amorce crépitante, l'homme s'apprêtait à décharger de nouveau son mousquet. Son complice, tapi à terre, cherchait à percer des yeux la distance en chuchotant :

— Tu crois que ça n'est pas dangereux ?

— Je suis certain de l'avoir eu du premier coup, répondit l'autre d'un ton confiant.

Tous deux s'avancèrent en rampant avec circonspection ; mais à peine eurent-ils atteint le bord de la rive que Musashi bondit. Le mousquetaire, le souffle coupé, tira mais perdit l'équilibre, ce qui envoya vers le ciel une balle inutile. Tandis que l'écho se répercutait à travers le ravin, les deux hommes (les deux autres de la maison de thé) s'enfuirent en grimpant le sentier. Soudain, l'un d'eux s'arrêta dans son élan et rugit :

— Halte ! A quoi bon nous enfuir ? Nous sommes deux et il est seul. Je m'en charge et tu me soutiens.

— Je suis ton homme ! vociféra le mousquetaire en lâchant l'amorce et en visant Musashi avec la crosse de son arme.

Ils étaient nettement un cran au-dessus des voyous ordinaires. L'homme qui semblait être le chef maniait le sabre avec une authentique firesse ; il n'était pourtant pas un adversaire digne de Musashi, qui d'un seul coup de sabre les envoya tous deux voler dans les airs. Le mousquetaire, fendu de l'épaule à la taille, tomba mort, le haut de son torse suspendu comme par un fil au-dessus de la berge. L'autre s'élança le long de la pente, serrant son avant-bras blessé, Musashi sur ses talons. Terre et graviers jaillissaient dans son sillage.

Ce ravin, la vallée de Buna, se creusait à mi-chemin des cols de Wada et de Daimon, et devait son nom aux hêtres qui paraissaient le remplir. A son sommet se dressait un refuge exceptionnellement vaste, entouré d'arbres, et lui-même grossièrement construit en rondins de hêtre. Se précipitant vers la minuscule flamme d'une torche, le bandit criait :

— Eteins les lumières !

Une femme protégea la flamme de sa manche tendue et s'exclama :

— Comment, mais tu... Oh ! tu es couvert de sang !

— La... la ferme, espèce de sotte ! Eteins les lumières... celles de l'intérieur aussi.

L'essoufflement lui coupait presque la parole ; avec un dernier regard derrière lui, il la dépassa en trombe. La femme souffla la torche et s'élança à sa suite.

Quand Musashi parvint à la cabane, il n'y avait trace de lumière nulle part.

— Ouvrez ! vociféra-t-il, indigné non point d'être pris pour un imbécile, ni de la lâcheté de l'attaque, mais du fait que des hommes pareils fissent chaque jour grand tort à d'innocents voyageurs.

Il aurait pu briser les volets de bois mais au lieu de procéder à un assaut frontal, qui eût laissé ses arrières dangereusement exposés, il resta à une distance prudente de quatre ou cinq pas.

— ... Ouvrez !

N'obtenant pas de réponse, il ramassa la plus grosse pierre qu'il put soulever et la précipita contre les volets. Elle frappa la fente entre les deux panneaux, ce qui envoya l'homme et la femme voler vers l'intérieur de la maison. Un sabre jaillit d'au-dessous d'eux, suivi de l'homme qui rampait sur les genoux. Vite remis debout, il battit en retraite vers l'intérieur. Musashi bondit en avant, et l'empoigna par le dos de son kimono.

— Ne me tuez pas ! Je vous demande pardon ! supplia Gion Tōji du même ton pleurnichard que n'importe quel filou minable.

Il fut bientôt de nouveau sur pied, tâchant de trouver le point faible de Musashi. Ce dernier parait chacun de ses coups ; mais lorsqu'il poussa en avant, Tōji rassembla toutes ses forces, tira son sabre court et lança une puissante contre-attaque. Musashi l'évita avec adresse, souleva Tōji dans ses bras et, avec un cri méprisant, l'envoya s'écrouler dans la pièce voisine. Un de ses bras ou une de ses jambes heurta le crochet de la marmite, car la perche en bambou d'où elle pendait se rompit avec un craquement sonore. Des cendres blanches jaillirent du foyer comme un nuage volcanique.

Un tir nourri de projectiles, à travers la fumée et les cendres, mit Musashi en difficulté. Tandis que retombaient les cendres, il constata que son adversaire n'était plus le chef des bandits, lequel gisait à plat sur le dos près du mur. La femme, entre deux jurons, lançait tout ce qui lui tombait sous la main : couvercles de marmites, bois d'allumage, baguettes de métal, bols à thé. Musashi bondit en avant et la cloua promptement au sol ; mais elle réussit à tirer de sa chevelure une longue épingle et à lui en porter un coup. Lorsqu'il lui immobilisa le poignet de son pied, elle grinça des dents puis cria de colère et de dégoût à Tōji inconscient :

— Tu n'as donc pas le moindre amour-propre ? Comment peux-tu te laisser vaincre par un inconnu comme celui-là ?

En entendant cette voix, Musashi, le souffle coupé, la lâcha. Elle se releva d'un bond, ramassa le petit sabre et l'en menaça.

— Arrêtez, madame, dit Musashi.

Saisie par la bizarre politesse du ton, elle s'immobilisa, bouche bée.

— Comment, mais c'est... c'est Takezō !

Musashi avait deviné juste. En dehors d'Osugi, la seule femme qui pût lui donner encore son nom d'enfance était Okō.

— ... Mais oui, c'est Takezō ! s'exclama-t-elle, d'une voix devenue mielleuse. Maintenant, vous vous appelez Musashi, n'est-ce pas ? Vous êtes devenu un véritable homme d'épée, hein ?

— Que faites-vous dans un endroit pareil ?

— J'ai honte à l'avouer.

— Cet homme étendu là-bas, c'est votre mari ?

— Vous devez le connaître. C'est ce qui reste de Gion Tōji.

— C'est Tōji ! murmura Musashi.

A Kyoto, il avait appris quel vaurien était Tōji, comment il avait empoché l'argent recueilli pour agrandir l'école, et décampé avec Okō. Néanmoins, tandis qu'il regardait cette épave humaine à côté du mur, il ne pouvait s'empêcher d'en avoir pitié.

— ... Vous devriez vous occuper de lui, dit-il. Si j'avais su qu'il était votre mari, j'aurais été moins dur envers lui.

— Oh ! je voudrais me cacher dans un trou de souris, pleurnichait Okō.

Elle s'approcha de Tōji, lui donna de l'eau, pansa ses blessures, et, lorsqu'il eut commencé de revenir à lui, lui révéla qui était Musashi.

— Quoi ? croassa-t-il. Miyamoto Musashi ? Celui qui... Oh ! c'est affreux !

Le visage caché dans les mains, il se recroquevilla misérablement.

Oubliant sa colère, Musashi se laissa traiter en hôte d'honneur. Okō balaya, remit le foyer en ordre, ralluma le feu et fit chauffer du saké. Lui en tendant une coupe, elle dit, conformément aux règles admises de l'étiquette :

— Nous n'avons rien à vous offrir, mais...

— J'ai eu tout ce qu'il faut à la maison de thé, répondit poliment Musashi. Je vous en prie, ne vous donnez aucun mal pour moi.

— Oh ! j'espère que vous pourrez manger la nourriture que j'ai préparée. Il y a si longtemps...

Ayant pendu à la crémaillère une marmite de ragoût, elle s'assit à côté de lui pour lui verser son saké.

— Ça me rappelle le bon vieux temps au mont Ibuki, dit aimablement Musashi.

Un vent violent s'était levé, et, bien que les volets fussent remis en place, il entrait par diverses fentes, enfumant la pièce.

— Je vous en prie, ne me parlez pas de ça, fit Okō. Mais dites-moi : avez-vous des nouvelles d'Akemi ? Avez-vous une idée quelconque de l'endroit où elle se trouve ?

— J'ai appris qu'elle avait passé plusieurs jours à l'auberge du mont Hiei. Elle et Matahachi avaient l'intention d'aller à Edo. Il semble qu'elle se soit enfuie avec tout son argent à lui.

— Ah ? dit Okō, déçue. Elle aussi.

Les yeux baissés, elle comparait tristement la vie de sa fille avec la sienne propre.

Quand Tōji fut remis suffisamment, il se joignit à eux pour implorer le pardon de Musashi. Il avouait avoir agi sur une impulsion soudaine, que maintenant il déplorait. Il viendrait un jour, assurait-il à son hôte, où il reprendrait sa place au sein de la société, et redeviendrait le Gion Tōji que le monde avait connu.

Musashi se taisait ; il eût aimé répondre qu'il ne lui semblait pas y avoir grande différence entre Tōji le samouraï et Tōji le bandit, mais que s'il reprenait en effet sa vie de guerrier, les routes seraient d'autant moins dangereuses pour les voyageurs. Un peu attendri par le saké, il dit à Okō :

— Je crois qu'il serait sage que vous renonciez à ce dangereux mode de vie.

— Vous avez parfaitement raison, mais bien sûr, ce n'est pas comme si je menais cette vie par choix. Quand nous avons quitté Kyoto, nous allions tenter notre chance à Edo. Mais à Suwa, Tōji s'est mis à jouer et a perdu tout ce que nous possédions : l'argent du voyage, tout. J'ai pensé à l'affaire de moxa ; aussi, nous nous sommes mis à cueillir des herbes et à les vendre en ville. Oh ! j'en ai par-dessus la tête de ces moyens de s'enrichir rapidement qui durent toute une existence. Après cette nuit, je renonce.

Comme toujours, quelques coupes avaient introduit dans ses propos une note de coquetterie. Elle commençait à faire du charme. Okō était l'une de ces femmes dont l'âge est indéterminé, et elle était encore dangereuse. Un chat domestique jouera gentiment sur les genoux de son maître aussi longtemps qu'il sera bien nourri, bien soigné ; mais lâchez-le dans les montagnes, et en un rien de temps il rôdera la nuit, les yeux flamboyants, prêt à festoyer d'un cadavre ou bien à déchirer la chair vive de voyageurs tombés malades au bord de la route. Okō lui ressemblait fort.

— ... Tōji, dit-elle amoureusement, d'après Takezō Akemi se rendait à Edo. Ne pourrions-nous pas y aller, nous aussi, vivre à nouveau comme des êtres humains ? Si nous retrouvions Akemi, je suis sûre qu'il nous viendrait l'idée d'une affaire lucrative.

— Peut-être bien, répondit Tōji sans enthousiasme.

Pensif, il enserrait ses genoux de ses bras ; peut-être l'idée sous-entendue — faire le trafic du corps d'Akemi — était-elle un peu difficile à avaler, même pour lui. Après avoir vécu avec cette femme rapace, Tōji commençait à nourrir les mêmes regrets que Matahachi.

Musashi trouvait pathétique l'expression de Tōji. Elle lui évoquait Matahachi. Avec un frisson, il se rappela comment lui-même avait un jour été séduit par ses charmes.

— ... Okō, dit Tōji en levant la tête, le jour ne va pas tarder à se lever. Musashi doit être fatigué. Pourquoi ne lui préparerais-tu pas un endroit où se reposer dans la chambre du fond ?

— Mais bien sûr.

Avec un regard en coulisse d'ivrognesse à Musashi, elle dit :

— ... Attention, Takezō. Il fait sombre, là-bas.

— Merci. Je dormirais volontiers.

Il la suivit par un couloir ténébreux jusqu'à l'arrière de la maison. La chambre avait l'air d'avoir été ajoutée à la cabane. Soutenue par des poutres, elle faisait saillie au-dessus de la vallée avec une dénivellation d'environ vingt mètres entre le mur extérieur et la rivière. L'air était humide à cause de la brume et des gouttelettes apportées d'une chute d'eau par le vent. Chaque fois que le vent gémissait un peu plus fort, la petite chambre se balançait comme un bateau.

Les pieds blancs d'Okō regagnèrent, sur les lattes du corridor, la grand-salle.

— Il dort ? demanda Tōji.

— Je crois que oui, répondit-elle en s'agenouillant à côté de lui.

Elle lui chuchota à l'oreille :

— ... Qu'allons-nous faire ?

— Va chercher les autres.

— Tu iras jusqu'au bout ?

— Pour sûr ! Ce n'est pas une simple question d'argent. Si je tue ce gredin, je venge la Maison de Yoshioka.

Ayant retroussé le bas de son kimono, elle sortit. Sous le ciel sans étoiles, au cœur des montagnes, elle se hâta à travers le vent nocturne, pareille à quelque démon félin, ses longs cheveux flottant derrière elle.

Les creux et les crevasses du flanc de la montagne n'étaient pas habités seulement par des oiseaux et des bêtes sauvages. Dans sa course, Okō prit contact avec plus de vingt hommes, tous membres de la bande de Tōji. Entraînés aux razzias de nuit, ils gagnèrent, plus silencieux que des feuilles mortes, un point situé juste en face de la cabane.

— Un seul homme ?

— Un samouraï ?

— Il a de l'argent ?

Les échanges de chuchotements s'accompagnaient de gestes et de coups d'œil explicatifs. Armés de mousquets, de poignards et du type de lance utilisé par les chasseurs d'ours, quelques-uns d'entre eux entourèrent la chambre du fond. Environ la moitié descendirent dans la vallée, tandis que deux s'arrêtaient à mi-pente, juste au-dessous de la chambre.

Des nattes de roseau recouvraient le sol de la chambre. Le long d'un mur s'entassaient de petites piles bien rangées d'herbes séchées, ainsi qu'une collection de mortiers et d'autres ustensiles servant à fabriquer la médecine. Musashi trouvait apaisant l'arôme agréable des herbes ; il l'incitait à fermer les yeux pour dormir. Il se sentait le corps lourd, enflé aux extrémités. Mais il avait mieux à faire que de céder à la douce tentation.

Il était conscient qu'il se tramait quelque chose. Les cueilleurs d'herbes du Mimasaka n'avaient jamais de magasins pareils à celui-ci ; les leurs n'étaient jamais situés là où l'humidité s'accumulait, et se trouvaient toujours à quelque distance d'un feuillage épais. A la faible clarté d'une petite lampe qui reposait sur un support de mortier, à côté de son oreiller, il apercevait autre chose qui l'inquiétait. Les crochets de métal qui maintenaient les angles de la chambre étaient entourés de nombreux trous de clous. Il distinguait aussi des surfaces de bois neuves qui devaient avoir été précédemment couvertes de menuiserie. Il n'y avait pas à s'y méprendre : la chambre avait été reconstruite, sans doute un grand nombre de fois.

Il lui vint aux lèvres un sourire imperceptible, mais il ne bougea pas.

— Takezō, appela doucement Okō, êtes-vous endormi ?

Elle fit glisser sans bruit le shoji, s'approcha sur la pointe des pieds de la couche du jeune homme, et disposa près de sa tête un plateau.

— ...Je vous mets de l'eau ici, dit-elle.

Il ne manifesta par aucun signe qu'il fût éveillé. Quand elle fut de retour à la cabane proprement dite, Tōji murmura :

— Tout va bien ?

— Il dort profondément, répondit-elle en fermant les yeux pour souligner son propos.

Avec une expression satisfaite, Tōji s'élança au-dehors, gagna l'arrière de la cabane et agita une mèche de mousquet allumée ; sur quoi, les hommes, en dessous, arrachèrent les supports de la chambre, l'envoyant s'écraser dans la vallée — parois, charpente, poutre de faîtage et tout.

Avec un rugissement de triomphe, les autres jaillirent de leurs cachettes, pareils à des chasseurs hors de leurs écrans portatifs, et descendirent en trombe sur la berge. L'étape suivante consistait à extraire des débris le cadavre et les possessions de la victime. Après quoi, ce serait un jeu d'enfant que de ramasser les morceaux pour reconstruire la chambre.

Les bandits sautèrent sur le tas de planches et de poteaux comme des chiens sur des os. D'autres, venus d'en haut, demandaient :

— Vous avez trouvé le corps ?

— Non, pas encore.

— Il ne peut être qu'ici.

Tōji cria d'une voix rauque :

— Peut-être qu'il a heurté un rocher ou quelque chose d'autre en tombant, et rebondi à côté. Regardez tout autour.

Les rochers, l'eau, les arbres et les plantes de la vallée prenaient une vive teinte rougeâtre. Avec des exclamations de saisissement, Tōji et ses acolytes regardèrent le ciel. Vingt mètres plus haut, des flammes ardentes jaillissaient des portes, des fenêtres, des murs et du toit de la cabane, devenue une énorme boule de feu.

— Vite ! Dépêchez-vou-ou-ous ! Remontez ici !

Ces perçants appels, poussés par Okō, ressemblaient à des hurlements de folle. Le temps pour les hommes de remonter la falaise, les flammes dansaient furieusement dans le vent. Sous l'averse d'étincelles et de cendres ardentes, Okō était solidement ligotée à un tronc d'arbre.

Ils n'en revenaient pas. Musashi parti ? Comment ça ? Comment pouvait-on imaginer qu'il les eût tous dépassés en ruse ?

Tōji perdit courage ; il n'envoya même pas ses hommes à la poursuite de Musashi. Il en avait assez appris sur lui pour savoir qu'ils ne le rattraperaient jamais. De leur propre chef, pourtant, les bandits organisèrent rapidement des groupes de recherche, et s'élancèrent de tous côtés.

Ils ne trouvèrent pas trace de Musashi.

Jouer avec le feu

A la différence des autres routes principales, aucun arbre ne bordait la grand-route de Kōshū qui joignait Shiojiri à Edo par la province de Kai. Utilisée au XVIe siècle pour les transports militaires, il lui manquait le réseau de routes secondaires de Nakasendō, et elle n'avait été que récemment élevée au rang d'artère principale.

Pour les voyageurs venant de Kyoto ou d'Osaka, sa caractéristique la moins agréable était la rareté des bonnes auberges et des endroits où l'on pouvait manger. La demande d'un déjeuner à emporter risquait de ne rien susciter de plus appétissant que des gâteaux de riz plats, enveloppés dans des feuilles de bambou, ou, moins séduisantes encore, des boulettes de riz nature, présentées dans des feuilles de chêne séchées. Malgré cette chère primitive — probablement peu différente de celle de la période Fujiwara, des siècles plus tôt —, les rustiques hôtelleries fourmillaient de clients dont la plupart se rendaient à Edo.

Un groupe de voyageurs se reposait au-dessus du col de Kobotoke. L'un d'eux s'exclama :

— En voilà une autre fournée !

Il faisait allusion à un spectacle dont lui et ses compagnons avaient joui presque chaque jour : un groupe de prostituées qui se rendaient de Kyoto à Edo. Ces filles étaient au nombre d'une trentaine, les unes vieilles, d'autres entre vingt et trente-cinq ans, cinq au moins d'environ seize ans. Accompagnées d'une dizaine d'hommes, leurs maîtres ou leurs serviteurs, on eût dit une grande famille patriarcale. En outre, il y avait plusieurs chevaux de somme, chargés de toutes sortes d'objets, de petits paniers d'osier à des coffres en bois de taille humaine. Le chef de « famille », un homme d'une quarantaine d'années, s'adressait à ses filles :

— Si vos sandales de paille vous donnent des ampoules, mettez des *zōri* à la place, mais attachez-les bien serré. Et cessez de gémir que vous ne pouvez faire un pas de plus. Regardez seulement les enfants sur la route !

Son ton aigu indiquait clairement qu'il avait du mal à faire avancer ses protégées, d'habitude sédentaires. Cet homme, qui s'appelait Shōji Jinnai, originaire de Fushimi, samouraï de naissance, avait pour des raisons personnelles renoncé à la vie militaire pour devenir tenancier de bordel. Homme de ressource, d'esprit vif, il avait réussi à obtenir l'appui de Tokugawa Ieyasu qui résidait souvent au château de Fushimi ; non seulement il avait obtenu l'autorisation de transférer sa propre entreprise à Edo, mais encore il avait persuadé beaucoup de ses confrères d'en user de même. Près de la crête de Kobotoke, Kinnai arrêta son cortège en déclarant :

— ... Il est encore un peu tôt, mais nous pouvons déjeuner maintenant.

Se tournant vers Onao, vieille qui jouait le rôle d'une espèce de mère poule, il lui ordonna de distribuer les vivres. Le panier contenant les déjeuners portatifs fut dûment déchargé de l'un des chevaux, et une boulette de riz enveloppée de feuilles distribuées à chacune des femmes, qui se dispersèrent et se détendirent. La poussière qui leur jaunissait la peau blanchissait presque leurs cheveux noirs, bien qu'elles portassent des chapeaux de voyage à larges bords, ou qu'elles se fussent noué des mouchoirs autour de la tête. Comme il n'y avait pas de thé, manger donnait lieu à maints claquements de lèvres. Pas trace de coquetteries amoureuses. « Quels bras enlaceront ce soir cette rouge, rouge fleur ? » Voilà qui paraissait tout à fait hors de propos.

— Oh ! c'est délicieux ! s'exclama l'une des plus jeunes protégées de Jinnai d'un ton d'extase qui eût mis les larmes aux yeux de sa mère.

L'attention de deux ou trois autres alla de leur déjeuner à un jeune samouraï qui les dépassait.

— Qu'il est beau ! chuchota l'une.

— Hum, pas mal, répondit une autre, plus attachée aux choses matérielles.

— Oh ! je le connais, précisa une troisième. Il venait chez nous avec des hommes de l'école Yoshioka.

— Duquel parlez-vous ? demanda une créature au regard lascif.

— Du jeune, qui marche fièrement là-bas, avec la longue épée sur le dos.

Inconscient de l'admiration qu'il suscitait, Sasaki Kojirō jouait des coudes à travers une foule de porteurs et de chevaux de somme. Une voix haut perchée, aguicheuse, l'appela :

— M. Sasaki ! Par ici, M. Sasaki !

Le nom de Sasaki étant fort répandu, il ne se retourna même pas.

— ... Eh, vous, là-bas, avec la mèche sur le front !...

Kojirō fronça le sourcil, et se retourna tout d'une pièce.

— Surveillez vos paroles ! cria Jinnai avec irritation. Vous êtes mal élevées.

Alors, levant les yeux de son déjeuner, il reconnut Kojirō.

— ... Tiens, tiens, dit-il en se mettant promptement debout. Je veux être pendu si ce n'est pas notre ami Sasaki ! Où donc allez-vous comme ça, s'il m'est permis de vous le demander ?

— Tiens, bonjour. Vous êtes bien le patron du Sumiya ? Je vais à Edo. Et vous ? Vous m'avez l'air engagé dans une migration massive.

— C'est le mot. Nous nous transférons dans la nouvelle capitale.

— Vraiment ? Vous croyez pouvoir y réussir ?

— Rien ne pousse en eaux stagnantes.

— Au train où Edo se développe, j'imagine que le travail ne manque point pour les ouvriers du bâtiment et les armuriers. Mais les divertissements élégants ? Il paraît douteux qu'ils soient encore très demandés.

— Erreur. Les femmes ont fait d'Osaka une grande ville avant que Hideyoshi n'y prête la moindre attention.

— Peut-être, mais dans un endroit aussi neuf qu'Edo vous ne pourriez sans doute même pas trouver de maison qui vous convienne.

— Nouvelle erreur. Le gouvernement a réservé pour les gens qui exercent ma profession un terrain marécageux dans un endroit dénommé Yoshiwara. Mes associés ont déjà commencé de le combler ; ils ont tracé des rues et bâti des maisons. Si j'en crois tous les rapports, je devrais pouvoir trouver assez facilement un bon emplacement sur rue.

— Vous voulez dire que les Tokugawa donnent le terrain? Gratuitement ?

— Bien sûr. Qui donc paierait pour un marécage? Le gouvernement fournit même une partie des matériaux de construction.

— Je vois. Pas étonnant que vous abandonniez tous la région de Kyoto.

— Et vous ? Avez-vous la perspective d'un poste chez un daimyō ?

— Oh ! non ; rien de pareil. Je ne l'accepterais pas si l'on me le proposait. Il m'est seulement venu à l'idée de voir ce qui se passe là-haut, étant donné que le shōgun y réside et que les ordres en émaneront dans l'avenir. Bien entendu, si l'on me demandait d'être un des instructeurs du shōgun, il se pourrait que j'accepte.

Quoiqu'il ne fût pas juge en matière d'escrime, Jinnai était perspicace. Il ne crut pas devoir faire de commentaire sur l'égotisme effréné de Kojirō, détourna les yeux et se mit à aiguillonner son troupeau pour le remettre en marche.

— Tout le monde debout, maintenant ! Il est temps de repartir.

Onao, laquelle avait compté ses têtes, déclara :

— Il semble qu'il nous manque une fille. Laquelle est-ce donc ? Kichō ? A moins que ce ne soit Sumizome ? Non. Elles sont toutes les deux là-bas. C'est bizarre. Qui ça pourrait-il bien être ?

Kojirō, peu enclin à avoir une troupe de prostituées pour compagnes de voyage, poursuivit sa route.

Deux des filles qui avaient rebroussé chemin pour effectuer des recherches revinrent à l'endroit où se trouvait Onao. Jinnai les rejoignit.

— Dis donc, dis donc, Onao, laquelle est-ce ?

— Ah ! je sais maintenant. C'était cette nommée Akemi, répondit-elle, contrite comme si la faute lui en incombait. Celle que vous avez ramassée sur la route à Kiso.

— Elle doit être quelque part par ici.

— Nous avons cherché partout. Je crois qu'elle s'est enfuie.

— Mon Dieu, je n'avais pas d'engagement écrit de sa main,

et ne lui avais point prêté d' « argent de corps ». Elle a dit qu'elle était d'accord, et comme elle était assez jolie pour être mise sur le marché, je l'ai embauchée. Je suppose qu'elle m'a coûté quelques frais de voyage, mais pas assez pour me tracasser. Tant pis pour elle. Partons.

Il se mit à houspiller sa troupe pour la faire avancer. Même s'il fallait pour cela voyager après la tombée de la nuit, il voulait arriver dans la journée à Hachiōji. S'ils pouvaient aller jusque-là avant de faire halte, ils pourraient se trouver à Edo le lendemain.

Un peu plus loin, ils rencontrèrent Akemi.

— Où donc étais-tu passée ? demanda Onao, irritée. Tu ne peux pas aller te promener comme cela sans dire à personne où tu vas. A moins, bien sûr, que tu n'aies l'intention de nous quitter.

Et la vieille raconta vertueusement combien tout le monde avait été inquiet à son sujet.

— Vous ne comprenez pas, répondit Akemi chez qui cette mercuriale ne provoquait que des fous rires. Il y avait sur la route un homme que je connais, et je ne voulais pas qu'il me voie. J'ai couru dans un bouquet de bambous sans savoir qu'il y avait là une brusque dénivellation de terrain. J'ai glissé jusqu'en bas.

Elle confirmait ses dires en montrant son kimono déchiré et son coude égratigné. Mais elle avait beau demander pardon, son visage n'exprimait pas la moindre trace de remords. De sa position dans les premiers rangs du cortège, Jinnai eut vent de ce qui s'était produit, et la convoqua. Il lui dit sévèrement :

— Tu t'appelles bien Akemi ? Akemi... c'est difficile à se rappeler. Si tu veux vraiment réussir dans ce métier, il faudra trouver un meilleur nom. Dis-moi, es-tu vraiment décidée à faire ce métier ?

— Décide-t-on de devenir une putain ?

— Ça n'est pas quelque chose qu'on puisse faire un mois pour partir ensuite. Et si tu deviens l'une de mes filles, tu devras donner aux clients ce qu'ils demandent, que ça te plaise ou non. Ne t'y trompe pas.

— Qu'est-ce que ça peut faire, maintenant ? Les hommes ont déjà gâché ma vie.

— Ce n'est pas du tout l'attitude qu'il faut prendre. Allons, réfléchis bien. Si tu changes d'avis avant que nous n'arrivions à Edo, ça n'a pas d'importance. Je ne te demanderai pas de me rembourser ta nourriture et ton logement.

Ce même jour, au Yukuōin, à Tako, un homme d'un certain âge, apparemment débarrassé du souci des affaires, allait poursuivre son voyage par petites étapes. Lui, son serviteur et un garçon d'une quinzaine d'années, arrivés la veille au soir, avaient demandé à être logés pour la nuit. Depuis le matin de bonne heure, lui et le garçon visitaient les jardins du temple. Il était maintenant midi environ.

— Voici pour réparer le toit, dit-il en offrant trois grosses pièces d'or aux prêtres.

Le grand prêtre, aussitôt informé du don, fut tellement impressionné par la générosité du donateur qu'il sortit lui-même en toute hâte afin d'échanger des salutations.

— Peut-être voudriez-vous laisser votre nom, dit-il.

Un autre prêtre lui apprit que c'était déjà fait, et lui montra l'inscription au registre du temple : « Daizō de Narai, négociant en herbes, résidant au pied du mont Ontake, Kiso. »

Le grand prêtre s'excusa profusément de la pauvre qualité des mets servis par le temple, car Daizō de Narai était connu dans tout le pays comme un généreux bienfaiteur des sanctuaires et des temples. Ses dons prenaient toujours la forme de pièces d'or — dans certains cas, disait-on, jusqu'à plusieurs douzaines. Lui seul savait s'il faisait cela par amusement, pour soigner sa réputation, ou par piété.

Le prêtre, désireux de lui faire prolonger son séjour, le supplia de visiter les trésors du temple, privilège accordé à peu de monde.

— Je vais rester quelque temps à Edo, répondit Daizō. Je viendrai les voir une autre fois.

— N'y manquez pas ; mais du moins permettez-moi de vous raccompagner jusqu'au portail extérieur, insista le prêtre. Avez-vous l'intention de vous arrêter à Fuchū, ce soir ?

— Non ; à Hachiōji.
— Dans ce cas, le voyage est facile.
— Dites-moi, qui est le seigneur de Hachiōji, maintenant ?
— Hachiōji a été placé récemment sous l'autorité d'Ōkubo Nagayasu.
— Il était juge à Nara, n'est-ce pas ?
— Oui. Il dirige aussi les mines d'or de l'île de Sado. Il est très riche.
— Un homme fort capable, à ce qu'il semble.

Il faisait encore jour quand ils arrivèrent au pied des montagnes, dans la grand-rue de Hachiōji, où, disait-on, il n'y avait pas moins de vingt-cinq auberges.

— ... Eh bien, Jōtarō, où descendrons-nous ?

Jōtarō, lequel avait suivi Daizō comme son ombre, lui répondit en termes sans équivoque :

— N'importe où... sauf dans un temple.

Ayant choisi l'auberge la plus vaste et la plus imposante, Daizō y entra et demanda une chambre. Son aspect distingué, joint à l'élégante malle laquée que son domestique portait sur son dos, fit une impression considérable sur le principal employé qui dit avec maintes courbettes :

— Vous arrivez de bonne heure, n'est-ce pas ?

Au bord des grand-routes, les auberges avaient coutume de voir des hordes de voyageurs débarquer à l'heure du dîner ou même plus tard. Daizō fut introduit dans une vaste chambre au premier étage ; mais peu après le coucher du soleil, l'aubergiste et le principal employé entrèrent.

— Je suis très ennuyé, commença l'aubergiste, mais une troupe nombreuse de clients vient d'arriver brusquement. Je crains bien qu'il n'y ait ici beaucoup de bruit. Si ça ne vous ennuyait pas trop de monter dans une chambre du deuxième étage...

— Oh ! ça n'a aucune importance, répondit Daizō, accommodant. Je suis content de voir que vos affaires marchent.

Faisant signe à Sukeichi, son valet, de s'occuper des bagages, Daizō s'apprêta à monter. A peine eut-il quitté la pièce qu'il fut dépassé par des femmes du Sumiya.

A l'auberge, ce n'était pas de l'activité mais de la frénésie. A cause du tapage que l'on menait en bas, les serviteurs ne venaient pas quand on les appelait. Le dîner fut en retard ; après quoi, nul ne vint desservir. Pour couronner le tout, les deux étages retentissaient d'allées et venues. Daizō dut faire appel à toute sa sympathie envers l'aide mercenaire pour ne point perdre son calme. Sans tenir compte du désordre de la chambre, il s'étendit pour faire un petit somme, la tête sur le bras. Au bout de quelques minutes, il lui vint une idée soudaine, et il appela Sukeichi. Celui-ci ne paraissant point, Daizō ouvrit les yeux, se mit sur son séant et cria :

— Jōtarō viens ici !

Mais il avait disparu, lui aussi.

Daizō se leva et se rendit sur la véranda où il vit se presser des clients tout excités qui regardaient bouche bée, ravis, les prostituées du premier étage. Ayant surpris Jōtarō parmi les spectateurs, Daizō le ramena de force dans la chambre. L'œil sévère, il lui demanda :

— ... Qu'est-ce que tu regardais ?

Le long sabre de bois du garçon, qu'il gardait même à l'intérieur, racla le tatami tandis qu'il s'asseyait.

— Eh bien, répondit-il, tout le monde regarde.

— Et que regarde-t-on au juste ?

— Oh ! il y a des tas de femmes dans l'arrière-salle, en bas.

— C'est tout ?

— Oui.

— Qu'est-ce que ça a de si drôle ?

La présence des putains ne gênait pas Daizō, mais pour une raison quelconque il trouvait agaçant l'intense intérêt des hommes qui les lorgnaient.

— Je n'en sais rien, répondit sincèrement Jōtarō.

— Je vais faire un tour en ville, dit Daizō. Reste ici pendant mon absence.

— Je ne peux pas vous accompagner ?

— Pas la nuit.

— Pourquoi non ?

— Je te l'ai déjà dit, quand je vais me promener ce n'est pas seulement pour m'amuser.

— C'est pour quoi, alors ?

— Ça concerne ma religion.

— Vous n'avez donc pas assez de sanctuaires et de temples pendant la journée ? Les prêtres eux-mêmes doivent dormir la nuit.

— La religion, c'est plus que les sanctuaires et les temples, jeune homme. Et maintenant, va me chercher Sukeichi. Il a la clé de ma malle.

— Il est descendu il y a quelques minutes. Je l'ai vu lorgner dans la chambre où sont les femmes.

— Lui aussi ? s'exclama Daizō avec un claquement de langue désapprobateur. Va le chercher, et vite.

Après le départ de Jōtarō, Daizō se mit en devoir de rattacher son obi.

Ayant appris que les femmes étaient des prostituées de Kyoto, célèbres pour leur beauté et leur savoir-faire, les clients masculins n'en pouvaient détacher les yeux. Sukeichi se trouvait tellement absorbé par cette vision qu'il en était encore bouche bée quand Jōtarō l'eut repéré.

— Allons, assez regardé, aboya le garçon en tirant le serviteur par l'oreille.

— Aïe ! cria Sukeichi.

— Ton maître t'appelle.

— Ça n'est pas vrai.

— Si, c'est vrai. Il a dit qu'il allait se promener. Il n'arrête pas de se promener, hein ?

— Quoi ?... Ah ! bon, fit Sukeichi en s'arrachant à regret au spectacle.

Le garçon avait fait demi-tour afin de le suivre lorsqu'une voix l'appela :

— Jōtarō ? Tu es bien Jōtarō, n'est-ce pas ?

La voix était celle d'une jeune femme. Il promena autour de lui des yeux inquisiteurs. L'espoir de retrouver son maître perdu et Otsū ne le quittait jamais. Etait-ce possible ? Il regarda intensément à travers les branches d'un gros arbuste à feuilles persistantes.

— Qui est-ce ?

— Moi.

Le visage qui émergea du feuillage lui était familier.

— Ah ! ce n'est que vous.

Akemi lui donna sur le dos une forte claque.

— Espèce de petit monstre ! Et ça fait si longtemps que je ne t'ai vu ! Qu'est-ce que tu fabriques ici ?

— Je pourrais vous poser la même question.

— Eh bien, je... Oh ! de toute façon, tu ne comprendrais pas.

— Vous voyagez avec ces femmes ?

— Oui, mais je ne me suis pas encore décidée.

— Décidée à quoi ?

— Si j'allais devenir ou non l'une d'elles, répondit-elle avec un soupir.

Après un long silence, elle demanda :

— ... Que devient Musashi ?

Jōtarō comprit que c'était là ce qu'elle voulait réellement savoir. Il eût bien aimé pouvoir répondre à cette question.

— Otsū, Musashi et moi... nous sommes trouvés séparés sur la grand-route.

— Otsū ? Qui est-ce ?

A peine avait-elle parlé qu'elle se rappela.

— ... Oh ! ne t'inquiète pas ; je sais. Elle court donc *toujours* après Musashi ?

Akemi gardait l'habitude de penser à Musashi comme à un fougueux *shugyōsha* qui errait au gré de son humeur, vivait dans la forêt, dormait sur la pierre nue. Même si elle parvenait à mettre la main sur lui, il verrait tout de suite à quel point sa vie était devenue dissolue, et l'éviterait. Il y avait beau temps qu'elle s'était résignée à l'idée que son amour ne serait pas payé de retour.

Mais la mention d'une autre femme éveilla des sentiments de jalousie et ralluma les braises mourantes de son instinct amoureux.

— ... Jōtarō, dit-elle, il y a par ici trop de regards curieux. Allons dehors, quelque part.

Ils sortirent par la porte du jardin. Dans la rue, les lumières de Hachiōji et de ses vingt-cinq hôtelleries leur réjouirent les yeux. C'était la ville la plus animée qu'ils eussent vue l'un et l'autre depuis qu'ils avaient quitté Kyoto. Au nord-ouest se dressaient les formes sombres, silencieuses, de la chaîne de

Chichibu, et les montagnes qui marquaient la frontière de la province de Kai ; mais ici, l'atmosphère était chargée de l'arôme du saké, retentissante du cliquetis des métiers à tisser, des cris des marchands, des voix des joueurs et des chansons plaintives des chanteurs des rues.

— ... Matahachi m'a souvent parlé d'Otsū, mentit Akemi. Quel genre de femme est-ce ?

— Elle est très gentille, répondit gravement Jōtarō. Douce, bonne et jolie. Je l'aime vraiment beaucoup.

La menace qu'Akemi sentait peser sur elle s'accentuait, mais elle voila ses sentiments d'un sourire bénin.

— Elle est vraiment si merveilleuse ?

— Oh ! oui. Et elle sait tout faire. Elle chante ; elle écrit bien. Et elle joue bien de la flûte.

Maintenant visiblement à rebrousse-poil, Akemi remarqua :

— Je ne vois pas à quoi ça avance une femme, que de savoir jouer de la flûte.

— Si vous ne le voyez pas, tant pis pour vous, mais tout le monde, même le seigneur Yagyū Sekishūsai, fait l'éloge d'Otsū. Il n'y a qu'une petite chose que je n'aime pas en elle.

— Toutes les femmes ont leurs défauts. Le tout est de savoir si elles les reconnaissent honnêtement, comme moi, ou si elles tâchent de les cacher derrière une pose distinguée.

— Otsū n'est pas comme ça. Il n'y a que cette faiblesse en elle...

— Laquelle ?

— Elle passe son temps à fondre en larmes. C'est une vraie pleurnicheuse.

— Hein ? Que veux-tu dire ?

— Elle pleure chaque fois qu'elle pense à Musashi. Ça rend sa compagnie plutôt sinistre, et je n'aime pas ça.

Jōtarō s'exprimait avec une spontanéité juvénile, sans tenir compte de l'effet que cela risquait d'avoir. Le cœur d'Akemi, son corps entier brûlaient d'une jalousie furieuse. Cela transparaissait au fond de ses yeux et jusque dans la couleur de sa peau. Elle n'en poursuivit pas moins son interrogatoire :

— Dis-moi, quel âge a-t-elle ?

— A peu près le même.

— Tu veux dire : le même âge que moi ?

— Oui. Mais elle paraît plus jeune et plus jolie.

Akemi insista dans l'espoir de tourner Jōtarō contre Otsū :

— Musashi est plus viril que la plupart des hommes. Le spectacle d'une femme qui fait tout le temps des histoires doit lui être odieux. Otsū doit croire que les larmes vous gagnent la sympathie d'un homme. Elle ressemble aux filles qui travaillent au Sumiya.

Jōtarō, très irrité, répliqua :

— C'est absolument faux. D'abord, Musashi aime Otsū. Jamais il ne montre ses sentiments, mais il est amoureux d'elle.

Le visage enfiévré d'Akemi tourna au cramoisi vif. Elle aurait voulu se jeter à l'eau pour éteindre le feu qui la consumait.

— Jōtarō, allons par ici.

Elle l'entraîna dans une rue latérale, vers une lumière rouge.

— C'est un débit de boissons.

— Et alors ?

— Les femmes n'ont rien à faire dans un endroit pareil. Vous ne pouvez y aller.

— Brusquement, j'ai soif, et je ne peux y entrer seule. Je me sentirais gênée.

— *Vous* vous sentiriez gênée. Et moi donc !

— Il y aura là de quoi manger. Tu pourras commander tout ce que tu voudras.

Au premier coup d'œil, la boutique semblait vide. Akemi entra sans hésiter puis, face au mur plutôt que face au comptoir, dit :

— ... Apportez-moi du saké !

Aussi vite qu'il était humainement possible, elle en ingurgita coupe sur coupe. Jōtarō, effrayé par cette quantité, essaya de la freiner mais elle l'écarta d'un coup de coude.

— Bas les pattes ! jappa-t-elle. Quel fléau tu fais ! Un autre saké ! Un saké !

Jōtarō, s'interposant entre elle et la jarre de saké, la supplia :

— Il faut vous arrêter. Vous ne pouvez continuer de boire ici comme ça.

— Ne t'inquiète pas pour moi, dit-elle d'une voix pâteuse.

Tu es un ami d'Otsū, hein ? Je ne supporte pas les femmes qui essaient de gagner un homme par les larmes !

— Eh bien, moi, je n'aime pas les femmes qui s'enivrent.

— Je regrette, mais comment un moutard comme toi pourrait-il comprendre pourquoi je bois ?

— Allez, payez la note.

— Tu crois donc que j'ai l'argent ?

— Vous ne l'avez pas ?

— Non. Peut-être qu'il pourra se faire payer au Sumiya. De toute manière, je me suis déjà vendue au patron.

Des larmes lui jaillirent des yeux.

— ... Je suis navrée... Je suis vraiment navrée.

— Quand je pense que vous vous moquiez des larmes d'Otsū ! Regardez-vous donc.

— Mes larmes ne sont pas les mêmes que les siennes. Oh ! la vie est trop difficile. Je voudrais être morte.

Là-dessus, elle se leva et gagna la rue en titubant. Le patron, dont ce n'était pas la première cliente de cet acabit, se contenta d'en rire ; mais un rōnin qui jusque-là dormait tranquillement dans un coin ouvrit des yeux vagues pour la regarder s'éloigner.

Jōtarō s'élança comme une flèche à sa suite et la saisit par la taille, mais perdit prise. Elle se mit à courir au long de la rue sombre, Jōtarō sur ses talons.

— Arrêtez ! criait-il, alarmé. Il ne faut pas avoir des idées pareilles. Revenez !

Bien qu'elle ne parût pas craindre de rencontrer un obstacle dans l'obscurité ou de tomber dans une fondrière, elle était pleinement consciente des supplications de Jōtarō. Lorsqu'elle avait plongé dans la mer, à Sumiyoshi, elle avait voulu se tuer, mais elle n'était plus aussi naïve. Elle tirait un certain plaisir d'inquiéter à ce point Jōtarō.

— ... Attention ! criait-il en voyant qu'elle allait droit vers les eaux sombres d'un fossé. Arrêtez ! Pourquoi voulez-vous mourir ? C'est de la folie.

Comme il l'attrapait de nouveau par la taille, elle gémit :

— Et pourquoi ne devrais-je pas mourir ? Tu me crois mauvaise. Musashi aussi. Tout le monde. Il ne me reste qu'à mourir en embrassant Musashi dans mon cœur. Jamais je ne laisserai une femme pareille me le prendre !

— Comment êtes-vous arrivée jusqu'ici ?

— Peu importe. Tu n'as qu'à me pousser dans le fossé. Vas-y, Jōtarō, pousse-moi.

Se couvrant le visage de ses mains, elle éclata en sanglots furieux. Cela éveilla chez Jōtarō une étrange peur. Il avait envie de pleurer, lui aussi.

— Allons, Akemi. Rentrons.

— Oh ! j'ai tant envie de le voir ! Trouve-le-moi, Jōtarō. Je t'en prie, trouve-moi Musashi.

— Du calme ! Ne bougez pas ; c'est dangereux.

— Oh ! Musashi !

— *Attention !*

A cet instant, le rōnin du débit de saké sortit de l'ombre.

— Va-t'en, le gosse, ordonna-t-il. Je la ramène à l'auberge.

Il prit Jōtarō par les aisselles et l'écarta sans douceur. C'était un homme de haute taille, âgé de trente-quatre à trente-cinq ans, aux yeux profondément enfoncés dans les orbites, à la barbe fournie. Une cicatrice irrégulière, sans nul doute laissée par un sabre, allait de sous son oreille droite à son menton. L'on eût dit la déchirure dentelée d'une pêche ouverte. La gorge serrée, Jōtarō tenta la cajolerie :

— Akemi, je vous en prie, venez avec moi. Tout ira bien.

Maintenant, la tête d'Akemi reposait sur la poitrine du samouraï.

— Regarde, dit l'homme, elle s'est endormie. File ! Je la ramènerai plus tard.

— Non ! Lâchez-la !

Comme le garçon refusait de bouger, le rōnin tendit lentement une main et le saisit au collet.

— ... Bas les pattes ! cria Jōtarō en résistant de toutes ses forces.

— Espèce de petit chenapan ! Et si je te jetais dans le fossé ?

— Vous voulez rire !

Il se dégagea ; sitôt qu'il fut libre, sa main rencontra la poignée de son sabre de bois. Il en porta un coup au flanc de l'homme, mais son propre corps exécuta un saut périlleux et atterrit sur un rocher, au bord de la route. Il poussa un seul gémissement, puis s'immobilisa. Au bout d'un moment, il entendit des voix autour de lui :

— Allons, réveille-toi.

— Qu'est-ce qui s'est passé ?

Ouvrant les yeux, il aperçut vaguement un petit rassemblement.

— Tu es réveillé ?

— Tu vas bien ?

Gêné par l'attention qu'il suscitait, il ramassait son sabre de bois et tentait de s'éclipser lorsqu'un employé de l'auberge le saisit par le bras.

— Une minute ! aboya-t-il. Qu'est devenue la femme avec laquelle tu étais ?

Regardant autour de lui, Jōtarō eut l'impression que les autres étaient également de l'auberge, clients aussi bien qu'employés. Certains des hommes portaient des gourdins ; d'autres, des lanternes rondes en papier.

— ... Un homme est venu nous dire que vous aviez été attaqués, et qu'un rōnin avait enlevé la femme. Sais-tu de quel côté ils sont allés ?

Encore étourdi, Jōtarō secoua la tête.

— ... C'est impossible. Tu dois bien avoir une idée quelconque.

Jōtarō désigna la première direction venue.

— Maintenant, je me souviens. C'était de ce côté-là.

Il répugnait à dire ce qui s'était réellement passé, craignant de se faire morigéner par Daizō pour s'être laissé entraîner dans cette histoire, redoutant aussi d'avouer devant ces gens que le rōnin l'avait terrassé. Malgré le vague de sa réponse, la troupe s'éloigna à toutes jambes, et bientôt un cri s'éleva :

— La voilà ! Là-bas !

Les lanternes se rassemblèrent en cercle autour d'Akemi dont la forme échevelée gisait là où elle avait été abandonnée, sur une meule de foin dans une grange. Ramenée à la réalité par les piétinements, elle se releva péniblement. Le devant de son kimono était ouvert ; son obi traînait par terre. Elle avait du foin dans les cheveux et sur ses vêtements.

— Qu'est-ce qui s'est passé ?

Bien que tout le monde eût le mot « viol » au bord des lèvres, nul ne le prononça. Il ne leur vint pas non plus à l'esprit de courir après le scélérat. Tout ce qui était arrivé à Akemi, pensaient-ils, était bien de sa faute.

— Allons, rentrons, dit l'un des hommes en la prenant par la main.

Akemi s'écarta vivement. Sa face désolée appuyée contre le mur, elle éclata en sanglots amers.

— Elle a l'air ivre.

— Comment s'est-elle mise dans un état pareil ?

Jōtarō avait assisté de loin à la scène. Il ne comprenait pas dans tous les détails ce qui était arrivé à Akemi ; néanmoins, pour une raison quelconque, cela lui évoqua un souvenir qui n'avait rien à voir avec elle. L'excitation d'être couché dans la remise à fourrage de Koyagyū avec Kocha lui revint, ainsi que la peur étrangement exaltante des pas qui s'approchaient. Mais son plaisir fut prompt à s'évanouir.

— Il faut que je rentre, dit-il d'un ton résolu.

Tandis que son pas s'accélérait, son esprit, qui revenait de son excursion dans l'inconnu, le poussa à chanter :

> Vieux Bouddha de métal, debout dans le champ,
> As-tu vu une fille de seize ans ?
> Ne connais-tu pas une fille égarée ?
> Interrogé, tu dis : « Bing ! »
> Frappé, tu dis : « Bong ! »

Un grillon dans l'herbe

Jōtarō allait d'un bon pas sans guère prêter attention à la route. Soudain, il fit halte et regarda autour de lui, se demandant s'il s'était perdu. « Je ne me souviens pas d'être passé par ici », se disait-il, inquiet.

Des maisons de samouraïs bordaient les vestiges d'une vieille forteresse. Une partie de l'enceinte avait été reconstruite pour servir de résidence officielle à Okubo Nagayasu, récemment nommé ; mais le reste, qui s'élevait comme une éminence naturelle, était couvert de mauvaises herbes et d'arbres. Les remparts de pierre tombaient en ruine, ayant été ravagés nombre d'années auparavant par une armée d'envahisseurs. Les fortifications paraissaient primitives, en comparaison de l'ensemble du château qui datait de quarante à cinquante ans. Il n'y avait ni fossé ni pont, rien que l'on pût décrire à proprement parler comme un mur d'enceinte. Le château avait dû appartenir à l'un des gentilshommes de l'endroit, avant que les grands daimyōs de la guerre civile ne réunissent leurs domaines ruraux en plus vastes principautés féodales.

D'un côté de la route, il y avait des rizières et des marais ; de l'autre, des murailles ; au-delà, une falaise au sommet de laquelle devait se dresser autrefois la forteresse.

En tâchant de se repérer, Jōtarō suivit des yeux la falaise. Alors, il vit quelque chose bouger, s'arrêter, bouger de nouveau. A première vue, on eût dit un animal ; mais bientôt, la silhouette qui se mouvait à pas de loup devint celle d'un homme. Jōtarō frissonna mais resta cloué sur place.

L'homme fit descendre une corde avec un crochet attaché au sommet. Après s'être laissé glisser de toute la longueur de la corde et avoir trouvé un point d'appui pour ses pieds, il dégagea le crochet en le secouant et répéta l'opération. Arrivé en bas, il disparut dans un taillis.

La curiosité de Jōtarō était à son comble.

Au bout de quelques minutes, il vit l'homme s'avancer le long des petits talus séparant les rizières ; il semblait marcher droit vers lui. Jōtarō faillit être pris de panique, mais fut soulagé en apercevant le fagot sur le dos de l'homme. « J'ai perdu mon temps ! Ce n'est qu'un paysan qui vole du petit bois. » Il se disait que l'homme était fou de prendre le risque de franchir la falaise à seule fin de ramasser du bois. De plus, il était déçu : le mystère était devenu intolérablement banal. Mais alors vint le second choc. Tandis que l'homme montait la route, en face de l'arbre derrière lequel se cachait Jōtarō, le garçon étouffa un cri. Il était sûr que la silhouette sombre était celle de Daizō.

« Impossible », se dit-il.

L'homme avait le visage enveloppé d'un tissu noir ; il portait une culotte de paysan, des guêtres et de légères sandales de paille.

La mystérieuse silhouette prit un chemin qui contournait une colline. Personne, doté d'épaules aussi robustes et d'une aussi élastique démarche, ne pourrait avoir plus de cinquante ans, comme c'était le cas pour Daizō. S'étant persuadé qu'il se trompait, Jōtarō emboîta le pas à l'homme. Il devait rentrer à l'auberge, et l'inconnu pouvait, à son insu, l'aider à retrouver sa route.

Arrivé à une borne indicatrice, l'homme déposa son fagot qui paraissait fort pesant. Tandis qu'il se penchait pour lire ce qu'il y avait d'inscrit sur la pierre, Jōtarō fut de nouveau frappé par quelque chose en lui de familier.

Cependant que l'homme grimpait le sentier de la colline, Jōtarō examina la borne où se trouvaient gravés les mots : « Pin sur la Butte aux Têtes enfouies : en haut. » C'était là que les habitants de l'endroit inhumaient les têtes tranchées des criminels et des guerriers vaincus.

Les branches d'un pin immense se détachaient sur le ciel nocturne. Le temps pour Jōtarō d'atteindre le haut de la pente, et l'homme, assis près des racines de l'arbre, fumait sa pipe.

Daizō ! Maintenant, cela ne faisait plus aucun doute. Jamais un paysan n'aurait de tabac sur lui. L'on avait réussi à en faire pousser dans le pays mais à une échelle si limitée qu'il était encore très coûteux. Jusque dans la région relativement riche de Kansai, on le considérait comme un luxe. Et là-haut, à Sendai, quand le seigneur Date fumait, son scribe éprouvait le besoin de noter dans son journal : « Matin, trois pipes ; après-midi, quatre pipes ; coucher, une pipe. »

Les considérations financières mises à part, la plupart des gens qui avaient l'occasion d'essayer le tabac trouvaient qu'il leur donnait des étourdissements, voire des nausées. Bien qu'apprécié pour son arôme, on le considérait généralement comme un narcotique.

Jōtarō savait que les fumeurs étaient rares ; il savait aussi que Daizō était l'un d'eux car il l'avait fréquemment vu tirer sur une élégante pipe en céramique. Non qu'il eût jamais trouvé cela bizarre. Daizō, homme riche, avait des goûts de luxe.

« Qu'est-ce qu'il fait là ? » se demanda Jōtarō avec impatience. Désormais accoutumé aux risques de la situation, il se glissa de plus en plus près.

Ayant terminé sa pipe, le marchand se releva, enleva son foulard noir qu'il passa dans sa ceinture. Puis, lentement, il contourna le pin. Jōtarō le vit ensuite une pelle à la main. D'où venait cette pelle ? Appuyé sur elle, Daizō promena quelques instants les yeux autour de lui sur le décor nocturne, comme pour se le graver dans l'esprit.

Apparemment satisfait, Daizō roula de côté une grosse pierre, au nord de l'arbre, et se mit à creuser avec énergie, sans regarder ni à gauche ni à droite. Jōtarō regardait le trou devenir presque assez profond pour qu'un homme s'y tînt debout. Enfin, Daizō s'arrêta et essuya la sueur de son visage avec son mouchoir. Jōtarō, qui gardait une immobilité de statue, était tout à fait déconcerté.

— Ça ira comme ça, murmura le marchand en achevant de tasser des pieds la terre meuble au fond du trou.

Un instant, Jōtarō eut la curieuse impulsion de lui crier de ne pas s'enterrer lui-même, mais se retint. Daizō remonta d'un bond à la surface, et se mit en devoir de traîner le lourd ballot de l'arbre au bord du trou, puis de défaire la corde de chanvre qui l'entourait. D'abord, Jōtarō croyait qu'il s'agissait d'un sac en toile ; mais maintenant, il voyait que c'était un pesant manteau de cuir, comme celui que les généraux portaient par-dessus leur armure. A l'intérieur se trouvait un autre sac, fait de toile de tente ou d'un tissu similaire. Une fois celui-ci ouvert apparut le sommet d'un incroyable tas d'or : des lingots semi-cylindriques, fabriqués en versant le métal en fusion dans des tiges de bambou fendues en deux dans le sens de la longueur.

Ce n'était pas tout. Daizō desserra son obi et se déchargea de plusieurs douzaines de grosses pièces d'or, neuves, fourrées dans sa ceinture, le dos de son kimono, etc. Les ayant disposées avec soin par-dessus les lingots, il rattacha hermétiquement les deux emballages, et jeta le ballot dans le trou comme s'il se fût agi du cadavre d'un chien. Alors, il reboucha le trou, le piétina et replaça la pierre. Il mit la touche finale à son œuvre en parsemant le tour de la pierre d'herbe sèche et de brindilles.

Ensuite, il se mit en devoir de redevenir le célèbre Daizō de Narai, riche négociant en herbes. La tenue de paysan, enveloppant la pelle, alla dans un taillis que les passants risquaient peu d'explorer. Daizō passa son manteau de voyage et suspendit sa bourse autour de son cou à la façon des prêtres itinérants. En chaussant ses *zōri,* il murmura avec satisfaction :

— ... Voilà une bonne affaire de faite.

Quand Daizō fut hors de portée d'oreille, Jōtarō sortit de sa cachette et s'avança vers la pierre. Il eut beau scruter les lieux, il ne put discerner la moindre trace de ce dont il venait d'être témoin. Il regardait le sol comme la paume vide d'un prestidigitateur.

« Je ferais mieux de filer, songea-t-il soudain. Si je ne suis pas là quand il rentrera à l'auberge, il aura des soupçons. » Les lumières de la ville étant maintenant visibles au-dessous de lui, il n'eut aucun mal à retrouver son chemin. Courant comme le vent, il parvint à rester sur des voies secondaires, bien à l'écart de la route de Daizō.

Ce fut avec une expression de parfaite innocence qu'il grimpa les marches de l'auberge et rentra dans leur chambre. Il était dans un jour de chance ; Sukeichi, affalé contre la malle laquée, seul, dormait comme une masse. Un mince filet de salive lui coulait sur le menton.

— Dis donc, Sukeichi, tu vas attraper froid, là.

Exprès, Jōtarō le secoua pour le réveiller.

— Ah ! c'est toi ? bâilla Sukeichi en se frottant les yeux. Qu'est-ce que tu fabriquais dehors, aussi tard, sans en avoir averti le maître ?

— Tu es fou ? Je suis rentré depuis des heures. Si tu n'avais pas dormi, tu le saurais.

— N'essaie pas de me tromper. Je sais bien que tu es sorti avec cette bonne femme du Sumiya. Si tu cours déjà après les putains, je n'ose penser à ce que tu feras quand tu seras grand.

A cet instant, Daizō ouvrit le shoji.

— Me revoilà, dit-il simplement.

Il fallait partir de bonne heure pour arriver à Edo avant la nuit. Jinnai mit en route sa troupe, où Akemi avait retrouvé sa place, bien avant l'aube. Mais Daizō, Sukeichi et Jōtarō prirent le temps de déjeuner, et ne furent prêts à partir qu'une fois le soleil assez haut dans le ciel.

Daizō marchait en tête, comme d'habitude, mais Jōtarō traînait en arrière avec Sukeichi, ce qui était inhabituel. Daizō finit par s'arrêter pour demander :

— Qu'est-ce que tu as, ce matin ?

— Plaît-il ?

Jōtarō faisait de son mieux pour paraître désinvolte.

— Il y a quelque chose qui ne va pas ?

— Non, rien du tout. Pourquoi me demandez-vous ça ?

— Tu as l'air de mauvaise humeur. Ça ne te ressemble pas.

— Ça n'est rien, monsieur. Seulement, je réfléchissais. Si je reste avec vous, je ne sais pas si je retrouverai jamais mon maître. J'aimerais le rechercher seul, si vous n'y voyez pas d'inconvénient.

Sans hésiter un seul instant, Daizō répliqua :

— J'y vois un inconvénient !

Jōtarō l'avait rejoint et s'apprêtait à lui prendre le bras ; mais il retira sa main pour demander nerveusement :

— Lequel ?

— Reposons-nous ici un moment, dit Daizō en s'asseyant sur la plaine herbeuse qui faisait la célébrité de la province de Musashi.

Une fois assis, il fit signe à Sukeichi de continuer d'avancer.

— Mais je dois retrouver mon maître... le plus tôt possible, plaidait Jōtarō.

— Je te l'ai dit, tu ne partiras pas seul.

Avec une expression de grande sévérité, Daizō porta sa pipe en céramique à ses lèvres et tira une bouffée.

— ... A partir d'aujourd'hui, tu es mon fils.

Il avait l'air sérieux. Jōtarō avala sa salive, mais alors, Daizō se mit à rire et le garçon, croyant que tout cela n'était qu'une plaisanterie, répondit :

— Impossible. Je ne veux pas être votre fils.

— Quoi ?

— Vous êtes un marchand. Je veux être un samouraï.

— Je suis sûr que tu t'apercevras que Daizō de Narai n'est pas un bourgeois ordinaire, sans honneur ni ancêtres. Deviens mon fils adoptif, et je ferai de toi un véritable samouraï.

Jōtarō, consterné, se rendait compte qu'il pensait ce qu'il disait.

— Puis-je demander pourquoi vous avez décidé ça aussi brusquement ? demanda le garçon.

Soudain, Daizō l'empoigna et l'attira contre lui. La bouche à l'oreille du garçon, il chuchota :

— Tu m'as vu, hein, espèce de petit gredin ?

— Vu ?

— Oui ; tu regardais, n'est-ce pas ?

— Je ne sais pas de quoi vous parlez. Je regardais quoi ?

— Ce que j'ai fait la nuit dernière.

Jōtarō tâchait de toutes ses forces de garder son calme.

— ... Pourquoi as-tu fait ça ?

Les défenses du garçon étaient bien près de s'effondrer.

— ... Pourquoi fourrais-tu le nez dans mes affaires personnelles ?

— Pardon ! éclata Jōtarō. Je regrette vraiment. Je ne le dirai à personne !

— Parle plus bas. Je ne te punirai pas mais, en retour, tu vas devenir mon fils adoptif. Si tu refuses, tu ne me laisses d'autre choix que de te tuer. Allons, ne m'y force pas. Je te considère comme un bon garçon très digne d'être aimé.

Pour la première fois de sa vie, Jōtarō commença d'éprouver une véritable frayeur.

— Pardon ! répéta-t-il ardemment. Ne me tuez pas. Je ne veux pas mourir !

Comme une alouette captive, il se débattait timidement dans les bras de Daizō, craignant que s'il luttait davantage la main de la mort ne s'abattît aussitôt sur lui. Bien que le garçon se crût dans un étau, Daizō ne le tenait pas du tout serré. En réalité, lorsqu'il attira sur ses genoux le garçon, il le touchait presque avec tendresse.

— Alors, tu seras mon fils, n'est-ce pas ?

Son menton piquant grattait la joue de Jōtarō. Bien qu'il

n'eût pu s'en rendre compte, ce qui enchaînait Jōtarō, c'était une odeur d'homme adulte. Il ressemblait à un petit enfant sur les genoux de Daizō, incapable de résister, incapable même de parler.

— ... A toi de décider. Veux-tu me laisser t'adopter, ou veux-tu mourir ? Réponds-moi tout de suite !

Le garçon poussa un gémissement et fondit en larmes. Il s'essuya la figure avec ses doigts salés, si bien que des petites flaques boueuses se formèrent de part et d'autre de son nez.

— ... Pourquoi pleures-tu ? Tu as de la chance d'avoir une occasion pareille. Je te garantis que grâce à moi tu seras un grand samouraï.

— Mais...

— Mais quoi ?

— Vous êtes... vous êtes...

— Oui ?

— Je ne peux pas le dire.

— Accouche. Parle. Un homme doit exprimer sa pensée avec simplicité et clarté.

— Vous êtes... eh bien, votre métier, c'est de voler.

Sans les mains qui reposaient légèrement sur lui, Jōtarō se fût enfui comme une gazelle. Mais le giron de Daizō était une fosse profonde, dont les parois l'immobilisaient.

— Ha ! ha ! gloussa Daizō en lui donnant par jeu une claque dans le dos. C'est donc là tout ce qui t'inquiète ?

— Ou-ou-i.

Le rire secoua les fortes épaules de l'homme.

— Je pourrais bien être du genre à voler le pays tout entier, mais je ne suis pas un simple cambrioleur ou voleur de grand chemin. Regarde Ieyasu, Hideyoshi ou Nobunaga : ce sont tous des guerriers qui ont volé ou tenté de voler la nation tout entière, tu ne crois pas ? Reste seulement avec moi, et un de ces jours tu comprendras.

— Alors, vous n'êtes pas un voleur ?

— Je ne me soucie pas d'un métier qui rapporte aussi peu.

Et, relevant le garçon, il ajouta :

— ... Maintenant, cesse de pleurnicher, et remettons-nous en route. A partir de cet instant, tu es mon fils. Je serai pour toi un bon père. De ton côté, jamais tu ne souffleras mot à personne de ce que tu crois avoir vu cette nuit. Sinon, je te tords le cou.

Jōtarō le croyait.

Les pionniers

Le jour proche de la fin du cinquième mois où Osugi arriva à Edo, il faisait une chaleur humide, étouffante, comme ce n'était le cas que lorsque la saison des pluies n'apportait pas de pluie. Cela faisait près de deux mois qu'elle avait quitté Kyoto ; dans l'intervalle, elle avait voyagé sans se presser, en prenant le temps de dorloter ses douleurs et ses maux, ou de visiter sanctuaires et temples.

Sa première impression de la capitale du shōgun fut mauvaise. « Pourquoi construire des maisons dans un pareil marécage ? se dit-elle avec dédain. L'on n'a même pas encore arraché les mauvaises herbes et les joncs. »

En raison de l'exceptionnelle sécheresse, un voile de poussière couvrait la grand-route de Takanawa, aux arbres nouvellement plantés, aux bornes récemment dressées. Le tronçon qui allait de Shioiri à Nihombashi fourmillait de chars à bœufs chargés de pierres ou de bois de charpente. Tout le long du chemin, les maisons poussaient comme des champignons.

— Miséricorde ! s'étrangla Osugi en levant des yeux irrités sur une bâtisse inachevée.

De l'argile humide, tombée d'une truelle de plâtrier, venait d'atterrir accidentellement sur son kimono. Les ouvriers éclatèrent de rire.

— ... Quelle audace, que de jeter de la boue sur les gens pour ensuite leur rire au nez ! Vous devriez être à genoux, pour demander pardon !

Là-bas, à Miyamoto, quelques paroles acérées, sorties de sa bouche, eussent fait trembler ses fermiers ou tous les autres villageois. C'est à peine si ces ouvriers, entre les milliers de nouveaux venus du pays entier, levèrent les yeux de leur travail.

— Qu'est-ce que raconte la vieille sorcière ? demanda un ouvrier.

Osugi, furieuse, s'écria :

— Qui a dit ça ? Comment, toi...

Plus elle écumait, plus ils riaient. Des badauds s'attroupèrent, se demandant l'un à l'autre pourquoi la vieille femme ne prenait pas l'affaire philosophiquement comme il sied à son âge.

Osugi pénétra en trombe dans la maison, empoigna l'extrémité de la planche sur quoi se tenaient les plâtriers, et l'arracha à ses supports. Hommes et seaux pleins d'argile humide dégringolèrent avec fracas.

— Espèce de vieille garce !

Ils se relevèrent d'un bond et l'entourèrent, menaçants. Osugi ne faiblit point.

— Venez dehors ! ordonna-t-elle avec sévérité en portant la main à son petit sabre.

Les ouvriers réfléchirent. D'après son aspect et sa conduite, elle devait être d'une famille de samouraïs ; s'ils ne faisaient pas attention, ils risquaient des ennuis. Leurs manières se radoucirent nettement. Consciente de cette métamorphose, Osugi déclara avec majesté :

— ... Dorénavant, je ne tolérerai point de grossièretés de la part de vos semblables.

L'air satisfait, elle sortit et reprit sa route, laissant les spectateurs contempler bouche bée son dos inflexible. A peine avait-elle fait quelques pas qu'un apprenti, aux pieds boueux grotesquement couverts de copeaux et de sciure, la rejoignit en courant, chargé d'un seau d'argile sale.

— Qu'est-ce que tu dis de ça, espèce de vieille taupe ? cria-t-il en lui lançant dans le dos le contenu de son seau.

— Ou-ou-ou-ou !

Ce hurlement faisait honneur aux poumons d'Osugi, mais avant qu'elle pût se retourner l'apprenti avait disparu. Lorsqu'elle eut constaté l'étendue des dégâts, elle fronça le sourcil, et ses yeux se remplirent de larmes de vexation pure. L'allégresse était générale.

— ... Qu'est-ce qui vous fait rire, espèces de nigauds ? enrageait Osugi en montrant les crocs. Qu'est-ce qu'il y a de si drôle à voir une vieille femme éclaboussée d'ordures ? Est-ce ainsi que vous souhaitez la bienvenue aux personnes âgées, à Edo ? Vous n'avez pas la moindre humanité ! Rappelez-vous seulement que vous serez tous vieux un jour.

Cet éclat attira encore plus de badauds.

— ... Edo, parlons-en ! reprit-elle avec un reniflement de mépris. A entendre parler les gens, on croirait que c'est la plus grande ville de tout le pays. Or, qu'est-ce que c'est ? Un endroit plein de saletés où tout le monde rase des collines, comble des marécages, creuse des fossés, entasse du sable provenant du bord de la mer. Par-dessus le marché, c'est plein d'une racaille que l'on ne trouverait jamais à Kyoto ni ailleurs dans l'Ouest.

S'étant ainsi déchargé le cœur, elle tourna le dos à la foule ricanante et poursuivit rapidement sa route.

Certes, le caractère le plus remarquable de la ville, c'est qu'elle était neuve. Le bois et le plâtre des maisons étincelaient de fraîcheur ; maints chantiers de construction étaient inachevés ; la bouse des bœufs et le crottin des chevaux assaillaient les yeux et les narines. Il n'y avait pas si longtemps, cette route n'avait été qu'un sentier à travers les rizières, entre les villages de Hibiya et de Chiyoda. Osugi eût-elle été un peu plus à l'ouest, plus près du château d'Edo, elle eût trouvé un quartier plus ancien et plus calme où daimyōs et vassaux du shōgun avaient commencé de bâtir des résidences peu après que Tokugawa Ieyasu eut occupé Edo, en 1590.

En tout état de cause, absolument rien ne plaisait à Osugi. Elle se sentait vieille. Tous les gens qu'elle voyait — commerçants, fonctionnaires à cheval, samouraïs qui passaient à grands pas à côté d'elle en chapeau de vannerie —, tous étaient jeunes, comme l'étaient les ouvriers, les artisans, les vendeurs, les soldats et les généraux eux-mêmes.

La façade d'une maison, où les plâtriers s'affairaient encore, portait une enseigne de boutique derrière laquelle était assise une femme très poudrée qui se brossait les sourcils en attendant le chaland. Dans d'autres bâtisses en construction l'on vendait du saké, dressait des étalages de denrées séchées, s'approvisionnait en poisson fumé. Un homme accrochait dehors une enseigne vantant des médicaments.

« Si je n'étais pas à la recherche de quelqu'un, grommelait aigrement Osugi, je ne resterais pas une seule nuit dans cette décharge à ordures. »

Devant une montagne de terre qui bouchait la route, elle fit halte. Au pied d'un pont qui franchissait le fossé encore sans eau se dressait une baraque. Ses parois étaient faites de nattes de roseaux maintenues par des bandes de bambou, mais une banderole proclamait qu'il s'agissait d'un bain public. Osugi tendit une pièce en cuivre, et entra laver son kimono. Après l'avoir nettoyé de son mieux, elle emprunta une perche à sécher, et étendit le vêtement contre la paroi de la baraque. En sous-vêtement, une robe de bain légère drapée sur le dos, elle s'accroupit dans l'ombre de l'établissement et regarda la route d'un œil absent.

De l'autre côté de la rue, une demi-douzaine d'hommes, debout en cercle, marchandaient d'une voix assez forte pour permettre à Osugi d'entendre ce qu'ils disaient.

— Ça fait combien de pieds carrés ? Si le prix est raisonnable, je m'y intéresserai peut-être.

— Il y a deux tiers d'arpent. Le prix, je l'ai déjà indiqué. Impossible de faire moins.

— C'est trop. Vous devez bien vous en rendre compte vous-même.

— Pas du tout. Combler un terrain coûte fort cher. Et n'oubliez pas qu'il n'y en a plus de disponible, par ici.

— Oh ! il doit bien y en avoir. On comble partout.

— Déjà vendu. Les gens s'arrachent le terrain tel quel, marécage compris. Vous ne trouverez pas trois cents pieds carrés à vendre. Bien sûr, si vous acceptez de vous éloigner beaucoup vers la rivière Sumida, vous trouverez peut-être quelque chose de meilleur marché.

— Vous me garantissez qu'il y a deux tiers d'arpent ?

— Vous n'avez pas besoin de ma parole. Prenez une corde et mesurez vous-même.

Osugi n'en revenait pas ; le chiffre cité pour cent pieds carrés aurait suffi pour des dizaines d'arpents de bonne terre à riz. Pourtant, à peu près la même conversation se répétait dans la ville entière, car de nombreux marchands spéculaient sur les terrains. Osugi était aussi perplexe. « Pourquoi veut-on de la terre ici ? Elle ne vaut rien pour le riz, et l'on ne peut appeler cet endroit une ville. »

De l'autre côté de la rue, le marché finit par se conclure sur un claquement de mains rituel, destiné à porter chance à toutes les parties concernées. Comme elle regardait, désœuvrée, les ombres s'éloigner, Osugi sentit une main au dos de son obi.

— Au voleur ! cria-t-elle en tâchant de saisir le poignet du malfaiteur, mais sa bourse était déjà partie et le voleur déjà dans la rue. Au voleur ! cria-t-elle à nouveau.

Elle s'élança aux trousses de l'homme, et parvint à s'agripper à sa taille.

— ... Au secours ! Au voleur !

Le malfaiteur se débattit, la frappa plusieurs fois au visage sans pouvoir desserrer son étreinte.

— Lâche-moi donc, vieille vache ! vociféra-t-il en lui lançant des coups de pied dans les côtes.

Avec un violent gémissement, Osugi tomba mais elle avait dégainé son petit sabre et taillada la cheville de l'homme.

— Ououou !

Le sang jaillissait de la blessure. L'homme fit quelques pas en boitant puis s'affala par terre. Alertés par le vacarme, les marchands de terrain se retournèrent, et l'un d'eux s'exclama :

— Dites donc, ça ne serait pas ce bon à rien de Kōshū ?

Celui qui parlait ainsi était Hangawara Yajibei, maître d'une équipe nombreuse d'ouvriers du bâtiment.

— Il lui ressemble, fit l'un de ses compagnons. Qu'est-ce qu'il a dans la main ? On dirait une bourse.

— C'est ma foi vrai ! Et quelqu'un vient de crier au voleur. Regardez ! Il y a une vieille femme effondrée par terre. Allez donc voir ce qu'elle a. Je m'occuperai de lui.

Déjà le voleur, s'étant relevé, prenait la fuite ; mais Yajibei le rattrapa et le fit retomber d'une tape, comme il eût écrasé une sauterelle. Rejoignant son patron, l'assistant rapporta :

— Exactement ce que nous pensions. Il a volé la bourse de la vieille dame.

— Je la tiens. Comment va la vieille dame ?

— Pas de blessure grave. Elle s'était évanouie, mais elle est revenue à elle en criant à l'assassin.

— Elle est encore assise là-bas. Ne peut-elle se relever ?

— Je crains bien que non. Il lui a donné des coups de pied dans les côtes.

— Espèce de vaurien !

Foudroyant toujours du regard le voleur, Yajibei ordonna à son subordonné :

— .. Ushi, dresse un poteau.

Ces mots firent trembler le voleur comme si on lui appuyait la pointe d'un couteau contre la gorge.

— Non, pas ça ! supplia-t-il, rampant dans la boue aux pieds de Yajibei. Pour cette fois, laissez-moi partir. Je vous promets de ne pas recommencer.

Yajibei secoua la tête.

— Non. Tu auras ce que tu mérites.

Ushi, ainsi nommé d'après le signe du zodiaque sous lequel il était né, pratique assez répandue chez les paysans, revint avec deux ouvriers du chantier proche du pont.

— Là-bas, dit-il en désignant le milieu d'un terrain vague.

Quand les ouvriers eurent planté dans le sol un lourd poteau, l'un d'eux demanda :

— Ça suffira ?

— Parfait, dit Yajibei. Maintenant, attachez-le au poteau, et clouez une planche au-dessus de sa tête.

Cela fait, Yajibei emprunta un pinceau et un encrier à un charpentier, et inscrivit sur la planche : « Cet homme est un voleur. Jusqu'à ces derniers temps, il travaillait pour moi, mais il a commis un délit pour lequel il doit être puni. Il doit être attaché ici, exposé à la pluie et au soleil, durant sept jours et sept nuits. Par ordre de Yajibei de Bakurōchō. »

— ... Merci, dit-il en rendant l'encrier. Et maintenant, si ce n'est pas trop vous demander, donnez-lui quelque chose à manger de temps en temps. Juste assez pour l'empêcher de mourir de faim. N'importe quel reste de votre déjeuner fera l'affaire.

Les deux ouvriers, ainsi que d'autres qui s'étaient rassemblés entre-temps, donnèrent leur assentiment. Certains d'entre eux promirent de veiller à ce que le voleur fût ridiculisé de la belle manière. Les samouraïs n'étaient pas seuls à redouter l'exposition en public de leurs méfaits ou de leurs faiblesses. A l'époque, même pour les bourgeois ordinaires, être objet de risée constituait le pire de tous les châtiments.

Punir les malfaiteurs sans recourir à la Justice était une pratique solidement établie. En un temps où les guerriers se trouvaient trop occupés à guerroyer pour maintenir l'ordre, les bourgeois, dans l'intérêt de leur propre sécurité, avaient pris sur eux de régler leur compte aux scélérats. Bien qu'Edo possédât maintenant un magistrat officiel, et que l'on fût en train d'élaborer un système au sein duquel des citoyens éminents de chaque quartier jouaient le rôle de représentants du gouvernement, il y avait encore des exemples de justice sommaire. Dans un état de choses resté un peu chaotique, les autorités ne voyaient guère l'utilité d'intervenir.

— Ushi, dit Yajibei, va reporter à la vieille dame sa bourse. Quel dommage qu'il faille que ce soit arrivé à une personne de son âge ! Il semble qu'elle soit toute seule. Qu'est devenu son kimono ?

— Elle dit l'avoir lavé et suspendu à sécher.

— Va le lui chercher, et puis amène-la. Autant la ramener avec nous à la maison. A quoi bon punir le voleur, si nous devons la laisser ici, à la merci d'un autre bandit ?

Quelques instants plus tard, Yajibei s'éloignait à grands pas. Ushi le suivait de près, le kimono sur le bras, Osugi sur le dos.

Ils arrivèrent bientôt à Nihombashi, le « Pont du Japon », à partir duquel on mesurait maintenant toutes les distances au long des routes qui partaient d'Edo. Des piles de pierre soutenaient l'arche de bois ; le pont n'ayant été construit qu'environ un an plus tôt, les parapets conservaient un aspect neuf. Des bateaux venus de Kamakura et d'Odawara se trouvaient amarrés le long d'une des berges. Sur l'autre se tenait le marché au poisson de la ville.

— Oh ! que j'ai mal au côté ! s'exclama Osugi avec un violent gémissement.

Les marchands de poisson levèrent les yeux pour voir ce qui

se passait. Se donner en spectacle n'était pas du goût de Yajibei. Se retournant pour jeter un coup d'œil à Osugi, il lui dit :

— Nous arrivons bientôt. Prenez patience. Votre vie n'est pas en danger.

Osugi appuya la tête sur le dos d'Ushi, et devint sage comme une image.

Au centre de la ville, commerçants et artisans voisinaient. Il y avait le quartier des forgerons, celui des fabricants de lances, d'autres pour les teinturiers, les tisseurs de tatamis, et ainsi de suite. La maison de Yajibei se distinguait de celles des autres charpentiers en ce que la façade du toit était à moitié couverte de tuiles ; toutes les autres maisons avaient des toits de planches. Jusqu'à un incendie survenu deux ans plus tôt, presque tous les toits avaient été couverts de chaume. Yajibei devait à son toit ce qui passait pour être son nom de famille : Hangawara veut dire « à demi couvert de tuiles ».

Il était venu à Edo en tant que rōnin ; mais étant à la fois intelligent et généreux, il s'était révélé habile meneur d'hommes. Avant longtemps, il s'installa comme entrepreneur, employant une importante équipe de charpentiers, de couvreurs et d'ouvriers non spécialisés. De constructions exécutées pour divers daimyōs il tira un capital suffisant pour aborder aussi les affaires immobilières. Désormais trop riche pour devoir travailler de ses propres mains, il jouait le rôle de chef local. Parmi tous ceux d'Edo, Yajibei était l'un des plus connus et des plus estimés.

Les bourgeois considéraient avec respect les chefs aussi bien que les guerriers, mais les premiers étaient les plus admirés car en général, ils défendaient les gens du peuple. Bien que ceux d'Edo eussent un style et un état d'esprit qui leur étaient propres, les chefs n'existaient pas que dans la nouvelle capitale. Leur histoire remontait aux derniers jours troublés du shogunat Ashikaga, où des bandes d'étrangleurs parcouraient la campagne comme des troupes de lions, pillant tout leur soûl et sans retenue.

D'après un auteur de l'époque, ils ne portaient guère plus que des pagnes vermillon et de larges ceintures. Leurs grands sabres étaient fort longs — un mètre vingt environ —, et leurs petits sabres eux-mêmes dépassaient soixante centimètres. Beaucoup utilisaient d'autres armes, d'un type plus grossier, telles que haches d'armes et « râteaux de fer ». Ils laissaient pousser leurs cheveux, portaient d'épaisses bandes de corde en guise de serre-tête, et des guêtres de cuir leur protégeaient souvent les tibias.

Sans loyalisme fixe, ils jouaient le rôle de mercenaires ; une fois la paix rétablie, aussi bien les paysans que les samouraïs les frappèrent d'ostracisme. A l'époque d'Edo, ceux qui ne se contentaient pas d'être bandits ou voleurs de grand chemin cherchaient souvent fortune dans la nouvelle capitale. Bon nombre réussirent, et l'on a décrit cette race de chefs comme ayant « la vertu pour ossature, l'amour du peuple pour chair et la vaillance pour peau ». Bref, c'étaient des héros populaires par excellence.

Massacre au bord de la rivière

La vie sous le toit à demi couvert de tuiles de Yajibei convint si bien à Osugi que dix-huit mois plus tard elle s'y trouvait encore. Après les toutes premières semaines, au cours desquelles elle se reposa et se rétablit, il ne se passait guère de jour sans qu'elle se dît qu'elle devait reprendre la route. Chaque fois qu'elle s'en ouvrait à Yajibei, qu'elle voyait rarement, il la priait de rester encore.

— Rien ne presse, disait-il. Vous n'avez aucune raison d'aller ici plutôt que là. Réservez-vous pour quand nous aurons trouvé Musashi. Alors, nous pourrons vous servir de seconds.

Yajibei ne savait rien de l'ennemi d'Osugi, sinon ce qu'elle-même lui en avait dit — qu'il était, à la lettre, la plus sombre des canailles —, mais depuis l'arrivée de la vieille femme, tous les hommes de Yajibei avaient reçu l'ordre de rapporter sur-le-champ tout ce qu'ils entendraient ou verraient concernant Musashi.

Après avoir initialement détesté Edo, Osugi s'était radoucie au point d'admettre que les gens y étaient « cordiaux, insouciants et pleins de cœur ».

La maison Hangawara était un lieu particulièrement accommodant, une espèce de havre pour les inadaptés sociaux ; jeunes campagnards trop paresseux pour être fermiers, rōnins destitués, prodigues qui avaient dépensé tout l'argent de leurs parents, anciens bagnards tatoués constituaient une équipe rude et bigarrée dont l'esprit de corps ressemblait à celui d'une école de guerriers bien tenue. Mais ici, l'on professait un idéal de masculinité bravache plutôt que de virilité spirituelle ; il s'agissait véritablement d'un « dōjō » pour bandits.

Comme dans le dōjō des arts martiaux, il y avait une rigide structure hiérarchique. Sous le chef, suprême autorité temporelle et spirituelle, venait un groupe de supérieurs, le plus souvent appelés les « frères aînés ». Au-dessous d'eux se trouvaient les acolytes ordinaires — les *kobun* — dont le rang était en grande partie déterminé par la durée du service. Il y avait également une classe spéciale d' « hôtes » ; leur statut dépendait de facteurs tels que leur adresse aux armes. Soutenant l'organisation hiérarchique il existait un code d'étiquette, d'origine incertaine, mais strictement appliqué.

A un certain moment, Yajibei, se disant qu'Osugi risquait de s'ennuyer, lui proposa de prendre soin des plus jeunes hommes. Depuis lors, ses journées avaient été pleinement occupées à coudre, réparer, laver pour les *kobun,* dont le laisser-aller lui donnait beaucoup de travail.

Malgré tout leur manque d'usage, les *kobun* reconnaissaient la qualité lorsqu'ils la voyaient. Ils admiraient à la fois les habitudes spartiates de la vieille femme et l'efficience avec laquelle elle accomplissait ses corvées. « C'est une vraie dame de samouraï, avaient-ils coutume de déclarer. La Maison de Hon'iden doit être d'un très bon sang. »

L'hôte inattendu d'Osugi la traitait avec considération ; il lui avait même construit un logis séparé sur le terrain vague, derrière sa maison. Chaque fois qu'il était chez lui, il allait matin et soir lui présenter ses respects. Comme un de ses subordonnés lui demandait pourquoi il manifestait pareille déférence envers une inconnue, Yajibei avoua qu'il s'était fort mal conduit envers ses propres père et mère alors qu'ils vivaient encore. « A mon âge, disait-il, j'ai le sentiment d'avoir des devoirs filiaux envers tous les gens âgés. »

Le printemps vint, les fleurs de pruniers sauvages tombèrent, mais la ville même n'avait encore presque pas de fleurs de cerisier. Hormis quelques arbres dans les collines peu loties de l'Ouest, il n'y avait que les jeunes arbres plantés par les bouddhistes le long de la route qui menait au Sensōji, à Asakusa. Le bruit courait que cette année ils étaient en boutons, et fleuriraient pour la première fois. Un jour, Yajibei entra dans la chambre d'Osugi et lui dit :

— Je vais au Sensōji. Cela vous ferait-il plaisir de m'accompagner ?

— Grand plaisir. Ce temple est consacré à Kanzeon, et je crois beaucoup en ses pouvoirs. Elle est la même bodhisattva que la Kannon que je priais au Kiyomizudera, à Kyoto.

A Yajibei et Osugi se joignirent deux des *kobun,* Jūrō et Koroku. Jūrō portait le surnom de « Natte de roseau » pour des raisons ignorées de tous, mais il était aisé de comprendre pourquoi l'on surnommait Koroku l' « Acolyte ». C'était un petit homme épais à la face remarquablement bénigne, si l'on négligeait les trois vilaines cicatrices de son front, témoignages d'une propension aux rixes de rues.

D'abord, ils gagnèrent le fossé de Kyōbashi, où l'on trouvait des bateaux à louer. Après que Koroku les eut menés avec habileté du fossé à la rivière Sumida, Yajibei ordonna que l'on sortît les déjeuners portatifs.

— Si je vais au temple aujourd'hui, expliqua-t-il, c'est pour célébrer l'anniversaire du décès de ma mère. En réalité, je devrais retourner dans mon pays m'incliner sur sa tombe ; mais c'est trop loin ; aussi, je me contente d'aller au Sensōji faire une donation. Mais ne considérez ça que comme un pique-nique.

Par-dessus le bord du bateau, il rinça une coupe à saké, et l'offrit à Osugi.

— C'est très bien de votre part de vous rappeler votre mère, dit-elle en acceptant la coupe et en se demandant avec émotion si Matahachi en userait de même après sa disparition. Pourtant, est-il convenable de boire du saké le jour anniversaire du décès de votre pauvre mère ?

— Mon Dieu, j'aime mieux ça que de célébrer une cérémonie pompeuse. En tout cas, je crois en Bouddha ; pour des rustres ignorants tels que moi, c'est là tout ce qui compte. Vous connaissez le dicton, n'est-ce pas ? « Qui a la foi n'a pas besoin de science. »

Osugi, s'inclinant, se mit en devoir de vider plusieurs coupes. Au bout d'un moment, elle observa :

— Voilà des siècles que je n'avais pas autant bu. J'ai l'impression de planer.

— Finissez donc votre coupe, insista Yajibei. Ce saké est bon, n'est-ce pas ? N'ayez pas peur de l'eau. Nous sommes là pour prendre soin de vous.

La rivière, qui coulait vers le sud à partir de la ville de Sumida, était large et calme. Du côté de Shimōsa, la rive orientale située face à Edo, se dressait une forêt luxuriante. Des racines d'arbres qui s'avançaient dans l'eau formaient des bassins limpides, qui brillaient comme saphirs au soleil.

— Oh ! fit Osugi, écoutez les rossignols !

— Quand vient la saison des pluies, les coucous chantent sans arrêt.

— Permettez-moi de vous servir le saké. J'espère que cela ne vous ennuie pas si je m'associe à votre célébration.

— Je suis content de vous voir vous amuser.

De l'arrière, Koroku cria à pleine voix :

— Dites donc, patron, et si vous passiez le saké par ici ?

— Contente-toi de faire attention à ton travail. Si tu commences maintenant, nous nous noierons tous. Au retour, tu pourras boire tout ton soûl.

— Puisque vous le dites... Mais je veux seulement que vous sachiez que la rivière entière commence à ressembler à du saké.

— N'y pense plus... Allons, approche-toi de ce bateau, au bord, pour que nous puissions acheter du poisson frais.

Koroku fit ce qu'on lui disait. Après un peu de marchandage, le pêcheur, avec un large sourire de satisfaction, souleva le couvercle d'un vivier encastré dans le pont, et leur dit de prendre tout ce qu'ils voulaient. Osugi n'avait jamais rien vu de pareil. Le vivier se trouvait plein jusqu'au bord de poissons qui frétillaient, qui battaient des nageoires, poissons de mer, poissons de rivière : carpes, crevettes, poissons-chats, pagres noirs, gobies ; jusqu'à des truites et des bars.

Yajibei arrosa de sauce au soja de la blanchaille, qu'il se mit à dévorer crue. Il en offrit à Osugi mais elle refusa avec une expression d'épouvante.

Lorsqu'ils débarquèrent sur la rive ouest, la vieille femme n'était pas très solide sur ses jambes.

— Attention, lui dit Yajibei. Tenez, prenez ma main.

— Non, merci. Je n'ai besoin d'aucune aide.

Elle agitait sa propre main devant sa figure avec indignation.

Après que Jūrō et Koroku eurent amarré le bateau, tous quatre franchirent une large étendue de pierres et de mares pour atteindre la berge proprement dite. Un groupe de petits enfants s'affairaient à retourner les pierres ; mais à la vue de ce quatuor insolite, ils s'arrêtèrent et s'attroupèrent en bavardant avec animation :

— Achetez-nous-en, monsieur, s'il vous plaît.

— Vous ne voulez pas nous en acheter, grand-mère.

Yajibei paraissait aimer les enfants ; du moins ne montrait-il aucun signe d'impatience.

— Qu'est-ce que vous avez là... des crabes ?

— Non, pas des crabes ; des têtes de flèches ! s'écrièrent-ils en en sortant par poignées de leurs kimonos.

— Des têtes de flèches ?

— Oui. Beaucoup d'hommes et de chevaux sont enterrés dans un tumulus, à côté du temple. Les gens qui viennent ici achètent des têtes de flèches pour en offrir aux morts. Vous devriez en faire autant.

— Je ne crois pas avoir besoin de têtes de flèches, mais je vous donnerai de l'argent. Ça vous ira ?

Ça leur allait à merveille, semblait-il : aussitôt que Yajibei leur eut distribué quelques pièces, les enfants repartirent creuser. Mais sous ses yeux, un homme sortit d'une chaumière proche, leur confisqua les pièces, et rentra. Yajibei fit claquer sa langue et tourna les talons, dégoûté. Osugi contemplait la rivière, fascinée.

— S'il y a beaucoup de têtes de flèches qui traînent, observa-t-elle, il doit y avoir eu une grande bataille.

— Je ne sais pas au juste ; mais il semble qu'il y ait eu pas mal de batailles par ici, à l'époque où Edo n'était qu'un domaine provincial. Il y a quatre ou cinq cents ans de cela. J'ai entendu dire que Minamoto no Yoritomo est venu d'Izu ici organiser des troupes au XIIe siècle. Lors de la défaite de la cour impériale — quand donc était-ce, au XIVe siècle ? —, le seigneur Nitta de Musashi a été vaincu par les Ashikaga quelque part dans le voisinage. Au cours des deux derniers siècles, Ota Dōkan et d'autres généraux locaux passent pour avoir livré de nombreuses batailles tout près, en amont de la rivière.

Pendant qu'ils devisaient, Jūrō et Koroku les devançaient pour leur préparer une place où s'asseoir sur le péristyle du temple.

Le Sensōji se révéla une terrible déception pour Osugi. A ses yeux, ce n'était qu'une grande maison délabrée, et la résidence du prêtre une simple cabane.

— Ce n'est que ça ? demandait-elle avec plus qu'une ombre de dépréciation. Après tout ce que j'ai entendu dire du Sensōji...

Le décor était une magnifique forêt primitive de grands arbres anciens mais le temple de Kanzeon avait l'air minable, et quand la rivière débordait, l'eau montait à travers bois jusqu'au péristyle. Même à d'autres moments, de petits affluents inondaient le terrain.

— Soyez le bienvenu. Content de vous revoir.

Levant des yeux surpris, Osugi vit un prêtre agenouillé sur le toit.

— Alors, on travaille sur le toit ? demanda aimablement Yajibei.

— Il faut bien, à cause des oiseaux. Plus je le répare, et plus ils en volent le chaume pour faire leurs nids. Ça prend toujours l'eau quelque part. Mettez-vous à l'aise. Je descends tout de suite.

Yajibei et Osugi prirent des cierges votifs, et pénétrèrent dans l'intérieur sombre. « Pas étonnant que ça prenne l'eau », se dit-elle en regardant les trous qui étoilaient le plafond.

Elle s'agenouilla à côté de Yajibei, sortit son chapelet, et, les yeux rêveurs, psalmodia le Vœu de Kanzeon, extrait du Sutra du Lotus :

Tu résideras dans l'air, comme le soleil.
Et si de mauvais hommes te poursuivent
Et te font tomber de la Montagne de Diamant,
Médite sur la puissance de Kanzeon,
Et tu ne perdras pas un cheveu de ta tête.
Et si des bandits te cernent
Et te menacent de leurs sabres,
Si tu médites sur la puissance de Kanzeon
Les bandits te prendront en pitié.
Et si le roi te condamne à mort,
Et que le sabre soit sur le point de te décapiter,
Médite sur la puissance de Kanzeon.
Le sabre volera en éclats.

Au début, elle récitait doucement ; mais à mesure qu'elle oubliait la présence de Yajibei, Jūrō et Koroku, sa voix s'élevait et devenait retentissante ; son visage prenait une expression d'extase.

Les quatre-vingt-quatre mille êtres sensibles
Se mirent à aspirer dans leur cœur
A *anuttara-sanmyak-sambodhi,*
La sagesse insurpassée des Bouddhas.

Le chapelet tremblant entre les doigts, Osugi passa sans transition de sa psalmodie à une prière personnelle :

Gloire à Kanzeon, universellement honorée !
Gloire à la Bodhisattva d'infinie miséricorde et d'infinie [compassion !
Considère d'un œil favorable l'unique vœu de la vieille [femme que je suis.
Fais que j'abatte Musashi, et très bientôt !
Fais que je l'abatte !

Fais que je l'abatte !

Baissant brusquement la voix, elle s'inclina jusqu'à terre.

— ... Et fais de Matahachi un bon garçon. Assure la prospérité de la Maison de Hon'iden !

Après cette longue prière, il y eut un moment de silence avant que le prêtre les invitât à prendre le thé dehors. Yajibei et ses deux cadets, qui s'étaient protocolairement agenouillés durant toute l'invocation, se relevèrent en frictionnant leurs jambes courbaturées, et sortirent sur le péristyle.

— Maintenant, je peux boire du saké ? demanda Jūrō, anxieux.

L'autorisation accordée, il courut chez le prêtre préparer leur déjeuner sur le péristyle. Le temps pour les autres de le rejoindre, il sirotait son saké d'une main, et de l'autre faisait griller le poisson qu'ils avaient acheté.

— Qu'est-ce que ça peut faire, qu'il n'y ait pas de fleurs de cerisier ? commenta-t-il. Ça ressemble tout de même à un pique-nique avec vue sur les fleurs.

Yajibei tendit au prêtre une offrande, délicatement enveloppée dans du papier, et lui dit de la consacrer aux réparations du toit. Ce faisant, il remarqua une rangée de plaques de bois où se trouvaient inscrits des noms de donateurs, avec les sommes qu'ils avaient offertes. Presque toutes ces dernières étaient à peu près les mêmes que celle de Yajibei, quelques-unes moindres, mais l'une contrastait nettement : « Dix pièces d'or, Daizō de Narai, province de Shinano. » Se tournant vers le prêtre, Yajibei fit observer avec une certaine méfiance :

— C'est peut-être mal élevé de le dire, mais dix pièces d'or sont une somme considérable. Ce Daizō de Narai est si riche que cela ?

— A la vérité, je n'en sais rien. Il est apparu soudainement un beau jour, vers la fin de l'année dernière, en disant que c'était une honte que le plus célèbre temple de la région de Kanto fût en aussi piètre état. Il m'a déclaré que l'argent devrait servir à l'achat de bois de charpente.

— Un homme admirable, à ce qu'il semble.

— Il a donné aussi trois pièces d'or au sanctuaire de

Yushima, et — tenez-vous bien — vingt au sanctuaire de Kanda Myōjin. Il voulait que ce dernier fût maintenu en bon état car il abrite l'âme de Taira no Masakado. Daizō affirme que Masakado n'était pas un rebelle. Il estime qu'il conviendrait de révérer en lui le pionnier qui a ouvert la partie orientale du pays. En ce monde, il y a de bien curieux donateurs.

A peine avait-il fini de parler qu'une troupe d'enfants accourut en désordre vers eux.

— ... Que faites-vous ici ? leur cria sévèrement le prêtre. Si vous avez envie de jouer, descendez au bord de la rivière. Vous ne devez pas courir comme des fous dans les jardins du temple.

Mais les enfants continuèrent comme un banc de vairons jusqu'au péristyle.

— Venez vite ! cria l'un. C'est affreux !

— Il y a un samouraï, là-bas. Il est en train de se battre.

— A un contre quatre.

— De vrais sabres !

— Bouddha me pardonne, encore ! gémit le prêtre en se hâtant d'enfiler ses sandales.

Et, avant de s'éloigner en courant, il prit quelques instants pour s'expliquer :

— ... Excusez-moi. Je vais devoir vous laisser un moment. La berge est un lieu d'élection pour les combats. Chaque fois que j'ai le dos tourné, il y a là-bas quelqu'un qui met quelqu'un d'autre en pièces ou le réduit en bouillie. Alors, des employés du magistrat viennent me demander un rapport écrit. Il faut que j'aille voir ce que c'est.

— Une bagarre ? s'écrièrent en chœur Yajibei et ses hommes — et les voilà partis au pas de course.

Osugi les suivit ; mais elle était si peu solide sur ses jambes que, le temps d'arriver là-bas, la bataille était finie. Les enfants et des badauds venus d'un proche village de pêcheurs formaient un cercle silencieux ; pâles, ils avalaient difficilement leur salive. D'abord, Osugi trouva bizarre un tel silence ; mais alors, elle aussi, le souffle coupé, écarquilla les yeux. A terre passait l'ombre d'une hirondelle. Vers eux s'avançait un jeune samouraï à l'expression satisfaite, vêtu d'un manteau pourpre d'homme de guerre. Remarqua-t-il ou non les spectateurs ? Il ne leur prêta aucune attention.

Le regard d'Osugi passa à quatre corps qui gisaient, emmêlés, à une vingtaine de pas derrière le samouraï. Le vainqueur s'arrêta. Cependant, un hoquet jaillit de plusieurs bouches, car l'un des vaincus avait bougé. Se relevant péniblement, il cria :

— Halte ! Tu ne peux t'enfuir comme ça.

Le samouraï se mit en garde, tandis que le blessé s'élançait en haletant :

— ... Ce... combat n'est... pas encore fini.

Lorsqu'il passa faiblement à l'attaque, le samouraï recula d'un pas, ce qui fit trébucher l'homme en avant. Alors, le samouraï frappa, fendant en deux le crâne de l'homme.

— Et maintenant, il est fini ? cria-t-il férocement.

Nul ne l'avait même vu dégainer la « Perche à sécher ».

Ayant essuyé sa lame, il se baissa pour se laver les mains dans la rivière. Les villageois avaient beau être habitués aux batailles, le sang-froid du samouraï les stupéfiait. La mort du dernier homme avait été non seulement instantanée, mais d'une inhumaine cruauté. Nul ne souffla mot. Le samouraï se redressa, s'étira.

— ... Ça ressemble tout à fait à la rivière Iwakuni, dit-il. Ça me rappelle chez moi.

Son regard erra quelques instants sur la large rivière et sur un vol d'hirondelles à ventre blanc qui piquaient droit sur l'eau et la rasaient. Puis il se détourna et descendit rapidement vers l'aval.

Il alla droit au bateau de Yajibei ; mais comme il commençait de le détacher, Jūrō et Koroku sortirent de la forêt et coururent à lui.

— Un moment ! Qu'est-ce que vous faites là ? cria Jūrō, maintenant assez près pour voir le sang sur le *hakama* et les lanières de sandales du samouraï, mais qui n'en tint aucun compte.

Lâchant la corde, le samouraï fit un large sourire et demanda :

— Ne puis-je prendre ce bateau ?

— Bien sûr que non ! aboya Jūrō.

— Et si je payais ?

— Ne dites pas de bêtises.

La voix qui rejetait brusquement la requête du samouraï était celle de Jūrō mais dans un sens, c'était toute la nouvelle ville fougueuse d'Edo qui s'exprimait sans frayeur par sa bouche. Le samouraï ne présenta pas d'excuses, mais ne recourut pas non plus à la force. Il tourna les talons, et s'éloigna sans mot dire.

— Kojirō ! Kojirō ! Attendez ! appela Osugi à pleins poumons.

En voyant qui c'était, Kojirō perdit son expression rébarbative et fit un sourire cordial.

— Tiens, que faites-vous ici ? Je me demandais ce que vous deveniez.

— Je suis venue ici rendre hommage à Kanzeon. Je suis accompagnée de Hangawara Yajibei et de ces deux jeunes gens. Yajibei m'héberge chez lui, à Bakurōchō.

— Quand donc vous ai-je rencontrée pour la dernière fois ? Voyons... au mont Hiei. Vous disiez alors que vous alliez à Edo ; aussi, je me disais que j'avais des chances de tomber sur vous. Je ne m'attendais guère à ce que ce fût ici.

Il jeta un coup d'œil à Jūrō et Koroku, pétrifiés.

— ... Vous voulez dire : ces deux-là ?

— Oh ! ce ne sont que deux brutes, mais leur chef est un homme très bien.

Yajibei était tout aussi frappé de la foudre que tous les autres de voir son invitée bavarder cordialement avec le terrifiant samouraï. Il accourut, s'inclina devant Kojirō, et dit :

— Je crains bien que mes garçons n'aient été très grossiers envers vous, monsieur. J'espère que vous leur pardonnerez. Nous sommes tout prêts à partir. Peut-être vous plairait-il de descendre la rivière avec nous.

Copeaux

Pareils à la plupart des gens réunis par les circonstances, et qui d'ordinaire n'ont rien ou pas grand-chose en commun, le samouraï et son hôte ne tardèrent pas à trouver un terrain d'entente. La réserve de saké était abondante, le poisson frais ; Osugi et Kojirō se trouvaient liés par une curieuse parenté spirituelle qui évitait que l'atmosphère ne tombât dans un formalisme guindé. Ce fut avec un authentique intérêt qu'elle s'enquit de sa carrière de *shugyōsha,* et lui des progrès de la vieille dame dans la réalisation de sa « grande ambition ». Lorsqu'elle lui répondit qu'elle ignorait de longue date où se trouvait Musashi, Kojirō lui apporta un rayon d'espoir :

— Le bruit court qu'il est allé voir deux ou trois hommes de guerre éminents, l'automne et l'hiver derniers. Quelque chose me dit qu'il est encore à Edo.

Yajibei n'en était pas certain, bien sûr, et informa Kojirō que ses hommes n'avaient absolument rien appris. Après qu'ils eurent discuté de la situation d'Osugi sous tous ses angles, Yajibei dit :

— J'espère que nous pouvons compter sur votre amitié fidèle.

Kojirō répondit sur le même ton, et mit une certaine ostentation à rincer sa coupe afin de l'offrir non seulement à Yajibei mais à ses deux subordonnés, à chacun desquels il versa à boire. Osugi était dans le ravissement.

— A ce que l'on dit, fit-elle observer d'un ton grave, partout où l'on regarde on trouve quelque chose de bien. Même ainsi, j'ai une chance extraordinaire ! Penser que j'ai dans mon camp deux hommes forts tels que vous !... Je suis sûre que la grande Kanzeon me protège.

Elle ne tentait de cacher ni ses reniflements ni les larmes qui lui venaient aux yeux. Peu désireux que la conversation prît un tour larmoyant, Yajibei demanda :

— Dites-moi, Kojirō, qui donc étaient les quatre hommes que vous avez terrassés là-bas ?

Il semblait que ce fût l'occasion guettée par Kojirō, car sa langue déliée se mit sur-le-champ au travail :

— Ah ! ceux-là ? commença-t-il avec un rire nonchalant. De simples rōnins de l'école Obata. J'y suis allé cinq ou six fois pour discuter de questions militaires avec Obata, et ces individus ne cessaient d'intervenir avec des remarques impertinentes. Ils ont même eu l'audace de faire des discours sur l'escrime ; aussi leur ai-je dit que s'ils venaient au bord de la Sumida je leur enseignerais les secrets du style Ganryū, et leur montrerais le tranchant de la « Perche à sécher ». Je leur ai dit que peu m'importait à combien ils viendraient... Quand je suis arrivé, ils étaient cinq, mais sitôt que je me suis mis en garde, l'un d'eux a pris ses jambes à son cou. Je dois dire qu'Edo ne manque pas d'hommes qui parlent mieux qu'ils ne se battent.

Il rit de nouveau, bruyamment cette fois.

— Obata ?...

— Vous ne le connaissez pas ? Obata Kagenori. Il descend d'Obata Nichijō, qui servait la famille Takeda de Kai. Ieyasu l'a pris à son service, et maintenant il est maître de science militaire du shōgun, Hidetada. Il a également sa propre école.

— Ah ! oui, maintenant je me souviens.

L'apparente familiarité de Kojirō avec un personnage aussi fameux surprenait et impressionnait Yajibei. « Ce jeune homme a encore sa mèche du devant, s'émerveillait-il à part soi, mais il doit être quelqu'un s'il est lié à des samouraïs d'un tel rang. » Le maître charpentier était après tout une âme simple, et la qualité qu'il admirait le plus chez son prochain était manifestement la force brutale. Son admiration pour Kojirō s'intensifia. Se penchant vers le samouraï, il dit :

— ... Permettez-moi de vous faire une proposition. J'ai toujours quarante à cinquante jeunes rustres qui traînent autour de chez moi. Que diriez-vous si je vous construisais un dōjō et vous demandais de les entraîner ?

— Mon Dieu, il ne me déplairait pas de leur donner des leçons ; mais vous devez comprendre qu'il y a tant de daimyōs qui me font des propositions — deux, trois mille boisseaux — que je ne sais que faire. En toute franchise, je n'envisagerais pas sérieusement d'entrer au service de quiconque pour moins de cinq mille. En outre, je suis plutôt obligé, par simple courtoisie, de rester où je me trouve pour le moment. Toutefois, rien ne s'oppose à ce que j'aille vous voir.

— Ce serait un grand honneur pour moi, dit Yajibei en s'inclinant bien bas.

Osugi fit chorus :

— Nous comptons sur vous.

Jūrō et Koroku, bien trop naïfs pour discerner la condescendance et la propagande intéressée qui se mêlaient aux discours de Kojirō, furent médusés par la générosité du grand homme. Quand le bateau tourna pour entrer dans le fossé de Kyōbashi, Kojirō déclara :

— Je vais descendre ici.

Alors, il sauta sur la berge, et en quelques secondes se perdit dans la poussière qui flottait au-dessus de la rue.

— Très impressionnant, ce jeune homme, dit Yajibei, encore sous le charme.

— Oui, renchérit Osugi avec conviction. C'est un véritable guerrier. Je suis certaine que des quantités de daimyōs lui verseraient de beaux appointements.

Après un silence, elle ajouta d'un air désenchanté :

— ... Si seulement Matahachi était comme ça !...

Environ cinq jours plus tard, Kojirō entra en coup de vent dans l'établissement de Yajibei, et fut introduit dans la salle des hôtes. Là, les quarante à cinquante acolytes de service vinrent le saluer, l'un après l'autre. Kojirō, enchanté, déclara à Yajibei qu'il lui paraissait mener une vie fort intéressante. Poursuivant son idée, Yajibei répondit :

— Comme je vous l'ai dit, j'aimerais bâtir un dōjō. Vous plairait-il de faire le tour du propriétaire ?

Le champ, derrière la maison, mesurait près de deux arpents. De la toile fraîchement teinte pendait dans un angle, mais Yajibei assura à Kojirō que le teinturier auquel il avait loué le terrain pourrait être évincé sans difficulté.

— Vous n'avez pas vraiment besoin d'un dōjō, fit observer Kojirō. Le terrain ne donne pas sur la rue ; personne ne risque de vous déranger.

— Mais en cas de pluie ?...

— Je ne viendrai pas par mauvais temps. Mais je dois vous mettre en garde : les séances d'entraînement seront plus brutales que celles du Yagyū ou des autres écoles de la ville. Si vos hommes ne font pas attention, ils risquent de se retrouver éclopés, ou pire. Vous feriez bien de le leur annoncer clairement.

— Il n'y aura pas de malentendu là-dessus. Vous êtes libre de faire vos cours comme vous le jugerez bon.

Ils convinrent que les leçons auraient lieu trois fois par mois, les trois, treize et vingt-trois, quand le temps le permettrait.

Les apparitions de Kojirō à Bakurōchō furent une source de commérages sans fin. L'on entendit un voisin déclarer : « Maintenant, ils ont là-bas un m'as-tu-vu pire que tous les autres mis ensemble. » Sa juvénile mèche du devant suscitait aussi des commentaires considérables ; l'opinion générale était que puisqu'il devait avoir dépassé la vingtième année, il était grand temps pour lui de se conformer à la pratique des samouraïs consistant à se raser la tête. Mais seuls, les membres de la maisonnée Hangawara jouissaient du privilège de voir le sous-vêtement richement brodé de Kojirō, chaque fois qu'il se dénudait l'épaule afin que son bras pût jouer en pleine liberté.

Kojirō se comportait tout à fait comme on pouvait s'y attendre. Bien qu'il s'agît d'entraînement et que beaucoup de ses élèves fussent inexpérimentés, il ne faisait pas de quartier. Dès la troisième séance, les victimes comprenaient un estropié à vie, et quatre ou cinq blessés plus légers. Ils n'étaient pas loin ; on les entendait gémir derrière la maison.

— Au suivant ! criait Kojirō, brandissant un long sabre en bois de néflier.

Au départ, il leur avait déclaré qu'un coup de sabre en néflier « leur pourrirait la chair jusqu'à l'os ».

— ... Prêts à renoncer ? Sinon, approchez. Si oui, je rentre chez moi, raillait-il avec mépris.

Par simple dépit, un homme répliqua :

— Bon, je vais essayer.

Il se détacha du groupe, s'avança vers Kojirō puis se baissa pour ramasser un sabre de bois. D'un coup sec, Kojirō l'étendit au sol.

— Ça t'apprendra à ne pas te découvrir, dit-il. C'est la pire chose que tu puisses faire.

Visiblement content de soi, il regarda les visages de ceux qui l'entouraient, au nombre de trente à quarante, et qui tremblaient pour la plupart.

On porta la dernière victime au puits où on l'aspergea d'eau. Elle ne revint pas à elle.

— Le pauvre type a son compte.

— Tu veux dire... qu'il est mort ?

— Il ne respire plus.

D'autres, accourus, regardaient, les yeux écarquillés, leur camarade massacré. Certains étaient en colère, d'autres résignés, mais Kojirō n'adressa plus un seul coup d'œil au cadavre.

— Si ce genre de chose vous effraie, déclara-t-il d'un ton menaçant, vous feriez mieux de ne plus penser au sabre. Quand je songe que n'importe lequel d'entre vous brûlerait d'en découdre si quelqu'un dans la rue le traitait de bandit ou de fanfaron...

Il n'acheva pas sa phrase ; mais en traversant le champ dans ses guêtres de cuir, il poursuivit son cours :

— ... Réfléchissez à la question, mes beaux chenapans. Vous êtes prêts à dégainer sitôt qu'un inconnu vous marche sur les pieds ou frôle votre fourreau, mais la perspective d'un véritable assaut vous donne mal au ventre. Vous ferez bon marché de votre vie pour une femme ou pour votre petit amour-propre, mais vous n'avez pas le cran de vous sacrifier pour une cause méritoire. Vous êtes impulsifs ; la seule vanité vous dirige. Ça n'est pas suffisant ; c'est loin d'être suffisant.

Bombant le torse, il conclut :

— ... La vérité est simple. La seule bravoure véritable, la seule authentique confiance en soi vient de l'entraînement et de l'autodiscipline. Je défie n'importe lequel d'entre vous : debout, et affrontez-moi en homme.

Un élève, dans l'espoir de lui rentrer ses paroles dans la gorge, l'attaqua par-derrière. Kojirō se plia en deux, presque au point de toucher le sol ; l'assaillant lui vola par-dessus la tête et atterrit en face de lui. L'instant suivant, on entendait le fracas du sabre en néflier de Kojirō contre l'os iliaque de l'homme.

— ... Ça suffira pour aujourd'hui, dit-il en rejetant le sabre et en allant au puits se laver les mains.

Le cadavre gisait à côté de la margelle en un tas flasque. Kojirō plongea les mains dans l'eau et lui en éclaboussa le visage, sans un mot de sympathie. En réenfilant sa manche, il déclara :

— ... J'apprends que beaucoup de gens vont à cet endroit que l'on appelle Yoshiwara. Vous, les gars, vous devez connaître ce quartier comme votre poche. Ça ne vous dirait rien de me le faire visiter ?

Annoncer carrément qu'il voulait se donner du bon temps ou bien aller boire était chez Kojirō une habitude ; mais on ne savait s'il s'agissait d'impudence délibérée ou de candeur désarmante. Yajibei choisit l'interprétation la plus charitable :

— Vous n'êtes pas encore allé à Yoshiwara ? demanda-t-il avec surprise. Il va falloir y remédier. J'irais bien moi-même avec vous mais... mon Dieu... je dois être ici, ce soir, pour la veillée et ainsi de suite.

Il désigna Jūrō et Koroku, et leur donna de l'argent, ainsi qu'un avertissement :

— ... N'oubliez pas, vous deux, que je ne vous envoie pas là-bas pour batifoler. Vous n'accompagnez votre maître que pour prendre soin de lui, et veiller à ce qu'il passe un bon moment.

Kojirō, qui précédait de quelques pas les deux autres, s'aperçut bientôt qu'il avait du mal à rester sur la route, car, la nuit, la majeure partie d'Edo était d'un noir d'encre, à un point inimaginable dans des grandes villes comme Kyoto, Nara et Osaka.

— Cette route est abominable, dit-il. Nous aurions dû prendre une lanterne.

— Les gens se moqueraient si vous vous promeniez au quartier réservé avec une lanterne, répondit Jūrō... Attention, monsieur ! Ce tas de terre sur quoi vous marchez provient du nouveau fossé. Vous feriez mieux de descendre avant de tomber dedans.

Bientôt, l'eau du fossé prit une teinte rougeâtre, de même que le ciel au-delà de la rivière Sumida. Une lune de fin de printemps était suspendue comme un gâteau blanc et plat au-dessus des toits de Yoshiwara.

— ... C'est ça, là-bas, de l'autre côté du pont, dit Jūrō. Voulez-vous que je vous prête un mouchoir ?

— Pour quoi faire ?

— Pour vous cacher un peu la figure... comme ça.

Jūrō et Koroku tirèrent des tissus rouges de leur obi et se les nouèrent sur la tête comme des fichus. Kojirō suivit leur exemple, en se servant d'un morceau de crêpe de soie feuille-morte.

— ... Parfait, dit Jūrō. Très chic.

— Ça vous va très bien.

Kojirō et ses guides cadraient avec la foule coiffée de foulards qui déambulait d'une maison à l'autre. Comme Yanagimachi à Kyoto, Yoshiwara était brillamment éclairé. Des rideaux jaune orangé ou jaune pâle décoraient gaiement l'entrée des maisons ; certains avaient des grelots en bas pour avertir les filles de l'arrivée de clients. Après être entrés dans deux ou trois maisons et en être ressortis, Jūrō dit en clignant de l'œil à Kojirō :

— Inutile d'essayer de le cacher, monsieur.

— De cacher quoi ?

— Vous avez dit que vous n'étiez jamais venu ici ; mais une fille, dans la dernière maison, vous a reconnu. A peine étions-nous entrés qu'elle a poussé un petit cri, et s'est cachée derrière un paravent. Votre secret est éventé, monsieur.

— Jamais je ne suis venu ici avant ce soir. De qui parles-tu ?

— Ne faites pas l'innocent, monsieur. Retournons-y. Je vous montrerai.

Ils rentrèrent dans la maison, dont le rideau portait une enseigne en forme de trèfle d'eau. Le mot « Sumiya » était écrit à gauche en assez petits caractères.

Les lourdes poutres et les majestueux corridors évoquaient l'architecture des temples de Kyoto, mais le clinquant du nouveau bâtiment réduisait à néant la tentative de créer une atmosphère traditionnelle et digne. Kojirō soupçonnait fort que des plantes des marais continuaient à prospérer sous le plancher.

Le grand salon où on les fit entrer, à l'étage, n'avait pas été remis en ordre après le départ des clients précédents. Table et sol étaient jonchés de restants de nourriture, de papier de soie, de cure-dents et ainsi de suite. La servante qui vint nettoyer accomplit sa corvée avec toute la délicatesse d'un tâcheron.

Quand Onao vint prendre leur commande, elle tint à leur faire savoir combien elle était occupée. Elle prétendit qu'elle avait à peine le temps de dormir, qu'encore trois ans de ce rythme effréné, et elle serait dans la tombe. Les meilleures maisons de Kyoto s'efforçaient de maintenir la fiction qu'elles avaient pour raison d'être de divertir leurs clients et de leur plaire. Ici, l'objectif était manifestement de soulager les hommes de leur argent dans les plus brefs délais.

— Voici donc le quartier de plaisir d'Edo, dit Kojirō avec un regard critique et méprisant au plafond bon marché. Plutôt minable.

— Oh ! ce n'est que temporaire ! protesta Onao. Le bâtiment que nous sommes en train de construire sera plus beau que tout ce que vous pourriez voir à Kyoto ou à Fushimi.

Elle regardait fixement Kojirō.

— ... Vous savez, monsieur, je vous ai déjà vu quelque part. Ah ! oui ! C'était l'an dernier, sur la grand-route de Kōshū.

Kojirō avait oublié cette rencontre de hasard ; mais comme on la lui rappelait, il dit avec une lueur d'intérêt :

— Mais bien sûr ; je suppose que nos destins doivent être liés.

— Certes, dit en riant Jūrō, s'il y a ici une fille qui se souvient de vous.

Tout en taquinant Kojirō sur son passé, il décrivit le visage et les vêtements de la fille, et demanda à Onao d'aller la chercher.

— Je sais de qui vous voulez parler, dit Onao, et elle sortit.

Un certain temps s'écoula sans qu'elle revînt ; Jūrō et Koroku sortirent sur le palier, et frappèrent dans leurs mains pour appeler. Ils durent répéter plusieurs fois la manœuvre avant qu'elle ne reparût.

— ... Elle n'est pas là, celle que vous demandiez, dit Onao.

— Elle était là il y a quelques minutes à peine.

— C'est curieux, tout comme je le disais au maître. Nous étions au col de Kobotoke ; le samouraï qui vous accompagne est arrivé sur la route, et elle est partie seule, cette fois-là aussi.

Derrière le Sumiya se dressait la charpente du nouveau bâtiment, avec sa toiture inachevée et son absence de murs.

— Hanagiri ! Hanagiri !

C'était le nom qu'ils avaient donné à Akemi, cachée entre une pile de bois et un tas de copeaux. Plusieurs fois, ceux qui la cherchaient étaient passés tellement près qu'elle avait dû retenir son souffle.

« Quelle dégoûtation ! » se disait-elle. Durant les toutes premières minutes, sa colère avait eu pour objet le seul Kojirō. Maintenant, elle s'étendait à tous les membres du sexe masculin : Kojirō, Seijūrō, le samouraï de Hachiōji, les clients qui la malmenaient la nuit au Sumiya. Tous les hommes étaient ses ennemis, tous abominables.

Sauf un. Le bon. Celui qui ressemblerait à Musashi. Celui qu'elle n'avait cessé de chercher. Ayant renoncé au véritable Musashi, elle s'était maintenant persuadée qu'il serait réconfortant de feindre d'être amoureuse de quelqu'un qui lui ressemblerait. A son grand chagrin, elle ne trouvait personne qui le lui rappelât, fût-ce de loin.

— ... Ha-na-gi-ri !

C'était Shōji Jinnai lui-même ; il avait d'abord appelé de derrière la maison, et voici qu'il se rapprochait de la cachette. Kojirō et les deux autres hommes l'accompagnaient. Ils s'étaient plaints avec une insistance fastidieuse, faisant répéter sans cesse à Jinnai les mêmes excuses, mais ils finirent par s'éloigner vers la rue.

En les voyant partir, Akemi poussa un soupir de soulagement, et attendit que Jinnai fût rentré pour courir droit à la porte de la cuisine.

— Comment, Hanagiri, tu étais là-bas depuis le début ? demanda la fille de cuisine avec excitation.

— Chhh ! Tais-toi, et donne-moi du saké.

— Du saké ? Maintenant ?

— Oui, du saké !

Depuis son arrivée à Edo, Akemi avait de plus en plus souvent cherché la consolation dans le saké. La servante effrayée lui en versa une rasade. Akemi vida la coupe, son visage poudré renversé en arrière au point d'être presque parallèle au fond blanc de la tasse. Comme elle s'éloignait de la porte, la servante cria :

— Où vas-tu encore ?

— Silence ! Je vais seulement me laver les pieds avant de rentrer.

La croyant sur parole, la servante ferma la porte et retourna à son ouvrage. Akemi enfila la première paire de *zōri* qu'elle aperçut, et s'avança, un peu titubante, vers la rue. « Que c'est bon d'être dehors, libre ! » Telle fut sa réaction première, aussitôt suivie d'écœurement. Elle cracha dans la direction des fêtards qui flânaient le long de la route brillamment illuminée, et prit ses jambes à son cou.

Arrivée à un endroit où les étoiles se réfléchissaient dans un fossé, elle s'arrêta pour les regarder. Elle entendit courir derrière elle. « Oh ! oh ! Des lanternes, cette fois. Et des lanternes du Sumiya. Les porcs ! Ils ne peuvent donc pas laisser une fille tranquille une seule minute ? Non. Qu'on la trouve ! Qu'on la remette à rapporter de l'argent ! Transformer de la chair et du sang en un peu de bois de charpente pour leur nouvelle maison : ils ne seront contents qu'avec ça. Eh bien, ils ne me rattraperont pas ! »

Les copeaux de bois bouclés, pris dans sa chevelure, dansaient tandis qu'elle courait dans les ténèbres, aussi vite que ses jambes le lui permettaient. Elle n'avait pas la moindre idée de l'endroit où elle allait, et ça lui était complètement égal, à condition que ce fût loin, très loin.

Le hibou

Lorsqu'ils finirent par quitter la maison de thé, Kojirō tenait à peine sur ses jambes.

— Epaule… épaule… marmonnait-il en empoignant Jūrō et Koroku pour s'appuyer à eux.

Tous trois s'avançaient à pas pesants, incertains, dans la rue obscure et déserte. Jūrō déclara :

— Monsieur, je vous ai dit que nous devrions y passer la nuit.

— Dans cette gargote ? A aucun prix ! J'aimerais mieux retourner au Sumiya.

— Je ne vous le conseille pas, monsieur.

— Et pourquoi non ?

— Cette fille, elle vous a fui. S'ils la trouvent, ils la forceront peut-être à coucher avec vous, mais à quoi bon ? Ça n'aurait aucun charme.

— Hum… Peut-être as-tu raison.

— Vous avez envie d'elle ?

— Non.

— Mais vous n'arrivez pas à l'oublier, n'est-ce pas ?

— Je ne suis jamais tombé amoureux de ma vie. Ça n'est pas mon genre. J'ai mieux à faire.

— Et quoi donc, monsieur ?

— Ça saute aux yeux, mon garçon. Je vais être le meilleur, le plus célèbre homme d'épée qui ait jamais existé, et le moyen le plus rapide pour y arriver, c'est d'être le professeur du shōgun.

— Mais il prend déjà des leçons de la Maison de Yagyū. Et j'ai ouï dire qu'il a récemment engagé Ono Jirōemon.

— Ono Jirōemon ! Il ne vaut pas un pet de lapin. Les Yagyū ne m'impressionnent guère, eux non plus. Mais moi… un de ces jours…

Ils étaient parvenus au tronçon de route le long duquel on creusait le nouveau fossé, et la terre meuble s'entassait à mi-hauteur des saules.

— Prenez garde, monsieur ; ça glisse beaucoup, dit Jūrō tandis que lui-même et Koroku tâchaient d'aider leur maître à descendre du tas de gravats.

— Silence ! cria Kojirō en écartant brusquement les deux hommes.

Il dévala le tas de terre.

— … Qui va là ?

L'homme qui venait d'attaquer par-derrière Kojirō perdit l'équilibre et déboula la tête la première dans le fossé.

— As-tu oublié, Sasaki ?

— Tu as tué quatre de nos camarades !

Kojirō bondit au sommet du tas de terre, d'où il put distinguer qu'il y avait au moins dix hommes parmi les arbres, en partie cachés par des joncs. Leurs sabres pointés vers lui, ils se rapprochaient lentement.

— Alors, vous faites partie de l'école Obata, hein ? dit-il d'un ton méprisant.

La soudaineté de l'incident l'avait complètement dégrisé.

— ... La dernière fois, vous avez perdu quatre hommes sur cinq. A combien êtes-vous venus, ce soir ? Combien y en a-t-il qui veulent mourir ? Donnez-moi seulement le nombre, et je ferai le nécessaire. Lâches ! Attaquez-moi si vous l'osez !

Par-dessus son épaule, sa main agile atteignit la poignée de la « Perche à sécher ».

Obata Nichijō, avant de prendre la tonsure, avait été l'un des plus célèbres guerriers de Kai, province fameuse pour ses héroïques samouraïs. Après la défaite de la Maison de Takeda par Tokugawa Ieyasu, la famille Obata avait vécu dans l'obscurité jusqu'à ce que Kagenori se distinguât à la bataille de Sekigahara. Ensuite, il avait été appelé à prendre du service par Ieyasu en personne, et atteint la renommée en enseignant la science militaire. Toutefois, il avait refusé l'offre par le shogunat d'un terrain de choix dans le centre d'Edo, en alléguant qu'un guerrier campagnard tel que lui-même ne s'y sentirait pas à sa place. Il préféra un terrain boisé contigu au sanctuaire de Hirakawa Tenjin, où il avait installé son école dans une ancienne ferme au toit de chaume à laquelle on avait ajouté une salle de cours neuve et une entrée assez imposante.

Maintenant âgé, souffrant de troubles nerveux, au cours des mois précédents Kagenori s'était confiné dans sa chambre de malade, et ne paraissait que rarement à la salle de cours. Les bois étaient pleins de hiboux, et il avait pris l'habitude de signer « le Vieux Hibou ». Il lui arrivait de déclarer avec un pâle sourire : « Je suis un hibou comme les autres. »

Souvent, des douleurs au-dessus de la taille le torturaient. C'était le cas cette nuit-là.

— Ça va un peu mieux ? Vous voulez un peu d'eau ?

Celui qui parlait ainsi était Hōjō Shinzō, fils de Hōjō Ujikatsu, le célèbre stratège militaire.

— Je me sens bien mieux maintenant, dit Kagenori. Pourquoi ne vas-tu pas te coucher ? Il va bientôt faire jour.

L'invalide avait les cheveux blancs, une charpente aussi anguleuse que celle d'un vieux prunier.

— Ne vous inquiétez pas pour moi. Je dors beaucoup pendant la journée.

— Il ne doit pas te rester beaucoup de temps pour dormir alors que tu passes tes journées à faire mes cours à ma place. Tu es le seul à en être capable.

— Trop dormir n'est pas de bonne discipline.

S'apercevant que la lampe allait s'éteindre, Shinzō cessa de masser le dos du vieillard pour aller chercher de l'huile. Quand il revint, Kagenori, toujours étendu à plat ventre, avait levé de l'oreiller son visage osseux. La lumière se reflétait étrangement dans ses yeux.

— ... Qu'y a-t-il, monsieur ?

— Tu n'entends pas ? On dirait de l'eau qui éclabousse.

— Ça paraît venir du puits.

— Qui cela pourrait-il bien être, à cette heure ? Crois-tu que certains des hommes soient encore allés boire ?

— Sûrement, mais je vais jeter un coup d'œil.

— Passe-leur un bon savon pendant que tu y es.

— Oui, monsieur. Tâchez de dormir. Vous devez être fatigué.

Quand la douleur de Kagenori se fut calmée et qu'il se fut endormi, Shinzō lui couvrit soigneusement les épaules et se rendit à la porte de derrière. Deux élèves, penchés sur le seau du puits, lavaient le sang de leur visage et de leurs mains. Il courut à eux, l'expression sévère.

— ... Vous y êtes allés, n'est-ce pas ? dit-il sèchement. Après que je vous ai demandé de n'en rien faire.

L'exaspération de sa voix se dissipa lorsqu'il vit un troisième homme, couché dans l'ombre du puits. D'après ses gémissements, il semblait qu'il allait mourir d'un instant à l'autre de ses blessures.

Pareils à de petits garçons mendiant le secours d'un frère aîné, les deux hommes, la face bizarrement convulsée, sanglotaient sans pouvoir se maîtriser. Shinzō devait se retenir de leur administrer une raclée :

— ... Imbéciles ! Combien de fois vous ai-je prévenus que vous n'étiez pas dignes de vous mesurer à lui ? Que ne m'avez-vous écouté !

— Après qu'il a traîné le nom de notre maître dans la boue ? Après qu'il a tué quatre des nôtres ? Vous dites sans arrêt que nous ne sommes pas raisonnables. N'est-ce pas vous qui avez perdu la raison ? Contrôler votre humeur, vous retenir, supporter les insultes en silence ! Est-ce là ce que vous appelez raisonnable ? Ce n'est pas la Voie du samouraï.

— Vraiment ? Si affronter Sasaki Kojirō était la chose à faire, je l'aurais défié moi-même. Il est sorti de ses gonds au point d'insulter notre maître et de commettre contre nous d'autres outrages, mais ce n'est pas une excuse pour perdre notre sens des proportions. Je n'ai pas peur de mourir, mais Kojirō ne mérite pas que je risque ma vie, ni celle de n'importe qui d'autre.

— Ce n'est pas le point de vue de la plupart des gens. Ils croient que nous avons peur de lui. Peur de défendre notre honneur. Kojirō a diffamé Kagenori dans tout Edo.

— Si ça lui fait plaisir de déblatérer, laissez-le. Pensez-vous donc que quiconque connaît Kagenori croira qu'il ait perdu la face devant ce prétentieux blanc-bec ?

— A ton aise, Shinzō. Nous autres, nous ne resterons pas les bras croisés.

— Qu'avez-vous en tête, au juste ?

— Une seule chose. Le tuer !

— Vous vous en croyez capables ? Je vous ai dit de ne pas aller au Sensōji. Vous n'avez pas voulu m'écouter. Quatre hommes y sont morts. Vous revenez après avoir été vaincus de nouveau par lui. N'est-ce pas là entasser la honte sur le déshonneur ? Ce n'est point Kojirō qui détruit la réputation de Kagenori, mais vous. Simple question : l'avez-vous tué ?

Pas de réponse.

— ... Bien sûr que non. Je parierais n'importe quoi qu'il n'a pas une égratignure. L'ennui avec vous, c'est que vous n'avez pas assez de bon sens pour éviter de le rencontrer sur son propre terrain. Vous ne comprenez pas sa force. Certes, il est jeune, vil, grossier, arrogant. Mais c'est un remarquable homme d'épée. Comment il a appris son métier, je l'ignore, mais on ne saurait nier qu'il le possède. Vous le sous-estimez. Voilà votre première erreur.

Un homme fonça sur Shinzō, comme prêt à l'attaquer physiquement.

— Tu prétends que quoi que fasse cette canaille, nous n'y pouvons rien ?

Shinzō acquiesça de la tête avec une expression de défi :

— Exactement. Nous ne pouvons rien faire. Nous ne sommes pas hommes d'épée ; nous étudions la science militaire. Si tu estimes que mon attitude est celle d'un lâche, alors il va falloir que je m'habitue à être traité de lâche.

A leurs pieds, le blessé gémissait :

— De l'eau... de l'eau... je vous en prie.

Ses deux camarades s'agenouillèrent et le soutinrent pour l'asseoir. Voyant qu'ils allaient lui donner de l'eau, Shinzō alarmé s'écria :

— Arrêtez ! S'il boit de l'eau, ça le tuera.

Comme ils hésitaient, l'homme approcha les lèvres du seau. Une gorgée, et sa tête y sombra, ce qui porta à cinq le nombre des morts de la soirée.

Tandis que les hiboux hululaient à la lune du matin, Shinzō retourna en silence à la chambre du malade. Kagenori dormait toujours, en respirant profondément. Rassuré, Shinzō gagna sa propre alcôve.

Des ouvrages de science militaire étaient ouverts sur son bureau, des livres qu'il avait commencé à lire mais n'avait pas eu le temps de terminer. Quoique bien né, dans son enfance il n'avait pas manqué de fendre du bois, de porter de l'eau, et d'étudier de longues heures à la chandelle. Son père, un grand samouraï, ne croyait pas qu'il fallait dorloter les jeunes hommes de sa classe. Shinzō était entré à l'école Obata avec le but suprême de renforcer les talents militaires dans le fief de sa famille, et, bien qu'il fût l'un des plus jeunes élèves, son maître le plaçait au rang le plus élevé.

A l'époque, soigner son maître souffrant le tenait éveillé presque toute la nuit. Maintenant assis les bras croisés, il poussa un profond soupir. S'il n'était pas là, qui s'occuperait de Kagenori ? Tous les autres pensionnaires de l'école appartenaient au genre mal dégrossi, typiquement attiré par le métier des armes. Les hommes qui ne venaient à l'école que pour suivre les cours étaient pires encore. Ils faisaient les bravaches, exprimaient leur avis sur les sujets virils dont discutent d'ordinaire les samouraïs ; aucun d'eux ne comprenait véritablement l'état d'esprit de l'homme raisonnable et solitaire qui était leur maître. Les subtilités de la science militaire les dépassaient. Bien plus compréhensible était toute espèce d'affront, réel ou imaginaire, contre leur amour-propre ou leurs talents de samouraïs. Insultés, ils devenaient d'aveugles instruments de la vengeance.

Au moment où Kojirō était arrivé à l'école, Shinzō se trouvait en voyage. Kojirō avait prétendu vouloir poser des questions sur des manuels militaires ; son intérêt paraissait donc authentique, et on l'avait présenté au maître. Mais alors, sans poser la moindre question, il se lança dans une discussion présomptueuse et arrogante avec Kagenori, ce qui donnait à penser que son but véritable était d'humilier le vieillard. Certains élèves finirent par l'entraîner dans une autre pièce et lui demander des explications ; il réagit par un flot d'invectives et la proposition de se battre avec n'importe lequel d'entre eux à n'importe quel moment.

Kojirō avait ensuite répandu des allégations selon quoi les études militaires d'Obata étaient superficielles, un simple réchauffé du style Kusunoki ou de l'ancien texte militaire chinois intitulé *Les Six Secrets ;* — elles étaient fausses et sujettes à caution. Quand ses déclarations mal intentionnées revinrent aux oreilles des étudiants, ils jurèrent de les lui faire payer de sa vie.

L'opposition de Shinzō — la question était sans intérêt, il ne fallait pas déranger leur maître avec des affaires de ce genre,

Kojirō n'étudiait pas sérieusement la science militaire — s'était révélée vaine, bien qu'il eût également signalé qu'avant de prendre une décision quelconque il fallait consulter le fils de Kagenori, Yogorō, absent pour un long voyage.

« Ils ne voient donc pas quels ennuis inutiles ils sont en train de créer ? » gémissait Shinzō. La lueur pâlissante de la lampe éclairait faiblement son visage soucieux. Tout en continuant à se creuser la tête en quête d'une solution, il posa les bras sur les livres ouverts et s'assoupit.

Un murmure de voix indistinctes le réveilla.

D'abord, il se rendit à la salle de cours, qu'il trouva vide ; il passa alors une paire de *zōri,* et sortit. Dans un bosquet de bambous qui faisait partie de l'enceinte sacrée du sanctuaire de Hirakawa Tenjin, il vit ce qu'il avait prévu : un groupe nombreux d'élèves en train de tenir un conseil de guerre agité. Les deux blessés, blêmes, les bras en écharpe, se tenaient côte à côte et décrivaient le désastre de la nuit. Un homme demanda avec indignation :

— Vous dites que dix d'entre vous y sont allés, et que ce seul individu en a tué la moitié ?

— J'en ai bien peur. Nous n'avons pas même pu nous approcher de lui.

— Murata et Ayabe passaient pour être nos meilleurs hommes d'épée.

— Ils ont été les premiers à y aller. Yosobei a réussi par la seule force de volonté à revenir ici, mais il a commis l'erreur de boire de l'eau avant que nous n'ayons pu l'en empêcher.

Un lugubre silence descendit sur le groupe. Comme ils étudiaient la science militaire, ils s'occupaient de problèmes tels que logistique, stratégie, communications, espionnage et ainsi de suite, non des techniques du combat d'homme à homme. La plupart d'entre eux croyaient, comme on le leur avait enseigné, que l'escrime était l'affaire des simples soldats, non des généraux. Pourtant, leur amour-propre de samouraïs les empêchait d'admettre le corollaire logique, à savoir qu'ils se trouvaient impuissants contre un spécialiste de l'épée tel que Sasaki Kojirō.

— Que faire ? demanda une voix lugubre.

Durant quelques instants, les hululements des hiboux répondirent seuls à cette question. Puis il vint une idée à l'un des élèves :

— J'ai un cousin à la Maison de Yagyū. Peut-être que par lui nous pourrions obtenir leur aide.

— Quelle sottise ! s'exclamèrent plusieurs autres.

— Nous ne pouvons demander une aide extérieure. Ça ne ferait qu'augmenter la honte de notre maître. Ça équivaudrait à reconnaître notre faiblesse.

— Alors, que faire ?

— La seule solution est d'affronter encore Kojirō. Mais si nous l'affrontons de nouveau sur une route obscure, ça ne fera que nuire davantage à la réputation de l'école. Si nous mourons lors d'un combat franc, nous mourrons. Du moins ne nous prendra-t-on point pour des lâches.

— Faut-il lui envoyer un défi en règle ?

— Oui, et nous devrons nous y tenir, quel que soit le nombre de nos défaites.

— Je crois que tu as raison, mais ça ne sera pas du goût de Shinzō.

— Il n'a pas besoin de le savoir, non plus que notre maître. Souvenez-vous-en, vous tous. Nous pouvons emprunter au prêtre un pinceau et de l'encre.

Ils partirent sans bruit vers la maison du prêtre. Ils n'avaient pas fait dix pas que l'homme qui marchait en tête recula, le souffle coupé. Aussitôt, les autres se pétrifièrent, les yeux rivés au dos du péristyle du sanctuaire vétuste. Là, devant l'ombre portée d'un prunier chargé de fruits verts, se tenait Kojirō, un pied soutenu par la balustrade ; il arborait un sourire mauvais. Tous les élèves pâlirent, certains haletaient. Kojirō parla d'un ton venimeux :

— Si je comprends bien votre discussion vous n'avez pas encore compris ; vous avez résolu de rédiger une lettre de défi et de me la faire remettre. Eh bien, je vous épargne cette peine. Me voici, prêt à combattre... Cette nuit, avant même d'avoir lavé le sang de mes mains, j'en suis arrivé à la conclusion que les choses ne s'arrêteraient pas là ; aussi vous ai-je suivis chez vous, lâches pleurnichards.

Il fit une pause afin de bien souligner ces derniers mots puis reprit d'un ton ironique :

— ... Je me demandais comment vous décidiez de l'heure et du lieu pour défier un ennemi. Consultez-vous un horoscope afin de choisir le jour le plus propice ? Ou bien estimez-vous plus sage de ne tirer l'épée que par une nuit obscure, quand votre adversaire, ivre, rentre chez lui du quartier réservé ?

Nouvelle pause, comme dans l'attente d'une réponse.

— ... Vous n'avez donc rien à dire ? Il n'y a donc point parmi vous un seul homme au sang chaud ? Si vous tenez tant à me combattre, venez. Un par un ou tous à la fois... ça m'est égal ! Je ne fuirais pas vos pareils, même en armure et marchant au son des tambours !

Aucun son ne venait des hommes apeurés.

— ... Qu'est-ce qui vous arrive ? Avez-vous résolu de ne pas me défier ?... N'y en a-t-il pas un seul, parmi vous, qui ne soit une chiffe molle ?... Bon, le moment est venu d'ouvrir vos oreilles d'âne et de m'écouter... Je suis Sasaki Kojirō. J'ai appris l'art de l'épée indirectement du grand Toda Seigen après sa mort. Je connais les secrets pour dégainer qu'a inventés Katayama Hisayasu, et j'ai moi-même créé le style Ganryū. Je ne suis pas de ceux qui s'occupent de théorie, qui lisent des livres et suivent des cours sur Sun-tzu ou *Les Six Secrets.* Pour l'esprit, pour la volonté, nous n'avons rien en commun, vous et moi... Je ne connais pas le détail de ce que vous étudiez chaque jour, mais je suis en train de vous montrer ce que signifie la science du combat dans la vie réelle. Il ne s'agit pas de fanfaronnades. Réfléchissez ! Quand un homme est attaqué dans l'obscurité comme je l'ai été la nuit dernière, s'il a la chance de l'emporter que fait-il ? S'il est un homme ordinaire il va se mettre à l'abri le plus rapidement possible. Une fois là, il repense à l'incident et se félicite d'avoir survécu. Ce n'est pas la vérité ? Ce n'est pas ce que vous feriez ?... Mais ai-je fait cela ? Que non ! Non seulement j'ai abattu la moitié de vos hommes, mais j'ai suivi les fuyards jusque chez eux et j'ai attendu ici, en plein sous votre nez. Je vous ai écoutés essayer faiblement de prendre une décision, et vous ai pris tout à fait par surprise. Si je voulais, je pourrais vous attaquer maintenant et vous mettre en pièces. Voilà ce que c'est que d'être un homme d'armes ! Voilà le secret de la science militaire !... Certains d'entre vous ont déclaré que Sasaki Kojirō n'est qu'un homme d'épée, qu'il n'a pas à venir pérorer dans une école militaire. Jusqu'où dois-je aller pour vous convaincre de votre erreur ? Peut-être aujourd'hui vais-je aussi vous prouver que je ne suis pas seulement le plus grand homme d'épée du pays mais encore un maître de la tactique... Ha ! Ha ! Voilà qui est en train de devenir un véritable petit cours, non ? Je crains bien que si je continue à vider ma besace de tout son savoir, le pauvre Obata Kagenori ne se retrouve au chômage. Ce serait plutôt ennuyeux n'est-ce pas ?... Oh ! que j'ai soif ! Koroku ! Jūrō ! Apportez-moi de l'eau !

— Tout de suite, monsieur ! répondirent-ils en chœur d'à côté du sanctuaire où ils observaient la scène avec une admiration extasiée.

Lui ayant apporté un grand bol d'eau, Jūrō lui demanda, tout excité :

— Qu'est-ce que vous allez faire, monsieur ?

— Demande-leur ! railla Kojirō. Ta réponse est dans ces faces obtuses et chafouines.

— A-t-on jamais vu des hommes à l'air aussi bête ? renchérit en riant Koroku.

— Quelle bande de capons ! dit Jūrō. Allons-nous-en, monsieur. Ils ne sont pas à votre hauteur.

Tandis que le trio franchissait d'une démarche conquérante le portail du sanctuaire, Shinzō, caché parmi les arbres, marmonnait entre ses dents serrées :

— Vous me paierez ça.

Les élèves étaient accablés. Kojirō les avait dupés et vaincus ; puis, triomphant, il les laissait effrayés, humiliés. Le silence fut rompu par un étudiant qui accourait en demandant, d'un ton perplexe :

— Avons-nous commandé des cercueils ?

Nul ne répondant, il reprit :

— ... Le fabricant de cercueils vient d'arriver avec cinq cercueils. Il attend.

Enfin, l'un des membres du groupe répondit avec abattement :

— On a envoyé chercher les corps. Ils ne sont pas encore arrivés. Je n'en suis pas sûr, mais je crois qu'il nous faudra un cercueil supplémentaire. Demande-lui de le fabriquer, et mets ceux qu'il a apportés dans la grange.

Cette nuit-là, une veillée eut lieu dans la salle de cours. Bien que tout fût fait sans bruit dans l'espoir que Kagenori n'entendrait pas, il put deviner plus ou moins ce qui s'était passé. Il s'abstint de poser des questions, et Shinzō ne fit aucun commentaire.

Depuis ce jour, la flétrissure de la défaite hanta l'école. Seul Shinzō, qui avait poussé à la retenue et que l'on avait accusé de lâcheté, maintenait vivant le désir de revanche. Ses yeux brillaient d'une lueur qu'aucun des autres ne pouvait sonder.

Au début de l'automne, la maladie de Kagenori empira. Visible de son chevet, un hibou perché sur une branche d'un gros arbre Zelkova, le regard fixe, n'en bougeait pas et hululait à la lune pendant la journée. Shinzō percevait maintenant dans ce hululement que la fin de son maître approchait.

Alors arriva une lettre de Yogorō disant qu'il était au courant à propos de Kojirō, et rentrait. Au cours des quelques jours qui suivirent, Shinzō se demanda ce qui aurait lieu d'abord, l'arrivée du fils ou la mort du père. Dans les deux cas, le jour qu'il attendait, le jour qui le libérerait de ses obligations, approchait. La veille au soir du jour où l'on attendait Yogorō, Shinzō laissa une lettre d'adieu sur son bureau, et prit congé de l'école Obata. Du bois proche du sanctuaire, face à la chambre de Kagenori, il dit avec douceur :

— Pardonnez-moi de partir sans votre permission. Reposez en paix, mon bon maître. Yogorō sera rentré demain. J'ignore si je pourrai vous offrir la tête de Kojirō avant votre mort, mais je dois essayer. Si je meurs en essayant, je vous attendrai au royaume des morts.

Un plat de loches

Musashi avait parcouru la campagne en se consacrant à des pratiques ascétiques, en châtiant son corps afin de perfectionner son âme. Il était plus décidé que jamais à l'indépendance : si cela voulait dire avoir faim, coucher dehors dans le froid et sous la pluie, porter des haillons dégoûtants, tant pis. Dans son cœur il nourrissait un rêve que n'exaucerait jamais le fait de prendre un poste au service du seigneur Date, même si Sa Seigneurie lui offrait tout son fief de trois millions de boisseaux.

Après le long voyage en amont du Nakasendō, il n'avait passé que quelques nuits à Edo avant de reprendre la route, cette fois vers le nord en direction de Sendai. L'argent que lui avait donné Ishimoda Geki lui avait pesé sur la conscience ; dès l'instant où il l'avait découvert, il avait su qu'il ne goûterait aucune paix tant qu'il ne l'aurait pas rendu.

Maintenant, un an et demi plus tard, il se trouvait sur la Hōtengahara, plaine située dans la province de Shimōsa, à l'est d'Edo, peu changée depuis que le rebelle Taira no Nasakado et ses troupes avaient écumé la région au xe siècle. La plaine était encore un lieu désolé, peu loti et où rien de bon ne poussait, seulement des mauvaises herbes, quelques arbres, des bambous et des joncs étiques. Le soleil, bas sur l'horizon, rougissait les mares d'eau stagnante, mais laissait l'herbe et les broussailles incolores et indistinctes.

« Et alors ? » marmonnait Musashi, qui reposait ses jambes lasses à un croisement de routes. Son corps était apathique et encore trempé de la tempête de pluie où il avait été pris quelques jours plus tôt au col de Tochigi. L'aigre humidité du soir lui donnait grande envie de trouver quelque habitation humaine. Les deux nuits précédentes, il avait couché à la belle étoile, mais voici qu'il désirait ardemment la chaleur d'un foyer et de la nourriture véritable, fût-ce de simples mets paysans comme du millet bouilli avec du riz.

Un léger goût de sel dans le vent donnait à supposer que la mer était proche. S'il prenait cette direction, raisonnait-il, il avait des chances de trouver une maison, voire un village de pêcheurs ou un petit port. Sinon, il devrait se résigner à passer une nuit de plus dans l'herbe automnale, sous la grosse lune d'automne.

Il se rendait compte, non sans beaucoup d'ironie, que s'il avait eu une nature plus poétique, il aurait pu savourer ces moments passés dans un paysage d'une solitude poignante. En réalité, il ne voulait que le fuir, être avec des gens, prendre une nourriture convenable et du repos. Cependant, l'incessant bourdonnement des insectes semblait réciter une litanie en l'honneur de son errance solitaire.

Musashi s'arrêta sur un pont couvert de boue. Un bruit distinct d'éclaboussement paraissait dominer le paisible murmure de l'étroite rivière. Une loutre ? Dans la nuit tombante, à force d'écarquiller les yeux, il devina une silhouette agenouillée dans le creux, au bord de l'eau. Il s'esclaffa en constatant que la face du jeune garçon qui le regardait ressemblait tout à fait à celle d'une loutre.

— Qu'est-ce que tu fabriques, là-bas ? lui cria Musashi d'un ton cordial.

— Loches, répondit-il avec laconisme en secouant un panier d'osier dans l'eau pour enlever la boue et le sable de sa pêche frétillante.

— Tu en as pris beaucoup ? demanda Musashi, qui répugnait à rompre ce lien qu'il venait de nouer avec un autre être humain.

— Il n'y en a pas beaucoup. C'est déjà l'automne.

— Je peux en avoir ?

— De mes loches ?

— Oui, une simple poignée. Je te les paierai.

— Je regrette. Elles sont pour mon père.

Serrant le panier contre lui, il bondit agilement en haut de la berge et fila comme un dard dans l'obscurité. « Ce petit démon ne traîne pas, je dois le dire. » Musashi, de nouveau seul, éclata de rire. Il se rappelait sa propre enfance et Jōtarō. « Je me demande ce qu'il est devenu », songea-t-il. Quand Musashi l'avait vu pour la dernière fois, Jōtarō avait quatorze ans. Il en aurait bientôt seize. « Pauvre garçon ! Il m'a pris pour maître, aimé comme son maître, servi comme son maître, et qu'ai-je fait pour lui ? Rien. »

Absorbé dans ses souvenirs, il oubliait sa fatigue. Il s'arrêta et s'immobilisa. La lune s'était levée, brillante et pleine. C'est lors de nuits pareilles qu'Otsū aimait à jouer de la flûte. Dans la voix des insectes, il entendit sonner un rire, celui d'Otsū et celui de Jōtarō mêlés.

Tournant la tête, il distingua une lumière. Il tourna dans la même direction le reste de son corps, et marcha droit vers elle.

Du trèfle poussait tout autour de la cabane isolée, presque aussi haut que le toit de guingois. Les murs étaient couverts de calebassiers dont les fleurs, de loin, ressemblaient à d'énormes gouttes de rosée. En s'approchant, il fut saisi par le violent ébrouement irrité d'un cheval non sellé, attaché à côté de la bicoque.

— Qui est là ?

Dans la voix qui venait de la cabane, Musashi reconnut celle du jeune garçon aux loches. En souriant, il cria :

— Peut-on me loger pour la nuit ? Je partirai demain matin de bonne heure.

L'enfant vint à la porte examiner Musashi des pieds à la tête. Au bout d'un moment, il répondit :

— Bon. Entrez.

Musashi n'avait jamais vu maison plus délabrée. Le clair de lune se déversait à travers les fentes des murs et du toit. Après avoir enlevé son manteau, Musashi ne trouva pas même une patère où l'accrocher. Le vent soufflait à travers le plancher malgré la natte de roseaux qui le couvrait. L'enfant s'agenouilla devant son hôte, protocolairement, et lui dit :

— ... Là-bas, à la rivière, vous disiez que vous vouliez des loches, n'est-ce pas ? Vous aimez les loches ?

Dans un tel décor, le formalisme de l'enfant surprenait tant Musashi qu'il se contentait d'ouvrir de grands yeux.

— ... Pourquoi me regardez-vous comme ça ?

— Quel âge as-tu ?

— Douze ans.

Son visage impressionnait Musashi. Il était aussi sale qu'une racine de lotus que l'on vient d'arracher du sol ; quant à ses cheveux, ils présentaient l'aspect et l'odeur d'un nid d'oiseau. Pourtant, son expression avait du caractère. Il était joufflu, et ses yeux, qui brillaient comme des boules de collier à travers la crasse qui les encerclait, étaient magnifiques.

— ... J'ai un peu de millet et de riz, reprit avec hospitalité le garçon. Et maintenant que j'en ai donné à mon père, vous pouvez avoir le restant des loches, si vous les voulez.

— Merci.

— Je suppose que vous aimeriez aussi du thé.

— Oui, si ça ne t'ennuie pas.

— Attendez ici.

Il poussa une porte grinçante, et passa dans la pièce voisine. Musashi l'entendit casser du bois, puis souffler la flamme d'un hibachi de terre. Bientôt, la fumée qui remplissait la cabane chassa dehors une nuée d'insectes.

Le garçon revint avec un plateau qu'il posa par terre devant Musashi. Se mettant aussitôt à l'ouvrage, Musashi dévora les loches grillées et salées, le millet et le riz, le beurre de fèves noir et douceâtre, en un temps record.

— C'était bon, déclara-t-il avec reconnaissance.

— Vraiment ?

L'enfant paraissait prendre plaisir au bonheur d'autrui. Voilà un garçon bien élevé, se dit Musashi.

— Je voudrais exprimer mes remerciements au maître de maison. Il est allé se coucher ?

— Non ; vous l'avez en face de vous.

L'enfant désignait son propre nez.

— Tu es ici tout seul ?

— Oui.

— Ah ! je vois.

Il y eut un silence gêné.

— ... Et de quoi vis-tu ? demanda Musashi.

— Je loue le cheval, et l'accompagne comme palefrenier. Nous faisions aussi un peu de culture... Oh ! il n'y a plus d'huile de lampe. De toute façon, vous devez avoir sommeil, n'est-ce pas ?

Musashi en convint, et se coucha sur une vieille paillasse, contre le mur. Le bourdonnement des insectes était apaisant. Il s'endormit, mais, peut-être à cause de son épuisement physique, il se trouvait en nage. Il rêva qu'il entendait tomber la pluie. Le bruit de son rêve le réveilla en sursaut. Il n'y avait pas à s'y tromper. Ce qu'il entendait maintenant, c'était un couteau ou bien un sabre que l'on affûtait. Comme il avait le réflexe de tendre la main vers son propre sabre, le garçon lui cria :

— ... Vous ne dormez donc pas ?

Comment le savait-il ? Stupéfait, Musashi lui dit :

— En voilà une idée, d'aiguiser une lame à une heure pareille !

Cette exclamation était proférée d'un ton si impressionnant qu'elle avait plutôt l'air de la riposte d'un sabre. Le garçon éclata de rire.

— Je vous ai fait peur ? Vous m'avez l'air trop fort et trop brave pour vous effrayer aussi facilement.

Musashi garda le silence. Il se demanda s'il avait rencontré un démon omniscient, déguisé en jeune paysan.

Quand la lame recommença de frotter contre la pierre à aiguiser, Musashi se rendit à la porte. Par une fente, il distinguait que l'autre pièce était une cuisine avec un petit espace pour dormir à une extrémité. L'enfant se tenait agenouillé dans le clair de lune auprès de la fenêtre, une grosse cruche d'eau à son côté. Le sabre qu'il affûtait était d'un type utilisé par les fermiers.

— Qu'as-tu l'intention de faire avec ça ? demanda Musashi.

Le garçon jeta un coup d'œil en direction de la porte, mais poursuivit sa tâche. Au bout de quelques minutes, il essuya la lame, longue d'environ quarante-cinq centimètres, qu'il éleva pour l'examiner. Elle étincelait au clair de lune.

— Regardez, dit-il ; croyez-vous que je puisse couper un homme en deux avec ça ?

— Ça dépend si tu sais t'y prendre.

— Oh ! je suis sûr de savoir m'y prendre.

— Tu penses à quelqu'un de précis ?

— Mon père.

— Ton *père ?* s'écria Musashi en poussant la porte. J'espère que tu ne trouves pas ça drôle.

— Je ne plaisante pas.

— Tu ne veux pas dire que tu aies l'intention de tuer ton père ! Même les rats et les guêpes de ce désert perdu s'abstiennent de tuer leurs parents.

— Pourtant, si je ne le coupe pas en deux, je suis incapable de le porter.

— De le porter où ?

— Je dois le porter au cimetière.

— Tu veux dire qu'il est mort ?

— Oui.

Musashi regarda de nouveau la paroi la plus éloignée. Il ne lui était pas venu à l'esprit que la forme volumineuse qu'il avait aperçue là pût être un corps. Maintenant, il voyait qu'il s'agissait bien du cadavre d'un vieil homme, étendu tout droit, un oreiller sous la tête, un kimono drapé sur lui. A son côté se trouvait un bol de riz, une tasse d'eau, et une portion de loches grillées sur une assiette en bois.

Se rappelant comment il avait demandé sans savoir au garçon de partager les loches prévues comme offrande à l'esprit du mort, Musashi éprouva de la gêne. En même temps, il admirait l'enfant d'avoir le sang-froid d'imaginer de couper le corps en morceaux de manière à pouvoir le porter. Les yeux rivés sur la face du garçon, durant quelques instants il garda le silence.

— Quand donc est-il mort ?

— Ce matin.

— A quelle distance est le cimetière ?

— Là-haut, dans les collines.

— Ne pourrais-tu trouver quelqu'un pour le porter là-haut ?

— Je n'ai pas d'argent.

— Laisse-moi t'en donner.

L'enfant secoua la tête.

— Non. Mon père n'aimait pas accepter de cadeaux. Il n'aimait pas non plus aller au temple. Je m'arrangerai, merci.

D'après la force de caractère et le courage du garçon, son comportement stoïque et pourtant pratique, Musashi soupçonnait que son père n'était pas né paysan quelconque. La remarquable indépendance du fils devait avoir une explication.

Par respect pour les désirs du mort, Musashi garda son argent ; à la place, il proposa de fournir la force nécessaire au transport du corps entier. L'enfant accepta ; ensemble, ils chargèrent le cadavre sur le cheval. Quand la route devint abrupte, ils le descendirent du cheval, et Musashi le porta sur son dos. Le cimetière se révéla être une petite clairière sous un châtaignier, où une seule pierre ronde marquait l'emplacement. Après l'enterrement, le garçon fleurit la tombe en disant :

— Mon grand-père, ma grand-mère et ma mère sont aussi enterrés ici.

Il joignit les mains pour prier. Musashi associa à la sienne sa prière silencieuse pour le repos de la famille.

— La pierre tombale ne semble pas très vieille, observa-t-il. Quand donc ta famille s'est-elle établie ici ?

— Du vivant de mon grand-père.

— Où se trouvait ta famille avant cela ?

— Mon grand-père était un samouraï du clan Mogami ; mais après la défaite de son seigneur, il a brûlé notre généalogie. Il n'est rien resté.

— Je ne vois pas son nom gravé dans la pierre. Il n'y a même pas d'écusson familial ou de date.

— A sa mort, il a donné l'ordre de ne rien inscrire sur la pierre. Il était très strict. Une fois, des hommes sont venus du fief de Gamō, une autre fois du fief de Date, et lui ont offert un poste, mais il a refusé. Il disait qu'un samouraï ne devrait pas servir plus d'un seul maître. Il était aussi comme ça au sujet de la pierre. Depuis qu'il était devenu fermier, il disait que s'il mettait son nom dessus, la honte en rejaillirait sur son seigneur mort.

— Connais-tu le nom de ton grand-père ?

— Oui. Il s'appelait Misawa Iori. Mon père, n'étant que fermier, a renoncé au nom de famille et ne s'est appelé que San'emon.

— Et ton nom à toi ?

— Sannosuke.

— Tu as de la famille ?

— Une sœur aînée, mais il y a longtemps qu'elle est partie. Je ne sais pas où elle se trouve.

— Personne d'autre ?

— Non.

— Comment comptes-tu vivre, à présent ?

— Comme avant, je suppose.

Mais alors, il se hâta d'ajouter :

— ... Ecoutez : vous êtes *shugyōsha*, n'est-ce pas ? Vous devez voyager partout. Emmenez-moi avec vous. Vous pourrez monter mon cheval, et je serai votre palefrenier.

Tout en retournant dans sa tête la requête du garçon, Musashi regardait le pays qui s'étendait à leurs pieds. Comme il était assez fertile pour alimenter une pléthore de mauvaises herbes, Musashi ne comprenait pas pourquoi on ne le cultivait pas. Ce n'était sûrement pas parce que les gens de l'endroit se trouvaient à l'aise ; Musashi avait vu partout des signes de pauvreté.

La civilisation, pensait-il, ne fleurit pas avant que les hommes n'aient appris à exercer un contrôle sur les forces de la nature. Il se demandait pourquoi les gens de cette région, au centre de la plaine de Kanto, étaient aussi impuissants, pourquoi ils se laissaient opprimer par la nature. Tandis que le soleil se levait, Musashi apercevait de petits animaux et des oiseaux qui faisaient leurs délices des richesses que l'homme n'avait pas encore appris à moissonner. Du moins le semblait-il.

Les circonstances lui rappelèrent bientôt que Sannosuke, malgré son courage et son indépendance, était encore un enfant. Quand le soleil fit étinceler la rosée du feuillage et qu'ils furent prêts à prendre le chemin du retour, le garçon n'était plus triste ; et même, il semblait avoir chassé de son esprit tout souvenir de son père. A mi-pente de la colline, il se mit à harceler Musashi pour obtenir une réponse à sa proposition :

— ... Je suis prêt à partir aujourd'hui même, déclara-t-il. Pensez donc : partout où vous irez, vous pourrez monter le cheval, et je serai là pour vous servir.

Ce qui suscita un grognement évasif. Bien que Sannosuke eût beaucoup en sa faveur, Musashi se demandait s'il devait reprendre la responsabilité de l'avenir d'un jeune garçon. Jōtarō... il avait des aptitudes naturelles ; mais à quoi lui avait servi de s'attacher à Musashi ? Et maintenant qu'il avait disparu Dieu savait où, Musashi ressentait encore plus vivement sa responsabilité. Pourtant, songeait-il, si un homme ne s'appesantit que sur les dangers qui le guettent, il ne peut avancer d'un seul pas, sans parler de réussir dans la vie. En outre, dans le cas d'un enfant, personne, et pas même ses parents, ne saurait véritablement se porter garant de son avenir. « Est-il possible de décider avec objectivité de ce qui est bon pour un enfant et de ce qui ne l'est pas ? se demandait-il. S'il s'agit de développer les talents de Sannosuke et de le guider dans la bonne direction, j'en suis capable. J'imagine que c'est à peu près tout ce que n'importe qui peut faire. »

— Vous me le promettez, n'est-ce pas ? Je vous en prie ! insistait le garçon.

— Sannosuke, veux-tu être palefrenier toute ton existence ?

— Jamais de la vie. Je veux être samouraï.

— Je le pensais bien. Mais si tu viens avec moi pour devenir mon élève, tu en verras de toutes les couleurs, tu sais.

Le garçon lâcha la corde et, avant que Musashi comprît ce qu'il avait derrière la tête, s'agenouilla par terre sous la tête du cheval. Il s'inclina profondément et dit :

— Je vous en supplie, monsieur, faites de moi un samouraï. C'était le désir de mon père, mais nous n'avions personne à qui nous adresser.

Musashi descendit de cheval, promena quelques instants les yeux autour de lui, puis ramassa un bâton qu'il tendit à Sannosuke.

Il en trouva un autre pour lui-même, et dit :

— Je veux que tu me frappes avec ce bâton. Quand j'aurai vu comment tu le manies, je pourrai décider si tu es doué pour être samouraï.

— Si je vous touche, vous direz oui ?

— Essaie, pour voir, répondit en riant Musashi.

Sannosuke empoigna fermement son arme et fonça comme un possédé. Musashi se montra sans pitié. Le garçon reçut coup après coup : sur les épaules, au visage, sur les bras. Après chaque échec, il reculait en chancelant mais revenait toujours à l'attaque.

« Il sera bientôt en larmes », se disait Musashi.

Mais Sannosuke refusait de céder. Son bâton s'étant cassé en deux, il chargea à mains nues.

— ... Pour qui te prends-tu, espèce de nabot ? aboya Musashi avec une méchanceté délibérée.

Il saisit l'enfant par son obi, et l'envoya au tapis.

— Espèce de grand salaud ! cria Sannosuke, déjà debout et attaquant de nouveau.

Musashi l'attrapa par la taille et l'éleva dans les airs.

— Ça te suffit comme ça ?

— Non ! cria-t-il d'un ton de défi bien qu'il eût le soleil dans les yeux et en fût à gigoter inutilement des bras et des jambes.

— Je m'en vais te jeter contre ce rocher, là-bas. Ça te tuera. Tu renonces ?

— Non !

— Quel entêté ! Tu ne vois donc pas que tu es vaincu ?

— Pas tant que je suis vivant ! Vous verrez. Je finirai par vaincre.

— Comment espères-tu y arriver ?

— Je m'exercerai ; je me disciplinerai.

— Mais pendant que tu t'exerceras dix ans, j'en ferai autant de mon côté.

— Oui, mais vous êtes beaucoup plus vieux que moi. Vous mourrez le premier.

— Hum...

— Et quand on vous mettra au cercueil, je vous porterai le coup de grâce et je serai vainqueur !

— Imbécile ! s'écria Musashi en jetant l'enfant au sol.

Quand Sannosuke se releva, Musashi le regarda un moment en plein visage, éclata de rire, fit claquer une fois ses mains l'une contre l'autre.

— ... Bon. Tu peux être mon élève.

Tel maître, tel disciple

Au cours du bref trajet de retour à la cabane, Sannosuke se montra intarissable quant à ses rêves d'avenir.

Mais ce soir-là, quand Musashi lui déclara qu'il fallait

s'apprêter à dire adieu au seul foyer qu'il eût jamais connu, il devint triste. Ils veillèrent tard ; Sannosuke, les yeux embrumés, la voix douce, égrena des souvenirs sur ses parents et grands-parents.

Le lendemain matin, alors qu'ils s'apprêtaient à partir, Musashi annonça que désormais il appellerait Sannosuke, Iori.

— Si tu deviens samouraï, expliqua-t-il, il n'est que juste que tu prennes le nom de ton grand-père.

L'enfant n'avait pas encore atteint l'âge de la cérémonie de majorité, où il eût normalement reçu son nom d'adulte ; Musashi pensait que le fait de prendre le nom de son grand-père lui donnerait un but élevé. Plus tard, alors que le garçon avait l'air de s'attarder à l'intérieur de la maison, Musashi lui dit avec douceur, mais fermeté :

— ... Dépêche-toi, Iori. Il n'y a rien là-dedans dont tu aies besoin. Rien ne doit te rappeler le passé.

Iori s'élança au-dehors, vêtu d'un kimono qui lui couvrait à peine les cuisses, chaussé de sandales de paille de palefrenier, avec à la main une toile d'emballage contenant un déjeuner portatif de millet et de riz. Il avait l'air d'une petite grenouille, mais il était prêt pour une vie nouvelle, et impatient.

— ... Choisis un arbre loin de la maison, et attache le cheval, ordonna Musashi.

— Vous feriez mieux de le monter maintenant.

— Fais ce que je te dis.

— Bien, monsieur.

Musashi remarqua cette politesse ; elle était un signe, léger mais encourageant, que l'enfant se trouvait disposé à adopter les façons d'un samouraï au lieu du langage veule des paysans. Iori attacha le cheval et revint à l'endroit où se tenait Musashi, sous l'auvent de la vieille masure, en train de considérer la plaine environnante. « Qu'est-ce qu'il attend ? » se demandait le garçon. Posant la main sur la tête d'Iori, Musashi lui dit :

— C'est ici que tu es né, et que tu as pris ta résolution de vaincre.

Iori acquiesça de la tête.

— ... Au lieu de servir un second seigneur, ton grand-père s'est retiré de la classe des guerriers. Ton père, fidèle aux dernières volontés de ton grand-père, s'est contenté d'être un simple fermier. Sa mort t'a laissé seul au monde ; aussi le temps est-il venu pour toi de voler de tes propres ailes.

— Oui, monsieur.

— Tu dois devenir un grand homme !

— J'essaierai.

Les larmes lui montèrent aux yeux.

— Durant trois générations, cette maison a abrité ta famille du vent et de la pluie. Remercie-la puis dis-lui adieu, une fois pour toutes et sans regrets.

Musashi entra dans la masure et y mit le feu.

Quand il en ressortit, Iori refoulait ses larmes.

— ... Si nous laissions la maison debout, dit Musashi, elle servirait seulement de cachette aux bandits de grand chemin ou aux simples voleurs. Je la brûle afin d'empêcher des hommes pareils de profaner la mémoire de ton père et de ton grand-père.

— Je vous en suis reconnaissant.

La cabane se transforma en petite montagne de feu, puis s'effondra.

— ... Partons, dit Iori que n'intéressaient plus les reliques du passé.

— Pas encore.

— Il n'y a plus rien à faire ici, vous ne croyez pas ?

Musashi se mit à rire.

— Nous allons bâtir une nouvelle maison sur cette butte, là-bas.

— Une nouvelle maison ? Pourquoi ? Vous venez d'incendier la vieille.

— Celle-là appartenait à ton père et à ton grand-père. Celle que nous construirons sera pour nous.

— Vous voulez dire que nous allons rester ici ?

— Tout juste.

— Nous ne partons pas quelque part nous entraîner et nous discipliner ?

— Nous le ferons ici.

— A quoi pourrons-nous bien nous entraîner, ici ?

— A être des hommes d'épée, à être des samouraïs. Nous disciplinerons notre esprit et nous travaillerons dur pour devenir des êtres humains dignes de ce nom. Viens avec moi, et apporte cette hache.

Il désignait une touffe d'herbe où il avait mis les outils de la ferme. La hache sur l'épaule, Iori suivit Musashi à la butte où poussaient quelques châtaigniers, pins et cryptomerias.

Musashi, torse nu, empoigna la hache et se mit à l'ouvrage. Bientôt, il envoyait en l'air une véritable pluie d'éclats de bois blanc.

Iori le regardait en songeant : « Peut-être qu'il va construire un dōjō. A moins que nous ne nous exercions en plein air ? »

Un arbre tomba, puis un autre et encore un autre. La sueur ruisselait sur les joues rouges de Musashi, emportant la léthargie et la solitude des derniers jours.

Il avait conçu son projet actuel tandis qu'il se tenait devant la tombe fraîche du fermier, dans le minuscule cimetière. « Je vais déposer quelque temps mon sabre, avait-il décidé, pour travailler avec une houe à la place. » Le Zen, la calligraphie, l'art du thé, la peinture de tableaux et la sculpture de statues : tout cela était utile pour perfectionner l'art du sabre. Labourer un champ ne pouvait-il aussi contribuer à l'entraînement ? Cette vaste étendue de terre n'attendait-elle pas quelqu'un pour la cultiver : une parfaite salle d'entraînement ? En transformant des terres inhospitalières en terres de culture, il contribuerait aussi au bien-être des générations à venir.

Il avait passé toute sa vie comme un prêtre mendiant zen : à recevoir, pour ainsi dire, à dépendre d'autrui pour la nourriture, l'abri et les dons. Il voulait opérer un changement, un changement radical, car il soupçonnait depuis longtemps que seuls, ceux qui avaient réellement fait pousser leur propre grain et leurs propres légumes comprenaient véritablement à quel point ils étaient sacrés, précieux. Les autres ressemblaient aux prêtres qui ne pratiquent pas ce qu'ils prêchent, ou bien aux hommes d'épée qui ont appris les techniques du combat mais ignorent tout de la Voie.

Enfant, sa mère l'avait emmené dans les champs ; il avait travaillé avec les fermiers et les villageois. Mais son but, maintenant, était plus que la simple production de nourriture pour ses repas quotidiens ; il cherchait à se nourrir l'âme. Il voulait savoir ce que représentait le fait de travailler pour vivre au lieu de mendier pour vivre. Il voulait également implanter sa propre façon de penser parmi les gens de la région. D'après lui, en abandonnant les terres aux mauvaises herbes et aux chardons, en cédant aux tempêtes et aux inondations, ils se transmettaient de génération en génération une existence au jour le jour, sans jamais ouvrir les yeux sur leurs propres possibilités ni celles de la terre qui les entourait.

— ... Iori, appela-t-il, va chercher de la corde et attache ce bois. Ensuite, descends-le jusqu'à la berge de la rivière.

Quand cela fut fait, Musashi posa sa hache contre un arbre et essuya de l'avant-bras la sueur de son front. Puis il descendit et dépouilla les arbres de leur écorce avec une hachette. Quand la nuit tomba, ils firent du feu avec l'écorce, et trouvèrent des blocs de bois pour leur servir d'oreillers.

— ... Travail intéressant, non ? dit Musashi.

— Je ne le trouve pas intéressant du tout, répondit Iori avec une sincérité parfaite. Je n'avais pas besoin de devenir votre élève pour apprendre à faire ça.

— Avec le temps, tu apprendras à l'aimer.

L'automne déclinant, les voix des insectes se taisaient. Les feuilles flétries tombaient. Musashi et Iori terminèrent leur cabane, et préparèrent le terrain pour les plantations.

Un jour, alors qu'il examinait ses terres, Musashi se prit soudain à penser qu'elles symbolisaient l'agitation sociale qui dura un siècle après la guerre d'Ōnin. Tableau peu encourageant.

A l'insu de Musashi, la Hōtengahara avait à maintes reprises, à travers les siècles, été ensevelie sous les cendres volcaniques du mont Fuji, et la rivière Tone avait de façon répétée inondé les terres basses. Par beau temps, c'était la sécheresse ; mais chaque fois qu'il tombait de fortes pluies, l'eau creusait de nouvelles rigoles, emportant de grandes quantités de boue et de pierre. Nul cours d'eau principal où se jetaient naturellement les plus petits ; ce qui s'en rapprochait le plus était un large bassin qui manquait de capacité suffisante soit pour arroser, soit pour drainer l'ensemble de la région. Le besoin le plus urgent sautait aux yeux : acquérir la maîtrise de l'eau.

Pourtant, plus il avait regardé, plus il s'était demandé pourquoi la région était sous-développée. « Ce ne sera pas commode », songea-t-il, excité par le défi que cela posait. Unir l'eau et la terre en vue de créer des champs productifs n'était pas très différent du fait de mener les hommes et les femmes de telle sorte que la civilisation pût fleurir. Musashi estimait son but en parfait accord avec ses idéaux d'homme d'épée.

Il en était venu à considérer la Voie du sabre sous un nouvel angle. Un an ou deux auparavant, il avait seulement voulu vaincre tous ses rivaux ; or, maintenant, l'idée que le sabre existait pour lui donner pouvoir sur autrui ne le satisfaisait plus. Abattre les gens, triompher d'eux, montrer jusqu'où sa propre force pouvait aller, tout cela lui semblait de plus en plus vain. Il voulait se vaincre lui-même, soumettre la vie elle-même, faire vivre les gens plutôt que les faire mourir. La Voie du sabre ne devait pas servir uniquement à son propre perfectionnement. Elle devait être une source de force pour gouverner les gens, les conduire à la paix et au bonheur.

Il se rendait compte que ses idéaux de grandeur n'étaient que des rêves, et le resteraient aussi longtemps qu'il lui manquerait l'autorité politique nécessaire à leur accomplissement. Mais ici, dans ce désert, il n'avait besoin ni de rang ni de pouvoir. Il se plongeait dans la lutte avec un joyeux enthousiasme.

A longueur de journée on déracina les souches, tamisa le gravier, nivela le sol, creusa des fossés dans la terre et le roc. Musashi et Iori travaillaient depuis avant l'aube jusqu'après que les étoiles brillaient dans le ciel.

Leur labeur acharné ne passait pas inaperçu. Les villageois qui passaient par là s'arrêtaient souvent, ouvraient de grands yeux et faisaient des commentaires :

— Ils sont fous !

— Comment est-ce qu'ils peuvent vivre dans un endroit pareil ?

— Le garçon n'est-il pas le fils du vieux San'emon ?

Chacun riait, mais tous ne s'en tenaient pas là. Un homme, par bonté pure, vint leur déclarer :

— Ça m'ennuie de vous dire ça mais vous perdez votre temps. Vous aurez beau vous échiner à faire un champ ici, un seul orage le détruira en une nuit.

Quelques jours après, voyant qu'ils y travaillaient encore, il parut légèrement vexé :

— ... Tout ce que vous faites ici, permettez-moi de vous le dire, c'est de nombreux trous d'eau qui ne donneront rien de bon.

Quelques jours plus tard, il conclut que l'étrange samouraï était simple d'esprit.

— ... Quels idiots ! s'écria-t-il avec dégoût.

Le lendemain amena tout un groupe d'interpellateurs :

— Si quelque chose pouvait pousser ici, nous ne suerions pas en plein soleil à cultiver nos propres champs, si pauvres soient-ils. Nous resterions assis chez nous à jouer de la flûte.

— Et il n'y aurait pas de famines.

— Vous retournez la terre pour rien.

— Vous avez autant de bon sens qu'un tas de fumier.

Toujours sarclant, Musashi gardait les yeux à terre et souriait de toutes ses dents. Iori se montrait moins complaisant bien que Musashi l'eût précédemment grondé parce qu'il prenait trop au sérieux les paysans.

— Monsieur, déclarait-il d'un ton boudeur, ils disent tous la même chose.

— Ne les écoute pas.

— Je ne peux m'en empêcher ! s'écria-t-il en ramassant une pierre pour la lancer à leurs tourmenteurs.

Une lueur d'irritation dans les yeux de Musashi l'arrêta.

— Allons, à quoi crois-tu donc que ça t'avancerait ? Si tu te conduis mal, je ne veux pas de toi pour élève.

A cette réprimande, les oreilles d'Iori lui brûlèrent ; pourtant, au lieu de lâcher la pierre, il jura et la précipita contre un rocher. La pierre se fendit en deux en faisant des étincelles. Iori rejeta sa houe et fondit en larmes.

Musashi l'ignora bien qu'il fût ému. « Il est tout seul, exactement comme moi », se disait-il.

Comme en sympathie avec le chagrin de l'enfant, un vent

crépusculaire balaya la plaine. Le ciel s'assombrit ; des gouttes de pluie tombèrent.

— ... Viens, Iori, rentrons ! appela Musashi. Il semble que nous soyons bons pour une bourrasque.

En hâte il ramassa ses outils et courut vers la maison. Le temps d'y arriver, la pluie se déversait en rideaux gris.

— ... Iori ! cria-t-il, surpris que le garçon ne l'eût pas accompagné.

Il se rendit à la fenêtre et scruta le champ. La pluie lui rejaillissait du bord de la fenêtre dans la figure. Un éclair zébra le ciel et frappa la terre. Les yeux fermés, les mains sur les oreilles, il sentit la force du tonnerre.

Dans le vent et la pluie, Musashi voyait le cryptomeria du Shippōji, et entendait la voix sévère de Takuan. Il sentait que tout ce qu'il avait gagné depuis lors, il le leur devait. Il voulait posséder la force immense de l'arbre ainsi que la compassion glacée, inflexible de Takuan. S'il pouvait être pour Iori ce qu'avait été pour lui le vieux cryptomeria, il aurait le sentiment d'être parvenu à rembourser une partie de sa dette envers le moine.

— ... Iori !... Iori !

Pas de réponse ; seulement le tonnerre et la pluie qui se déversait sur le toit.

« Où peut-il être allé ? » se demandait-il, toujours peu désireux de s'aventurer au-dehors.

Quand la pluie eut diminué, il finit par sortir. Iori n'avait pas bougé d'un pouce. Avec ses vêtements qui lui collaient au corps et sa face encore crispée de colère, il avait l'air d'un épouvantail. Comment un enfant pouvait-il être aussi entêté ?

— ... Idiot ! gronda Musashi. Rentre à la maison. Te faire tremper comme ça n'est pas exactement ce qu'il te faut. Dépêche-toi, avant que des rivières ne commencent à se former. Alors, tu ne pourras plus rentrer.

Iori éclata de rire.

— Ne craignez rien. Ce genre de pluie ne dure pas. Voyez : déjà les nuages se déchirent.

Musashi, qui ne s'attendait pas à recevoir une leçon de son élève, en fut assez interloqué mais Iori n'insista pas :

— ... Allons, dit le garçon en ramassant sa houe. Nous pouvons encore en faire un bon bout avant le coucher du soleil.

Les cinq jours suivants, bulbuls et pies-grièches conversèrent d'une voix rauque sous un ciel bleu sans nuage, et de grandes craquelures fendirent la terre qui cuisait autour des racines des joncs. Le sixième jour, de petits nuages s'amassèrent à l'horizon, et rapidement se répandirent à travers le ciel jusqu'à ce que la plaine entière eût l'air d'être sous une éclipse. Iori jeta au ciel un bref coup d'œil, et dit d'un ton inquiet :

— Cette fois, c'est sérieux.

Comme il prononçait ces paroles, un tourbillon de vent les enveloppa. Les feuilles s'agitèrent, et les petits oiseaux tombèrent au sol, comme abattus par une invisible et silencieuse troupe de chasseurs.

— Une autre averse ? demanda Musashi.

— Pas avec un ciel pareil. Je ferais mieux d'aller au village. Et vous feriez mieux de ramasser les outils et de rentrer le plus vite possible.

Musashi n'eut pas le temps de lui demander pourquoi : Iori s'élança à travers la plaine, et se perdit bientôt dans un océan de hautes herbes.

Ici encore, le sens météorologique du jeune garçon se révéla juste. La soudaine averse, poussée par de furieuses rafales de vent, qui envoya Musashi à toutes jambes s'abriter, avait ses rythmes propres. La pluie tombait durant quelque temps en quantités incroyables, s'arrêtait soudain puis reprenait avec une rage encore plus grande. La nuit vint, mais la tempête ne s'apaisait pas. Les cieux parurent vouloir transformer en océan la terre entière. Plusieurs fois, Musashi craignit que le vent n'arrachât le toit ; déjà le sol était jonché de bardeaux arrachés.

Vint le matin gris, informe, et pas trace d'Iori. Debout à la fenêtre, Musashi était découragé, impuissant. Çà et là, il distinguait un arbre ou une touffe d'herbe ; tout le reste n'était plus qu'un vaste marais bourbeux. Par chance, la cabane se trouvait encore au-dessus du niveau de l'eau ; mais à ses pieds, dans ce qui avait été un lit de rivière à sec, s'élançait maintenant un torrent qui emportait tout sur son passage. Incertain si Iori ne s'était pas noyé, Musashi trouvait le temps long ; enfin, il crut entendre la voix de l'enfant qui l'appelait :

— *Sensei !* Je suis là !

A quelque distance au-delà de la rivière, monté sur un bœuf, il avait un gros ballot attaché derrière lui. Musashi consterné le regarda descendre droit dans le courant bourbeux qui semblait devoir l'aspirer à chaque pas.

Lorsqu'il atteignit l'autre berge, il tremblait de froid et d'humidité mais guida tranquillement sa monture au flanc de la cabane.

— D'où viens-tu ? demanda Musashi d'une voix tout à la fois irritée et soulagée.

— Du village, bien sûr. J'ai rapporté des tas de nourriture. Il pleuvra encore beaucoup avant que cette tempête ne soit passée, et quand elle le sera nous serons bloqués par les inondations.

Une fois qu'ils eurent transporté à l'intérieur le ballot de paille, Iori le défit et sortit un par un les articles de leur emballage de papier imperméable :

— ... Voilà des châtaignes... des lentilles... du poisson salé. Nous ne devrions pas manquer de nourriture, même si l'eau met un mois ou deux pour baisser.

Les yeux de Musashi s'embuèrent de gratitude, mais il ne souffla mot. Il était trop confus de son propre manque de bon sens. Comment pouvait-il guider l'humanité s'il se montrait insoucieux de sa propre survie ? Sans Iori, il eût maintenant risqué de mourir de faim. Et l'enfant, élevé dans une lointaine campagne, devait savoir depuis le berceau faire des provisions. Musashi trouvait curieux que les villageois eussent accepté de fournir toute cette nourriture. Ils ne devaient pas avoir grand-chose pour eux-mêmes. Quand il eut recouvré la voix et posé la question, Iori lui répondit :

— J'ai laissé ma bourse en gage, et emprunté au Tokuganji.

— Et qu'est-ce que c'est que le Tokuganji ?

— Le temple, à environ trois kilomètres d'ici. Mon père m'a dit qu'il y avait de la poudre d'or dans la bourse. Il a dit que si j'avais des ennuis, je devrais l'utiliser par petites quantités. Hier, quand le temps est devenu mauvais, je me suis rappelé ses paroles.

Iori arborait un sourire de triomphe.

— Cette bourse n'est-elle pas un souvenir de ton père ?

— Si. Maintenant que nous avons brûlé la vieille maison, cette bourse et le sabre sont les seules choses qui me restent.

Il caressait la poignée de la petite arme, à son obi. Bien que la soie ne portât aucune signature d'artisan, Musashi avait remarqué, en examinant précédemment la lame, qu'elle était d'excellente qualité. Il avait aussi le sentiment que la bourse héritée présentait une signification qui dépassait celle de la poudre d'or qu'elle contenait.

— Tu ne devrais pas confier tes souvenirs à d'autres gens. Un de ces jours, je dégagerai ta bourse ; mais ensuite, il faut me promettre de ne plus t'en séparer.

— Bien, monsieur.

— Où donc as-tu passé la nuit ?

— Le prêtre m'a dit qu'il valait mieux attendre là-bas jusqu'au matin.

— As-tu mangé ?

— Non. Vous non plus, n'est-ce pas ?

— Non, mais il n'y a pas de bois à brûler.

— Oh ! il y en a beaucoup.

Il fit un geste vers le bas, désignant ainsi l'espace situé sous la cabane, où il avait emmagasiné une bonne provision de branches, de racines et de tiges de bambou ramassées alors qu'il travaillait aux champs. Tenant une natte de paille au-dessus de sa tête, Musashi se glissa sous la cabane et s'émerveilla de nouveau du bon sens de l'enfant. Dans un environnement comme celui-ci, la survie dépendait de la prévoyance, et une petite faute risquait de marquer la différence entre la vie et la mort. Quand ils eurent fini de manger, Iori sortit un livre. Alors, s'agenouillant cérémonieusement devant son maître, il dit :

— ... Pendant que nous attendons que les eaux baissent pour pouvoir travailler, voudriez-vous m'apprendre à lire et à écrire ?

Musashi accepta. Par une journée de tempête aussi lugubre, c'était un bon moyen de passer le temps. Le livre était un volume des *Analectes de Confucius*. Iori déclara qu'on le lui avait donné au temple.

— Tu veux réellement étudier ?

— Oui.

— As-tu déjà fait beaucoup de lecture ?

— Non ; un peu seulement.

— Qui t'a appris ?

— Mon père.

— Qu'est-ce que tu as lu ?

— *L'Instruction des débutants.*

— Ça t'a plu ?

— Oui, beaucoup, répondit-il avec enthousiasme, les yeux brillants.

— Très bien, alors. Je t'enseignerai tout ce que je sais. Plus tard, tu pourras trouver quelqu'un de plus instruit pour t'apprendre ce que j'ignore.

Ils consacrèrent le restant de la journée à l'étude ; le garçon lisait à voix haute ; Musashi l'interrompait afin de le reprendre ou de lui expliquer les mots qu'il ne comprenait pas. Assis là, parfaitement concentrés, ils oubliaient la tempête.

Le déluge dura deux jours encore ; alors, on ne voyait plus de terre nulle part. Le lendemain, il pleuvait encore. Iori, ravi, reprit le livre en disant :

— Nous commençons ?

— Pas aujourd'hui. Tu as assez lu pour le moment.

— Pourquoi donc ?

— Si tu ne fais que lire, tu perdras de vue la réalité qui t'entoure. Pourquoi ne prendrais-tu pas un jour de vacances, et ne jouerais-tu pas ? Je vais me détendre, moi aussi.

— Mais je ne peux sortir.

— Alors, fais comme moi, dit Musashi qui se prélassait sur le dos, les bras derrière la tête.

— Dois-je m'étendre ?

— Fais ce que tu veux. Couche-toi, lève-toi, assieds-toi... ce qui te paraîtra confortable.

— Et puis après ?

— Je te raconterai une histoire.

— Ça me plairait bien, dit Iori en s'affalant sur le ventre, les jambes gigotant en l'air. Quel genre d'histoire ?

— Voyons, dit Musashi, passant en revue les histoires qu'il avait aimé entendre enfant.

Il choisit celle sur les batailles entre les Genji et les Heike. Tous les garçons adoraient ça. Iori ne fit pas exception à la règle. Quand Musashi parvint à l'épisode où les Genji sont vaincus et où les Heike prennent en main le pays, le visage de l'enfant s'assombrit. Il dut faire effort pour ne point pleurer sur le triste sort de dame Tokiwa. Mais son moral remonta quand il sut que Minamoto no Yoshitsune apprenait l'art du sabre des « gobelins au long nez » sur le mont Kurama, et plus tard s'évadait de Kyoto.

— J'aime bien Yoshitsune, dit-il en se mettant sur son séant. Il y a vraiment des gobelins sur le mont Kurama ?

— Peut-être. En tout cas, il y a des gens, en ce monde, qui pourraient aussi bien être des gobelins. Mais ceux qui donnèrent des leçons à Yoshitsune n'étaient pas des gobelins véritables.

— Qu'est-ce qu'ils étaient ?

— De loyaux vassaux des Genji vaincus. Ils ne pouvaient se montrer à visage découvert alors que les Heike détenaient le pouvoir ; aussi demeuraient-ils cachés dans les montagnes en attendant leur chance.

— Comme mon grand-père ?

— Oui, sinon qu'il a attendu toute sa vie, et que la chance n'a jamais sonné pour lui. Quand Yoshitsune fut devenu grand, les fidèles partisans des Genji qui avaient pris soin de lui durant son enfance connurent l'occasion pour laquelle ils avaient prié.

— J'aurai l'occasion de dédommager mon grand-père, n'est-ce pas ?

— Hum... Je crois la chose possible. Oui, je le crois vraiment.

Il attira Iori à lui, le souleva et le tint en équilibre sur ses mains et ses pieds comme un ballon.

— ... Et maintenant, tâche d'être un grand homme ! dit-il en riant.

Iori, qui riait également, bégaya :

— Vous... vous êtes un gobe-gobelin, vous aussi ! Arrê-tez ! Vous allez me faire tom-tomber.

Et tendant la main vers le bas, il pinça le nez de Musashi.

Le onzième jour, il finit par cesser de pleuvoir. Musashi brûlait d'être dehors, en plein air ; mais il fallut attendre encore une semaine pour pouvoir retourner travailler sous un beau soleil. Le champ qu'ils avaient si péniblement arraché au désert avait disparu sans laisser de trace ; à sa place il y avait des pierres, et une rivière qui ne s'y trouvait pas auparavant. L'eau semblait se moquer d'eux tout comme les villageois s'étaient moqués d'eux. Iori, ne voyant aucun moyen de regagner ce qu'ils avaient perdu, dit :

— Cet endroit est sans espoir. Cherchons ailleurs un meilleur terrain.

— Non, dit Musashi fermement. L'eau une fois drainée, ceci ferait une excellente terre de culture. J'ai examiné l'emplacement sous tous ses angles avant de le choisir.

— Et s'il tombe encore de fortes pluies ?

— Nous nous arrangerons pour que l'eau ne vienne pas par ici. Nous élèverons une digue d'ici jusqu'à cette colline, là-bas.

— Quel travail !

— Tu parais oublier que ceci est notre dōjō. Je ne céderai pas un seul pied de ce terrain avant d'y voir pousser de l'orge.

Musashi mena sa lutte opiniâtre durant tout l'hiver, jusqu'au second mois de la nouvelle année. Cela prit plusieurs semaines de labeur acharné pour creuser des fossés, vider l'eau, amonceler de la terre afin d'élever une digue, puis la couvrir de lourdes pierres.

Trois semaines plus tard, tout fut de nouveau emporté par les pluies.

— Ecoutez, dit Iori, nous gaspillons nos forces pour une entreprise impossible. Est-ce là la Voie du sabre ?

Cette question faisait mouche, et pourtant Musashi refusa de renoncer.

A peine un mois s'écoula avant le désastre suivant, une forte chute de neige à quoi succéda un dégel rapide. Iori, à son retour de randonnées au temple en quête de nourriture, faisait inévitablement une figure longue d'une aune, car les gens de là-bas le harcelaient sans merci au sujet de l'échec de son maître.

Enfin, ce dernier lui-même commença de perdre courage. Durant deux jours pleins et une partie d'un troisième, il resta assis en silence à broyer du noir, les yeux fixés sur son champ.

Puis, soudain, le jour se fit dans son esprit. Inconsciemment, il avait tenté de créer un champ bien net, bien carré, pareil à ceux qui abondent en d'autres parties de la plaine de Kanto ; or, cela ne convenait pas au terrain. Ici, malgré le caractère plat de l'ensemble, de légères variations dans la configuration du terrain et la qualité du sol plaidaient en faveur d'une forme irrégulière.

— Quel idiot j'ai donc été ! s'exclama-t-il à voix haute. J'ai essayé de faire couler l'eau là où je croyais qu'elle devait couler, et de forcer la terre à rester là où je croyais qu'elle devait rester. Mais ça n'a rien donné. Quoi d'étonnant à cela ? L'eau, c'est l'eau et la terre, la terre. Je ne puis changer leur nature. Ce que je dois faire, c'est apprendre à être un serviteur de l'eau et un protecteur de la terre.

A sa manière, il s'était soumis à l'attitude des paysans. Ce jour-là, il devint le serviteur de la nature. Il cessa de tenter d'imposer sa volonté à la nature, et laissa la nature diriger les opérations tout en recherchant des possibilités hors de portée des autres habitants de la plaine.

La neige revint, et un nouveau dégel ; l'eau boueuse parcourait lentement la plaine. Mais Musashi avait eu le temps d'élaborer sa nouvelle méthode, et son champ demeura intact.

« Les mêmes règles doivent s'appliquer au gouvernement des peuples », se dit-il. Dans son carnet il écrivit : « N'essaie pas de t'opposer au sens de l'univers. Mais d'abord, assure-toi de connaître le sens de l'univers. »

Démons de la montagne

— Je tiens à être bien clair. Je ne veux pas que vous ayez le moindre ennui à cause de moi. Votre hospitalité, que j'apprécie grandement, me suffit tout à fait.

— Bien, monsieur. C'est fort aimable à vous, monsieur, répondit le prêtre.

— Je voudrais seulement me reposer. C'est tout.

— Mais comment donc !

— Et maintenant, j'espère que vous me pardonnerez ma grossièreté, dit le samouraï en s'étendant sur le côté avec désinvolture, et en posant sur son avant-bras sa tête grisonnante.

L'hôte qui venait d'arriver au Tokuganji était Nagaoka Sado, un vassal de haut rang du seigneur Hosokawa Tadaoki de Buzen. Il n'avait guère de temps à consacrer à ses affaires personnelles ; pourtant, il ne manquait pas de venir pour des occasions comme l'anniversaire de la mort de son père ; en général, il passait la nuit car le temple était à une trentaine de kilomètres d'Edo. Pour un homme de son rang, il voyageait sans ostentation, seulement accompagné cette fois de deux samouraïs et d'un jeune serviteur personnel.

Pour s'absenter même peu de temps de la maison Hosokawa, il avait dû inventer une excuse. Il avait rarement l'occasion d'en faire à sa tête, et maintenant que c'était le cas il profitait à plein du saké local en écoutant coasser les grenouilles. Durant peu de temps, il pouvait tout oublier : les problèmes administratifs, et la nécessité d'être sans cesse au courant des moindres nuances des affaires quotidiennes.

Après dîner, le prêtre desservit rapidement, et s'éclipsa. Sado bavardait à bâtons rompus avec ses serviteurs, assis près du mur, le visage seul visible à la clarté de la lampe.

— Je me contenterais de rester couché ici à jamais, et d'entrer en nirvana comme le Bouddha, dit paresseusement Sado.

— Attention à ne pas prendre froid. L'air de la nuit est humide.

— Oh ! laisse-moi tranquille. Le corps que voici a survécu à quelques batailles. Il est capable de tenir tête à un éternuement ou deux... Mais respirez-moi donc ces fleurs écloses ! Elles sentent bon, n'est-ce pas ?

— Je ne sens rien.

— Vraiment ? Si tu manques à ce point d'odorat... es-tu certain de n'être pas enrhumé toi-même ?

Ils badinaient ainsi quand soudain les grenouilles se turent et une voix forte s'écria :

— Espèce de démon ! Que fais-tu donc là, à regarder bouche bée dans la chambre des hôtes ?

Les gardes du corps de Sado furent aussitôt sur pied.

— Qu'est-ce qui se passe ?

— Qui va là ?

Tandis que leurs yeux circonspects scrutaient le jardin, on entendit un bruit de petits pieds qui reculaient en direction de la cuisine. De la véranda, un prêtre passa la tête, s'inclina et dit :

— Pardon de vous avoir dérangés. Ce n'est qu'un des enfants d'ici. Ne vous inquiétez pas.

— Vous êtes sûr ?

— Mais oui, naturellement. Il habite à trois kilomètres d'ici. Son père était palefrenier jusqu'à sa mort récente ; mais on dit que son grand-père était samouraï ; chaque fois qu'il en voit un, il s'arrête et le dévore des yeux — en suçant son doigt.

Sado se redressa.

— Ne soyez pas trop dur envers lui. S'il veut être samouraï, faites-le entrer. Nous mangerons des sucreries en discutant de la question.

A ce moment, Iori était arrivé à la cuisine.

— Dis donc, grand-mère, cria-t-il, je n'ai plus de millet ! Remplis ça pour moi, veux-tu ?

Le sac qu'il lançait à la vieille femme ridée qui travaillait à la cuisine aurait pu contenir un demi-boisseau. Elle lui répliqua sur le même ton :

— Surveille ta langue, espèce de mendiant ! Tu parles comme si nous te devions quelque chose.

— Et d'abord, tu ne manques pas de toupet ! dit un prêtre qui lavait la vaisselle. Le grand prêtre a eu pitié de toi ; aussi, nous te donnons de quoi manger ; mais ne sois pas insolent. Quand tu demandes une faveur, fais-le poliment.

— Je ne mendie pas. J'ai donné au prêtre la bourse que m'a laissée mon père. Il y a de l'argent dedans, beaucoup d'argent.

— Et combien un palefrenier a-t-il bien pu laisser à son fils ?

— Allez-vous me donner ce millet, oui ou non ?

— Voilà que ça te reprend. Regarde-toi un peu dans la glace. Tu es fou d'obéir à cet idiot de rōnin. Et d'ailleurs, d'où vient-il ? Qui est-il ? De quel droit mange-t-il ta nourriture ?

— Ça ne vous regarde pas.

— Peuh... Bêcher à droite et à gauche dans cette plaine stérile où il n'y aura jamais ni champ ni jardin ni rien d'autre !... Tout le village se moque de vous.

— Qui vous a demandé votre avis ?

— Ce qui ne tourne pas rond dans la tête de ce rōnin doit être contagieux Qu'espères-tu donc trouver là-haut... une marmite pleine d'or, comme dans un conte de fées ? On te tordrait le nez qu'il en sortirait encore du lait, et déjà tu creuses ta propre tombe.

— Taisez-vous et donnez-moi le millet. Le millet ! Tout de suite.

Deux minutes plus tard, le prêtre taquinait encore Iori quand quelque chose de froid et de visqueux lui frappa le visage. Les yeux lui sortirent de la tête ; alors, il vit ce que c'était : un crapaud bien verruqueux. Il poussa les hauts cris et se jeta sur Iori mais juste au moment où il le saisissait au collet, un autre prêtre survint pour annoncer que l'on demandait le garçon dans la chambre des samouraïs. Le grand prêtre, ayant lui aussi entendu le vacarme, se précipita à la cuisine.

— A-t-il fait quelque chose qui risque de déplaire à notre hôte ? demanda-t-il, inquiet.

— Non. Sado vient de dire qu'il aimerait lui parler. Il voudrait également lui donner des bonbons.

Le grand prêtre se hâta de prendre Iori par la main, et de le conduire en personne à la chambre de Sado. Comme Iori s'asseyait timidement à côté du prêtre, Sado lui demanda :

— Quel âge as-tu ?

— Treize ans.

— Et tu veux devenir samouraï ?

— C'est ça, répondit Iori en acquiesçant vigoureusement du chef.

— Tiens, tiens. Pourquoi ne viens-tu pas vivre avec moi,

alors ? Au début, tu devrais aider au travail de maison, mais plus tard je ferais de toi l'un des apprentis samouraïs.

Iori secoua la tête en silence. Sado, qui prenait cela pour de la timidité, lui assura que l'offre était sérieuse. Iori lui lança un coup d'œil irrité, et dit :

— Il paraît que vous vouliez me donner des bonbons. Où sont-ils ?

Le grand prêtre pâlit et lui donna une tape sur le poignet.

— Ne le grondez pas, dit Sado sur un ton de reproche. Il aimait les enfants, et se montrait indulgent à leur égard. — ... Il a raison. Un homme doit tenir parole. Faites apporter les bonbons.

Lorsqu'ils arrivèrent, Iori se mit à les fourrer dans son kimono. Sado, un peu déconcerté, lui demanda :

— Tu ne vas donc pas les manger ici ?

— Non. Mon maître m'attend à la maison.

— Ah ? Tu as un maître ?

Sans se donner la peine de s'expliquer, Iori s'élança hors de la pièce et disparut à travers le jardin.

Sado trouva ce comportement amusant. Le grand prêtre, moins, qui s'inclina deux ou trois fois jusqu'à terre avant de se rendre à la cuisine à la poursuite d'Iori.

— Où donc est ce moutard insolent ?

— Il a pris son sac de millet, et il est parti.

Quelques instants, ils tendirent l'oreille, mais n'entendirent qu'un cri aigu et discordant. Iori avait cueilli une feuille à un arbre, et tâchait d'improviser un air. Aucune des rares chansons qu'il connaissait ne semblait rien donner. Le chant des palefreniers était trop lent, trop compliquées les chansons de la fête *Bon*. Il finit par se fixer sur une mélodie qui ressemblait à la musique de danse sacrée du sanctuaire local. Ça lui convenait assez car il aimait ces danses, que son père l'avait parfois emmené voir.

Environ à mi-chemin de Hōtengahara, à un endroit où deux ruisseaux confluaient pour former une rivière, il sursauta soudain. La feuille s'envola de sa bouche en même temps qu'une écume de salive, et il bondit dans les bambous qui bordaient la route.

Debout sur un pont de fortune il y avait là trois ou quatre hommes engagés dans un conciliabule. « Ce sont eux ! » s'exclama tout bas Iori.

Le souvenir d'une menace résonnait à ses oreilles effrayées. Quand les mères de la région grondaient leurs enfants, il leur arrivait de dire : « Si tu n'es pas sage, les démons de la montagne descendront te chercher. » De fait, ils étaient venus pour la dernière fois à l'automne de l'avant-dernière année.

A une trentaine de kilomètres de là, dans les montagnes de Hitachi, il y avait un sanctuaire consacré à une divinité montagnarde. Quelques siècles plus tôt, la population craignait tellement ce dieu que les villages, à tour de rôle, lui faisaient des offrandes annuelles de grain et de femmes. Quand venait le tour d'une communauté, ses habitants rassemblaient leur tribut, et se rendaient au sanctuaire en procession, à la lueur des torches. A mesure que le temps passait et qu'il devenait évident que le dieu n'était en réalité qu'un homme, ils se relâchèrent dans leurs offrandes.

Durant la période des guerres civiles, le soi-disant dieu des montagnes avait pris l'habitude de faire percevoir son tribut par la force. Tous les deux ou trois ans, une bande de brigands armés de hallebardes, d'épieux, de haches — de tout ce qui pouvait frapper de terreur le cœur de paisibles citoyens —, descendaient d'abord sur une communauté puis sur la suivante, emportant tout ce qui flattait leur fantaisie, y compris les épouses et les filles. Si leurs victimes opposaient la moindre résistance, le pillage s'accompagnait de massacre.

Leur dernier raid encore vivant dans sa mémoire, Iori se blottissait dans les broussailles. Un groupe de cinq ombres accoururent à travers champ jusqu'au pont. Puis, dans le brouillard nocturne, une autre petite bande et encore une autre, jusqu'à ce que les bandits fussent au nombre de quarante à cinquante.

Iori retenait son souffle, écarquillait les yeux cependant qu'ils débattaient un plan d'action. Ils parvinrent bientôt à une décision. Leur chef lança un ordre en désignant le village. Les hommes partirent en trombe, comme un nuage de sauterelles.

Peu après, le brouillard fut déchiré par une grande cacophonie : oiseaux, bétail, chevaux, gémissements de jeunes et de vieux. Iori décida rapidement d'appeler au secours les samouraïs du Tokuganji ; mais à peine avait-il quitté son abri de bambous que l'on cria du pont :

— Qui va là ?

Il n'avait pas vu les deux hommes laissés en faction. Il prit ses jambes à son cou, mais ses petites jambes ne pouvaient rivaliser avec celles de ces adultes.

— Où vas-tu comme ça ? cria l'homme qui l'empoigna le premier.

— Qui es-tu ?

Au lieu de pleurer comme un bébé, ce qui eût peut-être endormi la méfiance de ces hommes. Iori lutta bec et ongles contre les bras musclés qui l'emprisonnaient.

— Il nous a vus tous ensemble. Il allait prévenir quelqu'un.

— Passons-le à tabac, et jetons-le dans une rizière.

— J'ai une meilleure idée.

Ils portèrent Iori à la rivière, le jetèrent au bas de la berge, bondirent à sa suite et l'attachèrent à l'une des piles du pont.

— Là, son sort est réglé.

Et les deux bandits regrimpèrent monter la garde sur le pont. Iori, horrifié, regardait les flammes qui s'élevaient du village teindre la rivière en rouge sang. Les pleurs des bébés et les gémissements des femmes se rapprochaient. Alors, il entendit le roulement d'une charrette sur le pont. Une demi-douzaine des bandits conduisaient des chars à bœufs et des chevaux chargés de butin.

— Sale pègre ! criait une voix masculine.

— Rendez-moi ma femme.

Sur le pont, la mêlée fut brève, mais furieuse. Des hommes vociféraient, du métal tintait ; un cri aigu s'éleva, et un cadavre ensanglanté atterrit aux pieds d'Iori. Un second corps tomba dans la rivière en lui éclaboussant la figure de sang et d'eau. Un par un, les paysans tombaient du pont, six en tout. Les corps remontaient à la surface et flottaient lentement au fil de l'eau ; mais un homme, qui n'était pas tout à fait mort, empoigna les roseaux et griffa la terre au point de se tirer de l'eau à demi.

— Toi, là-bas ! lui cria Iori. Détache cette corde. J'irai chercher du secours. Je veillerai à ce que tu aies ta revanche.

Alors, sa voix s'éleva jusqu'au hurlement :

— ... Allons ! Détache-moi ! Il faut que je sauve le village.

L'homme ne bougeait pas. En tirant sur ses liens de toutes ses forces, Iori finit par les desserrer assez pour envoyer un coup de pied dans l'épaule de l'homme. La face qui se tourna vers la sienne était maculée de boue et de sang, les yeux ternes.

Péniblement, l'homme se rapprocha en rampant ; avec ses dernières forces, il défit les nœuds. Au moment où la corde tombait, il s'écroula, mort.

Iori leva vers le pont des yeux circonspects, et se mordit la lèvre. Là-haut il y avait d'autres corps. Mais la chance le favorisait. Une roue avait traversé une planche pourrie. Les voleurs, en se hâtant de la dégager, ne remarquèrent pas sa fuite.

Iori, qui se rendait compte qu'il ne pouvait gagner le templs, se glissa dans l'ombre à pas de loup jusqu'à ce qu'il atteignît un gué. Parvenu sur l'autre berge, il était au bord de la Hōtengahara. Il couvrit le kilomètre et demi qui lui restait pour arriver à la cabane comme s'il avait eu le feu aux trousses. En s'approchant de la butte où se dressait la cabane, il vit Musashi debout devant, en train de regarder le ciel.

— ... Venez vite ! cria-t-il.

— Qu'est-ce qui se passe ?

— Il faut que nous allions au village.

— C'est là qu'il y a le feu ?

— Oui. Les démons de la montagne sont revenus.

— Les démons ?... Des bandits ?

— Oui, au moins quarante. Je vous en prie, dépêchez-vous ! Il faut porter secours aux villageois.

Musashi plongea dans la cabane et en ressortit avec ses sabres. Pendant qu'il attachait ses sandales, Iori lui dit :

— ... Suivez-moi. Je vais vous montrer le chemin.

— Non. Tu restes ici.

Iori n'en croyait pas ses oreilles.

— ... C'est trop dangereux.

— Je n'ai pas peur.

— Tu me gênerais.

— Vous ne connaissez même pas le raccourci !

— Le feu me sera un guide suffisant. Allons, sois sage et reste ici.

— Bien, monsieur.

Iori inclinait un front obéissant, mais il avait de sérieux doutes. Il tourna la tête vers le village, et regarda d'un air sombre Musashi s'élancer en direction de la lueur rouge.

Les bandits avaient lié en rang leurs captives qui gémissaient et criaient, et les traînaient sans pitié vers le pont.

— Assez de criailleries ! vociféra un bandit.

— On dirait que vous ne savez pas marcher. Avancez !

Quand les femmes résistaient, les brutes les fouettaient. Une femme tomba, en entraînant d'autres dans sa chute. Un homme empoigna la corde, les força à se remettre debout et gronda :

— Espèces de garces entêtées ! De quoi vous plaignez-vous ? Si vous restez ici, vous passerez le restant de vos jours à travailler comme des esclaves, tout ça pour quelques grains de millet. Regardez-vous donc : rien que la peau sur les os ! Vous serez bien mieux à rigoler avec nous.

Ils choisirent l'un des animaux qui paraissaient en meilleure santé — tous étaient lourdement chargés de butin —, y fixèrent la corde et donnèrent à la bête une bonne claque sur la croupe. La corde détendue se retendit soudain, et de nouveaux cris déchirèrent l'air tandis que les femmes étaient de nouveau tirées en avant. Celles qui tombaient se trouvaient traînées, la face contre le sol.

— Arrêtez ! criait l'une. J'ai les bras déchirés.

Une vague de gros rires balaya les brigands.

A cet instant, le cheval et les femmes s'arrêtèrent net.

— Qu'est-ce qui se passe ?... Il y a quelqu'un devant !

Tous les yeux s'efforcèrent de voir.

— Qui va là ? rugit un bandit.

L'ombre silencieuse qui s'avançait vers eux portait une lame blanche. Les bandits, entraînés à la sensibilité aux odeurs, reconnurent instantanément celle qu'ils sentaient maintenant : du sang dégouttait du sabre.

Tandis que les hommes qui marchaient devant reculaient avec maladresse, Musashi jaugeait les forces ennemies. Il compta douze individus, tous musclés et d'aspect brutal. Se remettant du premier choc, ils préparèrent leurs armes et se mirent sur la défensive. L'un courut en avant avec une hache. Un autre, porteur d'un épieu, s'approcha en diagonale, baissé, et visa les côtes de Musashi. L'homme à la hache fut le premier à attaquer.

— O-h-h-h !

L'on eût dit à son cri qu'il s'était lui-même tranché la langue avec les dents ; il tournoya follement et s'effondra en tas.

— Vous ne me connaissez donc pas ? tonna la voix de Musashi. Je suis le protecteur du peuple, un messager du dieu qui garde ce village.

Du même élan, il empoigna l'épieu qui le visait, l'arracha à son possesseur et le jeta violemment au sol. Vite, il pénétra dans la troupe des bandits, occupé à parer les coups qu'ils lui portaient de toutes parts. Mais après le premier assaut, mené alors qu'ils se battaient encore avec confiance, il eut une idée nette de ce qui l'attendait. Ce n'était pas une question de nombre, mais de cohésion et de maîtrise de soi de l'adversaire.

A voir un homme après l'autre transformé en projectile sanglant, les bandits battirent bientôt en retraite ; enfin, en proie à la panique, leur troupe se désorganisa complètement.

Musashi apprenait au moment même où il se battait : il acquérait une expérience qui le mènerait à des méthodes spécifiques, à employer par des forces réduites contre des forces plus importantes. Leçon précieuse, qui ne pouvait s'apprendre lors d'un combat contre un seul ennemi.

Ses deux sabres étaient au fourreau. Voilà des années qu'il s'entraînait à maîtriser l'art de s'emparer de l'arme de son adversaire afin de la retourner contre lui. Maintenant, il mettait la théorie en pratique : au premier homme qu'il rencontrerait il arracherait son sabre. Non que son propre sabre, qu'il considérait comme son âme, fût trop pur pour être souillé par le sang de brigands ordinaires. Il faisait preuve d'esprit pratique : contre une panoplie d'armes aussi hétéroclites, sa lame risquait d'être ébréchée ou même brisée.

Quand les cinq ou six survivants s'enfuirent vers le village, Musashi consacra une ou deux minutes à se détendre et à souffler ; il était sûr qu'ils allaient revenir avec des renforts. Ensuite, il délivra les femmes, et donna l'ordre à celles qui tenaient debout de prendre soin des autres.

Après quelques paroles de réconfort et d'encouragement, il leur dit que c'était à elles de sauver leurs parents, leurs enfants et leurs époux.

— ... Vous seriez très malheureuses de survivre s'ils périssaient, n'est-ce pas ? leur demanda-t-il.

Il y eut un murmure d'assentiment.

— ... Vous-mêmes avez la force de vous protéger et de sauver les autres. Mais vous ne savez comment utiliser cette force. Voilà pourquoi vous êtes à la merci de hors-la-loi. Nous allons changer cela. Je vais vous aider en vous montrant comment vous servir de la force que vous possédez. La première chose à faire, c'est de vous armer.

Il leur fit rassembler les armes qui jonchaient le sol, et en distribua une à chacune des femmes.

— ... Maintenant, suivez-moi et faites ce que je vous dis. N'ayez pas peur. Efforcez-vous de croire que le dieu de la région est dans votre camp.

Cependant qu'il menait les femmes vers le village en feu, d'autres victimes sortirent de l'ombre et se joignirent à eux. Bientôt, le groupe devint une petite armée de près de cent personnes. Des femmes en larmes étreignaient ceux qui leur étaient chers ; des filles étaient réunies à leurs parents, des épouses à leurs époux, des mères à leurs enfants.

D'abord, tandis que les femmes décrivaient comment Musashi avait réglé leur compte aux bandits, les hommes écoutaient avec une expression scandalisée : ils ne pouvaient croire qu'il pût s'agir du rōnin stupide de Hōtangahara. Lorsqu'ils eurent fini par l'admettre, leur gratitude fut évidente, malgré la barrière imposée par leur dialecte. Se tournant vers les hommes, Musashi leur dit de trouver des armes :

— N'importe quoi fera l'affaire, même un bon gros bâton ou un tronçon de bambou vert.

Nul ne désobéit, ni même ne discuta ses ordres. Musashi demanda :

— ... Combien y a-t-il de bandits en tout ?

— Une cinquantaine.

— Et le village comporte combien de maisons ?

— Soixante-dix.

Musashi calcula qu'il devait y avoir au total sept ou huit cents personnes. Même en tenant compte des vieillards et des enfants, les brigands seraient encore à un contre dix.

Il eut un sourire amer en songeant que ces paisibles villageois avaient cru n'avoir d'autre recours que de se rendre. Il savait que si l'on n'agissait pas, ces atrocités se reproduiraient. Ce soir, il voulait accomplir deux choses : montrer aux villageois comment se protéger eux-mêmes, et veiller à ce que les brigands fussent bannis à jamais.

— Monsieur, cria un homme qui venait du village, ils arrivent !

Bien que les villageois fussent maintenant armés, la nouvelle les rendit mal à l'aise. Ils furent sur le point de se débander et de fuir. Afin de rétablir la confiance, Musashi leur dit d'une voix forte :

— Il n'y a aucune raison de s'alarmer. Je m'attendais à cela. Je veux que vous vous cachiez des deux côtés de la route ; mais d'abord, écoutez mes instructions.

Il parlait vite, mais d'un ton calme, et répétait brièvement certains points pour les souligner.

— ... Lorsqu'ils arriveront ici, je les laisserai m'attaquer. Puis je ferai semblant de fuir. Ils me suivront. Vous — vous tous —, restez où vous êtes. Je n'aurai besoin d'aucune aide... Au bout d'un moment, ils reviendront. Quand ils le feront, attaquez. Faites beaucoup de bruit ; prenez-les par surprise. Frappez-les aux flancs, aux jambes, à la poitrine — partout où ils se découvriront. Quand vous aurez fait son affaire au premier lot, cachez-vous de nouveau pour attendre le suivant. Continuez comme ça jusqu'à ce qu'ils soient tous morts.

Il avait à peine eu le temps de finir et les paysans de se disperser quand les maraudeurs apparurent. A leur vêtement et leur manque de coordination, Musashi devinait qu'il s'agissait d'une troupe de combat primitive, d'un genre peut-être courant jadis, quand les hommes chassaient et pêchaient pour se nourrir. Le nom de Tokugawa ne signifiait rien pour eux, non plus que celui de Toyotomi. Les montagnes étaient leur demeure tribale ; les villageois existaient pour leur fournir nourriture et autres provisions.

— Halte ! ordonna l'homme qui marchait à la tête de la troupe.

Ils étaient une vingtaine, certains avec des sabres grossiers, d'autres avec des lances, l'un d'eux avec une hache d'armes, un autre avec un épieu rouillé. Leurs corps, qui se détachaient contre la lueur du feu, ressemblaient à des ombres démoniaques, d'un noir de jais.

— ... C'est lui ?

— Ouais, c'est bien lui.

A une vingtaine de mètres devant eux était campé Musashi, bouchant la route. Déconcertés, ils se mirent à douter de leur propre force, et durant un bref moment aucun d'eux ne bougea.

Mais ce ne fut l'affaire que de quelques instants. Ensuite, les yeux flamboyants de Musashi commencèrent à les attirer vers lui, inexorablement.

— C'est toi, le salaud qui essaie de nous mettre des bâtons dans les roues ?

— Exact ! rugit Musashi en levant son sabre et en l'abattant sur eux.

Il y eut un violent écho suivi d'une mêlée tourbillonnante au sein de quoi il était impossible de distinguer des mouvements individuels. On eût dit un essaim tournoyant de fourmis ailées. Les rizières, d'un côté de la route, et de l'autre le talus bordé d'arbres et de buissons étaient l'idéal pour Musashi car ils fournissaient un certain abri ; pourtant, après la première escarmouche il exécuta un repli stratégique.

— Tu vois ça ?

— Le salaud tourne casaque !

— Tous après lui !

Ils le poursuivirent jusqu'à un angle éloigné du champ le plus proche, où il se retourna face à eux. Sans rien derrière lui, sa position semblait pire ; mais il maintint ses adversaires en échec en se déplaçant rapidement de droite et de gauche. Puis, dès que l'un d'eux faisait un faux mouvement, Musashi frappait.

Sa forme sombre paraissait voleter de place en place ; chaque fois qu'il s'arrêtait, un geyser de sang s'élevait devant lui. Les bandits qui n'étaient pas tués se trouvaient trop étourdis pour combattre, alors que chaque coup augmentait la précision de Musashi. Il s'agissait d'un autre type de bataille qu'à Ichijōji. Musashi n'avait pas le sentiment de se tenir à la frontière entre la vie et la mort, mais il avait atteint un plan d'abnégation de soi-même où son corps et son sabre jouaient leur rôle sans qu'il fût besoin de pensée consciente. Ses assaillants prirent la fuite en complet désarroi. Un chuchotement parcourut la file des villageois :

— Les voilà.

Alors, quelques-uns d'entre eux bondirent hors de leur cachette sur les deux ou trois premiers bandits, qu'ils trucidèrent presque sans effort. Les paysans se fondirent à nouveau dans les ténèbres, et répétèrent la manœuvre jusqu'à ce que tous les brigands eussent été pris au piège et tués. Le nombre des cadavres affermit la confiance des villageois :

— Ils ne sont pas si forts que ça, au bout du compte, triomphait l'un d'eux.

— Ne parle pas trop vite ! En voilà un autre.

— A mort !

— Non, ne l'attaque pas. C'est le rōnin.

Avec un minimum de désordre, ils s'éloignèrent le long de la route, pareils à des soldats passés en revue par leur général. Tous les yeux se fixaient sur les vêtements ensanglantés de Musashi et sur son sabre ruisselant dont la lame était ébréchée en une douzaine d'endroits. Il le jeta et ramassa une lance.

— Notre ouvrage n'est pas terminé, dit-il. Procurez-vous des armes, et suivez-moi. En combinant vos forces, vous pouvez chasser du village les maraudeurs, et délivrer vos familles.

Pas un seul homme n'hésita. Femmes et enfants trouvèrent aussi des armes, et emboîtèrent le pas.

Au village, les dégâts n'étaient pas aussi importants qu'ils l'avaient craint, car les demeures étaient nettement séparées. Mais les animaux des fermes, terrifiés, menaient grand tapage, et quelque part un bébé poussait des hurlements. De violents crépitements venaient du bord de la route, où le feu s'était propagé à un bouquet de jeunes bambous.

Les bandits restaient invisibles.

— Où sont-ils ? demanda Musashi. Ça sent le saké, il me semble. Où donc y a-t-il de grandes quantités de saké ?

Les villageois se trouvaient tellement absorbés dans la contemplation des incendies que nul n'avait remarqué l'odeur ; mais l'un d'eux répondit :

— Ça doit être la maison du chef du village. Il a des tonneaux de saké.

— Alors, c'est là que nous les trouverons, dit Musashi.

Tandis qu'ils marchaient, d'autres hommes sortirent de leurs cachettes pour grossir les rangs. Musashi était récompensé par un esprit de corps grandissant.

— La voilà, là-bas, dit un homme en désignant une vaste maison entourée d'un mur de terre.

Pendant que les paysans s'organisaient, Musashi escaladait le mur et pénétrait dans la place forte des bandits. Le chef et ses principaux lieutenants, entassés dans une grande salle au sol en terre battue, entonnaient du saké en importunant de jeunes captives.

— Ne vous en faites pas ! criait le chef avec irritation dans un rude dialecte montagnard. Il est tout seul. Je ne devrais rien avoir à faire moi-même. Vous autres, occupez-vous de lui.

Ainsi rabrouait-il un sous-ordre entré en trombe avec la nouvelle de la défaite aux abords du village. Comme leur chef se taisait, les autres prirent conscience du murmure de voix irritées, de l'autre côté du mur, et s'agitèrent, mal à l'aise. Ils lâchèrent poulets à demi dévorés et coupes de saké, se levèrent d'un bond, et, d'instinct, tendirent la main vers leurs armes. Puis ils restèrent là, debout, les yeux fixés sur l'entrée de la salle.

Musashi, se servant de sa lance comme d'une perche, sauta par une haute fenêtre latérale et atterrit juste derrière le chef. Celui-ci se retourna brusquement, et ne réussit qu'à s'empaler sur la lance. Emettant un effrayant « O-o-o-h ! », il empoigna des deux mains l'arme fichée dans sa poitrine. Musashi lâcha paisiblement la lance, et l'homme tomba la tête la première : le fer et la majeure partie de la hampe lui sortaient du dos.

Le second homme qui attaqua Musashi fut soulagé de son sabre. Musashi le pourfendit de part en part, abattit la lame sur la tête d'un troisième, et l'enfonça dans la poitrine d'un quatrième. Les autres, à la débandade, prirent la direction de la porte. Musashi lança le sabre sur eux, et du même élan retira la lance du corps du chef.

— Halte ! hurla-t-il.

Il chargea, tenant la lance à l'horizontale, et séparant les bandits comme de l'eau. Cela lui donna suffisamment de place pour faire un usage efficace de la longue arme qu'il balançait maintenant avec une agilité qui témoignait de la solidité même de sa hampe en chêne noir ; il frappait de côté, tranchait vers le bas, poussait hargneusement sa pointe en avant. Les brigands qui tentaient de sortir par le portail trouvaient leur route bloquée par les villageois en armes. Certains grimpaient au mur. En touchant terre, la plupart étaient massacrés sur place. Sur les rares qui parvenaient à s'échapper, presque tous étaient estropiés par leurs blessures.

Durant un moment, l'air retentit des clameurs de triomphe des jeunes et des vieux, des hommes et des femmes ; la première exaltation de la victoire s'apaisant, maris et femmes, parents et enfants s'embrassaient, versaient des larmes de joie. Au milieu de ce délire, quelqu'un demanda :

— Et s'ils reviennent ?...

Il y eut un instant d'immobilité soudaine, anxieuse.

— Ils ne reviendront pas, dit Musashi fermement. Pas dans ce village. Mais ne soyez pas trop confiants. Votre tâche est de manier la charrue, et non le sabre. Si vous devenez trop fiers de votre adresse au combat, le Ciel vous infligera un châtiment pire que n'importe quelle razzia des démons de la montagne.

— Avez-vous découvert ce qui s'est passé ? demanda Nagaoka Sado à ses deux samouraïs lorsqu'ils revinrent au Tokuganji.

Au loin, à travers champs et marais, il pouvait distinguer que la lueur des incendies du village s'atténuait.

— Maintenant, tout est rentré dans l'ordre.
— Avez-vous chassé les bandits ? Y a-t-il beaucoup de dégâts au village ?
— Les villageois les ont tués presque tous avant notre arrivée. Les autres se sont enfuis.
— Bizarre.
Il avait l'air surpris car, si c'était vrai, cela lui donnait à réfléchir sur la façon de gouverner le district de son propre seigneur. Le lendemain, en quittant le temple, il dirigea son cheval vers le village et dit :
— ... Ça nous oblige à un détour, mais allons jeter un coup d'œil.
Un prêtre les accompagna pour leur montrer le chemin ; tandis qu'ils chevauchaient, Sado remarqua :
— ... Ces corps, le long de la route, ne me semblent pas avoir été abattus par des paysans.
Et il demanda plus de détails à ses samouraïs. Les villageois, se privant de sommeil, s'activaient à enterrer les cadavres et à enlever les débris. Mais lorsqu'ils virent Sado et les samouraïs, ils coururent se cacher dans leurs maisons.
— ... Faites venir ici l'un des villageois, et voyons ce qui s'est passé au juste, dit-il au prêtre.
L'homme qui revint avec le prêtre leur donna un compte rendu assez détaillé des événements de la nuit.
— Maintenant, on commence à y voir clair, dit Sado en approuvant du chef. Comment s'appelle ce rōnin ?
Le paysan, qui ne connaissait pas le nom de Musashi, pencha la tête de côté. Comme Sado insistait pour le connaître, le prêtre enquêta et revint avec le renseignement demandé.
— Miyamoto Musashi ? dit pensivement Sado. Est-ce l'homme que le petit garçon présentait comme son maître ?
— Exactement. D'après la façon dont il avait tenté d'exploiter un morceau de terre inculte, sur la Hōtengahara, les villageois le croyaient un peu faible d'esprit.
— J'aimerais le rencontrer, dit Sado, mais alors il se rappela le travail qui l'attendait à Edo. Tant pis ; je le verrai la prochaine fois que je viendrai par ici.
Il fit faire demi-tour à son cheval, et laissa le paysan debout au

bord de la route. Quelques minutes plus tard, il arrêtait sa monture devant le portail du chef du village. Là, sur une pancarte neuve, était inscrit d'une encre luisante : « Mémento pour les habitants du village : Votre charrue est votre sabre. Votre sabre est votre charrue. En travaillant aux champs, n'oubliez pas l'invasion. En pensant à l'invasion, n'oubliez pas vos champs. Toutes choses doivent être équilibrées, intégrées. Très important : ne vous opposez pas à la Voie des générations successives. »

— Hum... Qui donc a écrit cela ?

Le chef avait fini par sortir, et se prosternait devant Sado.

— Musashi, répondit-il.

Se tournant vers le prêtre, Sado lui dit :

— Merci de nous avoir amenés ici. Dommage que je n'aie pu rencontrer ce Musashi, mais pour le moment je n'en ai pas le temps. Je reviendrai bientôt par ici.

Premières plantations

La direction de la résidence de Hosokawa à Edo ainsi que l'administration du fief, étaient confiées à un homme d'à peine plus de vingt ans, Tadatoshi, fils aîné du daimyō, Hosokawa Tadaoki. Le père, célèbre général qui jouissait aussi d'une réputation de poète et de maître de la cérémonie du thé, préférait vivre dans le vaste fief de Kokura, province de Buzen, dans l'île de Kyushu.

Bien que Nagaoka Sado et un certain nombre d'autres serviteurs de confiance eussent été désignés pour assister le jeune homme, ce n'était pas qu'il fût en aucune manière incompétent. Non seulement les puissants vassaux les plus proches du shōgun l'admettaient comme l'un des leurs, mais il s'était distingué en tant qu'administrateur énergique et qui voyait loin. Il paraissait même plus en harmonie avec la paix et la prospérité de l'époque que les seigneurs plus âgés, formés par les guerres incessantes.

Pour le moment, Sado marchait en direction du manège.

— As-tu vu le jeune seigneur ? demanda-t-il à un aspirant samouraï qui venait vers lui.

— Je crois qu'il est au champ de tir à l'arc.

Tandis que Sado descendait un étroit sentier, il entendit une voix qui lui demandait :

— Puis-je m'entretenir avec vous quelques instants ?

Sado fit halte, et Iwama Kakubei, un vassal respecté pour son esprit pratique et sa sagacité, vint à lui.

— ... Vous allez vous entretenir avec Sa Seigneurie ? demanda-t-il.

— Oui.

— Si vous n'êtes pas trop pressé, il y a une petite affaire au sujet de laquelle je souhaiterais vous consulter. Pourquoi n'irions-nous pas nous asseoir là-bas ?

Comme ils franchissaient les quelques marches qui les séparaient d'un berceau de verdure, Kakubei reprit :

— ... J'ai une faveur à vous demander. Si vous en avez l'occasion au cours de votre entretien, il y a un homme que je désirerais recommander au jeune seigneur.

— Quelqu'un qui veut servir la Maison de Hosokawa ?

— Oui. Je sais bien que toutes sortes de gens viennent vous trouver avec la même requête, mais l'homme en question est très exceptionnel.

— Est-ce un de ces hommes qui ne s'intéressent qu'à leur sécurité et à leur solde ?

— Absolument pas. Il est apparenté à mon épouse. Il habite chez nous depuis son arrivée d'Iwakuni, voilà deux ans ; je le connais donc fort bien.

— Iwakuni ? Avant la bataille de Sekigahara, la Maison de Kikkawa tenait la province de Suō. Est-il un de leurs rōnins ?

— Non. Il est fils d'un samouraï rural. Il a nom Sasaki Kojirō. Il a beau être encore jeune, il a été formé au style Tomita de Kanemaki Jisai, et il a appris du seigneur Katayama Hisayasu de Hōki les techniques en vue de dégainer à la vitesse de l'éclair. Il a même créé son style propre, qu'il appelle Ganryū.

Kakubei continua, dressant une liste détaillée des divers

exploits et talents de Kojirō. Sado n'écoutait pas vraiment. Sa pensée revenait à sa dernière visite au Tokuganji. Bien qu'il fût certain, d'après le peu qu'il avait vu et entendu, que Musashi était le type d'homme qu'il fallait à la Maison de Hosokawa, il avait eu l'intention de le rencontrer personnellement avant de le recommander à son maître. Entre-temps, un an et demi s'était écoulé sans qu'il trouvât l'occasion de se rendre à Hotengahara.

Quand Kakubei eut terminé, Sado lui dit : « Je ferai mon possible pour vous », et poursuivit sa route vers le champ de tir à l'arc.

Tadatoshi disputait une épreuve avec des vassaux de son âge, dont aucun n'était digne de lui, fût-ce de loin. Son tir, qui atteignait la cible à tout coup, témoignait d'un style impeccable. Certains membres de sa suite lui avaient reproché de prendre trop au sérieux le tir à l'arc, lui représentant qu'à l'âge des armes à feu et des lances, ni le sabre ni l'arc ne servaient plus à grand-chose dans les combats réels. A quoi il avait fait cette mystérieuse réponse : « Mes flèches visent l'esprit. »

La suite des Hosokawa avait le plus grand respect pour Tadatoshi, et l'eût servi avec enthousiasme, même si son père, à qui elle était non moins dévouée, n'avait été un homme aux talents considérables. En cet instant, Sado regretta la promesse qu'il venait de faire à Kakubei. Tadatoshi n'était pas un homme à qui l'on recommandait à la légère d'éventuels serviteurs. En essuyant la sueur de son visage, Tadatoshi dépassa plusieurs jeunes samouraïs avec lesquels il venait de causer et de rire. Il aperçut Sado, et l'appela :

— Alors, vétéran, vous venez tirer ?

— Je me suis fait une règle de ne me mesurer qu'avec des adultes, répliqua Sado.

— Alors, vous nous prenez encore pour de petits garçons aux cheveux noués sur la tête ? Avez-vous oublié la bataille de Yamazaki ? Le château de Nirayama ? J'ai reçu des éloges pour mes actions sur le champ de bataille, vous savez. De plus, je suis pour le véritable tir à l'arc, et non...

— Ha ! ha ! J'ai parlé trop vite. Je n'avais pas l'intention de vous faire monter à nouveau sur vos grands chevaux.

Les autres se joignirent à ses éclats de rire. Glissant le bras hors de sa manche, Tadatoshi reprit son sérieux pour demander :

— … Vous êtes venu me parler ?

Après avoir passé en revue un certain nombre d'affaires courantes, Sado ajouta :

— Kakubei m'a dit qu'il avait un samouraï à vous recommander.

Durant quelques instants, Tadatoshi eut un regard lointain.

— Je suppose qu'il s'agit de Sasaki Kojirō. Son nom a été cité plusieurs fois.

— Pourquoi ne le faites-vous pas venir, pour jeter un coup d'œil sur lui ?

— Il est si bien que ça ?

— Ne feriez-vous pas mieux d'y voir vous-même ?

Tadatoshi enfila son gant, et prit une flèche que lui tendait un serviteur.

— Je jetterai un coup d'œil sur l'homme de Kakubei, dit-il. J'aimerais aussi voir ce rōnin dont vous m'avez parlé. Miyamoto Musashi, c'est bien ça ?

— Ah ! vous vous rappelez ?

— Je me rappelle. C'est vous qui semblez avoir oublié.

— Pas du tout. Mais je suis tellement occupé qu'il ne m'a pas été possible d'aller jusqu'à Shimōsa.

— Si vous croyez avoir trouvé quelqu'un, il en faut prendre le temps. Vous me surprenez, Sado, de laisser attendre une chose aussi importante jusqu'à ce que d'autres affaires vous conduisent là-bas. Ça ne vous ressemble pas.

— Pardon. Il y a toujours trop d'hommes en quête de postes. Je croyais que vous n'y pensiez plus. Je suppose que j'aurais dû vous en reparler.

— Certes. Je ne tiens pas nécessairement compte de la recommandation des autres, mais je brûle de voir tous ceux que ce vieux Sado considère comme possibles. Compris ?

Sado s'excusa derechef avant de prendre congé. Il se rendit tout droit chez lui, et sans plus tergiverser fit seller son cheval et partit pour Hōtengahara.

— N'est-ce pas Hōtengahara ?

Satō Genzō, le serviteur de Sado, répondit :

— C'est ce que je pensais, mais il ne s'agit pas d'un désert. Il y a partout des rizières. L'endroit qu'ils essayaient d'exploiter doit se trouver plus près des montagnes.

Ils avaient déjà parcouru une bonne distance au-delà du Tokuganji, et seraient bientôt sur la grand-route de Hitachi. C'était la fin de l'après-midi ; les hérons blancs éclaboussaient les rizières de poudre d'eau. Le long de la rivière et dans l'ombre des petites collines poussaient des carrés de chanvre et des tiges mouvantes d'orge.

— ... Regardez là-bas, monsieur, dit Genzō.

— Qu'est-ce que c'est ?

— Un groupe de paysans.

— C'est ma foi vrai. On dirait qu'ils se prosternent au sol, l'un après l'autre, tu ne crois pas ?

— Ça ressemble à une cérémonie religieuse quelconque.

En faisant claquer les rênes, Genzō passa le premier la rivière à gué, s'assurant que Sado pouvait le suivre sans risque.

— ... Toi, là-bas ! appela Genzō.

Les paysans, l'air surpris, se tournèrent face aux visiteurs. Ils se tenaient devant une petite cabane, et Sado pouvait voir que l'objet devant lequel ils s'inclinaient auparavant était un minuscule autel en bois, pas plus grand qu'une cage à oiseaux. Ils étaient une cinquantaine qui rentraient du travail, à ce qu'il semblait, car tous leurs outils avaient été lavés. Un prêtre s'avança en criant :

— Ma parole, c'est Nagaoka Sado ! Quelle bonne surprise !

— Et vous êtes du Tokuganji, n'est-ce pas ? Il me semble que vous êtes celui qui m'a guidé vers le village, après le raid des bandits.

— C'est bien ça. Venez-vous au temple ?

— Non, pas cette fois. Je repars aussitôt. Pourriez-vous me dire où je pourrais trouver ce rōnin appelé Miyamoto Musashi ?

— Il n'est plus ici. Il est parti fort brusquement.

— Parti brusquement ? Et pourquoi donc ?

— Le mois dernier, les villageois ont décidé de prendre un jour de congé pour célébrer les progrès faits ici. Vous voyez par vous-même combien c'est vert, maintenant. Eh bien, le lendemain matin, Musashi et le jeune garçon, Iori, étaient partis.

Le prêtre promenait les yeux autour de lui comme s'il espérait à moitié que Musashi allait apparaître. En réponse aux questions de Sado, le prêtre donna des détails. Après que le village eut renforcé ses défenses, sous la direction de Musashi, les paysans furent si reconnaissants à la perspective de vivre en paix qu'ils le déifièrent, pour ainsi dire. Même ceux qui l'avaient le plus cruellement raillé proposèrent leur aide pour son projet d'exploitation.

Musashi les traita tous avec équité. D'abord, il les persuada qu'il était absurde de vivre comme des bêtes. Ensuite, il essaya de les convaincre qu'il importait de faire un petit effort supplémentaire pour donner à leurs enfants une chance de mener une vie meilleure. Pour être des êtres humains dignes de ce nom, leur disait-il, ils devaient travailler pour leur postérité.

Avec chaque jour quarante à cinquante villageois pour les aider, dès l'automne ils purent maîtriser les inondations. Quand vint l'hiver, ils labourèrent. Au printemps, ils tirèrent de l'eau des nouveaux fossés d'irrigation, et transplantèrent les jeunes pieds de riz. Dès le début de l'automne, le riz prospérait tandis que dans les champs secs, le chanvre et l'orge avaient déjà un pied de haut. Une autre année, et la récolte doublerait ; l'année suivante, elle triplerait.

Les villageois commencèrent à passer à la cabane présenter leurs respects, et remercier Musashi du fond du cœur ; les femmes apportaient des présents de légumes. Le jour de la célébration, les hommes arrivèrent avec de grandes jarres de saké, et tous prirent part à l'exécution d'une danse sacrée accompagnée de tambours et de flûtes. Musashi avait assuré aux villageois réunis autour de lui qu'il ne s'agissait pas de sa force à lui mais de la leur :

— Je n'ai fait que vous montrer comment utiliser l'énergie que vous possédez.

Alors, il avait pris le prêtre à part pour lui déclarer qu'il s'inquiétait de les voir dépendre d'un vagabond tel que lui :

— ... Même sans moi, disait-il, ils doivent avoir confiance en eux-mêmes, et rester solidaires.

Il avait alors sorti pour la donner au prêtre une statue de Kannon, sculptée par lui.

Le lendemain matin de la fête, le village était sens dessus dessous.

— Il est parti !

— Ça n'est pas possible.

— Si, il a disparu. La cabane est vide.

Aucun des paysans consternés n'approcha des champs ce jour-là.

L'ayant appris, le prêtre leur reprocha sévèrement leur ingratitude, les pressa de se rappeler ce qu'on leur avait enseigné, et les incita subtilement à continuer l'œuvre entreprise.

Par la suite, les villageois avaient édifié le minuscule sanctuaire, et placé dedans l'image qu'ils chérissaient de Kannon. Ils présentaient leurs respects à Musashi matin et soir, en allant aux champs et en en revenant.

Sado remercia le prêtre pour ces renseignements, et cacha le fait qu'il était inconsolable, comme il sied à un homme de sa condition.

Tandis que son cheval revenait à travers la brume vespérale de fin de printemps, il se disait avec malaise : « Je n'aurais pas dû remettre ma venue. J'ai failli à mon devoir, et manqué à mon seigneur. »

Les mouches

Sur la rive orientale de la rivière Sumida, où la route de Shimōsa convergeait avec un embranchement de la grand-route d'Oshū, se dressait une grande barrière avec un portail imposant, qui témoignaient à l'évidence de la ferme autorité d'Aoyama Tadanari, le nouveau magistrat d'Edo.

Musashi se tenait dans la file, attendant rêveusement son tour, Iori à son côté. Lorsqu'il avait traversé Edo, trois ans plus tôt, l'entrée et la sortie de la ville n'avaient pas posé de problème. Même à cette distance, il pouvait constater qu'il y avait bien plus de maisons qu'avant, et moins de terrains vagues.

— Vous, là-bas, le rōnin, c'est à vous.

Deux fonctionnaires en *hakama* de cuir se mirent à fouiller Musashi de fond en comble, tandis qu'un troisième le foudroyait du regard en l'interrogeant :

— Pourquoi venez-vous dans la capitale ?

— Pour rien de particulier.

— Rien de particulier ?

— Mon Dieu, je suis *shugyōsha.* L'on pourrait dire que ce sont mes études pour être samouraï qui m'amènent.

L'homme se taisait. Musashi souriait de toutes ses dents.

— Où êtes-vous né ?

— Au village de Miyamoto, district de Yoshino, province de Mimasaka.

— Votre maître ?

— Je n'en ai aucun.

— Qui vous fournit l'argent du voyage ?

— Personne. Je sculpte des statues et fais des dessins. Quelquefois, j'arrive à les échanger contre de la nourriture et un logement. Souvent, je séjourne dans des temples. Il m'arrive de donner des leçons d'escrime. D'une manière ou d'une autre, je me débrouille.

— D'où venez-vous ?

— Depuis deux ans, j'ai fait de la culture dans la plaine de Hōtengahara, à Shimōsa. Je me suis dit que je ne voulais pas continuer toute ma vie ; et voilà pourquoi je suis venu ici.

— Avez-vous un endroit où habiter à Edo ? Nul ne peut entrer en ville s'il n'y a des parents ou un endroit où loger.

— Oui, répondit Musashi sur l'inspiration de l'instant, car il voyait bien que s'il essayait de s'en tenir à la vérité, il n'en finirait jamais.

— Alors ?

— Yagyū Munenori, seigneur de Tajima.

La bouche du fonctionnaire s'ouvrit toute grande.

Musashi, qu'amusait la réaction de cet homme, se félicita. Le risque d'être pris en flagrant délit de mensonge ne l'inquiétait guère. Il se disait que les Yagyū devaient avoir entendu parler de lui par Takuan. Il paraissait peu vraisemblable qu'ils niassent toute relation avec lui si on les questionnait. Il se pouvait même que Takuan fût à Edo pour le moment. Si oui, Musashi tenait le moyen de se faire présenter. Il était trop tard pour se mesurer à Sekishūsai, mais il rêvait d'affronter Munenori, successeur de son père dans le style Yagyū, et maître personnel du shōgun. Ce nom fit un effet magique :

— Allons, allons, dit aimablement le fonctionnaire, si vous êtes lié à la Maison de Yagyū je regrette de vous avoir ennuyé. Comme vous devez vous en rendre compte, il y a toutes sortes de samouraïs sur les routes. Nous devons être particulièrement circonspects envers tous ceux qui se présentent comme des rōnins. Les ordres sont les ordres.

Après quelques autres questions posées pour la forme ou pour sauver la face, il ajouta : « Maintenant, vous êtes libre », et escorta personnellement Musashi jusqu'au portail.

— Monsieur, demanda Iori lorsqu'ils l'eurent franchi, pourquoi sont-ils aussi prudents au sujet des rōnins, à l'exception des autres ?

— Ils sont à l'affût des espions ennemis.

— Quel espion aurait la stupidité de venir ici sous l'aspect d'un rōnin ? Ces fonctionnaires sont bien sots — eux et leurs questions idiotes ! Ils nous ont fait manquer le bac !

— Chut ! Ils vont t'entendre. Ne t'inquiète pas du bac. Tu peux regarder le mont Fuji pendant que nous attendons le prochain. Savais-tu qu'on le voyait d'ici ?

— Et puis après ? On le voyait aussi de Hōtengahara.

— Oui, mais ici, il est différent.

— En quoi ?

— Le Fuji n'est jamais le même. Il varie d'un jour à l'autre, d'une heure à l'autre.

— Moi, je le trouve pareil.

— Tu te trompes. Il change... suivant l'heure, le temps qu'il fait, la saison, l'endroit d'où on le regarde. Il diffère aussi selon la personne qui le regarde, selon le cœur de cette personne.

Nullement impressionné, Iori ramassa une pierre plate et

l'envoya ricocher sur l'eau. Après s'être amusé ainsi durant quelques minutes, il revint vers Musashi et lui demanda :

— Nous allons vraiment chez le seigneur Yagyū ?

— Il faut que j'y réfléchisse.

— N'est-ce pas là ce que vous avez dit au garde ?

— Si. J'ai l'intention d'y aller mais ce n'est pas si simple. Il s'agit d'un daimyō, tu sais.

— Il doit être terriblement imposant. Voilà ce que je veux être, quand je serai grand.

— Imposant ?

— Mmh...

— Il ne faut pas viser aussi bas.

— Que voulez-vous dire ?

— Regarde le mont Fuji.

— Je ne serai jamais comme le mont Fuji.

— Au lieu de vouloir être comme ci ou comme ça, transforme-toi en un géant silencieux, immuable. C'est ce qu'est la montagne. Ne perds pas ton temps à essayer d'impressionner les gens. Si tu deviens le genre d'homme que les gens peuvent respecter, ils te respecteront sans que tu aies à lever le petit doigt.

Les paroles de Musashi n'eurent pas le temps de faire leur effet car, à cet instant, Iori s'écria : « Regardez, voilà le bac ! », et courut en avant pour être le premier à bord.

Le fleuve Sumida était l'image même du contraste : large ici, étroit là, peu profond ici, profond là. A marée haute, les vagues qui baignaient les rives prenaient une teinte boueuse. Il arrivait que l'estuaire s'enflât jusqu'à deux fois sa largeur normale. A l'endroit où le bac traversait, c'était pratiquement une anse de la baie.

Le ciel était clair, et l'eau transparente. En regardant pardessus bord, Iori distinguait des bancs d'innombrables poissons minuscules qui s'élançaient. Parmi les rochers, il repéra aussi les vestiges rouillés d'un vieux casque. Il ne s'intéressait pas aux propos qui s'échangeaient autour de lui :

— Qu'en pensez-vous ? La paix va-t-elle durer ?

— J'en doute.

— Vous avez probablement raison. Tôt ou tard, il y aura du désordre.

— J'espère bien que non, mais à quoi d'autre peut-on s'attendre ?

D'autres passagers gardaient pour eux leurs pensées, et fixaient obstinément l'eau du regard, dans la crainte qu'un fonctionnaire, peut-être déguisé, ne surprît la conversation et ne les assimilât à ceux qui parlaient. En revanche, ceux qui prenaient le risque semblaient trouver plaisir à jouer avec les yeux et les oreilles omniprésents du pouvoir.

— On voit bien, à la façon dont ils contrôlent tout le monde, que nous allons vers la guerre. Ce n'est que depuis très peu de temps qu'ils s'acharnent comme ça. Et l'on parle beaucoup d'espions venus d'Osaka.

— L'on parle aussi de cambriolages chez les daimyōs, bien qu'ils essaient d'étouffer ce bruit. Ce doit être gênant de se faire voler alors que l'on est censé faire respecter la loi et l'ordre.

— Il faut vouloir plus que de l'argent pour prendre ce genre de risque. Il s'agit sûrement d'espions. Aucun malfaiteur ordinaire n'aurait ce culot.

En promenant les yeux autour de lui, Musashi se dit que le bac transportait une coupe exacte de la société d'Edo : un charpentier avec de la sciure accrochée à ses vêtements de travail, deux geishas bon marché qui pouvaient bien venir de Kyoto, un ou deux voyous larges d'épaules, un groupe de puisatiers, deux prostituées d'une coquetterie éhontée, un prêtre, un moine mendiant, un autre rōnin tel que Musashi lui-même. Quand le bateau atteignit la rive d'Edo et que tout le monde se pressa pour débarquer, un homme courtaud, trapu, appela Musashi :

— Eh, vous, là-bas, le rōnin, vous avez oublié quelque chose.

Il tendait une bourse en brocart rougeâtre, si vieille que la crasse luisait plus que les rares fils d'or qui y subsistaient. Musashi secoua la tête et dit :

— Ce n'est pas à moi. Ça doit appartenir à l'un des autres passagers.

— C'est à moi, fit la voix flûtée d'Iori, lequel arracha la bourse à l'homme et la fourra dans son kimono.

L'homme était indigné.

— En voilà, des façons ! Rends-moi ça ! Ensuite, tu t'inclineras trois fois pour le ravoir. Sinon, je te jette dans le fleuve !

Musashi intervint, priant l'homme d'excuser la grossièreté d'Iori en raison de son âge.

— Qui êtes-vous ? lui demanda l'homme avec rudesse. Son frère ? Son maître ? Comment vous appelez-vous ?

— Miyamoto Musashi.

— Quoi ! s'exclama l'homme en scrutant le visage de Musashi.

Au bout d'un moment, il dit à Iori :

— ... Fais attention, la prochaine fois.

Puis, comme s'il eût désiré s'échapper, il tourna les talons.

— Un instant, dit Musashi.

La douceur de son ton prit l'homme totalement au dépourvu. Il fit volte-face, la main au sabre.

— Qu'est-ce que vous me voulez ?

— Comment vous appelez-vous ?

— Qu'est-ce que ça peut vous faire ?

— Vous m'avez demandé mon nom. La courtoisie veut que vous me disiez le vôtre.

— Je suis l'un des hommes de Hangawara. Je m'appelle Jūrō.

— Très bien. Vous êtes libre, dit Musashi en le repoussant.

— Je m'en souviendrai !

Jūrō trébucha, se redressa et s'enfuit.

— Bien fait pour lui, le lâche, dit Iori.

Content d'avoir été vengé, il leva vers la figure de son maître un regard d'adoration, et se rapprocha de lui. Comme ils entraient en ville, Musashi lui dit :

— Iori, il faut que tu te rendes compte que vivre ici n'est pas comme être là-bas, à la campagne. Là-bas, nous n'avions pour voisins que les renards et les écureuils. Ici, il y a beaucoup de monde. Il va falloir que tu fasses plus attention à tes manières.

— Oui, monsieur.

— Quand les gens vivent en harmonie les uns avec les autres, la terre est un paradis, poursuivit gravement Musashi. Mais tout homme a son mauvais côté aussi bien que son bon côté. Il y a des moments où seul, le mauvais ressort. Alors, le monde n'est pas un paradis mais un enfer. Comprends-tu ce que je te dis ?

— Oui, je crois, répondit Iori, maintenant radouci.

— Les bonnes manières et la politesse ont leur raison d'être. Elles nous empêchent de laisser le mauvais côté prendre le dessus. Ce qui favorise l'ordre social, but des lois gouvernementales.

Musashi fit une pause.

— ... La façon dont tu as agi... L'affaire était banale, mais ton attitude ne pouvait manquer de mettre cet homme en colère. Ça ne me fait aucun plaisir.

— Oui, monsieur.

— Je ne sais pas où nous irons ensuite. Mais où que nous soyons, tu ferais mieux de suivre les règles et de te conduire courtoisement.

Le garçon acquiesça deux fois de la tête, et fit une petite révérence raide. ils continuèrent de marcher en silence un moment.

— Monsieur, voudriez-vous porter ma bourse à ma place ? Je ne veux pas la perdre à nouveau.

En recevant le petit sac en brocart, Musashi l'inspecta attentivement avant de le fourrer dans son kimono.

— C'est la bourse que t'a laissée ton père ?

— Oui, monsieur. Le Tokuganji me l'a rendue au début de l'année. Le prêtre n'a rien pris de l'argent. Vous pouvez en utiliser si vous en avez besoin.

— Merci, dit légèrement Musashi. J'en prendrai bien soin.

« Il a un talent que je ne possède pas », se dit Musashi en songeant avec regret à sa propre indifférence envers ses finances personnelles. La prudence innée du garçon avait enseigné à Musashi le sens de l'économie. Il appréciait la confiance de l'enfant, et s'attachait à lui chaque jour davantage. Il envisageait avec enthousiasme la tâche d'avoir à l'aider à développer son intelligence.

— ... Où donc aimerais-tu passer la nuit ? demanda-t-il.

Iori, qui avait regardé avec une grande curiosité le nouveau décor qui l'entourait, remarqua :

— Je vois des tas de chevaux, là-bas. On dirait un marché, en pleine ville.

Il parlait comme s'il avait rencontré, en terre étrangère, un ami depuis longtemps perdu. Ils étaient arrivés à Bekurōchō, la cité du cheval, où se trouvait un grand choix de salons de thé et d'hôtelleries destinés aux selliers, acheteurs, transporteurs, palefreniers, et toute une variété de moindres factotums. De petits groupes d'hommes marchandaient et bavardaient en de multiples dialectes dominés par le parler perçant et agressif d'Edo. Parmi la canaille se trouvait un samouraï de mise soignée, en quête de bons chevaux. L'air contrarié, il dit :

— Rentrons. Il n'y a ici que des bidets, rien qui mérite d'être recommandé à Sa Seigneurie.

En s'avançant à grands pas vifs entre les animaux, il se trouva nez à nez avec Musashi, cligna des yeux et recula de surprise.

— ... Vous êtes Miyamoto Musashi, n'est-ce pas ?

Musashi considéra l'homme un instant puis eut un large sourire. C'était Kimura Sukekurō. Bien que les deux hommes eussent été à deux doigts de croiser le fer au château de Koyagyū, Sukekurō se montrait cordial. Il ne semblait pas garder rancune à Musashi de cette rencontre.

— ... Je ne m'attendais certes pas à vous voir ici, déclara-t-il. Il y a longtemps que vous êtes à Edo ?

— J'arrive de Shimōsa, répondit Musashi. Comment va votre maître ? Toujours en bonne santé ?

— Oui, merci, mais bien sûr, à l'âge de Sekishūsai... Je séjourne chez le seigneur Munenori. Il faut venir nous voir ; je serais heureux de vous présenter. Oh ! il y a aussi autre chose.

Il eut un regard significatif, et sourit.

— ... Nous avons un magnifique trésor, qui vous appartient. Il faut venir le plus tôt possible.

Avant que Musashi eût pu demander ce que pouvait bien être le « magnifique trésor », Sukekurō s'inclina légèrement et s'éloigna vite, son serviteur sur les talons.

Les clients des auberges bon marché de Bakurōchō étaient surtout des marchands de chevaux venus des provinces. Musashi résolut d'y prendre une chambre plutôt que dans un autre quartier de la ville, où les tarifs seraient fort vraisemblablement plus élevés. Pareille aux autres auberges, celle qu'il choisit comportait une vaste écurie, si vaste en réalité que les chambres elles-mêmes ressemblaient plutôt à une annexe. Pourtant, après les austérités de Hōtengahara, même cette hôtellerie de troisième ordre paraissait luxueuse.

En dépit du bien-être qu'il éprouvait, Musashi trouva les taons agaçants et commença à grogner. La patronne l'entendit.

— Je vais vous changer de chambre, proposa-t-elle avec sollicitude. Les mouches sont moins méchantes au deuxième étage.

Une fois réinstallé, Musashi se trouva exposé aux pleines ardeurs du soleil de l'ouest, et eut derechef envie de grogner. A peine quelques jours plus tôt, le soleil d'après-midi eût été une source de joie, un brillant rayon d'espoir, déversant une chaleur nourricière sur les plants de riz, et annonçant le beau temps pour le lendemain. Quant aux mouches, lorsque sa transpiration les avait attirées cependant qu'il travaillait aux champs, il s'était dit qu'elles vaquaient à leurs tâches, tout comme il vaquait aux siennes. Il les avait même considérées comme des créatures fraternelles. Maintenant, ayant traversé un large fleuve et pénétré dans le labyrinthe de la grand-ville, il ne trouvait rien de réconfortant à la chaleur du soleil, et les mouches ne faisaient que l'irriter.

Sa faim lui fit oublier ces incommodités. Il jeta un coup d'œil à Iori, et vit sur sa figure également des signes de lassitude et de convoitise. Peu étonnant : dans la chambre voisine, une compagnie avait commandé une grosse marmite fumante et s'y attaquait avec voracité non sans beaucoup bavarder, rire et boire.

Des nouilles de blé noir — *soba* —, voilà ce qu'il voulait ! A la campagne, si l'on voulait du *soba,* l'on semait du blé noir en début de printemps, on le regardait fleurir en été, on faisait sécher le grain à l'automne, on le transformait l'hiver en farine. Alors, on pouvait préparer le *soba.* Ici, cela ne demandait pas plus d'efforts que de claquer dans ses mains pour se le faire servir.

— Iori, si nous commandions du *soba ?*

— Oui ! répondit Iori avec enthousiasme.

La patronne vint prendre leur commande. Pendant qu'ils attendaient, Musashi s'accouda à la fenêtre et s'abrita les yeux. De l'autre côté du chemin, une pancarte disait : « Ici, polissage d'âmes. Zushino Kōsuke, maître du style Hon'ami. » Iori l'avait remarquée aussi. Après l'avoir un moment considérée avec perplexité, il dit :

— Cette pancarte indique : « Polissage d'âmes. » Qu'est-ce que ce métier-là ?

— Mon Dieu, ça dit aussi que l'homme travaille dans le style Hon'ami ; je suppose donc qu'il s'agit d'un polisseur de sabre. A propos, il faut que je fasse réparer le mien.

Le soba étant lent à venir, Musashi s'étendit sur le tatami pour faire un petit somme. Mais, dans la chambre voisine, le ton avait monté.

— ... Iori, dit Musashi en ouvrant un œil, veux-tu demander aux voisins de faire un peu moins de bruit ?

De simples shoji séparaient les deux chambres ; mais au lieu de les ouvrir, Iori sortit dans le couloir. La porte de l'autre chambre était ouverte.

— Moins de bruit ! cria-t-il. Mon maître essaie de dormir.

— Hein ?

La querelle s'arrêta net. Les hommes se retournèrent pour le toiser avec irritation.

— Tu as dit quelque chose, espèce de crevette ?

Vexé de cette appellation, Iori répliqua :

— Nous sommes montés ici à cause des mouches. Et maintenant, vous criez tellement qu'il ne peut se reposer.

— C'est toi qui dis ça, ou c'est ton maître qui t'envoie ?

— C'est lui qui m'envoie.

— Vraiment ? Eh bien, je n'ai pas l'intention de répondre à une petite crotte de bique comme toi. Va dire à ton maître que Kumagorō de Chichibu lui donnera sa réponse plus tard. Et maintenant, file !

Kumagorō était une grande brute d'homme, et les deux ou

trois autres qui se trouvaient dans la chambre ne lui étaient guère inférieurs. Apeuré par la menace qu'il lisait dans leur regard, Iori battit précipitamment en retraite. Musashi s'était endormi ; Iori, qui ne voulait pas le déranger, s'assit à la fenêtre.

Bientôt, l'un des marchands de chevaux entrebâilla le shoji et jeta un coup d'œil à Musashi. Suivirent force éclats de rire, assaisonnés de remarques sonores et insultantes :

— Il se prend pour qui, à interrompre notre réunion ? Quel idiot de rōnin ! D'où sort-il ? Il débarque et se conduit comme s'il était chez lui.

— Il va falloir lui remettre les idées en place.

— Ouais, on va lui montrer de quoi sont faits les marchands de chevaux d'Edo.

— Parler ne le lui montrera pas. Traînons-le derrière l'auberge, et jetons-lui en pleine gueule un seau de pisse de cheval.

Kumagorō prit la parole :

— Assez ! Laissez-moi m'occuper de ça. Ou bien j'obtiens des excuses écrites, ou bien nous lui lavons la figure à la pisse de cheval. Sirotez votre saké. Laissez-moi faire.

— On va rigoler, dit un homme, tandis que Kumagorō, avec un sourire suffisant, assurait son obi.

— Je vous prie de m'excuser, dit Kumagorō en ouvrant le shoji.

Sans se lever, il se glissa à genoux dans la chambre de Musashi. Le soba, six portions dans un coffret laqué, avait fini par arriver. Musashi, maintenant assis, tendait ses baguettes vers sa première portion.

— Regardez, ils entrent, dit Iori à mi-voix en se déplaçant légèrement pour s'écarter de leur chemin.

Kumagorō s'assit derrière Iori et à sa gauche, les jambes croisées, les coudes reposant sur les genoux. Les yeux furibonds, il dit :

— Vous mangerez plus tard. N'essayez pas, en restant assis là à jouer avec vos baguettes, de cacher le fait que vous avez peur.

Bien qu'il sourît de toutes ses dents, Musashi ne faisait pas mine d'entendre. Avec ses baguettes, il tourna le soba pour en séparer les écheveaux, en porta une bouchée à ses lèvres, et l'avala avec un joyeux bruit de déglutition. Les veines du front de Kumagorō faillirent éclater.

— ... Posez ce bol, dit-il avec irritation.

— Qui donc êtes-vous ? demanda doucement Musashi sans obéir.

— Vous ne savez pas qui je suis ? Les seuls gens de Bakurōchō qui ne connaissent pas mon nom sont les bons à rien et les sourds-muets.

— Je suis moi-même un peu dur d'oreille. Parlez plus haut ; dites-moi qui vous êtes, et d'où vous venez.

— Je suis Kumagorō de Chichibu, le meilleur marchand de chevaux d'Edo. Les enfants, à mon approche, ont tellement peur qu'ils ne peuvent même pas pleurer.

— Je vois. Alors, vous êtes dans le commerce des chevaux ?

— Plutôt. Je vends aux samouraïs. Vous feriez bien de vous le rappeler dans vos rapports avec moi.

— J'ai des rapports avec vous ?

— Vous avez envoyé le moutard que voilà vous plaindre du bruit. Où vous croyez-vous ? Ici, ça n'est pas une auberge chic pour daimyōs, tranquille et tout. Nous autres, marchands de chevaux, nous aimons le bruit.

— Je l'avais compris.

— Alors, pourquoi essayiez-vous de gâcher notre plaisir ? J'exige des excuses.

— Des excuses ?

— Oui, par écrit. Vous pouvez les adresser à Kumagorō et ses amis. A défaut d'excuses, nous vous emmènerons dehors, pour vous enseigner deux ou trois petites choses.

— Ce que vous dites là m'intéresse.

— Hein ?

— Je veux dire : vous avez une façon de parler intéressante.

— Trêve d'absurdités ! Aurons-nous les excuses, oui ou non ? Eh bien ?

La voix de Kumagorō était passée du grondement au rugissement, et la sueur, sur son front cramoisi, luisait dans le soleil du soir. L'air sur le point d'exploser, il dénuda sa poitrine velue et tira de sa ceinture un poignard.

— ... Décidez-vous ! Si vous tardez à me répondre, vous aurez de gros ennuis.

Il décroisa les jambes et tint verticalement le poignard à côté du coffret laqué, la pointe touchant le sol. Musashi, refrénant sa gaieté, dit :

— Eh bien, comment répondre à ça ?

Il abaissa son bol, tendit ses baguettes, enleva quelque chose de sombre du soba qui se trouvait dans le coffret, et le jeta par la fenêtre. Toujours silencieux, il tendit à nouveau la main, cueillit une autre masse d'ombre, puis une autre.

— ... Elles sont innombrables, vous ne croyez pas ? remarqua Musashi d'un ton neutre. Tiens, Iori, va donc me laver bien soigneusement ces baguettes.

Tandis qu'Iori sortait, Kumagorō disparaissait en silence dans sa propre chambre, et, d'une voix étouffée, faisait part à ses compagnons de l'incroyable spectacle dont il venait d'être témoin. Après avoir d'abord pris à tort pour des saletés les taches noires sur le soba, il s'était rendu compte qu'il s'agissait de mouches vivantes, si adroitement cueillies qu'elles n'avaient pas eu le temps de fuir. Quelques minutes plus tard, lui et ses compagnons avaient transféré plus loin leur petite réunion, et le silence régnait.

— Ça va mieux, hein ? dit Musashi à Iori, et tous deux échangèrent un large sourire.

Quand ils achevèrent leur repas, le soleil était couché, et la lune luisait, pâle, au-dessus du toit de la boutique du « polisseur d'âmes ». Musashi se leva et arrangea son kimono.

— ... Je crois que je vais faire réparer mon sabre, dit-il.

Ayant ramassé l'arme, il allait partir au moment où la patronne monta à mi-hauteur de l'escalier assombri et cria :

— Une lettre pour vous !

Surpris que quiconque sût aussi vite où il habitait, Musashi descendit, prit la lettre et demanda :

— Le messager est encore là ?

— Non ; il est reparti aussitôt.

L'extérieur de la lettre ne portait que le mot « Suke », dont Musashi comprit qu'il désignait Kimura Sukekurō. L'ayant dépliée, il lut : « J'ai informé le seigneur Munenori que je vous avais rencontré ce matin. Il a paru heureux de recevoir enfin de vos nouvelles. Il m'a chargé de vous écrire pour vous demander quand vous pourrez venir nous voir. »

Musashi descendit les dernières marches et se rendit au bureau, où il emprunta de l'encre et un pinceau. Assis dans un coin, il écrivit au dos de la lettre de Sukekurō : « Je serai heureux de rendre visite au seigneur Munenori dès qu'il souhaitera faire une passe d'armes avec moi. En ma qualité de guerrier, je n'ai pas d'autre but en l'allant voir. » Il signa le billet « Masana », nom protocolaire qu'il utilisait rarement.

— ... Iori ! appela-t-il du bas de l'escalier. Je veux que tu ailles faire une course pour moi.

— Bien, monsieur.

— Je veux que tu remettes une lettre au seigneur Yagyū Munenori.

— Bien, monsieur.

D'après la patronne, tout le monde savait où demeurait le seigneur Munenori ; elle n'en indiqua pas moins le chemin :

— Descendez la rue principale jusqu'à ce que vous arriviez à la grand-route. Suivez-la jusqu'à Nihombashi. Là, prenez à gauche et longez le fleuve jusqu'à Kobikichō. C'est là ; vous ne pouvez pas vous tromper.

— Merci, dit Iori qui avait déjà ses sandales aux pieds. Je suis sûr que je trouverai.

Il était ravi d'avoir l'occasion de sortir, d'autant plus qu'il se rendait chez un important daimyō. Sans se soucier de l'heure, il s'éloigna vite en balançant les bras, la tête fièrement dressée. Tandis que Musashi le regardait tourner l'angle, il se dit : « Il n'est pas très bon pour lui d'avoir une telle confiance en soi. »

Le polisseur d'âmes

— Bonsoir ! cria Musashi.

Rien, dans la maison de Zushino Kōsuke, ne donnait à penser qu'il s'agissait d'un lieu de travail. Il lui manquait la devanture grillée de la plupart des boutiques, et il n'y avait pas de marchandise exposée. Musashi se tenait dans le couloir au sol en terre battue qui longeait le côté gauche de la maison. A sa droite se trouvait une partie surélevée au sol couvert de tatami, qu'un paravent séparait de la pièce située au-delà.

L'homme qui dormait sur le tatami, les bras reposant sur un coffre-fort, ressemblait à un sage taoïste que Musashi avait vu une fois dans un tableau. Sa longue face mince avait la teinte grisâtre de l'argile. Musashi n'y pouvait rien distinguer de l'acuité qu'il associait à l'artisanat du sabre.

— ... Bonsoir ! répéta Musashi un peu plus fort.

Quand sa voix pénétra la torpeur de Kōsuke, l'artisan leva très lentement la tête ; on eût dit qu'il s'éveillait de plusieurs siècles d'assoupissement. Essuyant la salive de son menton et se mettant sur son séant, il demanda languissamment :

— Que puis-je pour vous ?

Musashi avait l'impression qu'un pareil homme risquait de rendre les sabres, aussi bien que les âmes, plus ternes ; il n'en tendit pas moins sa propre arme, et exposa le but de sa visite.

— Permettez-moi d'y jeter un coup d'œil.

Kōsuke redressa vivement les épaules. La main gauche posée sur son genou, il avança la droite afin de prendre le sabre, tout en inclinant vers lui la tête. « Curieux personnage, se dit Musashi. Il tient à peine compte de la présence humaine, mais s'incline avec politesse devant un sabre. »

Un morceau de papier dans la bouche, Kōsuke fit doucement glisser la lame hors du fourreau. Il la tint devant lui à la verticale, et l'examina de la poignée à la pointe. Son regard se mit à briller d'un éclat qu'il rappelait à Musashi les yeux de verre d'une statue bouddhiste en bois. Kōsuke rengaina l'arme d'un coup sec, et leva vers Musashi un regard interrogateur.

— ... Venez donc vous asseoir, dit-il en reculant pour faire de la place et en offrant un coussin à Musashi, lequel ôta ses sandales et monta dans la chambre. Ce sabre est-il dans votre famille depuis plusieurs générations ?

— Oh ! non, répondit Musashi. Ce n'est pas l'œuvre d'un armurier célèbre, rien de tel.

— Vous en êtes-vous servi à la guerre, ou le portez-vous pour un usage courant ?

— Je ne m'en suis pas servi sur le champ de bataille. Il n'a rien d'exceptionnel. Le mieux que l'on puisse en dire, c'est qu'il vaut mieux que rien.

— Hum...

Regardant Musashi droit dans les yeux, Kōsuke lui demanda :

— ... Comment voulez-vous que je vous le polisse ?

— Comment je veux que vous me le polissiez ? Que voulez-vous dire ?

— Le voulez-vous aiguisé de façon qu'il tranche bien ?

— Mon Dieu, c'est un sabre. Plus il coupe net, et mieux ça vaut.

— Je suppose que vous avez raison, concéda Kōsuke avec un soupir de défaite.

— Qu'est-ce qui ne va pas ? N'est-ce pas le travail d'un artisan que d'affûter les sabres de façon qu'ils tranchent comme il faut ?

En parlant, Musashi scrutait d'un regard curieux le visage de Kōsuke. Celui qui se proclamait polisseur d'âmes poussa l'arme vers Musashi et dit :

— Je ne peux rien pour vous. Portez ce sabre à quelqu'un d'autre.

Bien étrange, se dit Musashi. Il ne pouvait dissimuler une certaine contrariété, mais garda le silence. Kōsuke, les lèvres étroitement serrées, n'essaya pas de s'expliquer. Pendant qu'ils étaient assis là, à se considérer l'un l'autre en silence, un voisin passa la tête à la porte.

— Kōsuke, avez-vous une canne à pêche ? C'est marée haute, et les poissons pullulent. Si vous voulez bien me prêter une canne, je partagerai ma pêche avec vous.

Il sautait aux yeux que Kōsuke considérait cet homme comme un fardeau de plus qu'il n'eût pas dû avoir à supporter.

— Empruntez-en une ailleurs, grinça-t-il. Je suis contre le fait de tuer, et ne garde pas chez moi d'instruments destinés au meurtre.

L'homme repartit sans demander son reste, laissant Kōsuke plus renfrogné que jamais.

Un autre se fût découragé et eût cédé la place, mais la curiosité de Musashi le retenait. Cet homme avait quelque chose d'attirant — ni l'esprit ni l'intelligence, mais une rude bonté naturelle pareille à celle d'une jarre à saké de Karatsu ou d'un bol à thé de Nonkō. Tout comme la poterie présente souvent un défaut qui rappelle combien elle est proche de la terre, Kōsuke avait, en un point à demi chauve de sa tempe, une lésion quelconque qu'il avait enduite d'onguent. Bien qu'il essayât de cacher sa fascination croissante, Musashi demanda :

— Qu'est-ce qui vous empêche de polir mon sabre ? Est-il de si piètre qualité que vous ne puissiez l'aiguiser comme il faut ?

— Bien sûr que non. Vous en êtes le propriétaire. Vous savez aussi bien que moi qu'il s'agit d'un excellent sabre de Bizen. Je sais également que vous voulez le faire affûter pour pourfendre les gens.

— Y a-t-il du mal à cela ?

— Voilà ce qu'ils disent tous : qu'y a-t-il de mal à vouloir que je répare un sabre afin qu'il coupe mieux ? Si le sabre coupe, ils sont heureux.

— Mais un homme qui apporte un sabre à polir veut naturellement...

— Un instant, dit Kōsuke en levant la main. Ça va me prendre du temps pour m'expliquer. D'abord, je voudrais que vous regardiez de nouveau l'enseigne de ma boutique.

— Elle dit « Ames polies », si je ne m'abuse. Y a-t-il une autre façon de lire les caractères ?

— Non. Vous remarquerez qu'il n'est pas question de polir des sabres. Mon travail consiste à polir les âmes des samouraïs qui entrent ici, et non leurs armes. Les gens ne comprennent pas, mais voilà ce que l'on m'a enseigné quand j'ai étudié le polissage des sabres.

— Je vois, dit Musashi, qui ne voyait guère.

— Comme j'essaie de m'en tenir aux enseignements de mon maître, je refuse de polir les sabres des samouraïs qui prennent plaisir à tuer les gens.

— Mais dites-moi, quel était votre maître ?

— Ça aussi, c'est inscrit sur l'enseigne. J'ai fait mon apprentissage à la Maison de Hon'ami, sous la direction de Hon'ami Kōetsu lui-même.

Kōsuke bombait le torse en prononçant le nom de son maître.

— Voilà qui m'intéresse. Il se trouve que j'ai fait la connaissance de votre maître et de son excellente mère, Myōshū.

Musashi raconta ensuite comment il les avait rencontrés dans le champ proche du Rendaiji, et comment plus tard il avait passé quelques jours chez eux. Kōsuke, stupéfait, l'examina quelques instants avec attention.

— Seriez-vous par hasard l'homme qui a fait sensation à Kyoto, voilà quelques années, en triomphant de l'école Yoshioka à Ichijōji ? Il s'appelait Miyamoto Musashi, si je ne me trompe.

— C'est mon nom, dit Musashi en rougissant légèrement.

Kōsuke recula un peu, s'inclina avec déférence et dit :

— Pardonnez-moi. Je n'aurais pas dû vous chapitrer ainsi. J'ignorais totalement que je m'adressais au célèbre Miyamoto Musashi.

— N'y pensez plus. Vos propos étaient fort instructifs. Le caractère de Kōetsu transparaît dans les leçons qu'il donne à ses élèves.

— Comme vous le savez sûrement, la famille Hon'ami servait les shōguns Ashikaga. De temps à autre, on faisait en outre appel à elle pour polir les sabres de l'empereur. Kōetsu disait toujours que les sabres japonais avaient été créés non pour tuer ou blesser les gens mais pour maintenir la souveraineté impériale et protéger la nation, pour soumettre les démons et repousser le mal. Le sabre *est* l'âme du samouraï ; il ne le porte qu'afin de maintenir sa propre intégrité. Pour l'homme qui gouverne d'autres hommes et cherche, ce faisant, à suivre la Voie de la Vie, le sabre est une exhortation perpétuelle. Il n'est que naturel que l'artisan qui polit le sabre doive aussi polir l'esprit de celui qui le manie.

— Comme c'est vrai ! dit Musashi.

— Kōetsu disait que voir un bon sabre, c'est voir la lumière sacrée, l'esprit de la paix et de la tranquillité de la nation.

Toucher un mauvais sabre lui faisait horreur. Même se trouver près d'un mauvais sabre lui donnait la nausée.

— Je comprends. Voulez-vous dire par là que vous avez senti quelque chose de mauvais dans mon sabre ?

— Non, pas le moins du monde. Je me sentais seulement un peu déprimé. Depuis mon arrivée à Edo, j'ai travaillé sur un certain nombre d'armes, mais aucun de leurs possesseurs ne semble avoir la moindre idée de la véritable signification du sabre. Il m'arrive de douter qu'ils aient une âme à polir. Tout ce qui les intéresse, c'est de couper un homme en quatre ou de lui fendre le crâne — casque compris. Ça devenait si fastidieux ! Voilà pourquoi j'ai accroché une nouvelle enseigne, il y a quelques jours. Mais elle ne semble pas avoir eu grand effet.

— Et je suis entré pour demander la même chose, n'est-ce pas ? Je comprends ce que vous ressentez.

— Mon Dieu, c'est un peu un commencement. Avec vous, les choses tourneront peut-être un peu différemment. Mais en toute franchise, quand j'ai vu votre lame, j'ai reçu un choc. Toutes ces entailles et ces taches, ces taches faites par de la chair humaine... J'ai cru que vous n'étiez qu'un stupide rōnin de plus, fier de commettre d'innombrables meurtres absurdes.

Musashi inclina la tête. La voix de Kōetsu parlait par la bouche de Kōsuke.

— Je vous suis reconnaissant de cette leçon, dit-il. J'ai beau porter le sabre depuis l'enfance, en réalité je n'ai jamais réfléchi suffisamment à l'esprit sous-jacent. Dans l'avenir, je tiendrai compte de ce que vous m'avez dit.

Kōsuke paraissait grandement soulagé.

— Dans ce cas, je vais vous polir votre sabre. Ou peut-être devrais-je dire que je considère comme un privilège, pour un homme de ma profession, d'être en mesure de polir l'âme d'un samouraï tel que vous.

La nuit était tombée et l'on avait allumé. Musashi décida qu'il était temps de partir.

— ... Attendez, dit Kōsuke. Avez-vous un autre sabre à porter pendant que je travaille sur celui-ci ?

— Non ; je n'ai que ce sabre long.

— Alors, pourquoi n'en pas choisir un pour le remplacer ?

Aucun des sabres que j'ai ici en ce moment n'est très bon, je le crains, mais venez jeter un coup d'œil.

Il conduisit Musashi dans la salle du fond, où il sortit d'un casier plusieurs sabres qu'il aligna sur le tatami.

— ... Vous pouvez prendre n'importe lequel de ceux-ci, proposa-t-il.

Malgré le modeste désaveu de l'artisan, toutes ces armes étaient d'excellente qualité. Musashi éprouva de la difficulté à choisir parmi l'éblouissant échantillonnage, mais finit par sélectionner un sabre dont il tomba aussitôt amoureux. Du simple fait de le tenir dans ses mains, il sentait la ferveur de celui qui l'avait fabriqué. Tirer la lame du fourreau confirma cette impression ; certes, il s'agissait là d'une magnifique pièce artisanale, qui devait dater de la période Yoshino, au XIVe siècle. Musashi avait beau craindre que ce sabre ne fût trop élégant pour lui, quand il l'eut approché de la lumière et examiné, ses mains refusèrent de le lâcher.

— Puis-je prendre celui-ci ? demanda-t-il, sans pouvoir se résoudre à utiliser le verbe « emprunter ».

— Vous avez un œil d'expert, observa Kōsuke en remettant en place les autres sabres.

Pour une fois, la convoitise submergea Musashi. Il savait qu'il était vain de parler de but en blanc d'acheter le sabre ; le prix dépasserait de beaucoup ses moyens. Mais il ne put se retenir.

— Je suppose que vous n'envisageriez pas de me vendre ce sabre, n'est-ce pas ? demanda-t-il.

— Et pourquoi non ?

— Vous en demandez combien ?

— Je vous le laisserai au prix coûtant.

— C'est-à-dire ?

— Vingt pièces d'or.

Une somme presque inimaginable pour Musashi.

— Je ferais mieux de vous le rendre, dit-il avec hésitation.

— Et pourquoi donc ? demanda Kōsuke, perplexe. Je vous le prête pour le temps que vous voudrez. Allons, prenez-le.

— Non ; ça me serait encore plus désagréable. Le vouloir au point où je le veux est assez mauvais comme ça. Si je le portais un certain temps, m'en séparer serait une torture.

— Il vous plaît tant que ça ? fit Kōsuke en regardant le sabre, puis Musashi. Très bien, alors, je vous le donne... en mariage, comme qui dirait. Mais j'espère en échange un cadeau approprié.

Musashi était embarrassé ; il n'avait absolument rien à offrir.

— ... J'ai appris par Kōetsu que vous sculptiez des statues. Je serais honoré si vous me faisiez une image de Kannon. Cela constituerait un paiement suffisant.

La dernière Kannon sculptée par Musashi était celle qu'il avait laissée à Hōtengahara.

— Je n'ai rien sous la main, dit-il. Mais au cours de ces tout prochains jours, je pourrai vous sculpter quelque chose. Puis-je avoir le sabre à ce moment-là ?

— Certainement. Je ne voulais pas dire que je l'attendais à la minute. A propos, au lieu de descendre à l'auberge, pourquoi ne venez-vous pas loger chez nous ? Nous avons une chambre qui ne nous sert pas.

— Ce serait parfait, dit Musashi. Si j'y emménageais demain, je pourrais commencer tout de suite la statue.

— Venez donc y jeter un coup d'œil, insista Kōsuke, heureux et excité lui aussi.

Musashi le suivit le long du couloir extérieur, au bout duquel se trouvait un escalier d'une demi-douzaine de marches. Prise entre les premier et deuxième étages, sans tout à fait appartenir à l'un ni à l'autre, il y avait une chambre à huit nattes. Par la fenêtre, Musashi apercevait les feuilles trempées de rosée d'un abricotier. Kōsuke dit en désignant un toit couvert de coquilles d'huîtres :

— ... Là-bas, c'est mon atelier.

L'épouse de l'artisan, comme convoquée par un signal secret, arriva avec du saké et des friandises. Quand les deux hommes s'assirent, la distinction entre maître de maison et invité parut s'effacer. Ils se laissèrent aller, jambes étendues, et s'ouvrirent leur cœur l'un à l'autre, oublieux des contraintes qu'impose normalement l'étiquette. Bien entendu, la conversation se tourna vers leur sujet favori.

— ... Tout le monde rend hommage, en paroles, à l'importance du sabre, dit Kōsuke. N'importe qui vous dira que le sabre est l' « âme du samouraï », et que c'est l'un des trois trésors sacrés du pays. Pourtant, la façon dont en réalité les gens traitent le sabre est scandaleuse. J'inclus samouraïs et prêtres, aussi bien que bourgeois. A une certaine époque, j'ai pris sur moi de faire la tournée des sanctuaires et des vieilles maisons où se trouvaient jadis des collections complètes de sabres magnifiques, et je puis vous assurer que la situation est choquante.

Les joues pâles de Kōsuke étaient devenues rouges. Son regard brûlait d'enthousiasme, et la salive qui se rassemblait aux coins de sa bouche volait parfois en postillons droit à la figure de son compagnon.

— ... Presque aucun des sabres fameux du passé n'est entretenu comme il faut. Au sanctuaire de Suwa, dans la province de Shinano, il y a plus de trois cents sabres. On peut les considérer comme des biens de famille ; pourtant, je n'en ai trouvé que cinq qui n'étaient pas rouillés. Le sanctuaire d'Ōmishima, en Iyo, est célèbre pour sa collection : trois mille sabres vieux de plusieurs siècles. Or, après avoir passé tout un mois là-bas, je n'en ai trouvé que dix en bon état. C'est dégoûtant !

Kōsuke reprit haleine et continua :

— ... Le problème semble être que plus le sabre est vieux et célèbre, plus son propriétaire a tendance à le mettre en lieu sûr. Mais alors, nul ne peut l'atteindre pour s'en occuper, et la lame se rouille de plus en plus... Ces propriétaires sont comme des parents qui protègent si jalousement leurs enfants que ces derniers deviennent idiots en grandissant. Dans le cas des enfants, il en naît sans arrêt : peu importe si quelques-uns sont stupides. Mais les sabres...

S'arrêtant pour ravaler sa salive, il leva ses minces épaules encore plus haut, et, avec une lueur dans les yeux, déclara :

— ... Nous possédons déjà les meilleurs sabres qui existeront jamais. Durant les guerres civiles, les fabricants de sabres sont devenus négligents — que dis-je ? absolument saboteurs ! Ils ont oublié leurs techniques, et dès lors, les sabres se sont détériorés... La seule chose à faire, c'est de mieux prendre soin de ceux des périodes antérieures. Les artisans d'aujourd'hui auront beau tâcher d'imiter les sabres plus anciens, ils ne produiront jamais rien d'aussi bon. Ça ne vous met pas en colère, de vous dire ça ?

Brusquement, il se leva et déclara :

— ... Regardez-moi ça.

Il sortit une épée d'une impressionnante longueur, qu'il déposa par terre pour permettre à son hôte de l'examiner.

— ... C'est une arme splendide, mais couverte de la pire espèce de rouille.

Le cœur de Musashi s'arrêta de battre. L'épée était sans doute possible la « Perche à sécher » de Sasaki Kojirō. Un flot de souvenirs le submergea. Maîtrisant ses émotions, il dit calmement :

— Elle est bien longue, vous ne trouvez pas ? Ce n'est pas le premier samouraï venu qui peut la manier.

— Je vous crois, fit Kōsuke. Il n'en existe pas beaucoup de pareilles.

Il sortit la lame, en tourna le dos vers Musashi, et la lui tendit par la poignée.

— ... Voyez, dit-il. Elle est profondément rouillée... là, là et là. Il s'en est pourtant servi.

— Je vois.

— Il s'agit d'une pièce artisanale rare, probablement forgée à la période Kamakura. Ça demandera beaucoup de travail, mais je pourrai sans doute l'arranger. Sur ces épées anciennes, la rouille ne forme qu'une pellicule assez mince. S'il s'agissait d'une lame neuve, jamais je ne pourrais enlever les taches. Sur les sabres neufs, les taches de rouille sont comme des tumeurs malignes ; elles rongent le métal jusqu'au cœur.

Renversant la position de l'épée de manière à diriger vers Kōsuke le dos de la lame, Musashi demanda :

— Dites-moi, le propriétaire de cette épée vous l'a-t-il apportée lui-même ?

— Non. J'étais chez le seigneur Hosokawa pour affaire, et l'un des membres de sa suite, Iwama Kakubei, m'a demandé de passer chez lui au retour. Ce que j'ai fait ; alors, il m'a donné cette épée pour travailler dessus. Il m'a dit qu'elle appartenait à un hôte à lui.

— Les ferrures sont bonnes, elles aussi, remarqua Musashi, les yeux toujours fixés sur l'arme.

— C'est une épée de guerre. L'homme la portait sur son dos jusqu'à maintenant ; mais il veut la porter au côté ; aussi m'a-t-on demandé de remettre en état le fourreau. Il doit s'agir d'un colosse. A moins qu'il ne soit fort expérimenté.

Le saké commençait à faire son effet sur Kōsuke, dont la langue devenait un peu pâteuse. Musashi en conclut qu'il était temps de prendre congé, ce qu'il fit avec un minimum de cérémonie.

Il était beaucoup plus tard qu'il ne pensait. Il n'y avait pas de lumières dans le voisinage.

Une fois à l'intérieur de l'auberge, il tâtonna dans l'obscurité pour trouver l'escalier et grimper au deuxième étage. On avait préparé deux couches, mais l'une et l'autre étaient vides. l'absence d'Iori le mit mal à l'aise : il soupçonnait le jeune garçon d'errer, perdu, dans les rues de cette grande ville qui ne lui était pas familière. Il redescendit secouer le veilleur de nuit pour le réveiller.

— Il n'est pas encore rentré ? demanda cet homme, qui paraissait plus surpris que Musashi. Je le croyais avec vous.

Sachant bien qu'il ne ferait que regarder fixement le plafond jusqu'au retour d'Iori, Musashi ressortit dans la nuit d'un noir de laque, et se tint les bras croisés sous l'auvent.

Le renard

— C'est bien Kobikichō ?

En dépit d'assurances réitérées que oui, Iori conservait des doutes. Les seules lumières visibles, dans le vaste paysage, venaient des huttes de fortune des charpentiers et des maçons ; or, elles étaient rares et clairsemées. Par-delà, au loin, il devinait à peine la blanche écume des vagues de la baie.

Près du fleuve se dressaient des tas de pierres et des piles de bois de charpente ; or, Iori avait beau savoir que les constructions poussaient comme des champignons dans tout Edo, il trouvait bien peu vraisemblable que le seigneur Yagyū bâtît sa résidence dans un quartier pareil.

« Où donc aller ? » se dit-il, découragé, en s'asseyant sur un tas de bois. Ses pieds fatigués lui faisaient mal. Pour les rafraîchir, il agita les orteils dans l'herbe humide de rosée. Bientôt, il se calma et sa sueur sécha, mais son moral demeura nettement bas.

« Tout ça, c'est la faute de cette vieille bonne femme de l'auberge, grommela-t-il entre ses dents. Elle ne savait pas ce qu'elle disait. » Le temps que lui-même avait passé à badauder au quartier des théâtres de Sakaichō lui était opportunément sorti de l'esprit.

Il était tard, et il n'y avait personne à qui demander son chemin. Pourtant, la perspective de passer la nuit dans ce décor inconnu le rendait mal à l'aise. Il devait porter son message et rentrer à l'auberge avant l'aube, dût-il pour cela réveiller l'un des ouvriers.

En s'approchant de la masure la plus proche où il y avait de la lumière, il vit une femme avec un bout de natte noué sur la tête en guise de fichu.

— Bonsoir, tantine, dit-il avec innocence.

Le prenant à tort pour le serveur d'un proche débit de saké, la femme le foudroya du regard, renifla et répliqua :

— Alors, c'est toi ? Tu m'as lancé une pierre et tu as filé, hein, espèce de petit morveux ?

— Il ne s'agit pas de moi ! protesta Iori. C'est la première fois de ma vie que je vous vois !

La femme s'avança vers lui, hésitante, puis éclata de rire.

— Non, fit-elle, ce n'est pas lui. Que fait donc un gentil petit garçon comme toi, à rôder par ici à cette heure de la nuit ?

— On m'a envoyé en course, mais je n'arrive pas à trouver la maison que je cherche.

— La maison de qui ?

— Du seigneur Yagyū de Tajima.

— Tu plaisantes ? s'écria-t-elle en riant. Le seigneur Yagyū est un daimyō, et un maître du shōgun. Crois-tu qu'il t'ouvrirait sa porte, à *toi ?*

Nouveau rire.

— ... Tu connais peut-être un domestique ?

— J'apporte une lettre.

— A qui ?

— Un samouraï appelé Kimura Sukekurō.

— Il doit faire partie de la suite. Mais toi, tu es si comique — à jeter à tous les vents le nom du seigneur Yagyū comme si tu le connaissais !

— Je veux seulement remettre cette lettre. Si vous savez où est la maison, dites-le-moi.

— Elle est de l'autre côté du fossé. En traversant ce pont, là-bas, tu tombes devant la maison du seigneur Kii. La suivante est celle du seigneur Kyōgoku, puis celle du seigneur Katō, puis celle du seigneur Matsudaira de Suō.

Les doigts levés, elle énumérait les maisons cossues de l'autre rive.

— ... Je suis certaine que celle qui vient ensuite est celle que tu cherches.

— Si je traverse le fossé, je serai toujours à Kobikichō ?

— Bien sûr.

— Bon Dieu de bon Dieu !

— Allons, en voilà des façons de parler !... Hum, tu m'as l'air d'un si gentil garçon que je t'accompagne pour te montrer la maison du seigneur Yagyū.

Marchant devant lui, sa natte sur la tête, elle faisait plutôt à Iori l'effet d'un fantôme. Ils se trouvaient au milieu du pont lorsqu'un homme qui venait vers eux frôla la manche de la femme en sifflant. Il puait le saké. Avant qu'Iori comprît ce qui se passait, la femme se détourna pour se diriger vers l'ivrogne.

— ... Je te connais, gazouilla-t-elle. Ne me fais donc pas l'œil de verre. Ça n'est pas gentil.

Elle le saisit par la manche et s'efforça de l'entraîner sous le pont.

— Lâche-moi, dit-il.

— Tu ne veux pas venir avec moi ?

— Pas d'argent.

— Oh ! ça m'est égal.

Accrochée à lui comme une sangsue, elle tourna les yeux vers le visage stupéfait d'Iori et lui dit :

— ... Maintenant, file. J'ai affaire avec ce monsieur.

Perplexe, Iori les regardait tirer chacun de son côté. Au bout de quelques instants, la femme parut l'emporter, et ils disparurent sous le pont. Toujours intrigué, Iori se rendit au garde-fou, et considéra la berge herbeuse.

La femme leva les yeux, cria : « Espèce de crétin ! », et ramassa une pierre.

Avalant sa salive, Iori évita le projectile et s'avança vers l'autre bout du pont. Durant toutes ses années dans la plaine stérile de Hōtengahara, jamais il n'avait rien vu d'aussi effrayant que la face blanche de cette femme irritée dans la nuit.

De l'autre côté du fleuve, il se trouva devant un entrepôt. A côté s'élevait une clôture, puis un autre entrepôt, puis une autre clôture et ainsi de suite tout le long de la rue. « Ce doit être ça », se dit-il en arrivant au cinquième bâtiment. Sur le mur de plâtre d'un blanc cru figuraient des armoiries représentant une coiffure de femme à deux étages. Cela, Iori le savait d'après les paroles d'une chanson populaire, c'étaient les armes de la famille Yagyū.

— Qui va là ? demanda une voix de l'intérieur du portail.

Parlant aussi fort qu'il l'osait, Iori annonça :

— Je suis le disciple de Miyamoto Musashi. J'apporte une lettre.

La sentinelle prononça quelques mots qu'Iori ne parvint pas à saisir. Dans le portail se découpait une petite porte par laquelle on pouvait faire entrer et sortir les gens sans ouvrir le grand portail lui-même. Au bout de quelques secondes, la porte s'entrebâilla lentement, et l'homme demanda d'un ton soupçonneux :

— Qu'est-ce que tu fais ici à pareille heure ?

Iori jeta la lettre à la figure du garde.

— S'il vous plaît, remettez ça de ma part. S'il y a une réponse, je la rapporterai.

— Hum, fit l'homme d'un air songeur en prenant la lettre. C'est pour Kimura Sukekurō, non ?

— Oui, monsieur.

— Il n'est pas ici.

— Où donc est-il ?

— A la maison de Higakubo.

— Hein ? Tout le monde me dit que la maison du seigneur Yagyū est à Kobikichō.

— On le dit, mais il n'y a ici que des entrepôts : riz, bois de charpente et ainsi de suite.

— Le seigneur Yagyū n'habite pas ici ?

— Exact.

— C'est loin, cet autre endroit... Higakubo ?

— Très loin.

— Où, au juste ?

— Dans les collines, en dehors de la ville, au village d'Azabu.

— Connais pas.

Iori poussa un soupir de déception mais son sens des responsabilités l'empêcha de renoncer.

— ... Monsieur, voudriez-vous me dessiner un plan ?

— Ne fais pas l'idiot. Même si tu connaissais le chemin, ça te prendrait toute la nuit pour aller là-bas.

— Ça m'est égal.

— A Azabu, il y a des tas de renards. Tu ne veux pas être ensorcelé par un renard, hein ?

— Non.

— Tu connais bien Sukekurō ?

— Mon maître le connaît.

— Je vais te dire ce que tu vas faire. Etant donné qu'il est si tard, pourquoi ne pas dormir un peu, là, dans le grenier, et aller là-bas demain matin ?

— Où suis-je ? s'exclama Iori en se frottant les yeux.

Il se leva d'un bond et courut au-dehors. Le soleil de l'après-midi l'étourdissait. Grimaçant dans la vive lumière, il se rendit à la loge où le garde était en train de déjeuner.

— Alors, te voilà enfin debout ?

— Oui, monsieur. Pourriez-vous me dessiner ce plan tout de suite ?

— Tu es bien pressé, espèce de dormeur ! Tiens, tu ferais

mieux de manger d'abord un morceau. Il y en a assez pour deux.

Tandis que le garçon mâchait et avalait, le garde esquissait un plan sommaire, et lui expliquait comment se rendre à Higakubo. Ils terminèrent simultanément, et Iori, tout enflammé par l'importance de sa mission, partit au pas de course, sans jamais se dire que Musashi risquait de s'inquiéter de ne pas le voir rentrer à l'auberge.

Il suivit rapidement les grand-routes animées jusqu'aux abords du château d'Edo, où les demeures imposantes des principaux daimyōs se dressaient sur le terrain bâti dans l'entrelacs des fossés. Regardant autour de lui, il ralentit le pas. Les canaux fourmillaient de bateaux de transport. Les remparts de pierre du château lui-même étaient à demi couverts d'échafaudages de bois qui de loin ressemblaient aux treillis de bambou sur lesquels on fait pousser les volubilis.

Iori flâna de nouveau dans une vaste zone plate, appelée Hibiya, où les raclements de ciseaux et les coups de haches composaient un hymne dissonant à la puissance du nouveau shogunat.

Iori s'arrêta, fasciné par le spectacle des travaux de construction : les ouvriers halant d'énormes pierres, les charpentiers avec leurs rabots et leurs scies, les samouraïs enfin, les fringants samouraïs, qui surveillaient fièrement le tout. Comme il voulait grandir afin de leur ressembler !

Les haleurs de pierres chantaient à pleins poumons :

Nous cueillerons les fleurs
Dans les champs de Musashi :
Les gentianes, les campanules,
Eclaboussement de fleurs sauvages
En désordre confus.
Et cette jolie fille,
La fleur incueillable,
Humide de rosée...
Elle ne fera que mouiller ta manche, comme des larmes qui [tombent.

Il restait là, dans l'enchantement. Avant qu'il ne s'en rendît compte, l'eau des fossés prit une teinte rougeâtre, et la voix vespérale des corbeaux frappa ses oreilles.

« Ce n'est pas possible, le soleil est presque couché ! » se gronda-t-il. Il s'éloigna en hâte, et durant quelque temps courut de toute la vitesse de ses jambes, sans s'occuper d'autre chose que du plan que lui avait dessiné le garde. Bientôt, il grimpait le sentier de la colline d'Azabu, couvert d'arbres tellement épais qu'il aurait aussi bien pu être minuit. Mais une fois parvenu au sommet, il put voir que le soleil était encore dans le ciel, quoique bas sur l'horizon.

Il n'y avait presque pas de maisons sur la colline elle-même, le village d'Azabu n'étant qu'un éparpillement de champs et de fermes dans la vallée, en bas. Debout au milieu d'un océan d'herbe et d'arbres anciens, écoutant le glouglou des ruisseaux qui dévalaient la colline, Iori sentait sa fatigue céder la place à un repos étrange. Il était vaguement conscient de se trouver dans un lieu historique, mais sans savoir pourquoi. Il s'agissait en réalité de l'endroit même qui avait donné naissance aux grands clans guerriers du passé, aux Taira aussi bien qu'aux Minamoto.

Il entendit un puissant battement de tambour, du genre de ceux des fêtes shinto. En bas de la colline, visibles dans la forêt, les robustes traverses au sommet de la poutre faîtière d'un sanctuaire. Iori ne savait pas que c'était le Grand Sanctuaire d'Iigura, le célèbre édifice consacré à la déesse du soleil d'Ise.

Il y avait loin du sanctuaire à l'énorme château qu'il venait de voir, et même aux portails majestueux des daimyōs. Dans sa simplicité, il se distinguait à peine des fermes qui l'entouraient, et Iori trouvait curieux que les gens parlassent avec plus de révérence de la famille Tokugawa que des divinités les plus sacrées. Cela voulait-il dire que les Tokugawa étaient plus grands que la déesse du soleil ? se demandait-il. « Il va falloir que j'interroge Musashi là-dessus à mon retour. »

Il sortit son plan, le scruta, regarda autour de lui et revint au plan. Toujours aucune trace de la résidence des Yagyū.

La brume du soir, qui se répandait sur le sol, lui donnait un sentiment d'une étrangeté inquiétante. Il avait déjà éprouvé quelque chose de semblable quand, dans une chambre au shoji fermé, la lumière du couchant jouait sur le papier de riz de telle sorte que l'intérieur paraissait devenir plus clair à mesure que l'extérieur s'assombrissait. Bien sûr, il ne s'agit là que d'une illusion crépusculaire, mais il l'éprouvait avec tant de force, par éclairs, qu'il se frotta les yeux comme afin d'effacer son hallucination. Il savait qu'il ne rêvait pas, et promena autour de lui des regards soupçonneux.

— Tiens, espèce de sale mouchard ! s'écria-t-il en bondissant en avant et en dégainant à la vitesse de l'éclair.

Du même mouvement, il trancha une touffe d'herbe haute, devant lui. Avec un jappement de douleur, un renard sauta de sa cachette et fila comme un dard, la queue luisante du sang d'une entaille à l'arrière-train.

— ... Sale bête du diable !

Iori s'élança à sa poursuite ; le renard avait beau être rapide, Iori l'était aussi. Quand l'animal estropié trébucha, Iori lui porta une botte, sûr de la victoire. Mais l'agile renard s'écarta pour reparaître à plusieurs mètres de là, et quelle que fût la rapidité des assauts d'Iori, chaque fois l'animal réussissait à lui échapper.

Sur les genoux de sa mère, Iori avait entendu d'innombrables contes prouvant sans l'ombre d'un doute que les renards avaient le pouvoir d'ensorceler et de posséder les êtres humains. Il aimait la plupart des autres animaux, même les sangliers et les malodorants opossums, mais il détestait les renards. Il en avait également peur. De son point de vue, la rencontre de cet animal rusé, à l'affût dans l'herbe, ne pouvait signifier qu'une chose : c'était la faute du renard si Iori ne trouvait pas son chemin. Il avait la conviction que cet animal fourbe et méchant le suivait depuis la veille au soir, et venait de lui jeter un mauvais sort. S'il ne le tuait pas sur-le-champ, le renard continuerait à le persécuter. Iori se trouvait disposé à poursuivre son gibier jusqu'au bout du monde, mais le renard sauta dans un ravin et se perdit dans le sous-bois.

La rosée brillait sur les fleurs. Epuisé, mourant de soif, Iori se laissa tomber à terre et lécha l'humidité d'une feuille de menthe. Il finit par reprendre haleine, sur quoi la sueur lui ruissela du front. Son cœur battait à se rompre. « Où est-il passé ? » se demandait-il, d'une voix qui se trouvait à mi-chemin entre le cri et le sanglot.

Si le renard était réellement parti, tant mieux, mais Iori ne savait que croire. Etant donné qu'il avait blessé l'animal, il estimait qu'il se vengerait sûrement d'une manière ou d'une autre. Résigné, il s'immobilisa pour attendre.

Juste au moment où il commençait à se sentir plus calme, une étrange sonorité flotta jusqu'à ses oreilles. Ouvrant de grands yeux, il regarda autour de lui. « C'est le renard, pour sûr », se dit-il en se raidissant contre le sortilège. Il se leva rapidement et s'humecta les sourcils de salive : un truc qui passe pour écarter l'influence des renards.

Non loin de là, une femme arrivait, flottant à travers la brume du soir, le visage à demi voilé de gaze. Elle montait un cheval en amazone, les rênes reposant, souples, en travers du pommeau bas. La selle était en bois laqué, incrusté de nacre.

« Il s'est changé en femme », se dit Iori. Cette apparition voilée, qui jouait de la flûte et se découpait sur les fins rayons crépusculaires, aucun effort d'imagination ne pouvait en faire une créature de notre monde. Tapi dans l'herbe à la façon d'une grenouille, Iori entendit une voix d'un autre monde appeler :

— Otsū !

Il était sûr que cette voix était celle de l'un des compagnons du renard. La cavalière avait presque atteint un tournant où la route s'écartait vers le sud, et le haut de son corps luisait d'un éclat rougeâtre. Le soleil, qui s'enfonçait derrière les collines de Shibuya, était frangé de nuages.

S'il la tuait, il serait en mesure de révéler sa véritable forme de renard. Iori serra la main sur son sabre et s'encouragea en se disant : « C'est une chance qu'il ne sache pas que je me cache ici. » Pareil à tous ceux qui connaissaient la vérité sur les renards, il savait que l'esprit de l'animal serait situé à quelques pas derrière sa forme humaine. Il avala sa salive à la pensée de ce qui allait suivre, attendant que l'apparition tournât vers le sud.

Mais quand le cheval arriva au tournant, la femme cessa de jouer, mit sa flûte dans un étui de toile, et la fourra dans son obi.

Levant son voile, elle promena autour d'elle des yeux inquisiteurs.

— … Otsū ! cria de nouveau la voix.

Avec un joli sourire elle répondit :

— Je suis là, Hyōgo ! En haut.

Iori vit un samouraï monter la route de la vallée. « Oh ! oh ! » haleta-t-il en remarquant que l'homme boitait légèrement. C'était *lui*, le renard qu'il avait blessé ; aucun doute là-dessus ! Déguisé non point en belle tentatrice, mais en élégant samouraï. Cette apparition terrifia Iori. Il fut saisi de tremblements violents.

Après que la femme et le samouraï eurent échangé quelques mots, le samouraï saisit le cheval par le mors et le fit passer en plein devant l'endroit où Iori se dissimulait.

« C'est le moment », décida-t-il, mais son corps refusait de réagir.

Le samouraï remarqua un léger mouvement, et regarda autour de lui ; son regard tomba droit sur le visage pétrifié d'Iori. Les yeux du samouraï brillaient plus que le bord du soleil couchant. Iori, tapi par terre, enfouit sa figure dans l'herbe. Au cours de tous ses quatorze ans d'existence, jamais il n'avait ressenti pareille épouvante. Hyōgo, que ce garçon n'inquiétait point, poursuivit sa route. La pente était abrupte, et il devait se pencher en arrière pour maîtriser le cheval. Regardant Otsū pardessus son épaule, il lui dit gentiment :

— Pourquoi donc êtes-vous aussi en retard ? Vous avez mis bien du temps pour un simple aller et retour au sanctuaire. Mon oncle s'est inquiété, et m'a envoyé à votre recherche.

Sans répondre, Otsū sauta à bas du cheval. Hyōgo fit halte.

— … Pourquoi descendez-vous ? Il y a quelque chose qui ne va pas ?

— Non, mais il ne convient pas à une femme d'être à cheval quand un homme est à pied. Marchons ensemble. Nous pouvons l'un et l'autre tenir la bride.

Et elle prit place de l'autre côté du cheval. Ils descendirent dans la vallée qui s'assombrissait, et passèrent devant un écriteau où l'on pouvait lire : « Académie Sendan'en pour prêtres de la secte zen Sōdō. » Le ciel se remplissait d'étoiles ;

on entendait au loin la rivière Shibuya. Cette rivière divisait la vallée en Higakubo du Nord et Higakubo du Sud. Etant donné que l'école, fondée par le moine Rintatsu, se trouvait sur la pente septentrionale, on surnommait familièrement les prêtres « les gens du Nord ». Les « gens du Sud » étaient les hommes qui étudiaient l'art du sabre sous la direction de Yagyū Munenori dont l'établissement se dressait juste en face, de l'autre côté de la vallée.

En tant que préféré de Yagyū Sekishūsai parmi ses fils et petits-fils, Yagyū Hyōgo jouissait d'un rang particulier parmi les « gens du Sud ». Il s'était également distingué par lui-même. A l'âge de vingt ans, convoqué par le célèbre général Katō Kiyomasa, il s'était vu attribuer un poste au château de Kumamoto, dans la province de Higo, pour une solde de quinze mille boisseaux. C'était sans précédent pour un homme aussi jeune ; pourtant, après la bataille de Sekigahara, Hyōgo se mit à avoir des doutes au sujet de son rang, à cause du danger qu'il y avait à devoir prendre le parti soit des Tokugawa, soit de la faction d'Osaka. Trois ans plus tôt, prétextant la maladie de son grand-père, il avait pris un congé d'absence de Kumamoto et était retourné à Yamato. Après quoi, prétendant avoir besoin d'un entraînement supplémentaire, il avait parcouru quelque temps la campagne.

Lui et Otsū s'étaient rencontrés par hasard, l'année précédente, lorsqu'il était venu séjourner chez son oncle. Avant cela, plus de trois années durant, Otsū avait mené une existence précaire, sans jamais pouvoir échapper tout à fait à Matahachi, qui l'avait traînée avec lui partout en déclarant spécieusement aux employeurs éventuels qu'il s'agissait de son épouse. Eût-il accepté de travailler comme apprenti chez un charpentier, un plâtrier ou un maçon, il aurait pu trouver un emploi le jour même de leur arrivée à Edo ; mais il préférait s'imaginer qu'ils pourraient travailler ensemble à des tâches moins rudes, elle comme domestique peut-être, lui comme employé de bureau ou comptable.

Nul ne voulant de ses services, ils étaient parvenus à survivre d'expédients. A mesure que les mois passaient, Otsū, dans l'espoir d'amadouer son bourreau, lui avait cédé sur tous les points excepté le don de son corps.

Et puis, un jour qu'ils marchaient dans la rue, ils avaient rencontré le cortège d'un daimyō. Avec tous les autres, ils se rangèrent au bord de la route et prirent l'attitude respectueuse qui convenait.

Palanquins et coffres laqués portaient les armes des Yagyū. Otsū avait levé les yeux suffisamment pour le constater ; le souvenir de Sekishūsai et des heureux jours au château de Koyagyū lui inonda le cœur. Si seulement elle était maintenant de retour en ce paisible pays de Yamato ! Avec à son côté Matahachi, elle ne pouvait que regarder passer le cortège d'un œil hébété.

— C'est vous, Otsū ?

Le chapeau conique en joncs descendait bas sur le visage du samouraï ; pourtant, comme il se rapprochait, Otsū avait reconnu Kimura Sukekurō, un homme qu'elle se rappelait avec affection et respect. Elle n'aurait pu être plus stupéfaite ou reconnaissante s'il s'était agi du Bouddha lui-même, entouré de la merveilleuse lumière de l'infinie compassion. S'étant furtivement écartée de Matahachi, elle avait couru vers Sukekurō qui n'avait pas tardé à lui proposer de l'emmener. Quand Matahachi ouvrit la bouche pour protester, Sukekurō lui répondit sur un ton péremptoire :

— Si vous avez quelque chose à dire, venez le dire à Higakubo.

Impuissant devant la prestigieuse Maison de Yagyū, Matahachi tint sa langue et se mordit la lèvre inférieure, de colère et de frustration, en voyant lui échapper son trésor.

Une lettre urgente

A trente-huit ans, Yagyū Munenori était considéré comme le meilleur de tous les hommes d'épée. Ce qui n'avait pas empêché son père de s'inquiéter sans cesse au sujet de son cinquième fils.

« Si seulement il pouvait venir à bout de sa petite bizarrerie de caractère !... » se disait-il souvent. Ou : « Quelqu'un d'aussi entêté peut-il se maintenir à un rang élevé ? »

Cela faisait maintenant quatorze ans que Tokugawa Ieyasu avait ordonné à Sekishūsai de lui foùrnir un instructeur pour Hidetada. Sekishūsai avait éliminé ses autres fils, petits-fils et neveux. Munenori n'était ni particulièrement brillant ni d'une héroïque virilité mais il s'agissait d'un homme doté d'un bon jugement solide, d'un homme pratique, qui ne risquait pas de se perdre dans les nuées. Il ne possédait ni la stature de son père, ni le génie de Hyōgo ; pourtant, on pouvait se fier à lui, et surtout il comprenait le principe cardinal du style Yagyū, à savoir que la véritable valeur de l'Art de la guerre résidait dans son application au gouvernement.

Sekishūsai ne s'était pas mépris sur les désirs d'Ieyasu ; le général vainqueur n'avait que faire d'un homme d'épée qui n'enseignât que la technique à son héritier. Quelques années avant Sekigahara, Ieyasu lui-même avait étudié sous un maître du sabre appelé Okuyama, son objectif étant, comme il le disait souvent, « d'acquérir l'œil nécessaire à embrasser le pays tout entier ».

Pourtant, Hidetada était maintenant shōgun, et il n'eût pas convenu à l'instructeur du shōgun d'être un homme qui perdît un combat réel. Un samouraï du rang de Munenori devait dépasser tous ses rivaux, et prouver que l'art du sabre des Yagyū l'emportait sur tous. Munenori se sentait constamment scruté, mis à l'épreuve ; alors que d'autres pouvaient le considérer comme chanceux d'avoir été choisi pour ce poste important, lui-même enviait souvent Hyōgo, et souhaitait mener la vie de son neveu.

Hyōgo, précisément, prenait alors le couloir extérieur qui conduisait à la chambre de son oncle. La maison, bien que vaste, n'avait rien de majestueux. Au lieu de faire appel à des charpentiers de Kyoto pour créer une demeure élégante et gracieuse, Munenori avait exprès confié le travail à des entrepreneurs locaux, habitués au style robuste de guerriers spartiates de Kamakura. Bien que les arbres fussent assez clairsemés, et les collines plutôt basses, Munenori avait choisi un solide style rustique d'architecture, à l'exemple de la vieille Maison principale de Koyagyū.

— Mon oncle, appela doucement et poliment Hyōgo, en s'agenouillant sur la véranda devant la chambre de Munenori.

— C'est toi, Hyōgo ? demanda Munenori sans quitter des yeux le jardin.

— Puis-je entrer ?

Ayant reçu l'autorisation d'entrer, Hyōgo s'avança dans la chambre à genoux. Il avait pris pas mal de libertés avec son grand-père, enclin à le gâter, mais se gardait bien d'en faire autant avec son oncle. Munenori, qui n'était pas à cheval sur la discipline, l'était sur l'étiquette. Maintenant comme toujours, il se tenait assis de façon strictement protocolaire. Il arrivait à Hyōgo d'avoir pitié de lui.

— Et Otsū ? demanda Munenori comme si la venue de Hyōgo la lui rappelait.

— Elle est rentrée. Elle était seulement allée au sanctuaire de Hikawa comme elle le fait souvent. Au retour, elle a laissé son cheval errer un peu à sa guise.

— Tu es allé à sa recherche ?

— Oui, monsieur.

Munenori garda quelques instants le silence. La lumière de la lampe accusait son profil aux lèvres serrées.

— Cela me soucie qu'une jeune femme habite indéfiniment ici. L'on ne sait jamais ce qui peut arriver. J'ai dit à Sukekurō de guetter l'occasion de lui suggérer d'aller ailleurs.

— Il paraît qu'elle n'a nulle part où aller, répondit Hyōgo d'un ton légèrement plaintif.

Il s'étonnait du changement d'attitude de son oncle : quand Sukekurō avait ramené Otsū en la présentant comme une femme qui avait bien servi Sekishūsai, Munenori l'avait cordialement accueillie, et lui avait déclaré qu'elle était libre de rester aussi longtemps qu'elle le souhaitait.

— ... N'avez-vous pas pitié d'elle ? demanda Hyōgo.

— Si, mais il y a des limites à ce que l'on peut faire pour les gens.

— Je croyais que vous-même l'estimiez.

— Ça n'a rien à voir. Quand une jeune femme vient habiter

une maison remplie de jeunes hommes, les langues risquent d'aller bon train. Et pour les hommes, cela crée une situation difficile. L'un d'eux risque de faire une bêtise.

Ce fut au tour de Hyōgo de se taire, mais non pas parce qu'il prenait pour soi les remarques de son oncle. Il avait trente ans et, comme les autres jeunes samouraïs, il était célibataire, mais il croyait fermement que ses propres sentiments envers Otsū étaient trop purs pour susciter des doutes sur ses intentions. Il avait pris soin d'endormir les soupçons de son oncle en ne faisant pas mystère de son affection pour elle, sans laisser entendre à aucun moment que ses sentiments allaient au-delà de l'amitié.

Hyōgo pressentait que le problème risquait de concerner son oncle. L'épouse de Munenori venait d'une famille hautement respectée et bien en place, de ces familles dont les filles étaient remises à leurs maris, le jour de leurs noces, dans un palanquin tendu de rideaux pour n'être pas vues des étrangers. Ses appartements, ainsi que ceux des autres femmes, se trouvaient fort éloignés des parties plus publiques de la maison ; ainsi, pratiquement personne ne savait si les relations entre le maître et sa femme étaient harmonieuses. On imaginait sans peine que la dame du logis risquait de voir d'un mauvais œil une jeune femme belle et désirable aussi près de son mari. Hyōgo rompit le silence :

— Reposez-vous de cette affaire sur Sukekurō et moi. Nous trouverons une solution qui ne soit pas trop pénible pour Otsū.

— Le plus tôt sera le mieux, dit Munenori en approuvant du chef.

En cet instant, Sukekurō pénétra dans l'antichambre, déposa sur le tatami un coffret à lettre, s'agenouilla et s'inclina.

— Votre Seigneurie... dit-il avec respect.

Tournant les yeux vers l'antichambre, Munenori demanda :

— Qu'y a-t-il ?

A genoux, Sukekurō s'avança.

— Un courrier vient d'arriver de Koyagyū par cheval rapide.

— Par cheval rapide ? répéta Munenori vivement, mais sans surprise.

Hyōgo reçut le coffret des mains de Sukekurō et le tendit à son oncle. Munenori ouvrit la lettre, qui était de Shōda Kizaemon. Ecrite en hâte, elle disait : « Le Vieux Seigneur vient d'avoir une nouvelle crise, pire qu'aucune des précédentes. Nous craignons qu'il ne vive pas longtemps. Il affirme courageusement que sa maladie n'est pas une raison suffisante pour que vous abandonniez vos devoirs. Toutefois, après en avoir discuté entre nous, nous autres membres de sa suite avons résolu d'écrire pour vous informer de la situation. »

— ... Il est dans un état critique, dit Munenori.

Hyōgo admira la faculté qu'avait son oncle de rester calme. Il supposait que Munenori savait exactement ce qu'il convenait de faire, et avait déjà pris les décisions nécessaires. Après quelques minutes de silence, Munenori demanda :

— ... Hyōgo, veux-tu aller à Koyagyū à ma place ?

— Bien sûr, monsieur.

— Je veux que tu assures à mon père qu'il ne doit s'inquiéter de rien quant à Edo. Et je veux que tu t'occupes de lui personnellement.

— Bien, monsieur.

— Je suppose que maintenant, il faut s'en remettre à la volonté des dieux et du Bouddha. Tout ce que tu peux faire, c'est te hâter pour essayer d'arriver là-bas avant qu'il ne soit trop tard.

— Je partirai ce soir.

De la chambre du seigneur Munenori, Hyōgo passa aussitôt à la sienne propre. Durant le temps bref qu'il lui fallut pour réunir les quelques affaires dont il aurait besoin, la mauvaise nouvelle se répandit dans toute la maison. Otsū se rendit discrètement à la chambre de Hyōgo en tenue de voyage, ce qui le surprit. Elle avait les yeux humides.

— Je vous en prie, emmenez-moi avec vous, supplia-t-elle. Je ne puis espérer m'acquitter jamais de ma dette envers le seigneur Sekishūsai pour m'avoir accueillie chez lui, mais j'aimerais être auprès de lui pour l'assister un peu, si possible. J'espère que vous ne refuserez pas.

Hyōgo envisageait comme possible que son oncle eût refusé mais lui-même n'en avait pas le courage. Peut-être était-ce une bénédiction que cette occasion d'emmener la jeune femme loin de la maison d'Edo se fût présentée.

— Très bien, répondit-il, mais il va falloir faire vite.

— Je promets de ne pas vous retarder.

Séchant ses larmes, elle l'aida à terminer ses bagages, puis alla présenter ses respects au seigneur Munenori.

— Ah ! vous accompagnez Hyōgo ? dit-il, médiocrement surpris. C'est fort aimable à vous. Je suis certain que mon père sera content de vous voir.

Il tint à lui donner une généreuse somme d'argent pour le voyage, et un kimono neuf comme présent de départ. Malgré sa conviction que c'était la meilleure chose à faire, le départ de la jeune femme attrista Munenori. Elle prit congé sur une révérence.

— ... Prenez bien soin de vous, dit-il avec émotion tandis qu'elle gagnait l'antichambre.

Vassaux et serviteurs bordaient l'allée jusqu'au portail afin de les voir s'éloigner ; sur un simple « adieu » de Hyōgo, ils prirent la route.

Otsū avait retroussé son kimono sous son obi de sorte que l'ourlet ne descendait que de douze à quinze centimètres au-dessous des genoux. Elle était coiffée d'un chapeau de voyage laqué à larges bords, et dans la main droite portait une badine. Si ses épaules avaient été drapées de fleurs, elle eût été l'image de la Fille aux glycines, que figurent si souvent les bois gravés.

Hyōgo ayant résolu de louer des moyens de transport aux postes qui longeaient la grand-route, leur but de ce soir-là était la ville à auberge de Sangen'ya, au sud de Shibuya. De là, il se proposait de suivre la grand-route d'Oyama jusqu'à la rivière Tama, de la franchir en bac et de suivre le Tōkaidō jusqu'à Kyoto.

Dans la brume du soir, le chapeau laqué d'Otsū ne fut pas long à briller d'humidité. Après avoir traversé la vallée herbeuse d'une rivière, ils arrivèrent à une route assez large qui depuis la période Kamakura était l'une des plus importantes du district de Kantō. Bordée des deux côtés par des arbres épais, la nuit, elle était déserte.

— ... Sinistre, n'est-ce pas ? dit Hyōgo avec un sourire en

ralentissant de nouveau ses foulées naturellement longues, pour permettre à Otsū de le rattraper. C'est la Pente de Dōgen. Autrefois, il y avait des bandits par ici, ajouta-t-il.

— Des bandits ?

Il y avait juste assez d'inquiétude dans sa voix pour le faire rire.

— Mais il y a longtemps de cela. Un certain Dōgen Tarō, apparenté au rebelle Wada Yoshimori, passe pour avoir été le chef d'une bande de voleurs qui vivaient dans les cavernes, par ici.

— Ne parlons pas de choses pareilles.

Le rire de Hyōgo se répercuta à travers les ténèbres ; en l'entendant, il éprouva du remords de se montrer frivole. Mais il ne pouvait se retenir. Bien que triste, il envisageait avec plaisir de passer en compagnie d'Otsū les quelques jours qui allaient suivre.

— Oh ! s'écria-t-elle en reculant de deux pas.

— Que se passe-t-il ?

D'instinct, le bras de Hyōgo lui entoura les épaules.

— Il y a quelqu'un, là-bas.

— Où donc ?

— C'est un enfant, assis là au bord de la route ; il se parle à lui-même en pleurant. Le pauvre !

En se rapprochant, Hyōgo reconnut le jeune garçon qu'il avait vu plus tôt dans la soirée, caché dans l'herbe d'Azabu. Iori se leva d'un bond, le souffle coupé. Un instant plus tard, il poussait un juron, le sabre tendu vers Hyōgo.

— Le renard ! criait-il. Voilà ce que vous êtes, un renard !

Otsū, haletante, étouffa un cri. Iori avait une expression sauvage, presque démoniaque, comme s'il eût été possédé par un esprit mauvais. Hyōgo lui-même recula prudemment.

— ... Des renards ! cria de nouveau Iori. Je m'en vais vous faire votre affaire !

Il avait une voix éraillée et rauque de vieille femme. Hyōgo le fixait d'un regard perplexe, mais veillait à éviter sa lame.

— ... Qu'est-ce que vous dites de ça ? cria Iori en décapitant un haut arbuste, non loin de Hyōgo.

Puis, épuisé par son effort, il se laissa tomber à terre. Le souffle court, il demanda :

— ... Qu'est-ce que tu penses de ça, renard ?

Se tournant vers Otsū, Hyōgo lui dit avec un large sourire :

— Pauvre petit bonhomme, il m'a l'air possédé par un renard.

— Peut-être avez-vous raison. Ses yeux sont féroces.

— Tout comme ceux d'un renard.

— Ne pouvons-nous rien pour lui ?

— Mon Dieu, on dit qu'il n'existe aucun remède ni pour la folie ni pour la bêtise, mais je soupçonne qu'il y en a un pour son mal.

Il s'avança vers Iori et le foudroya d'un regard sévère. Levant les yeux, le garçon reprit vivement son sabre.

— Encore là, hein ? cria-t-il.

Mais avant qu'il ne pût se relever, ses oreilles furent assaillies par un furieux rugissement venu du creux de l'estomac de Hyōgo.

— R-r-r-r !

Iori mourait de peur. Hyōgo l'empoigna par la taille et, le tenant horizontalement, redescendit à grands pas la colline jusqu'au pont. Il retourna le garçon sens dessus dessous, le saisit par les chevilles et le tint au-dessus du parapet.

— Au secours ! Maman ! Au secours ! Au secours ! *Sensei !* Sauvez-moi !

Ses cris se transformèrent peu à peu en gémissements. Otsū s'élançait à son aide.

— Arrêtez, Hyōgo ! Lâchez-le ! Ne soyez pas aussi cruel.

— Je crois que ça suffit, dit Hyōgo en déposant doucement le garçon sur le pont.

Iori se trouvait dans un état affreux ; il hurlait, hoquetait, persuadé que nulle âme au monde ne pouvait rien pour lui. Otsū alla à côté de lui, et entoura d'un bras affectueux ses épaules tombantes.

— Où demeures-tu, mon enfant ? demanda-t-elle avec douceur.

Entre ses sanglots, Iori bégaya :

— P-par là-là-là-là-bas.

— Que veux-tu dire, « par là-bas » ?

— Ba-ba-ba-kurōchō.

— Mais c'est à des kilomètres ! Comment as-tu fait tout le chemin jusqu'ici ?

— Je suis venu en course. Je me suis perdu.

— Quand donc ?

— Je suis parti de Bakurōchō hier.

— Et tu as erré toute la nuit et toute la journée ?

Iori acquiesça à moitié de la tête, mais ne répondit pas.

— ... Voyons, mais c'est affreux ! Dis-moi, où devais-tu aller ?

Maintenant un peu calmé, il répondit promptement comme s'il avait attendu la question :

— A la résidence du seigneur Yagyū Munenori de Tajima.

Après avoir tâtonné sous son obi, il saisit la lettre froissée et l'agita fièrement devant son visage. L'approchant de ses yeux, il déclara :

— ... Elle est pour Kimura Sukekurō. Je dois la remettre et attendre la réponse.

Otsū voyait bien qu'Iori prenait sa mission très au sérieux, et se trouvait disposé à donner sa vie pour protéger la missive. Iori, pour sa part, était résolu à ne montrer la lettre à personne avant de parvenir à destination. Ni l'un ni l'autre ne se doutait de l'ironie de la situation : une occasion manquée, un événement plus rare que la conjonction, à travers le Fleuve céleste, du Berger et de la Vierge. Se tournant vers Hyōgo, Otsū lui dit :

— Il semble avoir une lettre pour Sukekurō.

— Il a pris la mauvaise direction, vous ne croyez pas ? Heureusement, ce n'est pas très loin.

Il appela Iori pour lui indiquer le chemin :

— ... Longe cette rivière jusqu'au premier croisement de routes, puis tourne à gauche et monte la colline. Arrivé à un endroit où trois routes se réunissent, tu verras deux grands pins à ta droite. La maison est à gauche, de l'autre côté de la route.

— Et prends garde à ne pas te faire à nouveau posséder par un renard, ajouta Otsū.

Iori avait repris confiance.

— Merci ! cria-t-il en courant déjà le long de la rivière.

Lorsqu'il atteignit le croisement de routes, il se tourna à demi pour lancer :

— ... Ici, c'est à gauche ?

— Exactement, répondit Hyōgo. La route est sombre ; aussi fais attention.

Lui et Otsū, debout sur le pont, le regardèrent une minute ou deux.

— ... Curieux enfant ! dit-il.

— Oui, mais il m'a l'air assez brillant.

Dans sa tête, elle le comparait avec Jōtarō, à peine un peu plus grand qu'Iori lorsqu'elle l'avait vu pour la dernière fois. Jōtarō, se disait-elle, devait avoir maintenant dix-sept ans. Elle se demandait à quoi il ressemblait, et éprouvait pour Musashi un inévitable accès de nostalgie. Tant d'années qu'elle était sans nouvelles de lui !... Elle avait beau être maintenant habituée à vivre avec la souffrance que provoque l'amour, elle osait espérer que le fait de quitter Edo la rapprocherait de lui, qu'elle pourrait même le rencontrer quelque part en chemin.

— Continuons notre route, dit brusquement Hyōgo, à lui-même autant qu'à Otsū. Pour ce soir, ce qui est fait est fait ; mais veillons à ne plus perdre de temps.

Piété filiale

— Qu'est-ce que vous fabriquez, grand-mère ? Des exercices de calligraphie ?

Jūrō-la-Natte-de-roseaux avait une expression ambiguë ; il était peut-être admiratif, ou simplement choqué.

— Ah ! c'est vous, dit Osugi avec un soupçon d'agacement.

S'asseyant à côté d'elle Jūrō marmonna :

— En train de copier un sutra bouddhiste, n'est-ce pas ?

La question resta sans réponse.

— ... A votre âge, on n'a pourtant plus besoin d'apprendre à écrire ! A moins que vous ne vouliez enseigner la calligraphie dans l'autre monde ?

— Silence ! Pour copier les saintes écritures, il faut réaliser un état sans ego. Le mieux pour cela, c'est la solitude. Pourquoi ne partez-vous donc pas ?

— Après m'être dépêché de rentrer à la maison uniquement pour vous dire ce qui m'est arrivé aujourd'hui ?

— Je peux attendre.

— Quand est-ce que vous aurez fini ?

— Je dois mettre dans chacun des caractères que je trace l'esprit de l'illumination du Bouddha. Une seule copie me prend trois jours.

— Vous ne manquez pas de patience.

— Trois jours, ce n'est rien. Cet été, je vais établir plusieurs douzaines de copies. J'ai fait vœu d'en réaliser mille avant de mourir. Je les laisserai à des gens qui n'aiment pas leurs parents comme il convient.

— Mille copies ? C'est beaucoup.

— C'est mon vœu sacré.

— Eh bien, je n'en suis pas très fier, mais je crois avoir manqué de respect à mes parents, comme les autres paltoquets qui traînent ici. Ils les ont oubliés depuis belle lurette. Le seul qui se soucie de sa mère et de son père, c'est le patron.

— Nous vivons dans un bien triste monde.

— Ha ! ha ! Si ça vous bouleverse tant que ça, vous devez avoir un bon à rien de fils, vous aussi.

— J'ai regret à le dire, le mien m'a causé beaucoup de chagrin. Voilà pourquoi j'ai fait ce vœu. Ceci est le *Sutra sur le grand amour des parents*. Quiconque ne traite pas comme il faut sa mère ou son père devrait être obligé de le lire.

— Vous donnez vraiment à mille personnes une copie de ce machin-là ?

— On dit qu'en semant une seule graine d'illumination, on peut convertir cent personnes, et que si un seul germe d'illumination se développe au sein de cent cœurs, dix millions d'âmes peuvent être sauvées.

Elle posa son pinceau, prit une copie achevée et la tendit à Jūrō.

— ... Tenez, voilà pour vous. N'oubliez pas de le lire quand vous en aurez le temps.

Elle avait une telle expression de piété que Jūrō faillit éclater de rire ; mais il réussit à se contenir. Dominant son désir de le fourrer dans son kimono comme n'importe quel papier de soie, il le leva respectueusement à son front et le posa sur ses genoux.

— Dites donc, grand-mère, vous êtes bien sûre que vous ne voulez pas savoir ce qui m'est arrivé aujourd'hui ? Peut-être que votre foi en le Bouddha porte fruit. J'ai rencontré quelqu'un de tout à fait extraordinaire.

— Qui cela peut-il bien être ?

— Miyamoto Musashi. Je l'ai vu là-bas, au fleuve Sumida, en train de débarquer du bac.

— Vous avez vu Musashi ? Et vous ne me le disiez pas ! Elle repoussa la table à écrire avec un grognement.

— ... Vous en êtes bien certain ? Où donc est-il, maintenant ?

— Là, allons, du calme. Votre vieux Jūrō ne fait pas à moitié les choses. Après avoir découvert qui il était, je l'ai suivi à son insu. Il est allé à une auberge de Bakurōchō.

— Il habite près d'ici ?

— Mon Dieu, ça n'est pas si près que ça.

— Peut-être que cela ne vous semble pas près, à vous, mais à moi, si. J'ai parcouru tout le pays à sa recherche.

Elle se leva d'un bond, se rendit à son armoire à vêtements, en sortit le sabre court qui se trouvait depuis des générations dans sa famille.

— ... Emmenez-moi là-bas, ordonna-t-elle.

— Maintenant ?

— Bien sûr, maintenant.

— Je vous croyais très patiente, mais... Pourquoi faut-il que vous y alliez maintenant ?

— Je suis toujours prête à rencontrer Musashi, à tout instant. Si je me fais tuer, vous pourrez renvoyer mon corps à ma famille, au Mimasaka.

— Ne pourriez-vous attendre le retour du patron ? Si nous partons comme ça, tout ce que je récolterai pour avoir trouvé Musashi, ça sera ma mise à la porte avec un coup de pied dans le derrière.

— Mais Musashi risque de s'en aller.

— Ne vous en faites pas là-dessus. J'ai envoyé un homme pour garder un œil sur l'endroit.

— Pouvez-vous me garantir que Musashi ne s'en ira pas ?

— Quoi ? Je vous rends un service et vous voulez me lier par des obligations ! Bon, très bien. Je vous le garantis. Formellement. Dites donc, grand-mère, c'est le moment où vous devriez vous détendre, vous asseoir pour copier des sutras ou quelque chose de ce genre.

— Où est Yajibei ?

— En voyage à Chichibu avec son groupe religieux. Je ne sais pas au juste quand il rentrera.

— Je n'ai pas le temps d'attendre.

— Dans ce cas, pourquoi ne pas faire venir Sasaki Kojirō ? Vous pourrez lui en parler.

Le lendemain matin, après avoir pris contact avec son espion, Jūrō informa Osugi que Musashi avait déménagé de l'auberge à la maison d'un polisseur de sabres.

— Vous voyez bien ! Je vous l'avais dit, déclara Osugi. On ne peut espérer de lui qu'il se tienne éternellement tranquille au même endroit. La prochaine fois, il sera encore ailleurs.

Elle était assise à sa table à écrire, mais n'avait pas écrit un mot de toute la matinée.

— Musashi ne va pas s'envoler, lui assura Jūrō. Du calme. Koroku verra Kojirō aujourd'hui.

— Aujourd'hui ? Vous n'avez donc pas envoyé quelqu'un hier au soir ? Dites-moi où il habite. J'irai moi-même.

Elle commença à se préparer pour sortir ; mais Jūrō disparut soudain, et elle dut demander son chemin à deux des autres acolytes. Ayant rarement quitté la maison depuis plus de deux ans qu'elle séjournait à Edo, la ville lui était fort peu familière.

— Kojirō habite chez Iwama Kakubei, lui répondit-on.

— Kakubei est un vassal des Hosokawa, mais sa propre maison se trouve sur la grand-route de Takanawa.

— Elle est à peu près à mi-pente de la colline d'Isarago. N'importe qui vous dira où ça se trouve.

— Si vous avez la moindre difficulté, demandez Tsukinomisaki. C'est un autre nom pour désigner la colline d'Isarago.

— La maison est facile à reconnaître : le portail est peint en rouge vif.

— Très bien, j'ai compris, dit Osugi avec impatience, irritée du sous-entendu qu'elle était gâteuse ou stupide. Ça ne paraît pas compliqué ; aussi, je pars. Occupez-vous de tout en mon absence. Attention au feu. Yajibei ne doit pas retrouver un tas de cendre.

Ayant mis son zōri, elle vérifia que son petit sabre était bien à son côté, et s'éloigna au pas militaire. Quelques minutes plus tard, Jūrō reparut et demanda où elle se trouvait.

— Elle nous a demandé comment aller chez Kakubei, et est partie seule.

— Ah ! eh bien, qu'est-ce qu'on peut faire avec cette vieille tête de cochon ?

Et il cria en direction du local des hommes :

— ... Koroku !

L'Acolyte abandonna son jeu de dés pour accourir.

— ... Tu devais aller voir Kojirō hier au soir, et puis tu y as renoncé. Et maintenant, regarde ce qui est arrivé. La vieille y est allée elle-même.

— Et alors ?

— Quand le patron rentrera, elle le lui rapportera.

— Tu as raison. Et avec la langue qu'elle a, elle nous peindra sous de sales couleurs.

— Ouais. Si seulement elle pouvait marcher comme elle parle !... Mais elle est aussi maigre qu'une sauterelle. Si elle se fait renverser par un cheval, elle n'en réchappera pas. Ça m'embête de te demander ça, mais tu ferais mieux de la suivre pour veiller à ce qu'elle n'arrive pas là-bas en morceaux.

Koroku partit en courant, et Jūrō, ruminant sur l'absurdité de toute chose, s'approcha d'un angle de la salle des jeunes hommes. C'était une vaste pièce, d'environ neuf mètres sur douze. Une natte mince, tissée fin, couvrait le sol ; une large gamme de sabres et d'autres armes traînaient partout. Pendus à des clous : des serviettes de toilette, des kimonos, des sous-vêtements, des casques à incendie et autres articles nécessaires à une bande de vauriens. Deux objets incongrus : un kimono de femme, de couleurs vives, doublé de soie rouge ; le miroir en pied laqué or sur lequel il était pendu. On les avait placés là sur les instructions de Kojirō, lequel avait expliqué à Yajibei, non sans quelque mystère, que si un groupe d'hommes vivaient ensemble dans une chambre sans la moindre touche féminine, ils risquaient de sortir de leurs gonds et de se battre entre eux, au lieu d'économiser leur énergie pour des batailles utiles.

— Tu triches, espèce de salaud !

— Personne ne triche ! T'es dingue.

Jūrō jeta aux joueurs un regard dédaigneux, et s'étendit les jambes confortablement croisées. Dans tout ce vacarme, il était hors de question de dormir ; mais il n'allait pas s'abaisser à prendre part à l'un des jeux de cartes ou de dés. Comme il fermait les yeux, il entendit une voix lamentable dire :

— Pas la peine, aujourd'hui : pas la moindre veine.

Le perdant, avec les yeux tristes des vaincus, laissa tomber par terre un oreiller, et s'étendit à côté de Jūrō. Un autre les imita, puis un autre et encore un autre.

— Qu'est-ce que c'est que ça ? demanda l'un d'eux en tendant la main vers la feuille de papier tombée du kimono de Jūrō. Eh bien, Dieu me pardonne... c'est un sutra. Ça, alors ! Pourquoi donc un sale individu comme toi transporte-t-il un sutra ?

Jūrō souleva une paupière endormie, et répondit paresseusement :

— Ah ! ça ? C'est quelque chose que la vieille a copié. Elle dit qu'elle a juré d'en faire un millier.

— Fais voir, dit un autre en tendant la main. Qu'est-ce que tu me racontes ? C'est clair comme de l'eau de roche. Un enfant pourrait le lire.

— Veux-tu dire par là que toi, tu pourrais le lire ?

— Bien sûr. C'est un jeu d'enfant.

— Très bien, alors, lis-nous-en un peu. Mets-y un ton agréable. Chante-le comme un prêtre.

— Tu veux rire ? Ça n'est pas une chanson populaire.

— Quelle importance ? Jadis, on chantait les sutras. C'est l'origine des hymnes bouddhistes. Tu sais reconnaître un hymne en l'entendant, non ?

— On ne peut chanter ces paroles sur la musique d'un hymne.

— Alors, improvise.

— Chante, toi, Jūrō.

Encouragé par l'enthousiasme des autres, Jūrō, toujours couché sur le dos, ouvrit le sutra et commença :

« Le Sutra sur le grand amour des parents.

Voici ce que j'ai appris.
Un jour que le Bouddha se trouvait sur le pic des Vautours
[sacrés,
Dans la Cité des palais royaux,
En train de prêcher à des bodhisattva et à des disciples,
Il se rassembla une multitude de moines, de nonnes et de
[simples fidèles des deux sexes,

Tous les habitants de tous les cieux, dieux-dragons et
[démons,
Pour entendre la Loi sacrée.
Autour du trône orné de pierreries, ils se rassemblèrent
Et contemplèrent fixement
La sainte face... »

— Qu'est-ce que tout ça veut dire ?

— Quand ça parle de « nonnes », est-ce qu'il s'agit des filles que nous surnommons nonnes ? Vous savez, on m'a dit que certaines des « nonnes » de Yoshiwara se sont mises à se poudrer la figure en gris, et prennent moins cher que dans les bordels...

— La ferme !

« Alors, le Bouddha
Prêcha la Loi comme suit :
— Vous tous, braves hommes et braves femmes,
Reconnaissez votre dette envers la compassion de votre
[père,
Reconnaissez votre dette envers la miséricorde de votre
[mère.

Car la vie d'un être humain, en ce monde,
A le karma pour cause fondamentale,
Mais les parents pour immédiate origine. »

— Ça veut dire uniquement qu'il faut être gentil avec sa maman et son papa. On a déjà entendu ça des millions de fois.

— Chut !

— Chante encore. Nous nous tairons.

« Sans père, l'enfant n'est pas conçu.
Sans mère, l'enfant n'est pas nourri.
L'esprit vient de la semence du père ;
Le corps se développe au sein de la mère. »

Jūrō s'arrêta pour changer de position et se décrotter le nez, puis reprit :

« A cause de ces relations,
Le souci de la mère pour son enfant
Est sans comparaison en ce monde... »

Remarquant le silence des autres, Jūrō leur demanda :

— Vous m'écoutez ?

— Oui. Continue.

« A partir du moment où elle reçoit l'enfant dans son sein,
Durant neuf mois,
Allant, venant, s'asseyant, dormant,
Elle est visitée par la souffrance.
Elle cesse d'aimer comme d'habitude manger, boire et [s'habiller,
Pour s'inquiéter seulement d'une heureuse délivrance. »

— Je suis fatigué, gémit Jūrō. Ça suffit comme ça, vous ne trouvez pas ?

— Non. Continue à chanter. Nous t'écoutons.

« Les mois sont remplis, et suffisants les jours.
A l'époque de la naissance, les vents du karma la hâtent :

La douleur tenaille les os de la mère.
Le père aussi tremble d'effroi.
Famille et serviteurs, inquiets, se morfondent.
Lorsque l'enfant est né et a roulé sur l'herbe,
La joie sans bornes du père et de la mère
Egale celle d'une pauvresse
Qui a trouvé le joyau magique et tout-puissant.
Lorsque l'enfant pousse les premiers cris,
La mère a le sentiment de renaître elle-même.
Sa poitrine devient le lieu de repos de l'enfant ;
Ses genoux, son terrain de jeu ;
Ses seins, sa source de nourriture ;
Son amour, sa vie elle-même.
Sans sa mère, l'enfant ne peut se vêtir ou se dévêtir.
Même si la mère a faim,
Elle ôte la nourriture de sa propre bouche pour la donner à
[son enfant.
Sans la mère, l'enfant ne saurait être nourri... »

— Qu'est-ce qui se passe ? Pourquoi est-ce que tu t'arrêtes ?
— Une minute, s'il vous plaît.
— Voyez donc ! Il pleure comme un bébé.
— Oh ! bouclez-la.

Tout avait commencé comme un passe-temps quelconque, presque une farce, mais la signification des paroles du sutra pénétrait en eux. Outre le lecteur, trois ou quatre auditeurs ne souriaient pas, les yeux au loin.

« La mère va travailler au village voisin.
Elle tire l'eau, fait le feu,
Pile le grain, prépare la farine.
Le soir, à son retour,
Avant d'arriver à la maison,
Elle entend pleurer le bébé,
Et l'amour la remplit.
Sa poitrine se soulève, son cœur crie,
Le lait jaillit, elle ne peut le supporter.

Elle court à la maison.
Le bébé, voyant de loin sa mère approcher,
Fait travailler son esprit, secoue la tête
Et gémit après elle.
Elle se penche,
Prend les deux mains de l'enfant,
Pose ses lèvres sur les siennes.
Il n'y a pas de plus grand amour que celui-là.
L'enfant, à deux ans,
Quitte le sein maternel.
Mais sans son père il ne saurait pas que le feu peut brûler.
Sans sa mère il ne saurait pas qu'un couteau peut vous
[trancher les doigts.
A trois ans, on le sèvre et il apprend à manger.
Sans son père, il ne saurait pas que le poison peut tuer.
Sans sa mère, il ne saurait pas que la médecine guérit.
Quand les parents vont dans d'autres maisons
Et qu'on leur offre de merveilleuses friandises,
Ils ne les mangent pas mais les empochent
Pour les rapporter à l'enfant afin qu'il se réjouisse... »

— Encore à larmoyer ?

— Je ne peux pas m'en empêcher. Je viens de me rappeler quelque chose.

— Arrête. C'est contagieux.

Chez ces marginaux, la sentimentalité à l'égard des parents était strictement prohibée car exprimer de l'affection filiale, c'était se faire traiter de faible, d'efféminé ou pire encore. Pourtant, il eût été doux au vieux cœur d'Osugi de les voir en cet instant. La lecture du sutra, peut-être à cause de la simplicité de la langue, les atteignait au fond de l'âme.

— C'est tout ? Il n'y en a plus ?

— Si, il y en a encore beaucoup.

— Alors ?

— Une minute, veux-tu ?

Jūrō se leva, se moucha bruyamment et s'assit pour entonner le reste :

« L'enfant grandit.
Le père apporte de l'étoffe pour l'habiller.
La mère lui peigne ses boucles.
Les parents lui donnent tout ce qu'ils ont de beau
En ne gardant pour eux que ce qui est vieux et usé.
L'enfant prend femme
Et amène à la maison cette étrangère.
Les parents se font plus distants.
Les nouveaux mariés sont intimes l'un avec l'autre.
Ils restent dans leur propre chambre à causer joyeusement
[ensemble. »

— C'est assez ça, interrompit une voix.

« Les parents vieillissent.
Leur esprit s'affaiblit ; leurs forces diminuent.
Ils n'ont que l'enfant sur qui s'appuyer,
Sa seule femme pour s'occuper d'eux.
Mais l'enfant ne vient plus les voir,
Ni la nuit ni le jour.
Leur chambre est glacée.
Plus d'agréable conversation.
Ils sont pareils aux clients solitaires d'une auberge.
Une crise survient, et ils appellent leur enfant.
Neuf fois sur dix, il ne vient pas
Les servir.
Il se met en colère et les injurie,
Disant que mieux vaudrait mourir
Que s'attarder, indésirables, en ce monde.
Les parents écoutent, le cœur plein de rage.
Ils disent en pleurant : Quand tu étais jeune,
Sans nous tu ne serais pas né,
Sans nous tu n'aurais pas grandi.
Ah ! que nous... »

Jūrō s'interrompit et rejeta le texte.
— Je... je ne peux pas. Qu'un autre le lise.
Mais il n'y avait personne pour le remplacer. Couchés sur le

dos, sur le ventre, assis les jambes croisées, la tête pendant entre les genoux, ils pleuraient comme des enfants perdus.

Au beau milieu de cette scène invraisemblable survint Sasaki Kojirō.

Rouge averse de printemps

— Yajibei n'est pas là ? demanda Kojirō d'une voix forte.

Les joueurs étaient si absorbés par leur jeu, et les pleureurs par leurs souvenirs d'enfance, que nul ne répondit. S'avançant vers Jūrō couché sur le dos, les bras sur les yeux, Kojirō lui dit :

— ... Peut-on savoir ce qui se passe ?

— Oh ! je ne savais pas que c'était vous, monsieur.

En hâte on s'essuya les yeux et on se moucha tandis que Jūrō et les autres se levaient et s'inclinaient d'un air penaud devant leur instructeur.

— Vous pleurez ? demanda-t-il.

— Euh, oui. Je veux dire : non.

— Drôle de coco.

Tandis que les autres s'écartaient, Jūrō se mit à raconter sa rencontre fortuite avec Musashi, heureux d'avoir un sujet qui pût détourner l'attention de Kojirō de l'état de la chambrée.

— Comme le patron est en voyage, dit-il, nous ne savions pas quoi faire ; aussi Osugi a-t-elle décidé d'aller vous trouver.

Les yeux de Kojirō étincelèrent.

— Musashi loge dans une auberge de Bakurōchō ?

— Il y logeait, mais maintenant il habite chez Zushino Kōsuke.

— Curieuse coïncidence.

— Vraiment ?

— Il se trouve justement que j'ai envoyé ma « Perche à sécher » à Zushino pour qu'il travaille dessus. De fait, maintenant elle devrait être prête. Je suis venu par ici aujourd'hui pour la reprendre.

— Vous êtes déjà allé là-bas ?

— Pas encore. Je voulais passer ici d'abord.

— Quelle chance ! Si vous leur étiez tombé dessus à l'improviste, Musashi aurait risqué de vous attaquer.

— Il ne me fait pas peur. Mais comment puis-je m'entretenir avec la vieille dame, si elle n'est pas là ?

— Elle ne doit pas être encore arrivée à Isarago. Je vais envoyer un bon coursier pour la ramener.

Au conseil de guerre qui se tint ce soir-là, Kojirō exprima l'opinion qu'il n'y avait pas de raison d'attendre le retour de Yajibei. Lui-même servirait à Osugi de second pour lui permettre enfin de prendre sa juste revanche. Jūrō et Koroku demandèrent à les accompagner, plus pour l'honneur que pour les aider. Ils avaient beau connaître Musashi de réputation, jamais ils n'eussent imaginé qu'il pût être un rival pour leur brillant instructeur.

Mais on ne pouvait rien faire le soir même. En dépit de tout son enthousiasme, Osugi était morte de fatigue et se plaignait d'avoir mal au dos. Ils décidèrent de réaliser leur projet le lendemain soir.

Le lendemain après-midi, Osugi prit un bain froid, se noircit les dents et se teignit les cheveux. Au crépuscule, elle se prépara pour le combat : d'abord, elle passa une robe de dessous blanche qu'elle avait achetée pour se faire enterrer dedans, et transportait partout avec elle depuis des années. Elle l'avait fait bénir à tous les sanctuaires et temples qu'elle avait visités : au sanctuaire de Sumiyoshi à Osaka, au sanctuaire d'Oyama Hachiman et au Kiyomizudera à Kyoto, au temple de Kannon à Asakusa, et à des douzaines d'établissements religieux de moindre importance en diverses régions du pays. Les empreintes sacrées faisaient ressembler la robe à un kimono imprimé ; Osugi s'y sentait plus en sécurité que dans une cotte de mailles.

Elle fourra soigneusement une lettre à Matahachi dans la ceinture qui se trouvait sous son obi, avec une copie du *Sutra sur le grand amour des parents*. Il y avait une seconde lettre, qu'elle portait toujours dans une petite bourse ; on y lisait : « Malgré mon âge, c'est devenu mon lot d'errer à travers le pays pour essayer de réaliser une grande espérance. Impossible de savoir si je serai tuée par mon ennemi juré, ou si je mourrai de maladie au bord de la route. Si tel est mon destin, je demande aux autorités et aux personnes de bonne volonté d'employer l'argent contenu dans cette bourse à rapatrier mon corps. Sugi, veuve de Hon'iden, village de Yoshino, province de Mimasaka. » Avec son épée bien en place, ses tibias enveloppés de guêtres blanches, des mitaines aux mains et une obi au point aveugle maintenant confortablement en place son kimono sans manches, ses préparatifs étaient presque achevés. Elle disposa un bol d'eau sur sa table à écrire, s'agenouilla devant :

— Maintenant, je pars.

Alors, elle ferma les yeux et, immobile, adressa ses pensées à l'oncle Gon. Jūrō entrebâilla le shoji et jeta un coup d'œil à l'intérieur.

— Vous êtes prête ? demanda-t-il. Il va être temps de partir. Kojirō nous attend.

— Je suis prête.

Rejoignant les autres, elle se rendit à la place d'honneur qu'ils avaient laissée vacante pour elle, devant l'alcôve. L'Acolyte prit une coupe sur la table, la mit dans la main d'Osugi, et lui versa soigneusement une rasade de saké. Ensuite, il fit de même pour Kojirō et Jūrō. Quand chacun des quatre eut bu, ils éteignirent la lampe et se mirent en route.

Un assez grand nombre des hommes de Hangawara réclamèrent qu'on les emmenât, mais Kojirō refusa : un groupe nombreux non seulement attirerait l'attention mais les gênerait au combat.

Comme ils franchissaient le portail, un jeune homme leur cria d'attendre. Alors, il fit des étincelles en frappant un silex afin de leur porter chance. Dehors, sous un ciel assombri par des nuages de pluie, des rossignols chantaient.

Tandis qu'ils cheminaient à travers les rues sombres et silencieuses, des chiens se mirent à aboyer, sentant peut-être par instinct que ces quatre êtres humains accomplissaient une mission sinistre.

— Qu'est-ce que c'est que ça ? demanda Koroku en regardant en arrière au long d'une étroite allée.

— Tu as vu quelque chose ?

— Quelqu'un nous suit.

— Sans doute un des gars de la maison, dit Kojirō. Ils tenaient tous tellement à nous accompagner !

— Ils préfèrent se bagarrer à manger.

Ils tournèrent un angle, et Kojirō s'arrêta sous l'auvent d'une maison, disant :

— La boutique de Kōsuke est bien par ici ?

Leurs voix se réduisirent à des chuchotements.

— Dans la rue, là, de l'autre côté.

— Qu'est-ce que nous faisons, maintenant ? demanda Koroku.

— Nous procédons comme nous l'avons combiné. Vous trois, vous vous cachez dans l'ombre. Moi, je vais à la boutique.

— Et si Musashi essaie de filer par la porte de derrière ?...

— Ne t'inquiète pas. Il ne risque pas plus de me fuir que moi de le fuir. S'il fuyait, sa carrière d'homme d'épée serait finie.

— Peut-être que nous devrions tout de même nous poster des deux côtés de la maison... à tout hasard.

— Soit. Et maintenant, comme nous en sommes convenus, je vais amener Musashi dehors et me promener avec lui. Quand nous approcherons d'Osugi, je dégainerai et le prendrai par surprise. Ce sera le moment pour elle de venir le frapper.

Osugi était transportée de gratitude :

— Merci, Kojirō. Vous êtes si bon pour moi ! Vous devez être une incarnation du grand Hachiman.

Elle joignit les mains et s'inclina comme devant le dieu de la guerre en personne. En son âme et conscience, Kojirō avait la ferme conviction de faire ce qu'il fallait faire. Il est même douteux que des mortels ordinaires puissent imaginer toute l'ampleur de son contentement de soi au moment où il monta jusqu'à la porte de Kōsuke.

Au début, quand Musashi et Kojirō étaient tout jeunes, pleins d'énergie et brûlant de prouver leur supériorité, il n'existait pas entre eux de cause profonde d'inimitié. Il y avait eu de la rivalité, certes, mais seulement les frictions qui naissent de façon normale entre deux combattants forts et presque égaux. Ce qui par la suite avait ulcéré Kojirō, ç'avait été de voir Musashi devenir peu à peu un homme d'épée célèbre. Musashi, quant à lui, respectait l'extraordinaire habileté de Kojirō sinon son caractère, et le traitait toujours avec une certaine circonspection. Mais avec les années, ils se brouillèrent pour diverses raisons : la Maison de Yoshioka, le sort d'Akemi, l'affaire de la douairière Hon'iden. Désormais, la réconciliation n'était plus possible.

Et maintenant que Kojirō avait pris sur soi de se faire le protecteur d'Osugi, le cours des événements portait clairement le sceau du destin. Kojirō frappa discrètement à la porte.

— Kōsuke ! Etes-vous éveillé ?

De la lumière filtrait à travers une fente, mais il n'y avait pas d'autre signe de vie à l'intérieur. Au bout de quelques instants, une voix demanda :

— Qui est là ?

— Iwama Kakubei vous a donné mon épée à réparer. Je viens la chercher.

— La grande épée longue... c'est bien celle-là ?

— Ouvrez-moi.

— Un instant.

La porte glissa, et les deux hommes s'observèrent. Bouchant l'entrée, Kōsuke dit sèchement :

— L'épée n'est pas encore prête.

— Je vois.

Kojirō passa devant Kōsuke et s'assit sur la marche qui montait à la boutique.

— ... Quand sera-t-elle prête ?

— Eh bien, voyons...

Kōsuke se frottait le menton en abaissant les coins de ses yeux, ce qui faisait paraître encore plus longue sa longue figure. Kojirō avait le sentiment que l'on se moquait de lui.

— Vous ne trouvez pas que ça prend beaucoup de temps ?

— J'ai dit très nettement à Kakubei que je ne pouvais lui promettre quand j'aurais terminé.

— Je ne pourrai m'en passer encore bien longtemps.

— Dans ce cas, reprenez-la.

— Quoi ?

Kojirō était stupéfait. Les artisans ne parlaient pas sur ce ton aux samouraïs. Mais au lieu d'essayer de découvrir ce qui se cachait derrière l'attitude de cet homme, il en conclut que l'on s'attendait à sa visite. Il crut bon d'agir vite, et dit :

— ... Pendant que j'y pense, j'ai appris que Miyamoto Musashi, du Mimasaka, séjournait ici, chez vous.

— Où donc avez-vous appris ça ? demanda Kōsuke, l'air inquiet. En effet, il habite avec nous.

— Ça ne vous ennuierait pas de l'appeler ?

— Je ne l'ai pas vu depuis longtemps, depuis que nous étions l'un et l'autre à Kyoto.

— Comment vous appelez-vous ?

— Sasaki Kojirō. Il saura qui je suis.

— Je vais lui dire que vous êtes là, mais je ne sais pas s'il pourra vous recevoir.

— Rien qu'un instant.

— Vraiment ?

— Peut-être que je ferais mieux de m'expliquer. J'ai appris par hasard, chez le seigneur Hosokawa, qu'un homme de la description de Musashi logeait ici. Je suis venu avec l'idée d'inviter Musashi à sortir boire un peu en bavardant.

— Je vois.

Kōsuke fit demi-tour et se dirigea vers le fond de la maison. Kojirō se demandait ce qu'il ferait si Musashi flairait le piège et refusait de le recevoir. Deux ou trois stratagèmes se présentèrent à son esprit ; mais avant qu'il eût pris une décision, un épouvantable hurlement le fit sursauter.

Il se leva d'un bond comme un homme qui reçoit un coup de pied sauvage. Il avait commis une faute de calcul. Sa stratégie avait été percée à jour — non seulement percée à jour, mais retournée contre lui. Musashi devait être sorti à la dérobée par la porte de derrière, avoir contourné la maison jusqu'à la façade, et attaqué. Mais qui donc avait crié ? Osugi ? Jūrō ? Koroku ?

« S'il en est ainsi... » se dit sombrement Kojirō en gagnant la rue au pas de course. Muscles tendus, cœur battant, en un instant il fut prêt à tout. « De toute manière, il me faudra le combattre tôt ou tard », se dit-il. Il le savait depuis la rencontre au col du mont Hiei. L'heure avait sonné ! Si Osugi avait déjà été frappée à mort, Kojirō se jurait que le sang de Musashi servirait d'offrande pour l'éternelle paix de son âme.

Il avait parcouru une dizaine de pas lorsqu'il entendit crier son nom au bord de la route. La voix douloureuse semblait s'accrocher à ses pas.

— C'est toi, Koroku ?

— J'-j'-j'ai é-été fra-fra-frappé.

— Et Jūrō ! Où est Jūrō ?

— L-lui aussi.

— Où est-il ?

Avant que la réponse ne vînt, Kojirō distingua la forme ensanglantée de Jūrō, à une dizaine de mètres. Le corps entier aux aguets, il tonna :

— ... Koroku ! De quel côté est parti Musashi ?

— Non... pas... Musashi.

Koroku, incapable de lever la tête, la roulait d'un côté puis de l'autre.

— Qu'est-ce que tu racontes ? Tu veux me faire croire que ce n'est pas Musashi qui vous a attaqués ?

— Pas... pas... Musa...

— Qui donc était-ce ?

A cette question, jamais Koroku ne répondrait. La tête en feu, Kojirō courut à Jūrō et le tira par le col rouge et poisseux de son kimono.

— Jūrō, dis-moi... Qui a fait ça ? De quel côté est-il parti ?

Mais au lieu de répondre, Jūrō se servit de son dernier souffle pour dire en pleurant :

— Mère... pardon... n'aurais pas dû...

— De quoi parles-tu ? dit Kojirō d'un ton de mépris en lâchant le vêtement sanglant.

— Kojirō ! Kojirō, c'est vous ?

Il courut en direction de la voix d'Osugi pour trouver la vieille femme couchée, impuissante, dans un fossé, de la paille et des pelures de légumes collées à son visage et à ses cheveux.

— ... Tirez-moi de là, suppliait-elle.

— Que faites-vous dans cette eau dégoûtante ?

Kojirō, le ton plus irrité que compatissant, la traîna sans cérémonie jusque sur la route où elle s'effondra comme un chiffon.

— Où est passé l'homme ? demanda-t-elle.

— Quel homme ? Qui vous a attaquée ?

— Je ne sais pas ce qui est arrivé au juste, mais je suis sûre que c'était l'homme qui nous suivait.

— Vous a-t-il attaquée brusquement ?

— Oui ! Tombé de nulle part, comme une rafale de vent. Pas le temps de dire ouf. Il a bondi hors de l'ombre, et a d'abord eu raison de Jūrō. Le temps de dégainer, Koroku était blessé, lui aussi.

— De quel côté est-il allé ?

— Il m'a repoussée de telle sorte que je ne l'ai même pas vu, mais ses pas allaient par là.

Elle désignait la rivière. Kojirō traversa en courant un terrain vague où se tenait le marché aux chevaux, parvint à la digue de Yanagihara, et s'arrêta pour regarder autour de lui. A quelque distance, il voyait des piles de bois de charpente, des lumières et des gens. En se rapprochant, il constata que c'étaient des porteurs de palanquin.

— Mes deux compagnons ont été terrassés dans une rue écartée, près d'ici, déclara-t-il. Je veux que vous les ramassiez pour les emporter chez Hangawara Yajibei, dans le quartier des charpentiers. Vous trouverez avec eux une vieille femme. Emmenez-la aussi.

— Ils se sont fait attaquer par des voleurs ?

— Il y a des voleurs, par ici ?

— Des tas. Nous-mêmes devons faire attention.

— L'inconnu doit avoir débouché en courant de ce coin, là-bas. Vous n'avez vu personne ?

— Maintenant, vous voulez dire ?

— Oui.

— Je pars, dit le porteur.

Lui et les autres soulevèrent trois palanquins et se disposèrent à partir.

— Et le prix de la course ? demanda l'un d'eux.

— Faites-vous payer en arrivant là-bas.

Kojirō effectua de rapides recherches sur la berge et autour des tas de bois, en concluant qu'il eût mieux fait de retourner chez Yajibei. Il n'était guère utile de rencontrer Musashi sans

Osugi ; il paraissait aussi peu sage d'affronter cet homme dans l'état d'esprit où il se trouvait.

En revenant sur ses pas, il parvint à un brise-feu à côté duquel poussait une rangée de paulownias. Il la regarda quelques instants puis, comme il se détournait, vit parmi les arbres luire une lame. Avant qu'il eût eu le temps de dire ouf, une demi-douzaine de feuilles tombèrent. Le sabre l'avait visé à la tête.

— ... Lâche ! vociféra-t-il.

— Non ! répondit-on, tandis que le sabre frappait une seconde fois hors des ténèbres.

Kojirō tourbillonna sur lui-même et sauta en arrière de deux bons mètres.

— ... Si vous êtes Musashi, pourquoi ne procédez-vous pas de façon convena...

Il n'avait pas eu le temps d'achever que le sabre était de nouveau sur lui.

— ... Qui êtes-vous ? cria-t-il. Ne faites-vous pas erreur ?

Il réussit à éviter un troisième coup, et l'assaillant, tout hors d'haleine, se rendit compte avant d'en tenter un quatrième qu'il gaspillait ses efforts. Changeant de tactique, il s'avança, centimètre par centimètre, sa lame tendue devant lui. Ses yeux lançaient des éclairs.

— Silence, gronda-t-il. Il n'y a pas la moindre erreur. Mon nom te rafraîchira peut-être la mémoire. Je suis Hōjō Shinzō.

— L'un des élèves d'Obata, n'est-ce pas ?

— Tu as insulté mon maître, et tué plusieurs de mes camarades.

— D'après le code du guerrier, tu es libre de me provoquer ouvertement n'importe quand. Sasaki Kojirō ne joue pas à cache-cache.

— Je te tuerai.

— Vas-y ; essaie.

Tout en le regardant s'approcher — douze, onze, dix pieds —, Kojirō desserra tranquillement la partie supérieure de son kimono, et posa la main droite sur son sabre.

— ... Allons ! cria-t-il.

Ce défi provoqua chez Shinzō un instant d'involontaire hésitation. Le corps de Kojirō fléchit en avant ; son bras se détendit comme un arc ; il y eut un bruit métallique. L'instant suivant, son sabre réintégrait son fourreau d'un coup sec. Il n'y avait eu qu'un mince éclair.

Shinzō restait debout, jambes écartées. Pas trace de sang, encore ; pourtant, il était clair qu'il avait été blessé. Bien que son sabre fût toujours tendu à hauteur de l'œil, il avait eu le réflexe de porter la main gauche à son cou.

— Oh !

Des halètements s'élevèrent des deux côtés de Shinzō simultanément ; ils émanaient de Kojirō et d'un homme arrivé en courant derrière Shinzō. Le bruit de pas et la voix envoyèrent Kojirō dans les ténèbres.

— Qu'est-il arrivé ? criait Kōsuke, le bras tendu pour soutenir Shinzō, et qui reçut tout le poids de son corps. Oh ! voilà qui m'a l'air d'une sale histoire ! Au secours ! Au secours, quelqu'un !

Un morceau de chair, pas plus gros qu'une coque de palourde, tomba du cou de Shinzō. Le sang qui en jaillit inonda d'abord le bras de Shinzō puis les pans de son kimono jusqu'à ses pieds.

Un bloc de bois

Clac. Une autre prune verte tomba de l'arbre dans le jardin sombre, au-dehors. Musashi n'en tint pas compte, si même il l'entendit. A la lumière vive, mais vacillante de la lampe, ses cheveux embroussaillés paraissaient hérissés, secs et rougeâtres.

« Quel enfant difficile ! » avait souvent gémi sa mère. Ce caractère têtu qui l'avait si fréquemment fait pleurer subsistait chez lui, aussi durable que la cicatrice laissée sur sa tête, dans son enfance, par un gros furoncle.

Des souvenirs de sa mère, à ce moment, lui traversaient l'esprit ; parfois, le visage qu'il sculptait ressemblait beaucoup au sien. Quelques minutes auparavant, Kōsuke était venu à la porte, avait hésité et appelé :

— Vous travaillez encore ? un homme du nom de Sasaki Kojirō dit qu'il voudrait vous voir. Il attend en bas. Voulez-vous le recevoir, ou lui dirai-je que vous êtes déjà couché ?

Musashi avait la vague impression que Kōsuke avait répété son message, mais n'était pas certain d'avoir lui-même répondu.

La petite table, les genoux de Musashi et le sol, dans ses environs immédiats, étaient jonchés de copeaux de bois. Il essayait de terminer l'image de Kannon qu'il avait promise à Kōsuke en échange du sabre. Sa tâche avait été rendue encore plus difficile en raison d'une requête spéciale de Kōsuke, homme aux goûts et aux dégoûts accusés. Quand Kōsuke avait tiré d'une armoire le bloc de vingt-cinq centimètres pour le lui tendre très doucement, Masashi avait constaté qu'il devait avoir six ou sept cents ans. Kōsuke le traitait comme un bien de famille, car il provenait d'un temple du VIIIe siècle édifié sur le tombeau du prince Shōtoku à Shinaga.

— J'étais en voyage là-bas, expliqua-t-il, et l'on réparait les vieux bâtiments. Des imbéciles de prêtres et de charpentiers débitaient à la hache les vieilles poutres pour en faire du bois de chauffage. Je n'ai pu supporter de les voir ainsi gâcher ce bois ; aussi leur ai-je fait couper ce bloc à mon intention.

Le grain était bon, et le bois se présentait bien sous le couteau ; pourtant, la valeur attribuée par Kōsuke à son trésor rendait Musashi nerveux. S'il commettait une faute, il gâcherait un matériau irremplaçable.

Il entendit cogner comme si le vent avait ouvert le portail, dans la haie du jardin. Levant les yeux de son ouvrage, pour la première fois depuis qu'il s'était mis à sculpter, il se dit : « C'est peut-être Iori » et pencha la tête dans l'attente d'une confirmation.

— Pourquoi restes-tu plantée là comme une borne ? cria Kōsuke à sa femme. Tu ne vois donc pas que cet homme est grièvement blessé ? Peu importe la chambre !...

Derrière Kōsuke, les hommes qui transportaient Shinzō, tout excités, offraient leurs services :

— Vous avez de l'alcool pour laver la blessure ? Sinon, j'irai chez moi en chercher.

— Je vais appeler le médecin.

Une fois que l'émotion fut un peu calmée, Kōsuke déclara :

— Je tiens à vous remercier tous. Je crois que nous l'avons sauvé ; inutile de s'inquiéter davantage.

Et il s'inclina profondément devant chacun des hommes, à son départ.

Musashi comprit enfin qu'il était arrivé quelque chose, et que Kōsuke s'y trouvait mêlé. Brossant les copeaux de ses genoux, il descendit l'escalier formé par les sommets de coffres étagés, et se rendit à la chambre où Kōsuke et son épouse, debout, regardaient le blessé.

— ... Tiens, vous ne dormez pas ? demanda le polisseur de sabres en s'effaçant pour faire place à Musashi.

Ce dernier s'assit au chevet de l'homme, examina son visage avec attention, et dit :

— Qui est-ce ?

— Je n'en reviens pas. Je ne l'avais pas reconnu avant que nous ne l'ayons ramené ici, mais c'est Hōjō Shinzō, le fils du seigneur Hōjō d'Awa. Il s'agit d'un jeune homme plein de zèle, qui étudie sous la direction d'Obata Kagenori depuis plusieurs années.

Musashi souleva avec précaution le bord du pansement blanc qui entourait le cou de Shinzō, et examina la blessure, que l'on avait cautérisée, puis lavée à l'alcool. Le morceau de chair de la dimension d'une palourde avait été bien proprement tranché, mettant à nu l'artère carotide battante. La mort était passée tout près. « Qui ?... » se demanda Musashi. D'après la forme de la blessure, il paraissait probable qu'elle provenait d'un coup ascendant dit « du vol d'hirondelle ».

Le coup du vol d'hirondelle ? La spécialité de Kojirō.

— Vous savez ce qui s'est passé ? demanda Musashi.

— Pas encore.

— Moi non plus, bien sûr, mais je peux vous dire une chose, fit-il en hochant la tête avec assurance. C'est l'œuvre de Sasaki Kojirō.

De retour dans sa propre chambre, Musashi s'étendit sur le tatami, les mains derrière la tête, sans se soucier du désordre qui l'entourait. Sa couche avait été préparée, mais il l'ignora aussi malgré sa fatigue.

Il travaillait à la statue depuis près de quarante-huit heures d'affilée. N'étant pas sculpteur, il lui manquait la technique nécessaire à la résolution de problèmes difficiles ; il était également incapable de masquer une faute avec adresse. Il n'avait d'autre modèle que l'image de Kannon qu'il portait dans son cœur, et sa seule technique consistait à débarrasser son esprit des pensées étrangères, et à faire de son mieux pour graver fidèlement cette image dans le bois.

Il lui arrivait de croire que la sculpture prenait forme ; mais alors, d'une façon quelconque, cela tournait mal, un hiatus se creusait entre l'image qu'il avait en tête et la main qui maniait le poignard. Au moment précis où il avait le sentiment de progresser de nouveau, la sculpture lui échappait encore. Après maints faux départs, la pièce de bois ancienne s'était réduite à dix centimètres de longueur à peine.

Il entendit un rossignol appeler deux fois, puis s'assoupit durant peut-être une heure. A son réveil, son corps puissant regorgeait d'énergie, il avait l'esprit parfaitement clair. En se levant, il pensa : « Cette fois, je vais y arriver. » Il se rendit au puits derrière la maison, se lava la figure et se rinça les dents. Rafraîchi, il se rassit près de la lampe et reprit son travail avec un renouveau de vigueur.

Maintenant, le couteau lui faisait une impression différente. Il sentait dans le grain du bois les siècles d'histoire contenus au sein du bloc. Il savait que si cette fois il ne sculptait pas avec adresse, il ne resterait rien qu'un tas de copeaux inutiles. Au cours des quelques heures qui suivirent, il se concentra avec une intensité fiévreuse. Pas une seule fois son dos ne se redressa, et il ne s'arrêta pas pour boire un verre d'eau. Le ciel s'éclaircit ; les oiseaux se mirent à chanter ; toutes les portes de la maison sauf la sienne furent ouvertes en grand pour le ménage du matin. Pourtant, son attention restait concentrée sur la pointe de son couteau.

— Musashi, vous n'êtes pas malade ? demanda son hôte, inquiet, en ouvrant le shoji pour entrer dans la chambre.

— Ça ne vaut rien, soupira Musashi.

Il se redressa et rejeta son poignard. Le bloc de bois n'était pas plus gros qu'un pouce d'homme. Autour de ses jambes, le bois gisait pareil à des flocons de neige.

— Rien ?

— Rien.

— Et le bois ?

— Disparu... Je n'ai pu faire apparaître la forme de la bodhisattva.

Les mains derrière la tête, il se sentait redescendre sur la terre après avoir été suspendu pour une durée indéterminée entre l'illusion et l'illumination.

— ... Ça ne vaut rien du tout. Il est temps d'oublier et de méditer.

Il se coucha sur le dos. Lorsqu'il ferma les yeux, il lui sembla que les pensées distrayantes s'évanouissaient, remplacées par une brume aveuglante. Progressivement, son esprit s'emplit de la seule idée du vide infini.

La plupart des clients qui quittèrent l'auberge, ce matin-là, étaient des marchands de chevaux qui rentraient chez eux après le marché de quatre jours, terminé la veille. Au cours des quelques semaines qui allaient suivre, l'auberge verrait peu de clients.

Apercevant Iori qui montait l'escalier, la patronne l'appela du bureau.

— Qu'est-ce que vous me voulez ? demanda Iori, qui, de sa position avantageuse, pouvait distinguer la calvitie artistement déguisée de la femme.

— Où vas-tu donc comme ça ?

— Là-haut, où se trouve mon maître. Ça vous gêne ?

— Plus que tu ne saurais croire, répliqua la femme, exaspérée. Quand donc es-tu parti d'ici, au juste ?

Iori compta sur ses doigts, et répondit :

— Le jour d'avant avant-hier, je crois.

— Ça fait trois jours, non ?

— C'est ça.

— On peut dire que tu as pris ton temps, tu ne trouves pas ? Qu'est-ce qui s'est passé ? Un renard t'a ensorcelé, ou quoi ?

— Comment le savez-vous ? Vous devez être une renarde vous-même.

Riant de sa répartie, il se remit à grimper les marches.

— Ton maître n'est plus ici.

— Je ne vous crois pas.

Il monta l'escalier quatre à quatre, mais reparut bientôt, l'air consterné.

— ... Il a changé de chambre ?

— Qu'est-ce qui te prend ? Je t'ai dit qu'il est parti.

— Vraiment parti ? demanda le garçon, alarmé.

— Si tu ne me crois pas, regarde le registre. Tu vois ?

— Mais pourquoi ? Pourquoi est-il parti avant mon retour ?

— Parce que tu es resté absent trop longtemps.

— Mais... mais... dit Iori en fondant en larmes. Où est-il allé ? Je vous en prie, dites-le-moi.

— Il ne m'a pas dit où il allait. Je suppose qu'il t'a laissé parce que tu es un bon à rien.

Changeant de couleur, Iori s'élança dans la rue. Il regarda vers l'est, vers l'ouest, puis vers le ciel. Les larmes ruisselaient sur ses joues. Grattant sa calvitie avec un peigne, la femme éclata d'un rire rauque :

— ... Arrête de brailler, cria-t-elle. Je blaguais. Ton maître loge chez le polisseur de sabre, là-bas.

Avec humilité, Iori s'assit de façon protocolaire aux pieds de Musashi, et, à voix basse, annonça :

— Je suis de retour.

Il avait déjà remarqué l'atmosphère de tristesse qui planait sur la maison. Les copeaux de bois n'avaient pas été balayés, et la lampe épuisée se trouvait à la même place que la nuit précédente.

— ... Je suis de retour, répéta Iori sans élever la voix.

— Qui est-ce ? murmura Musashi en ouvrant lentement les yeux.

— Iori.

Musashi se mit promptement sur son séant. Bien que soulagé de voir le garçon de retour sain et sauf, il l'accueillit par un simple :

— Ah ! c'est toi.

— Je regrette d'avoir mis aussi longtemps.

Pas de réponse.

— ... Pardonnez-moi.

Ni ses excuses, ni sa révérence polie ne suscitèrent de réaction. Musashi serra son obi et dit :

— Ouvre les fenêtres et range la chambre.

Il avait pris la porte avant qu'Iori n'eût eu le temps de répondre :

— Bien, monsieur.

Musashi descendit à la chambre de derrière, et demanda à Kōsuke des nouvelles de l'invalide.

— Il semble reposer mieux.

— Vous devez être fatigué. Voulez-vous que je revienne après le petit déjeuner pour vous permettre de prendre un peu de repos ?

Kōsuke répondit que c'était inutile.

— Il y a une chose que j'aimerais voir faite, ajouta-t-il. Je crois que nous devrions avertir l'école Obata, mais je n'ai personne à envoyer.

Ayant proposé soit d'y aller lui-même, soit d'envoyer Iori, Musashi regagna sa propre chambre, maintenant en ordre. Il s'assit et demanda :

— Iori, y a-t-il une réponse à ma lettre ?

Soulagé de n'être pas grondé, le garçon sourit.

— Oui, j'apporte une réponse. Elle est ici même.

Avec une expression de triomphe, il pêcha la lettre dans son kimono.

— Donne.

Iori s'avança, à genoux, et plaça le papier plié dans la main tendue de Musashi. « J'ai le regret de vous dire, avait écrit Sukekurō, que le seigneur Munenori, en sa qualité d'instructeur du shōgun, ne saurait se livrer à une passe d'armes avec vous, ainsi que vous l'avez demandé. Si toutefois vous venez nous voir pour un autre motif, il se peut que Sa Seigneurie vous accueille au dōjō. Si vous avez toujours envie de vous mesurer au style Yagyū, la meilleure solution serait, je crois, que vous affrontiez Yagyū Hyōgō. Pourtant, j'ai le regret de vous dire qu'il est parti hier pour Yamato afin de se rendre au chevet du seigneur Sekishūsai, gravement malade. En ces conditions, je dois vous prier de remettre à plus tard votre visite. Je me ferai un plaisir de prendre alors les dispositions nécessaires. » Tout en repliant lentement l'assez long rouleau, Musashi souriait. Iori, qui se sentait plus en sécurité, étendit confortablement les jambes et déclara :

— La maison n'est pas à Kobikichō ; elle se trouve à un endroit appelé Higakubo. C'est très grand, magnifique ; Kimura Sukekurō m'a donné des tas de bonnes choses à manger...

Les sourcils froncés par la désapprobation devant ce déploiement de familiarité, Musashi dit gravement :

— Iori...

Les jambes du garçon reprirent précipitamment leur position convenable, sous lui.

— Oui, monsieur.

— Même si tu t'es en effet perdu, ne crois-tu pas que trois jours, c'est un peu long ? Que s'est-il passé ?

— J'ai été ensorcelé par un renard.

— Un renard ?

— Oui, monsieur, un renard.

— Comment un garçon comme toi, né et élevé à la campagne, a-t-il pu être ensorcelé par un renard ?

— Je ne sais pas, mais ensuite, je n'ai pu me rappeler où j'avais passé une demi-journée et la moitié d'une nuit.

— Hum... Bien étrange.

— Oui, monsieur. C'est ce que je me suis dit moi-même. Peut-être que les renards d'Edo s'attaquent plus aux gens que ceux de la campagne.

— Ce doit être ça.

Compte tenu du sérieux de l'enfant, Musashi n'avait pas le cœur de le gronder ; en revanche, il estimait nécessaire de poursuivre son idée :

— ... Je soupçonne aussi, continua-t-il, que tu faisais quelque chose que tu n'aurais pas dû faire.

— Eh bien, le renard me suivait ; alors, pour l'empêcher de m'ensorceler, je l'ai blessé avec mon sabre. Alors, le renard m'en a puni.

— Non.
— Vraiment ?
— Non. Ce n'est pas le renard qui t'a puni mais ta propre conscience, laquelle est invisible. Allons, reste assis là et réfléchis un moment là-dessus. A mon retour, tu pourras me dire ce que ça signifie à ton avis.
— Bien monsieur. Vous avez une course à faire ?
— Oui ; à un endroit proche du sanctuaire de Hirakawa, à Kōjimachi.
— Vous serez de retour avant ce soir, n'est-ce pas ?
— Je devrais l'être à moins qu'un renard ne m'attrape. Ha ! ha !
Musashi partit, laissant Iori méditer sur sa conscience. Au-dehors, le ciel était assombri par les nuages moroses de la saison des pluies estivale.

Le prophète abandonné

Autour du sanctuaire de Hirakawa Tenjin, la forêt bruissait du chant des cigales. Un hibou hulula tandis que Musashi passait du portail au hall d'entrée de la maison Obata.
— Bonjour ! cria-t-il, mais son salut lui revint en écho, comme d'une caverne vide.
Au bout d'un moment, il entendit des pas. Il sautait aux yeux que le jeune samouraï qui sortit, portant ses deux sabres, n'était pas un simple sous-ordre préposé à répondre à la porte. Sans se donner la peine de s'agenouiller, il dit :
— Puis-je vous demander votre nom ?
Bien qu'il n'eût pas plus de vingt-quatre ou vingt-cinq ans, il donnait l'impression d'être quelqu'un d'important.
— Je m'appelle Miyamoto Musashi. Je ne me trompe pas ? C'est bien ici l'académie de science militaire d'Obata Kagenori ?
— Exact, répondit-on d'un ton sec.
D'après le comportement du samouraï, il était évident qu'il s'attendait à ce que Musashi expliquât qu'il voyageait pour

perfectionner sa connaissance des arts martiaux, et ainsi de suite.

— L'un des élèves de votre école a été blessé dans un combat, dit Musashi. Il est pour le moment soigné par le polisseur de sabres Zushino Kōsuke, que vous connaissez, je crois. Je suis venu à la requête de Kōsuke.

— Ce doit être Shinzō !

Le jeune homme parut très impressionné mais se domina aussitôt.

— ... Pardonnez-moi. Je suis le fils unique de Kagenori, Yogorō. Merci de vous être donné la peine de venir nous mettre au courant. La vie de Shinzō est en péril ?

— Il avait l'air d'aller mieux ce matin, mais il est encore trop tôt pour le déplacer. Je crois qu'il serait sage de le laisser pour le moment chez Kōsuke.

— Je vous serais obligé de transmettre à Kōsuke mes remerciements.

— Je n'y manquerai pas.

— A vrai dire, étant donné que mon père est alité, Shinzō donnait des cours à sa place jusqu'à l'automne dernier où il est parti subitement. Comme vous le voyez, il n'y a presque plus personne ici maintenant. Je regrette que nous ne puissions vous recevoir comme il faut.

— Je comprends ; mais dites-moi, y a-t-il une dissension entre votre école et Sasaki Kojirō ?

— Oui. J'étais absent lorsque la chose a débuté, aussi n'en connais-je pas tous les détails, mais il semble que Kojirō ait insulté mon père, ce qui bien sûr a excité les élèves. Ils ont pris sur eux de châtier Kojirō mais il a tué plusieurs d'entre eux. Si je comprends bien, Shinzō est parti parce qu'il en est arrivé à la conclusion qu'il devait lui-même tirer vengeance.

— Je vois. Je commence à comprendre. Je voudrais vous donner un conseil. Ne vous battez pas contre Kojirō. Les techniques ordinaires du sabre ne sauraient le vaincre, et il est encore moins vulnérable aux stratégies astucieuses. En tant que combattant et en tant que stratège, il est sans rival, même parmi les plus grands maîtres aujourd'hui vivants.

Ce jugement alluma dans les yeux de Yogorō une flamme de

colère. Ce que voyant, Musashi crut prudent de réitérer sa mise en garde :

— ... Risquer le désastre pour un grief sans importance est absurde. Ne caressez pas l'idée que la défaite de Shinzō vous oblige à régler son compte à son vainqueur. Si oui, vous ne ferez que suivre le même chemin. Ce serait stupide, vraiment stupide.

Quand Musashi fut hors de vue, Yogorō s'adossa au mur, les bras croisés. Doucement, d'une voix un peu tremblante, il murmura :

— Penser que les choses en sont arrivées là ! Même Shinzō a échoué !

Levant au plafond des yeux vides, il songeait à la lettre que Shinzō avait laissée pour lui, où il déclarait que s'il partait c'était pour tuer Kojirō et que s'il n'y réussissait pas Yogorō ne le reverrait sans doute jamais vivant. Que Shinzō ne fût pas mort ne rendait pas sa défaite moins humiliante. L'école ayant été forcée de suspendre ses activités, le gros du public en avait conclu que Kojirō était dans le vrai : l'académie Obata était une école de lâches, ou au mieux de théoriciens dépourvus d'aptitudes pratiques. Ce qui avait provoqué la désertion de certains élèves. D'autres, pleins d'appréhension à cause de la maladie de Kagenori ou à cause de l'apparent déclin du style Kōshū, étaient passés au style rival Naganuma.

Yogorō décida de ne pas mettre son père au courant de l'affaire Shinzō. Il semblait qu'il n'y eût pour lui qu'une chose à faire : soigner son père le mieux possible, bien que le médecin ne crût pas à la guérison.

— Yogorō, où es-tu ?

Yogorō s'étonnait toujours que Kagenori, quoique aux portes de la mort, eût la voix d'un homme en parfaite santé sitôt qu'il appelait son fils.

— Je viens.

Il courut à la chambre du malade, tomba à genoux et dit :

— ... Tu m'as appelé ?

Ainsi qu'il faisait souvent lorsqu'il était las d'être couché à plat sur le dos, Kagenori s'était appuyé à la fenêtre en se servant de son oreiller comme d'un accoudoir.

— Qui donc était le samouraï qui vient de sortir par le portail ? demanda-t-il.

— Euh... fit Yogorō, un peu nerveux. Ah ! lui... Personne d'important. Un simple messager.

— Un messager venu d'où ?

— Mon Dieu, il semble que Shinzō ait eu un accident. Le samouraï est venu nous le dire. Il a donné son nom : Miyamoto Musashi.

— Hum... Il n'est pas natif d'Edo, n'est-ce pas ?

— Non. J'ai ouï dire qu'il est de Mimasaka. C'est un rōnin. Crois-tu l'avoir reconnu ?

— Non, répondit Kagenori en secouant vigoureusement sa maigre barbe grise. Je ne me souviens pas de l'avoir jamais vu ni entendu parler de lui. Mais il y a quelque chose en lui... J'ai rencontré beaucoup de monde au cours de mon existence, tu sais, sur le champ de bataille aussi bien que dans la vie ordinaire. Certains étaient de très braves gens, des gens que je prisais fort. Mais eux que je pouvais considérer comme des samouraïs authentiques, dans tous les sens du terme, étaient bien rares. Cet homme — Musashi, dis-tu ? — m'a séduit J'aimerais le rencontrer, causer un peu avec lui. Va me le chercher.

— Bien, monsieur, répondit Yogorō avec obéissance, mais avant de se lever il continua d'un ton légèrement surpris : Qu'avez-vous donc remarqué en lui ? Vous ne l'avez vu que de loin.

— Tu ne comprendrais pas. Quand tu comprendras, tu seras vieux et flétri comme moi.

— Mais il devait bien y avoir quelque chose...

— J'ai admiré sa vigilance. Il ne prenait aucun risque, même avec un vieux malade tel que moi. En passant le portail, il s'est arrêté pour regarder autour de lui... la disposition de la maison, les fenêtres, si elles étaient ouvertes ou fermées, l'allée du jardin... tout. Il a tout saisi d'un seul coup d'œil. Cela n'avait rien d'artificiel. N'importe qui aurait cru qu'il faisait halte un instant en signe de déférence. J'en ai été stupéfait.

— Alors, vous le croyez un samouraï d'un réel mérite ?

— Peut-être. Je suis certain que sa conversation serait passionnante. Rappelle-le.

— Ne craignez-vous pas que cela ne soit mauvais pour vous ?

Kagenori s'était beaucoup excité ; or, Yogorō se rappelait la mise en garde du médecin : son père ne devait pas parler de façon prolongée.

— Ne t'inquiète pas au sujet de ma santé. Voilà des années que j'attends de rencontrer un pareil homme. Je n'ai pas étudié tout ce temps la science militaire pour l'enseigner à des enfants. J'accorde que mes théories sur la science militaire portent le nom de style Kōshū ; pourtant, elles ne sont pas une simple extension des formules employées par les fameux guerriers Kōshū. Mes idées diffèrent de celles de Takeda Shingen, d'Uesugi Kenshin, d'Oda Nobunaga ou des autres généraux qui se battaient pour dominer le pays. Depuis lors, le but de la science militaire a changé. Ma théorie vise l'accomplissement de la paix et de la stabilité. Tu connais certaines de ces choses, mais la question est : à qui puis-je confier mes idées ?

Yogorō gardait le silence.

— ... Mon fils, il y a bien des choses que je veux te léguer ; pourtant, tu es encore immature, trop immature pour reconnaître les remarquables qualités de l'homme que tu viens de rencontrer.

Yogorō baissa les yeux mais subit la critique en silence.

— ... Si même moi, enclin que je suis à considérer d'un œil favorable tout ce que tu fais, je te juge immature, alors il n'y a dans mon esprit aucun doute. Tu n'es pas encore l'être capable de poursuivre mon œuvre ; aussi dois-je trouver l'homme qu'il faut pour lui confier ton avenir. J'ai attendu la venue de l'homme qu'il faut. Souviens-toi : quand la fleur de cerisier tombe, elle doit compter sur le vent pour répandre son pollen.

— Vous ne devez pas tomber, mon père. Vous devez tenter de vivre.

Le vieil homme fronça le sourcil et dressa la tête.

— Ces paroles prouvent que tu es encore un enfant ! Maintenant, va vite me trouver le samouraï !

— Bien, monsieur !

— Ne le brusque pas. Contente-toi de lui résumer ce que je t'ai dit, et ramène-le.

— Tout de suite, mon père.

Yogorō partit en courant. Une fois dehors, il essaya d'abord la direction qu'il avait vu prendre à Musashi. Ensuite, il fouilla tout le parc du sanctuaire ; il sortit même sur la grand-rue qui traversait Kōjimachi ; en vain.

Cela ne le troublait pas outre mesure : il n'était pas aussi persuadé que son père de la supériorité de Musashi, et ne lui était pas reconnaissant de sa mise en garde. Il n'avait pas digéré le discours sur les talents exceptionnels de Kojirō, sur la folie de « risquer le désastre pour des griefs sans importance ». La visite de Musashi semblait avoir eu expressément pour but de chanter les louanges de Kojirō.

Même en écoutant son père avec soumission, il pensait tout bas : « Je ne suis pas aussi jeune et immature que tu le dis. » Et la vérité, c'est qu'en cet instant précis il se souciait de l'opinion de Musashi comme d'une guigne.

Ils étaient du même âge à peu près. Même si Musashi possédait un talent exceptionnel, il y avait des limites à ce qu'il pouvait savoir et à ce qu'il pouvait faire. Dans le passé, Yogorō était parti un an, deux ans, trois ans même, pour mener la vie ascétique du *shugyōsha*. Il avait vécu, étudié quelque temps à l'école d'un autre expert militaire, étudié le Zen auprès d'un maître sévère. Et pourtant son père, sur un simple coup d'œil, s'était non seulement formé une opinion qu'Yogorō soupçonnait exagérée sur la valeur du rōnin inconnu, mais était allé jusqu'à proposer à Yogorō de prendre Musashi pour modèle.

« Autant rentrer, se dit-il avec tristesse. Je suppose qu'il n'existe aucun moyen de convaincre un père que son fils n'est plus un enfant. » Il brûlait d'impatience pour le jour où Kagenori, le regardant, s'apercevrait soudain qu'il était à la fois un adulte et un samouraï plein de bravoure. Penser que son père risquait de mourir avant que ce jour n'arrivât lui faisait de la peine.

— Tiens, Yogorō ! C'est bien Yogorō ?

Yogorō se retourna et vit que la voix était celle de Nakatogawa Handayū, un samouraï de la Maison de Hosokawa. Il y avait quelque temps qu'ils ne s'étaient vus bien qu'à une certaine époque, Handayū eût régulièrement assisté aux cours de Kagenori.

— ... Comment va notre révéré maître ? Mes fonctions officielles m'occupent tellement que je n'ai pas eu le temps de lui faire une visite.

— Son état est à peu près stationnaire, merci.

— Dis donc, j'ai appris que Hōjō Shinzō s'était attaqué à Sasaki Kojirō et avait été vaincu.

— Tu le sais déjà ?

— Oui, on en parlait ce matin chez le seigneur Hosokawa.

— Ça ne date que d'hier au soir.

— Kojirō est l'hôte d'Iwama Kakubei. Kakubei doit avoir répandu la nouvelle. Même le seigneur Tadatoshi la connaissait.

Yogorō était trop jeune pour écouter avec détachement ; pourtant, il répugnait à révéler sa colère par quelque tressaillement involontaire. Aussi rapidement que possible, il prit congé de Handayū et se hâta de rentrer chez lui.

Sa décision était prise.

Toute la ville en parle

La femme de Kōsuke se trouvait à la cuisine en train de préparer du gruau pour Shinzō quand Iori entra.

— Les prunes jaunissent, annonça-t-il.

— Si elles sont presque mûres, ça veut dire que les cigales chanteront bientôt, répondit-elle d'un air absent.

— Vous ne faites pas de marinades de prunes ?

— Non. Nous ne sommes pas nombreux ici, et conserver toutes ces prunes dans la saumure nécessiterait plusieurs livres de sel.

— Le sel ne serait pas perdu mais les prunes le seront si vous ne les mettez pas en conserve. Et s'il y avait la guerre ou une inondation, elles vous seraient bien utiles, vous ne croyez pas ? Comme vous êtes occupée à soigner le blessé, ça me fera plaisir de vous les mettre en conserve.

— Seigneur, quel drôle d'enfant tu es, à t'inquiéter des

inondations et de choses de ce genre ! Ce sont là des pensées de vieillard.

Déjà, Iori extrayait de l'armoire un seau de bois vide. Ce seau à la main, il sortit sans se presser dans le jardin et leva les yeux vers le prunier. Hélas ! bien qu'assez adulte pour s'inquiéter de l'avenir, il demeurait assez jeune pour être aisément distrait par la vue d'une cigale bourdonnante. Il s'approcha sur la pointe des pieds, la captura et la tint dans ses mains en coupe, la faisant crier comme une sorcière épouvantée.

Il jeta un coup d'œil entre ses pouces, et eut une étrange sensation. Les insectes passent pour n'avoir pas de sang, se dit-il, mais la cigale paraissait chaude. Peut-être que les cigales elles-mêmes, devant un danger de mort, dégageaient de la chaleur corporelle. Soudain, il fut saisi d'un mélange de frayeur et de pitié. Ouvrant les paumes, il lança la cigale en l'air et la regarda s'envoler vers la rue.

Le prunier, d'imposantes dimensions, était la demeure d'une vaste communauté : grasses chenilles à la fourrure étonnamment belle, coccinelles, minuscules grenouilles bleues accrochées sous les feuilles, petits papillons dormants, taons danseurs. Contemplant fasciné ce petit coin du royaume animal, Iori songea qu'il serait inhumain de plonger dans la consternation ces messieurs et ces dames en secouant une branche. Il tendit une main précautionneuse, cueillit une prune et mordit dedans. Puis il secoua doucement la branche la plus proche, et s'étonna de ne pas voir tomber les fruits. Il cueillit quelques prunes, et les jeta dans le seau.

— Salaud ! cria Iori en lançant brusquement trois ou quatre prunes dans l'étroite allée qui longeait la maison.

La perche à sécher le linge, entre la maison et la clôture, tomba par terre avec fracas, et des pas précipités battirent en retraite entre l'allée et la rue. La figure de Kōsuke apparut à la grille de bambou de la fenêtre de son atelier.

— Quel était ce bruit ? demanda-t-il en ouvrant de grands yeux étonnés.

Iori sauta à bas de l'arbre et cria :

— Encore un inconnu caché dans l'ombre, tapi là, en plein dans l'allée ! Je lui ai lancé des prunes, et il a pris la fuite.

Le polisseur de sabres sortit en s'essuyant les mains avec une serviette.

— Quel genre d'homme ?

— Un bandit.

— L'un des hommes de Hangawara ?

— Je ne sais pas. Pourquoi est-ce que tous ces hommes viennent fouiner par ici ?

— Ils guettent l'occasion de se venger de Shinzō.

Iori regarda vers la chambre du fond, où le blessé terminait son gruau. Sa blessure s'était cicatrisée au point qu'il n'avait plus besoin de pansement.

— Kōsuke... appela Shinzō.

L'artisan s'avança jusqu'au bord de la véranda et demanda :

— Comment vous sentez-vous ?

Repoussant son plateau, Shinzō se rassit de façon plus protocolaire.

— Je tiens à vous présenter mes excuses de vous causer autant d'ennuis.

— C'est tout naturel. Je regrette d'avoir été trop occupé pour faire davantage.

— Je m'aperçois qu'en plus des tracas que je vous cause, vous êtes ennuyé par ces chenapans de Hangawara. Plus je reste, plus vous risquez qu'ils n'en viennent à vous considérer vous aussi comme un ennemi. Je crois que je devrais partir.

— N'y songez pas.

— Je vais maintenant beaucoup mieux, comme vous pouvez le constater. Je suis prêt à rentrer chez moi.

— Aujourd'hui ?

— Oui.

— Rien ne presse. Attendez au moins le retour de Musashi.

— Je préfère ne pas l'attendre ; mais veuillez le remercier de ma part. Il a été d'une grande bonté pour moi, lui aussi. Maintenant, je puis marcher convenablement.

— Vous ne semblez pas comprendre. Les hommes de Hangawara surveillent cette maison jour et nuit. Ils se jetteront sur vous dès que vous mettrez le pied dehors. Il m'est impossible de vous laisser partir seul.

— J'avais une bonne raison de tuer Jūrō et Koroku. Kojirō

est à l'origine de toute cette affaire, pas moi. Mais s'ils veulent m'attaquer, qu'ils m'attaquent.

Shinzō était debout, prêt à s'en aller. Sentant qu'il n'y avait aucun moyen de le retenir, Kōsuke et sa femme se rendirent devant la boutique pour le voir partir. A ce moment précis, Musashi parut à la porte, son front brûlé par le soleil, humide de sueur.

— Vous sortez ? demanda-t-il. Vous rentrez chez vous ?... Eh bien, je suis content de voir que vous allez assez bien pour ça, mais il serait dangereux de partir seul. Je vous accompagne.

Shinzō tenta de refuser mais Musashi insista. Quelques minutes plus tard, ils se mettaient en route ensemble.

— Après avoir été couché si longtemps, marcher doit être difficile.

— Je ne sais pourquoi, le sol paraît plus haut qu'il ne l'est en réalité.

— Hirakawa Tenjin est bien loin. Pourquoi ne louerions-nous pas un palanquin pour vous ?

— Je suppose que j'aurais déjà dû vous le dire : je ne rentre pas à l'école.

— Ah ? Alors, où ?

Baissant les yeux, Shinzō répondit :

— C'est assez humiliant mais je crois que je vais aller quelque temps chez mon père. C'est à Ushigome.

Musashi héla un palanquin et y fit monter Shinzō presque de force. Malgré l'insistance des porteurs, Musashi en refusa un pour lui-même... à la déception des hommes de Hangawara qui guettaient au coin de rue le plus proche :

— Regarde, il a mis Shinzō dans un palanquin.

— Je l'ai vu jeter un coup d'œil par ici.

— Il est encore trop tôt pour faire quoi que ce soit.

Après que le palanquin eut tourné à droite à côté du fossé externe, ils retroussèrent le bas de leurs kimonos et leurs manches, et emboîtèrent le pas ; leurs yeux étincelants semblaient prêts à jaillir de leurs orbites vers le dos de Musashi.

Celui-ci et Shinzō avaient atteint les abords d'Ushigafuchi lorsqu'une petite pierre vint ricocher sur la perche du palanquin. Simultanément, la bande se mit à vociférer et à encercler sa proie.

— Halte ! cria l'un d'eux.

— Reste où tu es, espèce de salaud !

Les porteurs épouvantés lâchèrent le palanquin et prirent la fuite. Shinzō se glissa hors du palanquin, la main au sabre. Il se leva, se mit en garde et cria :

— C'est à moi que vous dites de m'arrêter ?

Musashi bondit devant lui en criant :

— Expliquez-vous !

Les voyous se rapprochaient centimètre par centimètre, prudemment, comme s'ils eussent tâtonné pour franchir un gué.

— Tu le sais bien, ce que nous voulons ! cracha l'un d'eux. Livre-nous ce froussard que tu protèges. Et n'essaie pas de faire le malin, ou tu es mort, toi aussi.

Encouragés par ces bravades, ils écumaient ; mais aucun ne s'avança pour porter un coup de sabre. Les flammes lancées par les yeux de Musashi suffisaient à les tenir en échec. Ils hurlaient et juraient... à distance respectueuse. Musashi et Shinzō les foudroyaient du regard en silence. Quelques instants s'écoulèrent avant que Musashi ne les prît par surprise en criant :

— Si Hangawara Yajibei se trouve parmi vous, qu'il s'avance.

— Le patron n'est pas là. Mais si tu as quelque chose à dire, adresse-toi à moi, Nembutsu Tazaemon, et je te ferai la faveur d'écouter.

L'homme d'un certain âge qui s'avança portait un kimono de chanvre blanc, et un chapelet bouddhiste autour du cou.

— Qu'as-tu contre Hōjō Shinzō ?

Bombant le torse, Tazaemon répliqua :

— Il a massacré deux des nôtres.

— D'après Shinzō, vos deux brutes ont aidé Kojirō à tuer un certain nombre d'élèves d'Obata.

— C'était là une chose. Ceci en est une autre. Si nous ne réglons pas son compte à Shinzō, nous serons la risée publique.

— Ça se passe peut-être ainsi dans le monde où vous vivez, dit Musashi d'un ton conciliant. Mais dans le monde des samouraïs, c'est différent. Chez les guerriers, on ne peut en vouloir à un homme de chercher une juste vengeance et de l'assouvir. Un samouraï peut se venger dans un souci de justice ou pour défendre son honneur, mais non pour satisfaire une rancune personnelle. Ce n'est pas digne d'un homme. Et ce que vous essayez de faire en cet instant n'est pas digne d'un homme.

— Pas digne d'un homme ? Tu nous accuses de n'être pas des hommes ?

— Si Kojirō s'avançait pour nous défier en son propre nom, ça irait. Mais nous ne pouvons nous mêler à des chamailleries suscitées par des subordonnés de Kojirō.

— Le voilà qui prêche la vertu outragée, comme tous les samouraïs !... Tu as beau dire, nous avons à protéger notre réputation.

— Si les samouraïs et les hors-la-loi se battent pour savoir la loi de qui prévaudra, les rues seront pleines de sang. Le seul endroit pour régler ce litige, c'est le cabinet du magistrat. Qu'en penses-tu, Nembutsu ?

— Billevesées ! D'abord, si le magistrat pouvait régler ce genre de chose, nous ne serions pas ici.

— Dis-moi, quel âge as-tu ?

— Ça te regarde ?

— Tu m'as l'air assez vieux pour savoir que tu ne devrais pas conduire une troupe de jeunes gens à une mort absurde.

— Ah ! garde pour toi tes paroles astucieuses. Je ne suis pas trop vieux pour me battre !

Tazaemon tira son sabre, et les voyous s'avancèrent, criant et se bousculant. Musashi évita le coup de Tazaemon, qu'il saisit par sa nuque grise. Il parcourut à grandes enjambées les quelque dix pas qui les séparaient du fossé, et jeta Tazaemon par-dessus bord, sans autre forme de procès. Puis, comme la bande le cernait, il bondit en arrière, souleva Shinzō par la taille et s'éloigna avec lui. Il courut à travers un champ vers la mi-pente d'une colline. Au-dessous d'eux, un cours d'eau se jetait dans le fossé, et l'on distinguait au bas de la pente un marais bleuâtre. A mi-hauteur, Musashi s'arrêta et déposa Shinzō.

— Maintenant, courons.

Shinzō hésita, mais Musashi le poussa. Les voyous, remis de leur saisissement, leur donnaient la chasse.

— Attrapez-le !

— Pas d'amour-propre !...

— *Ça,* un samouraï ?...

— Il ne peut pas avoir jeté Tazaemon dans le fossé et s'en tirer comme ça !

Sans tenir compte des quolibets et des insultes, Musashi dit à Shinzō :

— Ne songez pas un instant à vous mêler à eux. Fuyez ! C'est la seule chose à faire en pareil cas.

Avec un large sourire, il ajouta :

— ... Ce n'est pas si facile, d'aller vite sur ce terrain, vous ne trouvez pas ?

Ils traversaient ce qui se nommerait un jour Ushigafuchi et la colline de Kudan, mais à l'époque cette zone était fortement boisée. Lorsqu'ils eurent semé leurs poursuivants, Shinzō était d'une pâleur mortelle.

— ... Ereinté ? demanda Musashi avec sollicitude.

— Ça... ça peut aller.

— J'imagine que ça vous déplaît de les laisser nous insulter ainsi sans nous défendre.

— Mon Dieu...

— Ha ! ha ! Réfléchissez-y calmement et vous en verrez la raison. Il y a des cas où l'on se sent mieux de fuir. Il y a un ruisseau, là-bas. Rincez-vous la bouche, après quoi je vous conduirai chez votre père.

Quelques minutes plus tard, la forêt qui entourait le sanctuaire d'Akagi Myōjin était en vue. La maison du seigneur Hōjō se dressait juste au-dessous.

— J'espère que vous allez entrer et rencontrer mon père, dit Shinzō lorsqu'ils arrivèrent au mur de terre qui entourait la maison.

— Une autre fois. Reposez-vous beaucoup et soignez-vous bien.

Sur quoi, il tourna les talons.

Après cet incident, le nom de Musashi fut très souvent

prononcé dans les rues d'Edo, bien plus souvent qu'il ne l'eût souhaité. On le traitait d'imposteur, de « lâche des lâches » ; on disait : « C'est une honte pour la classe des samouraïs. Si un charlatan pareil a vaincu les Yoshioka à Kyoto, ils devaient être d'une lamentable faiblesse. Il doit les avoir défiés en sachant qu'ils ne pourraient se défendre. Après quoi, il a dû prendre la fuite avant de courir le moindre danger véritable. Cet imposteur ne veut qu'une chose : se faire un nom auprès des gens qui n'entendent rien à l'art du sabre. » Bientôt, il fut impossible de trouver personne pour dire du bien de lui.

L'insulte suprême fut placardée dans tout Edo : « Ceci s'adresse à Miyamoto Musashi, qui a pris la fuite. La douairière Hon'iden brûle de se venger. Nous aussi, nous aimerions voir ta figure au lieu de ton dos, pour changer. Si tu es un samouraï, montre-toi et bats-toi. L'Association Hangawara. »

Livre VI

LE SOLEIL ET LA LUNE

Une causette avec les hommes

Avant le petit déjeuner, le seigneur Hosokawa Tadatoshi commençait sa journée par l'étude des classiques confucéens. Ses fonctions officielles, qui réclamaient souvent sa présence au château d'Edo, occupaient la majeure partie de son temps ; néanmoins, quand son horaire le lui permettait il pratiquait les arts martiaux. Chaque fois que c'était possible, il aimait à passer ses soirées en compagnie des jeunes samouraïs qui se trouvaient à son service.

L'atmosphère ressemblait assez à celle d'une harmonieuse famille réunie autour de son patriarche ; cette atmosphère n'était certes pas tout à fait libre, car on n'encourageait pas l'idée que Sa Seigneurie fût à égalité avec les autres ; pourtant, les rigueurs habituelles de l'étiquette se relâchaient un peu. Tadatoshi, étendu nonchalamment en kimono de chanvre léger, favorisait un échange d'idées qui souvent incluait les derniers potins.

— Okatani... dit Sa Seigneurie à l'un des plus robustes de ses hommes.

— Monsieur ?

— L'on me dit que tu es devenu très bon à la lance.

— Exact. Très bon, en effet.

— Ha ! ha ! La fausse modestie ne t'étouffe certes pas.

— Mon Dieu, monsieur, puisque tout le monde le dit, pourquoi le nierais-je ?

— Un de ces jours, je m'assurerai par moi-même des progrès de ta technique.

— J'ai attendu ce jour avec impatience, mais il semble qu'il ne vienne jamais.

— Tu as de la chance qu'il ne vienne pas.

— Dites-moi, monsieur, avez-vous entendu la chanson que tout le monde chante ?

— Laquelle ?

— Elle dit :

Il y a lancier et lancier,
Toutes sortes de lanciers,
Mais le plus grand de tous, c'est
Okatani Gorōji...

Tadatoshi éclata de rire.

— Je ne suis pas aussi facile à berner. Cette chanson est sur Nagoya Sanzō.

Les autres se joignirent à l'éclat de rire.

— Ah ! vous le saviez ?

— Tu serais surpris de tout ce que je sais.

Il allait en fournir d'autres preuves, mais se ravisa. Il se plaisait à apprendre ce que ses hommes pensaient, ce dont ils parlaient, et considérait de son devoir de se tenir bien informé, mais il n'eût guère convenu de révéler ce qu'il savait au juste. A la place, il demanda :

— ... Combien d'entre vous se spécialisent dans la lance, et combien dans le sabre ?

Sur sept, cinq étudiaient la lance, et deux seulement le sabre.

— ... Pourquoi donc êtes-vous si nombreux à préférer la lance ? demanda Tadatoshi.

Les lanciers s'accordaient sur le fait qu'elle était plus efficace au combat.

— ... Et qu'en pensent les spécialistes du sabre ?

L'un d'eux répondit :

— Le sabre vaut mieux. L'art du sabre vous prépare à la paix aussi bien qu'à la guerre.

Il s'agissait là d'un perpétuel sujet de discussion, et le débat était généralement animé. L'un des lanciers affirma :

— Plus la lance est longue, mieux ça vaut, à condition qu'elle ne soit pas trop longue pour être maniée efficacement. La lance peut servir à frapper, à percer ou bien à trancher, et si vous échouez avec elle, vous pouvez toujours vous replier sur votre sabre. Si vous n'avez qu'un sabre et qu'il se brise, c'en est fait de vous.

— Possible, répliqua un partisan du combat au sabre, mais l'œuvre du samouraï ne se limite pas au champ de bataille. Le sabre est son âme. Pratiquer cet art, c'est affiner et discipliner son esprit. Dans le sens le plus large, le sabre constitue la base de tout entraînement militaire, quelques désavantages qu'il risque d'avoir au combat. Si l'on maîtrise la signification profonde de la Voie du samouraï, la discipline peut convenir à l'usage de la lance ou même des armes à feu. Si l'on connaît le sabre, on ne commet pas de fautes idiotes, on ne se laisse pas prendre au dépourvu. L'art du sabre a des applications universelles.

La discussion aurait pu se poursuivre indéfiniment si Tadatoshi, lequel avait écouté sans prendre parti, n'avait déclaré :

— Mainosuke, il me semble que ce que tu viens de dire là, tu l'as entendu dans la bouche de quelqu'un d'autre.

Matsushita Mainosuke s'en défendit :

— Non, monsieur. C'est mon opinion personnelle.

— Allons donc, sois sincère.

— Eh bien, à vrai dire, j'ai entendu quelque chose du même genre alors que j'allais voir Kakubei récemment. Sasaki Kojirō affirmait à peu près la même chose. Mais ça correspondait si bien avec mon propre avis... Je n'essayais de tromper personne. Seulement, Sasaki l'exprimait mieux que je n'aurais su le faire.

— Je m'en doutais, dit Tadatoshi avec un sourire moqueur.

La mention du nom de Kojirō lui rappela qu'il n'avait pas encore pris de décision quant à la recommandation de Kakubei. Ce dernier avait suggéré qu'étant donné la jeunesse relative de Kojirō, on pourrait lui offrir environ mille boisseaux. Mais bien plus que la question de la solde était en jeu. Le père de Tadatoshi lui avait maintes fois répété qu'il était d'une importance capitale, d'abord de faire preuve de jugement pour engager des samouraïs, ensuite de les bien traiter. Avant d'accepter un candidat, il était impératif d'évaluer non seulement ses talents mais encore son caractère. Aussi valable qu'il pût paraître, s'il ne pouvait œuvrer de concert avec ceux qui avaient fait de la Maison de Hosokawa ce qu'elle était alors, il serait à peu près inutile.

Un fief, avait déclaré l'aîné des Hosokawa, ressemblait à une muraille de château construite avec de nombreuses pierres. Une pierre que l'on ne pouvait tailler de manière à l'insérer harmonieusement parmi les autres affaiblirait la structure entière, même si la pierre elle-même était d'une dimension et d'une qualité admirables. Le daimyō des temps nouveaux laissait dans les montagnes et dans les champs les pierres qui ne convenaient pas, car elles abondaient. Le défi était de trouver une grande pierre capable de contribuer de manière éminente à l'édification de son propre mur. Considérée sous cet angle, estimait Tadatoshi, la jeunesse de Kojirō jouait en sa faveur. Il était encore dans ses années de formation, et par conséquent susceptible d'être façonné dans une certaine mesure.

Tadatoshi se rappelait aussi l'autre rōnin. Nagaoka Sado avait mentionné Musashi pour la première fois à l'une de ces réunions du soir. Bien que Sado eût laissé Musashi lui filer entre les doigts, Tadatoshi ne l'avait pas oublié. Si les renseignements de Sado étaient exacts, Musashi était à la fois un meilleur combattant que Kojirō et un homme d'une étoffe suffisante pour être précieux au gouvernement.

En comparant les deux, il devait reconnaître que la plupart des daimyōs eussent préféré Kojirō. De bonne famille, il avait étudié à fond l'Art de la guerre. Malgré sa jeunesse, il avait mis au point un redoutable style personnel, et s'était acquis une considérable renommée de combattant. L'histoire de sa « brillante » victoire sur les hommes de l'Académie Obata au bord du fleuve Sumida et de nouveau sur la digue de la rivière Kanda était déjà bien connue.

Depuis quelque temps, l'on ne savait plus rien de Musashi. Sa victoire d'Ichijōji avait forgé sa réputation. Mais cela datait de plusieurs années, et peu après le bruit s'était répandu que l'histoire était exagérée, que Musashi, assoiffé de gloire, avait truqué la bataille, fait une attaque tapageuse, puis s'était réfugié au mont Hiei. Chaque fois que Musashi faisait quelque chose de méritoire, un flot de rumeurs suivait, dénigrant son caractère et ses talents. C'en était arrivé au point que la simple mention de son nom suscitait le plus souvent la critique. A moins qu'on ne l'ignorât totalement. Fils d'un guerrier obscur des montagnes de Mimasaka, sa généalogie était insignifiante. Certes, d'autres hommes d'humble origine — dont le plus notable était Toyotomi Hideyoshi, venu de Nakamura dans la province d'Owari — avaient accédé peu de temps auparavant à la gloire ; pourtant, dans l'ensemble, les gens avaient l'esprit de classe et étaient peu enclins à accorder grande attention à un homme ayant les origines de Musashi. Tout en méditant la question, Tadatoshi promena les yeux autour de lui et demanda :

— ... L'un d'entre vous a-t-il entendu parler d'un samouraï du nom de Miyamoto Musashi ?

— Musashi ? répondit une voix surprise. Comment n'en aurait-on pas entendu parler ? Toute la ville est au courant.

Il était manifeste que ce nom leur était familier à tous.

— Et pourquoi donc ? demanda Tadatoshi, curieux.

— Il y a des inscriptions sur lui, risqua un jeune homme, un peu réticent.

Un autre, du nom de Mori, fit chorus :

— Des gens copiaient ces inscriptions ; j'en ai fait autant. J'ai le texte sur moi. Voulez-vous que je vous le lise ?

— Je vous en prie.

— Ah ! le voici, dit Mori en dépliant un bout de papier froissé. « Ceci s'adresse à Miyamoto Musashi, qui a pris la fuite... »

Il y eut des haussements de sourcils et des sourires s'esquissèrent, mais le visage de Tadatoshi restait grave.

— C'est tout ?

— Non.

Il lut le reste et ajouta :

— ... Ce texte a été placardé par une bande de jeunes du quartier des charpentiers. Les gens trouvent ça drôle, car ce sont des voyous des rues qui s'en prennent à un samouraï.

Tadatoshi fronça légèrement le sourcil, estimant que les paroles qui flétrissaient Musashi mettaient en cause son propre jugement. On se trouvait loin de l'image qu'il s'était formée de Musashi. Mais il n'était pas disposé à prendre pour argent comptant ce qu'il entendait là.

— Hum... murmura-t-il. Je me demande si Musashi est vraiment ce qu'ils prétendent.

— A mon avis, c'est un paltoquet sans intérêt, dit Mori dont les autres partageaient l'opinion. Ou du moins un lâche. Sinon, pourquoi laisserait-il traîner son nom dans la boue ?

L'horloge sonna et les hommes prirent congé mais Tadatoshi resta assis, songeant : « Cet homme a quelque chose d'intéressant. » N'étant pas de ceux que gouverne l'opinion prédominante, il était curieux de connaître la version Musashi de l'histoire.

Le lendemain matin, après avoir assisté à un cours sur les classiques chinois, il sortit de son cabinet sur la véranda et aperçut Sado dans le jardin.

— Bonjour, mon vieil ami ! cria-t-il.

Sado se tourna vers lui et s'inclina poliment pour un salut matinal.

— ... Toujours à l'affût ? demanda Tadatoshi.

Surpris par la question, Sado se contenta d'ouvrir de grands yeux.

— ... Je veux dire : gardez-vous un œil sur Miyamoto Musashi ?

— Oui, messire, répondit Sado en baissant les yeux.

— Si vous réussissez à le trouver, amenez-le ici. Je veux voir à quoi il ressemble.

Peu après midi, ce même jour, Kakubei aborda Tadatoshi au champ de tir à l'arc, et revint à la charge pour lui recommander Kojirō. Tout en prenant son arc, le jeune seigneur répondit doucement :

— Pardon, j'avais oublié. Amenez-le quand vous voudrez. J'aimerais jeter un coup d'œil sur lui. Le faire entrer ou non à mon service est une autre paire de manches, vous ne l'ignorez pas.

Bourdonnements d'insectes

Assis dans une chambre du fond de la maisonnette que lui avait prêtée Kakubei, Kojirō examinait la « Perche à sécher ». Après l'incident avec Hōjō Shinzō, il avait prié Kakubei d'insister pour que l'artisan lui rendît l'arme. Elle était revenue ce matin-là.

« Elle ne sera pas polie, bien sûr », avait prédit Kojirō ; mais en réalité, l'épée avait été réparée avec une attention et un soin qui dépassaient ses espoirs les plus fous. Du métal bleu-noir, ondoyant comme le courant d'un fleuve profond, jaillissait maintenant un vif éclat blanc, la lumière des siècles passés. Les taches de rouille, qui ressemblaient à des pustules de lèpre, avaient disparu ; le dessin ondulant de la trempe, entre le bord de la lame et la ligne faîtière, jusqu'alors maculé de sang, avait maintenant la beauté sereine d'une lune brumeuse qui flotte dans le ciel.

« J'ai l'impression de la voir pour la première fois », s'émerveilla Kojirō. Incapable de détacher les yeux de l'épée, il n'entendit pas le visiteur qui l'appelait de la façade :

— Vous êtes là ?... Kojirō ?

Cette partie de la colline avait reçu le nom de Tsukinomisaki, à cause de la vue magnifique qu'elle offrait sur le lever de la lune. De son salon, Kojirō pouvait admirer le fragment de la baie qui s'étendait entre Shiba et Shinagawa. De l'autre côté de la baie, des nuages écumeux semblaient au même niveau que ses yeux. En cet instant, la blancheur des collines lointaines et le bleu verdâtre de l'eau paraissaient se confondre avec la lame.

— ... Kojirō ! Il n'y a personne ?

Cette fois, la voix provenait de la porte latérale envahie par l'herbe. Sortant de sa rêverie et remettant l'épée au fourreau, il cria :

— Qui est là ? Je suis dans le fond. Si vous voulez me voir, faites le tour jusqu'à la véranda.

— Ah ! vous voilà, dit Osugi en regardant à l'intérieur de la maison.

— Eh bien, pour une surprise, c'est une surprise ! s'exclama cordialement Kojirō. Qu'est-ce qui vous amène, par cette chaleur ?

— Un instant. Que je me lave les pieds. Après quoi, nous pourrons parler.

— Le puits est là-bas. Attention. Il est très profond. Toi, mon garçon... accompagne-la, et veille à ce qu'elle ne tombe pas dedans.

L'homme qu'il appelait « mon garçon » était un membre de rang inférieur de la bande Hangawara que l'on avait envoyé pour guider Osugi. Ayant lavé son visage en sueur et s'étant rincé les pieds, elle entra dans la maison et échangea quelques salutations. Elle sentit la brise agréable qui soufflait de la baie, regarda autour d'elle et dit :

— Voilà une maison plaisante et fraîche. Vous ne craignez pas de devenir paresseux, à loger dans un endroit aussi confortable ?

— Je ne suis pas Matahachi, répliqua en riant Kojirō.

La vieille femme cligna tristement des yeux mais ignora la pointe.

— Je regrette de ne pas vous avoir apporté de véritable présent, dit-elle. A la place, je vous donnerai un sutra que j'ai copié.

En lui tendant le *Sutra sur le grand amour des parents,* elle ajouta :

— ... Je vous en prie, lisez-le quand vous aurez le temps.

Après avoir jeté un coup d'œil poli à l'ouvrage d'Osugi, Kojirō se tourna vers son guide et lui dit :

— A propos, avez-vous placardé les inscriptions que j'ai rédigées pour vous ?

— Celles qui disent à Musashi de sortir de sa cachette ?

— Oui, celles-là.

— Ça nous a pris deux jours pleins mais nous en avons placardé une à presque tous les carrefours importants.

— En venant ici, nous sommes passés devant quelques-unes, dit Osugi. Partout où elles sont placardées, des passants bavardent. Ça m'a donné chaud au cœur, d'entendre ce qu'ils disent de Musashi.

— S'il ne répond pas au défi, c'en est fait de lui comme

samouraï. Le pays tout entier se gaussera de lui. Cela devrait suffire amplement à votre vengeance, grand-mère.

— Jamais de la vie. Qu'on se moque de lui ne lui fera ni chaud ni froid. Il n'a pas d'amour-propre. Et ça ne me satisfera pas non plus. Je veux le voir puni une bonne fois pour toutes.

— Ha ! ha ! fit Kojirō qu'amusait sa ténacité. Vous avez beau vieillir, vous ne renoncez jamais, n'est-ce pas ? A propos, êtes-vous venue me voir pour me dire quelque chose de spécial ?

La vieille dame rectifia sa tenue et expliqua qu'après plus de deux ans passés chez Hangawara, elle avait le sentiment qu'elle devait repartir. C'était mal de sa part, de profiter indéfiniment de l'hospitalité de Yajibei ; d'autre part, elle était lasse de servir de mère à une maisonnée de canailles. Elle avait remarqué une jolie petite maison à louer près du bac de Yoroi.

— Qu'en pensez-vous ? demanda-t-elle, le visage grave, interrogateur. Il ne semble pas que je doive retrouver bientôt Musashi. Et quelque chose me dit que Matahachi se trouve quelque part dans Edo. Je crois que je devrais me faire envoyer de l'argent de chez moi, et rester encore un peu. Mais seule, ainsi que je l'ai dit.

Kojirō n'avait aucune objection à lui opposer. Ses propres rapports avec la maisonnée Hangawara, amusants et utiles au début, devenaient un peu gênants. Ils ne constituaient sûrement pas un atout pour un rōnin qui cherche un maître. Il avait déjà résolu de mettre un terme aux séances d'entraînement.

Il appela l'un des subordonnés de Kakubei, et lui fit apporter une pastèque du jardin de derrière la maison. Tandis qu'on la coupait et la servait ils bavardèrent, mais bientôt Kojirō reconduisit sa visiteuse : ses manières indiquaient nettement qu'il préférait se débarrasser d'elle avant la nuit.

Après son départ, il fit lui-même son ménage et arrosa le jardin avec l'eau du puits.

Rentré dans sa chambre, il s'étendit et se demanda vaguement si son hôte serait de service, ce soir-là, à la maison Hosokawa. La lampe, que le vent eût sans doute éteinte de toute manière, n'était pas allumée. La clarté de la lune, qui se levait de l'autre côté de la haie, illuminait déjà le visage de Kojirō.

Au pied de la colline, un jeune samouraï franchissait la clôture du cimetière.

Kakubei logeait le cheval qu'il montait, pour aller et venir de la maison Hosokawa, chez un fleuriste, au bas de la colline d'Isarago.

Ce soir-là, fait assez curieux, il n'y avait pas trace du fleuriste, qui se hâtait toujours de sortir pour prendre l'animal en charge. Ne le voyant pas dans sa boutique, Kakubei passa derrière et entreprit d'attacher son cheval à un arbre. Entre-temps, le fleuriste sortit en courant de derrière le temple. Il prit les rênes des mains de Kakubei, et haleta :

— Pardon, monsieur. Il y avait au cimetière un homme bizarre en train de monter la colline. Je lui ai crié qu'il n'y avait pas de chemin par là. Il s'est tourné vers moi, m'a regardé fixement — en colère, qu'il était —, et puis il a disparu.

Il se tut quelques instants, leva les yeux pour scruter les arbres sombres, et ajouta d'un air inquiet :

— ... Croyez-vous que ça puisse être un cambrioleur ? On raconte que beaucoup de maisons de daimyōs ont été cambriolées ces temps-ci.

Kakubei était au courant de ces rumeurs, mais il répondit avec un petit rire :

— Ce ne sont que des commérages. Si l'homme que vous avez vu était un cambrioleur, je dirais volontiers qu'il s'agisait d'un voleur de bas étage ou de l'un de ces rōnins qui détroussent les passants.

— Eh bien, nous sommes ici juste à l'entrée du Tōkaidō, et beaucoup de voyageurs ont été attaqués par des hommes qui fuyaient vers d'autres provinces. Ça me tracasse, quand je vois rôder la nuit des hommes qui ont l'air suspect.

— S'il arrive quoi que ce soit, faites un saut en haut de la colline et frappez à ma porte. L'homme qui habite chez moi ronge son frein et n'arrête pas de se plaindre qu'il ne se passe jamais rien par ici.

— Vous voulez parler de Sasaki Kojirō ? Par ici, on fait grand cas de lui en tant qu'homme d'épée.

Cette remarque flatta l'amour-propre de Kakubei. Outre

qu'il aimait la jeunesse, il savait fort bien que l'on considérait comme admirable et sage, de la part de samouraïs en place tels que lui-même, de protéger des jeunes gens prometteurs. En cas d'urgence, il ne pourrait y avoir preuve plus convaincante de son loyalisme que d'être en mesure de fournir de bons combattants à son seigneur. Et si l'un d'eux se révélait remarquable, le mérite en reviendrait naturellement au membre de la suite qui l'aurait recommandé. Kakubei avait pour principe qu'un vassal ne devait pas manifester d'intérêts personnels ; pourtant, il était réaliste. Dans un fief important, peu de vassaux acceptaient de négliger totalement leurs intérêts.

En dépit du fait qu'il devait son poste à l'hérédité, Kakubei était aussi loyal envers le seigneur Tadatoshi que ses autres vassaux, sans être homme à s'efforcer de surpasser les autres dans ses démonstrations de loyalisme. Pour la routine administrative, les hommes de sa trempe étaient en fin de compte beaucoup plus satisfaisants que les brandons de discorde qui cherchaient à accomplir des exploits spectaculaires.

— Me voilà de retour ! cria-t-il en franchissant le portail de sa maison.

La colline était fort escarpée, et le souffle lui manquait toujours un peu quand il parvenait à cet endroit. Comme il avait laissé son épouse à la campagne et que la maison se trouvait surtout peuplée d'hommes, avec uniquement quelques servantes, la touche féminine faisait un peu défaut. Pourtant, les soirs où il n'était pas de service de nuit, il trouvait toujours avenante l'allée de pierre qui menait du portail rouge à l'entrée, car on venait de l'arroser en prévision de son retour. Et si tard qu'il fût, quelqu'un venait toujours l'accueillir à la porte.

— ... Kojirō est là ? demanda-t-il.

— Il est resté là toute la journée, répondit le serviteur. Il est étendu dans sa chambre à profiter de la brise.

— Bon. Prépare du saké, et dis-lui de venir me voir.

Durant les préparatifs, Kakubei retira ses vêtements trempés de sueur et se délassa dans son bain. Puis il enfila un kimono léger, et passa dans un salon où Kojirō, assis, s'éventait. L'on apporta le saké. Kakubei le versa en disant :

— ... Je vous ai fait venir parce qu'il est arrivé aujourd'hui quelque chose d'encourageant dont je voulais vous informer.

— Une bonne nouvelle ?

— Depuis que j'ai cité votre nom au seigneur Tadatoshi, il semble avoir entendu parler de vous par d'autres personnes. Aujourd'hui, il m'a dit de vous mener le voir bientôt. Vous le savez, ces affaires ne sont pas faciles à mettre sur pied. Des douzaines de vassaux ont dans leur manche quelqu'un à proposer.

Il s'attendait à ce que la joie de Kojirō fût immense ; le ton de sa voix, son comportement l'indiquaient nettement. Kojirō porta sa coupe à ses lèvres, et but. Lorsque enfin il parla, son expression n'avait pas changé, et il dit seulement :

— Permettez-moi maintenant de vous verser une coupe.

Kakubei, loin de s'étonner, admira le jeune homme d'être capable de cacher ses émotions.

— Cela veut dire que j'ai réussi à obtenir ce que vous m'aviez demandé. Ça s'arrose. Une autre coupe.

Kojirō inclina légèrement la tête et marmonna :

— Je vous suis reconnaissant de votre bonté.

— Je n'ai fait que mon devoir, bien sûr, répondit modestement Kakubei. Quand un homme est aussi capable et talentueux que vous, je dois à mon seigneur de veiller à ce qu'il reçoive la considération qu'il mérite.

— Je vous en prie, ne me surestimez pas. Et permettez-moi d'insister de nouveau sur un point. Ce n'est pas la solde qui m'intéresse. J'estime uniquement que la Maison de Hosokawa est une très bonne Maison pour qu'y serve un samouraï. Elle a eu trois hommes éminents d'affilée.

Ces trois hommes étaient Tadatoshi, son père et son grand-père, Sansai et Yūsai.

— Ne croyez pas que je vous aie porté aux nues. Je n'en ai pas eu besoin. Le nom de Sasaki Kojirō est connu dans toute la capitale.

— Comment pourrais-je être célèbre alors que je ne fais que paresser ici toute la journée ? Je ne me considère comme remarquable en rien. Seulement, les charlatans courent les rues.

— L'on m'a dit que je pourrais vous amener à n'importe quel moment. Quand voudriez-vous y aller ?

— N'importe quand me convient aussi.

— Demain ?

— Ça me va.

Son expression ne trahissait ni impatience, ni anxiété, seulement une calme confiance en soi. Encore plus impressionné par son sang-froid, Kakubei choisit cet instant pour déclarer d'un ton neutre :

— Bien entendu, vous comprenez que Sa Seigneurie ne pourra prendre de décision définitive avant de vous avoir vu. Cela ne doit pas vous inquiéter. Ce n'est que pour la forme. Je ne doute pas que le poste ne vous soit offert.

Kojirō posa sa coupe sur la table et considéra Kakubei en plein visage. Puis, très froidement et d'un ton de défi, il dit :

— J'ai changé d'avis. Je regrette de vous avoir occasionné toute cette peine.

Il semblait que le sang allait jaillir des lobes de ses oreilles, déjà rendus cramoisis par la boisson.

— Qu... quoi ? bégaya Kakubei. Vous voulez dire que vous renoncez à la chance d'avoir un poste dans la Maison de Hosokawa ?

— L'idée ne me plaît pas, répondit sèchement son hôte sans s'expliquer davantage.

Son orgueil lui disait qu'il n'avait aucune raison de se soumettre à une inspection ; des douzaines d'autres daimyōs sauteraient sur lui les yeux fermés pour quinze cents, voire deux mille cinq cents boisseaux. La déception et la perplexité de Kakubei ne semblaient pas faire la moindre impression sur lui, non plus qu'il ne s'inquiétait de passer pour un ingrat et pour un entêté. Sans la moindre trace de doute ou de remords, il acheva sa nourriture en silence et retourna chez lui.

Le clair de lune tombait doucement sur le tatami. Ivre, il s'étendit par terre, les mains derrière la tête, et se mit à rire tout bas. « Un bien brave homme, ce Kakubei. Bon vieux Kakubei... » Il savait que son hôte serait fort en peine d'expliquer à Tadatoshi ce brusque revirement, mais il savait aussi que

Kakubei ne lui garderait pas rancune bien longtemps, quelque outrageuse que fût sa conduite.

Il avait eu beau nier vertueusement tout intérêt pour la solde, en réalité l'ambition le dévorait. Il voulait se faire connaître dans tout le pays comme un grand homme, un homme arrivé, couvrir de gloire sa maison d'Iwakuni, jouir de chacun des bienfaits que l'on peut tirer de la condition humaine. La route la plus rapide vers la gloire et la richesse consistait à exceller dans les arts martiaux. Il avait la chance de posséder un don naturel pour l'épée ; il ne l'ignorait pas, et n'en tirait pas une mince vanité. Il avait organisé sa carrière intelligemment et avec une remarquable prévoyance. Chacune de ses actions était calculée pour le rapprocher de son but. De son point de vue, Kakubei, bien que son aîné, était naïf et quelque peu sentimental.

Il s'endormit en rêvant de son brillant avenir.

Plus tard, quand le clair de lune eut avancé d'un pied sur le tatami, une voix aussi douce que la brise qui chuchotait à travers les bambous dit :

— Allons.

Une ombre, tapie parmi les moustiques, rampa comme une grenouille vers l'auvent de la maison non éclairée. L'homme mystérieux, entrevu plus tôt au pied de la colline, s'avança lentement, silencieusement jusqu'à ce qu'il atteignît la véranda, où il s'arrêta pour regarder à l'intérieur de la chambre. Caché dans l'ombre, hors du clair de lune, il aurait pu passer indéfiniment inaperçu si lui-même n'avait pas fait de bruit.

Kojirō ronflait toujours. Le doux bourdonnement des insectes, interrompu brièvement alors que l'homme se mettait en place, reprit dans l'herbe humide de rosée.

Plusieurs minutes s'écoulèrent. Puis le silence fut rompu par le vacarme que fit l'homme en dégainant à la vitesse de l'éclair et en bondissant sur la véranda.

Il sauta vers Kojirō et cria : « Aââââh ! », un instant avant de serrer les dents pour frapper.

Il y eut un sifflement strident tandis qu'un long objet noir descendait pesamment sur son poignet ; mais à l'origine, son coup avait été puissant. Au lieu de tomber de sa main, son sabre s'enfonça dans le tatami, à l'endroit où s'était trouvé le corps de Kojirō.

Ainsi qu'un poisson s'écarte comme une flèche d'une perche qui frappe l'eau, celui qui devait être la victime avait bondi vers le mur. Il était maintenant debout face à l'intrus, la « Perche à sécher » dans une main, son fourreau dans l'autre.

— Qui es-tu ?

La respiration de Kojirō était calme. Comme toujours attentif aux bruits de la nature, jusqu'à la chute d'une goutte de rosée, il était imperturbable.

— C'est... c'est... c'est moi !

— « Moi » ne me renseigne pas. Je sais que tu es un lâche, d'attaquer un homme qui dort. Comment t'appelles-tu ?

— Je suis Yogorō, le fils unique d'Obata Kagenori. Tu as profité de la maladie de mon père. Et tu l'as diffamé dans toute la ville.

— Ce n'était pas moi qui le diffamais. C'étaient les diffamateurs : les habitants d'Edo.

— Qui donc a attiré ses élèves au combat pour les tuer ?

— Moi, aucun doute là-dessus. Moi, Sasaki Kojirō. Comment faire, si je suis meilleur qu'eux ? Plus fort. Plus brave. Plus savant dans l'Art de la guerre.

— Comment peux-tu avoir le culot de dire ça, alors que tu as fait appel, pour t'aider, à la vermine de Hangawara ?

Avec un grondement de dégoût, Kojirō s'avança d'un pas.

— Si tu veux me haïr, vas-y ! Mais tout homme qui apporte une rancune personnelle dans une épreuve de force selon l'Art de la guerre n'est pas même un lâche. Il est pire, plus pitoyable, plus risible... Ainsi donc, une fois de plus il me faut tuer un Obata. Y es-tu résigné ?

Pas de réponse.

— ... J'ai dit : es-tu résigné à ton sort ?

Il s'avança encore d'un pas. Au cours de ce mouvement, la clarté lunaire, reflétée par la lame nouvellement polie de son épée, aveugla Yogorō. Kojirō dévorait des yeux sa proie, comme un affamé dévore des yeux un festin.

L'aigle

Kakubei regrettait de s'être laissé humilier, et se jurait de ne plus rien avoir à faire avec Kojirō. Pourtant, au fond de lui-même, il aimait cet homme. Ce qu'il n'aimait pas, c'était d'être pris entre son maître et son protégé. Alors, il se mit à reconsidérer la question.

« Peut-être que la réaction de Kojirō prouve à quel point il est exceptionnel. Un samouraï quelconque aurait bondi sur la chance de cette entrevue. » Plus il réfléchissait sur l'accès de susceptibilité de Kojirō, plus il était séduit par l'esprit d'indépendance de ce rōnin.

Durant les trois jours qui suivirent, Kakubei fut de service de nuit. Il ne vit Kojirō que le matin du quatrième jour, où il se rendit chez le jeune homme. Après un silence bref, mais contraint, il déclara :

— J'ai à vous parler une minute, Kojirō. Hier, au moment où je partais, le seigneur Tadatoshi m'a questionné à votre sujet. Il a dit qu'il vous verrait. Pourquoi ne passeriez-vous pas au champ de tir à l'arc, jeter un coup d'œil à la technique Hosokawa ?

Kojirō fit sans répondre un large sourire, et Kakubei ajouta :

— ... Je ne vois pas pourquoi vous vous obstinez à trouver cela humiliant. C'est l'usage, que d'avoir une entrevue avec un homme avant de lui proposer un poste officiel.

— Je sais, mais supposons qu'il me rejette ; alors ?... Je serais un proscrit, vous ne croyez pas ? Je ne suis pas dans le besoin au point de devoir faire du porte à porte pour me vendre au plus offrant.

— Alors, c'est moi le coupable. Je me suis mal exprimé. Sa Seigneurie n'a jamais voulu sous-entendre une chose pareille.

— Eh bien, que lui avez-vous répondu ?

— Rien encore. Mais il m'a l'air de s'impatienter un peu.

— Ha ! ha ! Vous avez été fort prévenant, fort serviable. Je suppose que je ne devrais pas vous mettre dans une situation aussi délicate.

— Ne voudriez-vous pas reconsidérer la question : aller voir, une seule fois, le seigneur Tadatoshi ?

— Soit, si vous y tenez à ce point, répondit Kojirō d'un ton protecteur, mais Kakubei n'en fut pas moins satisfait.

— Aujourd'hui ?

— Si tôt ?

— Oui.

— Quelle heure ?

— Que diriez-vous d'un peu après midi ? C'est l'heure où il s'exerce au tir à l'arc.

— Bon, j'y serai.

Kojirō se lança dans des préparatifs compliqués en vue de la rencontre. Il choisit un kimono d'excellente qualité, et un *hakama* en tissu d'importation. Sur le kimono, il portait un genre de gilet de cérémonie en pure soie, sans manches mais aux épaules empesées, évasées. Pour compléter sa parure, il se fit procurer par les domestiques des *zōri* neuves et un nouveau chapeau de vannerie.

— ... Y a-t-il un cheval que je puisse monter ? demanda-t-il.

— Oui. Le cheval de relais du maître, le blanc, est à la boutique, au bas de la colline.

N'ayant pas trouvé le fleuriste, Kojirō regarda en direction du temple, de l'autre côté de la route, où un groupe de gens était rassemblé autour d'un cadavre couvert d'une natte de roseaux. Il alla jeter un coup d'œil.

Ils organisaient l'enterrement avec le prêtre local. Le mort n'avait sur lui rien qui permît de l'identifier ; nul ne savait qui il était, seulement qu'il était jeune et de la classe des samouraïs. Autour de la profonde entaille qui allait de l'extrémité d'une épaule à la taille, le sang avait séché et noirci.

— Je l'ai déjà vu. Il y a environ quatre jours, dans la soirée, dit le fleuriste, qui continua de parler avec animation jusqu'à ce qu'il sentît une main se poser sur son épaule.

Il leva les yeux pour voir qui c'était ; Kojirō lui déclara :

— Il paraît que vous gardez le cheval de Kakubei. Préparez-le-moi, je vous prie.

Le fleuriste s'inclina vivement, demanda pour la forme : « Vous sortez ? », et s'éloigna en hâte.

Il flatta au col le coursier gris pommelé en le sortant de son écurie.

— Bon cheval, observa Kojirō.

— Oui-da. Bel animal.

Voyant Kojirō en selle, le fleuriste rayonnant lui déclara :

— Ça fait une belle paire.

Kojirō tira de l'argent de sa bourse, et le jeta à l'homme :

— Voilà pour des fleurs et de l'encens.

— Hein ? Pour qui donc ?

— Pour le mort, là-bas.

Au-delà du portail du temple, Kojirō s'éclaircit la gorge et cracha comme afin d'éjecter le goût amer laissé par la vue du cadavre. Mais il avait l'impression lancinante que le jeune homme qu'il avait abattu avec la « Perche à sécher » venait de rejeter la natte de roseaux, et le suivait. « Je n'ai rien fait pour mériter sa haine », se dit-il, et cette idée le rasséréna.

Tandis que cheval et cavalier suivaient la grand-route de Takanawa sous un soleil ardent, bourgeois et samouraïs se rangeaient pour les laisser passer. Des têtes se tournaient pour les admirer. Jusque dans les rues d'Edo, Kojirō faisait grand effet ; les gens se demandaient qui il était, d'où il venait. A la résidence Hosokawa, il confia le cheval à un domestique et entra dans la maison. Kakubei s'élança au-devant de lui.

— Merci d'être venu. Et c'est juste le bon moment, déclara-t-il, comme si Kojirō lui faisait à lui-même une grande faveur. Reposez-vous un peu. Je vais dire à Sa Seigneurie que vous êtes là.

Auparavant, il s'assura que son invité fût bien pourvu d'eau fraîche, d'infusion d'orge et d'un plateau de tabac. Lorsqu'un membre de la suite se présenta pour le conduire au champ de tir à l'arc, Kojirō lui remit sa chère « Perche à sécher », et l'accompagna en ne portant que son sabre court.

Le seigneur Tadatoshi avait résolu de tirer cent flèches par jour au cours des mois d'été. Un certain nombre de membres proches de sa cour étaient toujours là, à observer chaque coup en retenant leur souffle, et à se rendre utiles en rapportant les flèches.

— Donnez-moi une serviette, ordonna Sa Seigneurie, debout, son arc au flanc.

Kakubei, à genoux, demanda :

— Puis-je vous interrompre, messire ?

— Qu'y a-t-il ?

— Sasaki Kojirō est là. Je serais heureux de vous le présenter.

— Sasaki ? Ah ! oui.

Il adapta une flèche à la corde et leva son arme au-dessus des sourcils. Ni lui ni aucun des autres n'accordèrent à Kojirō le moindre regard avant la fin des cent coups. Tadatoshi dit en soupirant :

— ... De l'eau. Apportez-moi de l'eau.

Un serviteur en apporta du puits, et la versa dans un grand bassin de bois aux pieds de Tadatoshi. Laissant pendre la partie supérieure de son kimono, il s'essuya le torse et se lava les pieds. Ses hommes l'assistaient en lui tenant les manches, en courant chercher un supplément d'eau, en lui frictionnant le dos. Rien de cérémonieux dans leur comportement, rien qui pût indiquer à un observateur qu'il s'agissait d'un daimyō et de sa suite.

Kojirō avait supposé que Tadatoshi, poète et esthète, fils du seigneur Sansai et petit-fils du seigneur Yūsai, serait un homme de maintien aristocratique, d'une conduite aussi raffinée que les élégants courtisans de Kyoto. Mais sa surprise ne se reflétait pas dans ses yeux tandis qu'il regardait. Glissant ses pieds encore humides à l'intérieur de ses *zori,* Tadatoshi considéra Kakubei, lequel attendait à l'écart. L'air de quelqu'un qui soudain se rappelle une promesse, il déclara :

— ... Allons, Kakubei, je vais voir votre homme.

Il fit apporter et placer à l'ombre d'un dais un tabouret où il s'assit devant une bannière à ses armes, un cercle entouré de huit cercles plus petits, représentant le soleil, la lune et les sept planètes. Sur un signe de Kakubei, Kojirō s'avança et s'agenouilla devant le seigneur Tadatoshi. Aussitôt après les salutations protocolaires, Tadatoshi invita Kojirō à s'asseoir sur un tabouret, le traitant de la sorte en hôte d'honneur.

— Avec votre permission, dit Kojirō en se levant pour s'asseoir en face de Tadatoshi.

— Kakubei m'a parlé de vous. Vous êtes né à Iwakuni, c'est bien cela ?

— C'est exact, messire.

— Le seigneur Kakkawa Hiroie d'Iwakuni était célèbre pour la sagesse et la noblesse de son gouvernement. Vos ancêtres faisaient-ils partie de sa suite ?

— Non, jamais nous n'avons servi la Maison de Kakkawa. L'on m'a dit que nous descendions des Sasaki de la province d'Ōmi. Après la chute du dernier shōgun Ashikaga, il semble que mon père se soit retiré au village de ma mère.

Après quelques autres questions concernant la famille et la généalogie, le seigneur Tadatoshi demanda :

— C'est la première fois que vous prendrez du service ?

— Je ne sais pas encore si je vais prendre du service.

— J'ai cru comprendre, à ce que m'a dit Kakubei, que vous souhaitiez servir la Maison de Hosokawa. Quelles sont vos raisons ?

— Je crois que c'est une Maison pour laquelle je vivrais et mourrais volontiers.

Cette réponse parut plaire à Tadatoshi.

— Et votre style de combat ?...

— Je le nomme le style Ganryū.

— Ganryū ?

— C'est un style que j'ai moi-même inventé.

— Je suppose qu'il a des antécédents.

— J'ai étudié le style Tomita, et profité des leçons du seigneur Katayama Hisayasu de Hōki, lequel en son vieil âge s'est retiré à Iwakuni. J'ai aussi maîtrisé seul de nombreuses techniques. J'avais coutume de m'exercer à abattre des hirondelles à la volée.

— Je vois. Je suppose que le nom de Ganryū vient de celui de la rivière proche de votre lieu de naissance.

— Oui, messire.

— J'aimerais assister à une démonstration.

Tadatoshi promena les yeux sur les visages de ses samouraïs qui l'entouraient.

— ... Lequel d'entre vous aimerait se mesurer à cet homme ?

Ils avaient assisté en silence à l'entrevue, se disant que Kojirō était remarquablement jeune pour avoir acquis la réputation dont il jouissait. Maintenant, tous se regardèrent d'abord l'un l'autre, puis regardèrent Kojirō dont les joues en feu proclamaient sa volonté d'affronter n'importe quel adversaire.

— ... Toi par exemple, Okatani ?

— Bien, messire.

— Tu n'arrêtes pas de prétendre que la lance est supérieure à l'épée. Voilà une occasion de le prouver.

— Avec plaisir, si Sasaki le veut bien.

— Certes, répondit avec empressement Kojirō.

Dans le ton de sa voix, poli mais d'une extrême froideur, il y avait une nuance de cruauté. Les samouraïs qui avaient balayé le sable du champ de tir à l'arc et rangé l'équipement se rassemblèrent derrière leur maître. Les armes avaient beau leur être aussi familières que leurs baguettes de table, ils possédaient surtout l'expérience du dōjō. L'occasion d'assister à un combat réel, encore bien moins d'y prendre part, ne se présenterait que de rares fois dans toute leur existence. Ils eussent admis volontiers qu'un combat singulier constituait une épreuve plus grande que d'aller sur le champ de bataille, où un homme pouvait parfois s'arrêter pour reprendre haleine tandis que ses camarades continuaient à se battre. Dans un combat singulier, l'homme ne pouvait compter que sur lui-même, sur sa propre vigilance et ses propres forces, du début à la fin. Ou bien il gagnait, ou bien il était tué ou estropié.

Ils regardaient d'un air solennel Okatani Gorōji. Même chez les derniers des fantassins, bon nombre étaient habiles à la lance ; de façon générale, on s'accordait sur le fait que Gorōji était le meilleur. Il avait non seulement été au combat mais s'était entraîné avec zèle et avait inventé des techniques personnelles.

— Donnez-moi cinq minutes, dit Gorōji en s'inclinant devant Tadatoshi et Kojirō avant de se retirer pour se préparer.

Il était content de porter, ce jour-là comme les autres, des sous-vêtements immaculés dans la tradition du bon samouraï, lequel inaugurait chaque journée avec un sourire et une incertitude : le soir, il risquait d'être un cadavre.

Après avoir emprunté un sabre de bois de trois pieds, Kojirō choisit le terrain de l'affrontement. Son corps paraissait d'autant plus détendu qu'il ne retroussait pas son *hakama* plissé. Il avait un aspect redoutable ; ses ennemis eux-mêmes eussent été obligés de le reconnaître. Il évoquait un aigle, et son beau profil exprimait une sereine confiance. Des yeux inquiets commencèrent à se tourner vers le dais derrière lequel Gorōji ajustait ses vêtements et son équipement.

— Qu'est-ce qui lui prend si longtemps ? demanda quelqu'un.

Gorōji enveloppait tranquillement d'une bande de tissu humide le fer de sa lance, une arme dont il avait tiré un excellent parti sur le champ de bataille. La hampe avait près de trois mètres de long, et le fer effilé, de plus de vingt centimètres, équivalait à lui seul à une petite épée.

— Que faites-vous ? lui cria Kojirō. Si vous craignez de me faire du mal, épargnez-vous cette peine.

A nouveau, derrière les paroles courtoises il y avait un sous-entendu arrogant.

— ... Peu m'importe que vous laissiez le fer à nu.

— Vous êtes sûr ? demanda Gorōji en lui décochant un regard aigu.

— Tout à fait.

Bien que ni le seigneur Tadatoshi ni ses hommes n'ouvrissent la bouche, leurs yeux perçants disaient à Gorōji de commencer. Si l'inconnu avait le toupet de le demander, pourquoi ne pas l'embrocher ?

— Dans ce cas...

Gorōji arracha l'enveloppe et s'avança, tenant la lance à mi-hampe.

— ... Je m'incline bien volontiers ; mais si je me bats à fer nu, je veux que vous vous battiez avec un vrai sabre.

— Ce sabre de bois est très bien.

— Non ; je ne puis accepter cela.

— Vous ne voudriez pas que moi, un étranger, j'eusse l'audace d'utiliser un vrai sabre en présence de Sa Seigneurie.

— Pourtant...

Avec une légère impatience, le seigneur Tadatoshi déclara :

— Allons, Okatani. Nul ne t'accusera de lâcheté si tu accèdes à la demande de cet homme.

Il était visible que l'attitude de Kojirō l'avait impressionné.

Les deux hommes, la mine résolue, se saluèrent du regard. Gorōji prit l'initiative en sautant de côté ; mais Kojirō se glissa sous la lance et le frappa en pleine poitrine. N'ayant pas le temps de riposter, le lancier tenta de piquer du bout de son arme la nuque de Kojirō. Avec un craquement sonore, la lance vola dans les airs tandis que le sabre de Kojirō mordait dans les côtes de Gorōji, exposées par l'élan de la lance vers le haut. Gorōji glissa de côté puis s'écarta d'un bond mais l'attaque se poursuivit sans relâche. Sans avoir le temps de reprendre haleine, il ne cessait de sauter de côté. Il réussit les toutes premières esquives, mais il ressemblait à un faucon pèlerin qui tente de repousser un aigle. Harcelée par ce sabre qui faisait rage, la hampe de la lance se brisa en deux. Au même instant, Gorōji poussa un cri ; l'on eût dit que son âme s'arrachait de son corps.

Le bref combat était fini. Kojirō avait espéré affronter quatre ou cinq hommes, mais Tadatoshi déclara qu'il en avait assez vu.

Quand Kakubei rentra chez lui, ce soir-là, Kojirō lui demanda :

— Suis-je allé un peu trop loin ? Je veux dire en présence de Sa Seigneurie ?

— Non, c'était une magnifique performance.

Kakubei se sentait un peu mal à l'aise. Maintenant qu'il était en mesure d'évaluer pleinement les talents de Kojirō, il avait l'impression d'être un homme qui a réchauffé dans son sein un oiselet qui, en grandissant, devient un aigle.

— Le seigneur Tadatoshi a dit quelque chose ?

— Rien de particulier.

— Allons donc ! Il a bien dit quelque chose ?

— Non ; il a quitté sans un mot le champ de tir.

— Hum...

Kojirō paraissait déçu, mais il reprit :

— ... Eh bien, tant pis. Il m'a semblé supérieur à sa réputation. Je me disais que si je devais servir quelqu'un, autant que ce fût lui. Mais, bien entendu, le résultat ne dépend pas de moi.

Il ne révélait pas avec quel soin il avait réfléchi à la situation. Après les clans Date, Kuroda, Shimazu et Mōri, le clan Hosokawa était le plus prestigieux et le plus sûr. Kojirō avait la certitude que cela continuerait tant que le seigneur Sansai tiendrait le fief de Buzen. Et tôt ou tard, Edo et Osaka se heurteraient une fois pour toutes. Impossible de prévoir le résultat ; le samouraï qui aurait choisi le mauvais maître risquerait aisément de se retrouver rōnin, ayant sacrifié sa vie entière à quelques mois de salaire.

Le lendemain du combat, l'on apprit que Gorōji avait survécu bien que son bassin ou son fémur gauche eussent été fracassés. Kojirō reçut la nouvelle avec calme, en se disant que même s'il n'obtenait pas de poste, il avait fait honneur à sa réputation.

Quelques jours plus tard, il annonça brusquement qu'il allait rendre visite à Gorōji. Sans s'expliquer sur cette soudaine manifestation de bonté, il partit seul, à pied, pour la maison de Gorōji, près du pont de Tokiwa.

Le blessé reçut cordialement son visiteur inattendu.

— Un combat est un combat, dit Gorōji en souriant, les yeux humides. Je peux déplorer mon propre manque d'habileté mais je ne vous en veux certes pas. C'était bien aimable à vous de venir me voir. Merci.

Après le départ de Kojirō, Gorōji confia à un ami :

— ... Maintenant, il existe un samouraï que je puis admirer. Je le croyais un arrogant scélérat, mais il se révèle à la fois amical et courtois.

C'était précisément la réaction qu'avait espérée Kojirō. Elle faisait partie de son plan ; d'autres visiteurs entendraient le vaincu lui-même chanter ses louanges. De deux en deux ou trois jours, il fit encore trois visites à Gorōji. Une fois, il fit livrer du marché, à titre de présent de rétablissement, un poisson vivant.

Kakis verts

Lors de la canicule qui suivit la saison des pluies d'été, les crabes rampaient paresseusement dans la rue desséchée, et les pancartes défiant Musashi de « sortir de sa cachette pour se battre » avaient disparu. Les rares qui n'étaient pas tombées dans la boue ou n'avaient pas été volées pour servir de bois à brûler étaient cachées par les hautes herbes.

« Il doit bien y avoir quelque chose quelque part », se dit Kojirō en cherchant des yeux, autour de lui, un endroit où manger. Mais il se trouvait à Edo, non pas à Kyoto, et les boutiques bon marché qui servaient le riz et le thé, si courantes dans la plus ancienne des deux villes, n'avaient pas encore fait ici leur apparition. Le seul établissement possible se dressait dans un terrain vague, à l'abri de stores de roseaux. De derrière les stores s'élevait une fumée paresseuse, et sur une enseigne verticale figurait le mot « Donjiki ». Ce mot lui évoqua aussitôt *tonjiki,* ce qui jadis avait désigné les boulettes de riz qui tenaient lieu de rations militaires.

En s'approchant, il entendit une voix masculine demander une tasse de thé. A l'intérieur, deux samouraïs engloutissaient du riz, l'un d'un bol à riz ordinaire, l'autre d'un bol à saké. Kojirō s'assit à l'extrémité d'un banc, en face d'eux, et demanda au patron :

— Qu'est-ce que vous avez ?

— Des plats de riz. J'ai aussi du saké.

— Sur l'enseigne, il y a marqué « Donjiki ». Qu'est-ce que ça veut dire ?

— A la vérité, je n'en sais rien.

— Ce n'est pas vous qui l'avez inscrit ?

— Non. Ça a été inscrit par un marchand retraité qui s'est arrêté ici pour se reposer.

— Je vois. Bonne calligraphie, je dois le reconnaître.

— Il disait qu'il effectuait un pèlerinage religieux, qu'il avait visité le sanctuaire Hirakawa Tenjin, le sanctuaire de Hikawa, Kanda Myōjin, toutes sortes d'endroits, en faisant à chacun de grosses donations. Très pieux et très généreux, à ce qu'il semblait.

— Vous savez comment il s'appelle ?

— Daizō de Narai, à ce qu'il m'a dit.

— Je connais ce nom.

— Donjiki... eh bien, je ne comprends pas. Mais je me suis dit que si un homme aussi distingué que lui l'avait écrit, il avait des chances de tenir à distance le dieu de la pauvreté.

Et de rire. Après avoir jeté un coup d'œil à plusieurs grands bols de porcelaine, Kojirō prit du riz et du poisson, versa du thé sur le riz, éloigna une mouche avec ses baguettes, et se mit à manger. L'un des autres clients se leva et risqua un œil à travers une lame brisée de la persienne.

— Regarde donc là-bas, dit-il à son compagnon. Ce n'est pas le marchand de pastèques ?

L'autre se précipita vers la persienne afin de regarder au-dehors.

— Oui, c'est bien lui.

Le marchand, portant sur l'épaule une perche chargée de paniers à chaque bout, passait sans se presser devant le Donjiki. Les deux samouraïs s'élancèrent hors de la boutique et le rejoignirent. Ils tirèrent leurs sabres, et coupèrent les cordes qui tenaient les paniers. Le marchand trébucha en avant avec ses pastèques. Hamada le releva par la peau du cou.

— ... Où l'as-tu emmenée ? demanda-t-il avec irritation. Ne mens pas. Tu dois la cacher quelque part.

L'autre samouraï avança l'extrémité de son sabre sous le nez du captif.

— Accouche ! Où est-elle ?

La lame du sabre, menaçante, battait contre la joue de l'homme.

— Comment, avec une face comme la tienne, peut-on songer à partir avec la femme d'un autre ?

Le marchand, rouge de colère et de frayeur, secoua la tête ; mais alors, voyant une issue, il écarta l'un de ses agresseurs, ramassa sa perche et la brandit en direction de l'autre.

— Comme ça, on veut se battre, hein ? Attention, Hamada, ce personnage n'est pas un marchand de pastèques ordinaire.

— Que peut faire cet âne ? railla Hamada en arrachant la perche et en renversant le marchand.

A califourchon sur lui, il se servit des cordes pour l'attacher à la perche. Un cri de porc égorgé s'éleva derrière lui. Hamada tourna la tête. L'air totalement abasourdi, il se releva d'un bond en criant :

— ... Qui êtes-vous ? Qu'est-ce que...

Telle une vipère la lame s'élançait droit sur lui. Kojirō riait et, tandis que Hamada reculait, le poursuivait impitoyablement. Tous deux décrivaient un cercle dans l'herbe. Quand Hamada reculait d'un pas, Kojirō s'avançait d'un pas. Quand Hamada sautait de côté, la « Perche à sécher » suivait, pointée inflexiblement vers sa future victime. Le marchand de pastèques, stupéfait, s'écria :

— Kojirō ! C'est moi. Sauvez-moi !

Hamada pâlit et haleta :

— Ko-ji-rō !

Alors, il fit demi-tour et tenta de s'enfuir.

— Où vas-tu comme ça ? aboya Kojirō.

La « Perche à sécher » étincela à travers l'atmosphère lourde, tranchant une oreille de Hamada et se logeant profondément dans la chair, au-dessous des épaules. Sa mort fut instantanée. Kojirō eut tôt fait de couper les liens du marchand de pastèques. S'asseyant de façon protocolaire, l'homme s'inclina et demeura penché, trop gêné pour montrer son visage. Kojirō essuya et rengaina son épée. L'air un peu amusé, il demanda :

— ... Qu'est-ce qui t'arrive, Matahachi ! N'aie pas l'air aussi lamentable. Tu as la vie sauve.

— Oui, monsieur.

— Pas de « oui, monsieur » entre nous. Regarde-moi. Ça fait longtemps que nous ne nous sommes vus, n'est-ce pas ?

— Je suis content de constater que vous allez bien.

— Pourquoi n'irais-je pas bien ? Mais je dois dire que tu as pris un métier inattendu.

— Ne parlons pas de ça.

— Soit. Ramasse tes pastèques. Et puis... je sais : pourquoi ne les laisserais-tu pas au Donjiki ?

Il appela à grands cris le patron qui les aida à empiler les pastèques derrière les stores. Kojirō sortit son pinceau, son encre, et inscrivit sur l'un des shoji : « A ceux que cela peut intéresser. Moi, Sasaki Kojirō, rōnin résidant à Tsukinomisaki, je certifie que j'ai tué les deux hommes qui gisent dans ce terrain vague. » Au patron, il déclara :

— ... Voilà qui évitera que quiconque vous ennuie à propos de ces meurtres.

— Merci, monsieur.

— Il n'y a pas de quoi. Si des amis ou des parents des morts se présentaient, veuillez leur transmettre de ma part ce message. Dites-leur que je ne fuirai pas. S'ils veulent me voir, je suis prêt à les accueillir à tout moment.

Ressorti, il dit à Matahachi :

— ... En route.

Matahachi marchait à son côté, mais sans détacher les yeux du sol. Pas une seule fois depuis son arrivée à Edo, il n'avait exercé un travail régulier. Quelles que fussent ses intentions — devenir *shugyōsha* ou entrer dans les affaires —, dès que cela devenait difficile il changeait de besogne. Et après qu'Otsū lui eut glissé entre les doigts, il eut de moins en moins envie de travailler. Il couchait tantôt ici, tantôt là, parfois dans des bouges peuplés de voyous. Les toutes dernières semaines, il vivait de colportage, traînant ses pastèques d'un point à l'autre de l'enceinte du château. Les faits et gestes de Matahachi n'intéressaient pas spécialement Kojirō, mais il avait rédigé l'inscription de Donjiki, et risquait par la suite d'être interrogé au sujet de l'incident.

— ... Que te voulaient ces samouraïs ? demanda-t-il.

— A vrai dire, ça avait trait à une femme...

Kojirō sourit en songeant que partout où allait Matahachi, des difficultés liées aux femmes ne tardaient pas à surgir. Peut-être était-ce là son karma.

— Hum, marmonna-t-il, le grand amoureux a encore fait des siennes ?

Puis, plus fort :

— ... De quelle femme s'agit-il, et que s'est-il passé au juste ?

Il fallut insister, mais Matahachi finit par céder et par raconter son histoire, ou du moins une partie de celle-ci. Près du fossé, il y avait des douzaines de minuscules salons de thé destinés aux ouvriers du bâtiment et aux passants. Dans l'un d'eux se trouvait une serveuse qui attirait tous les regards, incitant des hommes qui n'avaient pas envie de thé à entrer en boire une tasse, et des hommes qui n'avaient pas faim à commander des bols de gelée sucrée. L'un des clients assidus était Hamada ; Matahachi passait de temps à autre, lui aussi. Un jour, cette serveuse lui chuchota qu'elle avait besoin de son aide :

— C'est ce rōnin, disait-elle. Je ne l'aime pas, mais chaque soir après la fermeture de la boutique, le maître m'ordonne de l'accompagner chez lui. Ne me laisserez-vous pas venir me cacher chez vous ? Je ne serai pas un fardeau. Je vous ferai la cuisine et le raccommodage.

Cette prière paraissant raisonnable, Matahachi avait accepté. Les choses se bornaient là, assurait-il. Kojirō n'était pas convaincu :

— Ça me paraît louche.

— Et pourquoi donc ? demanda Matahachi.

Kojirō ne savait pas si Matahachi essayait de se faire passer pour innocent, ou s'il se vantait d'une conquête amoureuse. Sans même un sourire, il déclara :

— Peu importe. Il fait chaud, ici, en plein soleil. Allons chez toi ; tu pourras me raconter ça plus en détail.

Matahachi s'arrêta court.

— ... Il y a quelque chose qui ne va pas ? demanda Kojirō.

— Mon Dieu, chez moi, c'est... ça n'est pas le genre d'endroit où je souhaiterais vous emmener.

Devant l'expression de détresse de Matahachi, Kojirō répondit légèrement :

— Tant pis. Mais un de ces jours, bientôt, il faut venir me voir. J'habite chez Iwama Kakubei, à peu près à mi-pente de la colline d'Isarago.

— Avec plaisir.

— A propos, as-tu vu les pancartes apposées récemment à travers la ville, celles qui s'adressaient à Musashi ?

— Oui.

— Elles disaient que ta mère le recherchait, elle aussi. Pourquoi ne vas-tu pas la voir ?

— Pas dans l'état où je me trouve en ce moment !

— Idiot ! Inutile de faire beaucoup d'efforts pour ta propre mère. Impossible de savoir au juste quand elle trouvera Musashi, et si tu n'es pas là à ce moment, tu perdras l'occasion de ta vie. Tu le regretterais, n'est-ce pas ?

— Oui, il va falloir que j'y pense, dit Matahachi sans se compromettre, en songeant avec ressentiment que les autres gens, y compris l'homme qui venait de lui sauver la vie, ne comprenaient rien aux sentiments qui unissent les mères et leur progéniture.

Ils se séparèrent, Matahachi dévalant un chemin herbeux, Kojirō s'éloignant ostensiblement dans la direction opposée. Kojirō fit bientôt demi-tour et suivit Matahachi en prenant soin de ne pas se montrer.

Matahachi ne tarda pas à arriver à une collection disparate de « longues maisons », logements ouvriers d'un étage, composés chacun de trois ou quatre petits appartements sous un même toit. Comme Edo s'était développé vite et que tout le monde ne pouvait se montrer vétilleux sur son lieu d'habitation, les gens défrichaient les terres suivant les besoins. Les rues n'apparurent qu'ensuite, créées tout naturellement à partir des sentiers. Les égouts apparurent par hasard, eux aussi : les eaux usées se frayaient seules un chemin vers la plus proche rivière. Sans ces taudis de camelote, l'afflux des nouveaux arrivants n'eût pas trouvé place. La plupart des habitants de ces endroits étaient, bien sûr, des ouvriers.

Près de chez lui, Matahachi fut salué par un voisin du nom d'Umpei, le patron d'une équipe de puisatiers. Umpei se tenait assis jambes croisées dans un large baquet ; l'on ne voyait que sa figure au-dessus du volet placé de guingois devant le baquet dans un souci de décence.

— Bonsoir, dit Matahachi. On prend son bain, à ce que je vois.

— Je vais bientôt avoir fini, répondit cordialement le patron. Voulez-vous prendre la suite ?

— Merci, mais Akemi a dû me faire chauffer de l'eau.

— Vous vous aimez bien, tous les deux, n'est-ce pas? Personne, par ici, ne paraît savoir si vous êtes frère et sœur ou mari et femme. Lequel des deux ?

Matahachi eut un petit rire embarrassé. L'apparition d'Akemi lui évita de répondre. Elle disposa un baquet sous un plaqueminier, et apporta de la maison de pleins seaux d'eau chaude afin de le remplir. Cela fait, elle dit :

— Matahachi, regarde si c'est assez chaud.

— C'est un peu trop chaud.

L'on entendit grincer la poulie du puits, et Matahachi, nu à l'exception de son pagne, tira un seau d'eau froide qu'il versa dans le bain avant d'y entrer.

— ... Ah-h-h, soupira-t-il avec satisfaction. Ça fait du bien.

Umpei, vêtu d'un kimono d'été en coton, plaça un tabouret de bambou sous un treillis de courges, et s'assit.

— Vous avez vendu beaucoup de pastèques ? demanda-t-il.

— Pas beaucoup. Je n'en vends jamais beaucoup.

Il aperçut du sang séché entre ses doigts, et se hâta de l'essuyer.

— Je m'en doute. Je continue à croire que votre vie serait plus facile si vous travailliez dans une équipe de puisatiers.

— Vous dites toujours ça. Ne me prenez pas pour un ingrat, mais si je le faisais on ne me laisserait pas sortir de l'enceinte du château, n'est-ce pas ? Voilà pourquoi Akemi ne veut pas que j'accepte ce travail. Elle dit qu'elle se sentirait seule, sans moi.

— Heureux en ménage, hein ? Allons, allons...

— Aïe !

— Qu'est-ce qu'il y a ?

— Quelque chose m'est tombé sur la tête.

Un kaki vert atterrit juste derrière Matahachi.

— Ha ! ha ! Vous êtes puni de vous être vanté de la dévotion de votre épouse, voilà ce que c'est.

Toujours riant, Umpei frappa son genou de son éventail. Agé de plus de soixante ans, avec une crinière embroussaillée de cheveux blancs pareils à du chanvre, Umpei jouissait du respect de ses voisins et de l'admiration des jeunes, que ce cœur d'or traitait comme ses propres enfants. Chaque matin, on l'entendait psalmodier *Namu Myōhō Rengekyō,* l'invocation sacrée de la secte Nichiren.

Natif d'Itō dans la province d'Izu, il avait devant sa maison une enseigne qui disait : « Idohori no Umpei, puisatier du château du Shōgun. » Forer les nombreux puits nécessaires au château exigeait plus de technique que n'en possédait le commun des ouvriers. Umpei avait été engagé comme conseiller et recruteur d'ouvriers à cause de sa longue expérience des mines d'or de la péninsule d'Izu. Rien ne lui plaisait plus que de s'asseoir sous son cher treillis de courges, à débiter des histoires en buvant sa coupe du soir de *shōshū* bon marché mais fort, le saké du pauvre.

Après que Matahachi fut sorti du bain, Akemi entoura la baignoire de volets pour prendre le sien. Plus tard, la proposition d'Umpei revint sur le tapis. Outre qu'ils devaient rester dans l'enceinte du château, les ouvriers étaient surveillés de fort près, et leurs familles servaient pratiquement d'otages aux patrons des endroits où ils habitaient. En revanche, le travail était plus facile qu'à l'extérieur et payé au moins le double. Accoudé à un plateau sur lequel se trouvait un plat de caillé de fèves froid garni de feuilles fraîches et parfumées de basilic, Matahachi déclara :

— Je ne veux pas me constituer prisonnier sous le simple prétexte de gagner un peu d'argent. Je n'ai pas l'intention de vendre toute ma vie des pastèques ; encore un peu de patience, Akemi.

— Hum... répondit-elle entre deux bouchées de gruau de thé et de riz. J'aimerais mieux te voir essayer une bonne fois de faire quelque chose qui en vaille vraiment la peine, quelque chose de remarquable.

Sans jamais rien dire ou faire pour démentir qu'elle était la femme légitime de Matahachi, elle n'avait pas l'intention d'épouser un homme aussi hésitant. Fuir avec Matahachi, à Sakaimachi, le monde de la galanterie, n'avait été qu'un expédient ; Matahachi, c'était le tremplin à partir duquel Akemi avait l'intention, à la première occasion, de s'envoler une fois de plus en plein ciel. Mais il ne convenait pas à ses projets que

Matahachi s'en allât travailler au château. Elle avait le sentiment qu'il serait dangereux de rester seule ; notamment, elle redoutait que Hamada ne la retrouvât et ne la forçât à vivre avec lui.

— Ah ! j'oubliais, dit Matahachi comme ils achevaient leur frugal repas.

Et il lui raconta ses aventures de la journée, sous un angle susceptible de lui plaire. Quand il eut terminé, elle était livide. Elle prit une inspiration profonde pour dire :

— Tu as vu Kojirō ? Lui as-tu dit que j'étais ici ? Non, n'est-ce pas ?

Matahachi lui prit la main qu'il posa sur son propre genou.

— Bien sûr que non. Tu ne crois tout de même pas que je révélerais à ce gredin où tu es ? Il est du genre qui ne renonce jamais. Il serait après toi...

Il s'interrompit en poussant un cri inarticulé, et porta la main à sa joue. Le kaki vert qui s'y était écrasé éclata et projeta sa pulpe blanchâtre au visage d'Akemi.

Dehors, dans l'ombre d'un bosquet de bambous illuminé par le clair de lune, on pouvait voir une silhouette qui ressemblait fort à celle de Kojirō s'éloigner nonchalamment vers la ville.

Les yeux

— *Sensei !* appela Iori, pas encore assez grand pour que son regard dépassât les hautes herbes.

Ils étaient dans la plaine de Musashino, dont on disait qu'elle couvrait dix comtés.

— Je suis là, répondit Musashi. Pourquoi es-tu si lent ?

— Je suppose qu'il y a un sentier mais je le perds sans arrêt. Jusqu'où devons-nous aller comme ça ?

— Jusqu'à ce que nous trouvions un bon endroit pour vivre.

— Pour vivre ? Nous allons rester par ici ?

— Pourquoi non ?

Iori leva les yeux vers le ciel, songea à son immensité, au vide du paysage qui l'entourait, et dit :

— Je me le demande.

— Imagine ce que ce sera en automne. Un magnifique ciel clair, de la rosée fraîche sur l'herbe. Tu ne te sens pas plus propre, rien que d'y penser ?

— Mon Dieu, peut-être, mais je ne suis pas opposé comme vous à vivre à la ville.

— Je ne le suis pas vraiment. Dans un sens, c'est agréable d'être au milieu des gens ; pourtant, malgré mon cuir épais je n'ai pas pu supporter d'y rester quand on a apposé ces pancartes. Tu as vu ce qu'elles disaient.

Iori fit la grimace.

— Rien que d'y penser, ça me rend fou.

— Je n'ai pas pu l'éviter. A quoi bon t'en irriter ?

— C'est plus fort que moi. Partout où j'allais, on disait du mal de vous.

— Je n'y pouvais rien.

— Vous auriez pu abattre les hommes qui répandaient ces bruits. Vous auriez pu apposer vos propres pancartes pour les défier.

— A quoi bon se lancer dans des combats où l'on ne peut vaincre ?

— Vous n'auriez pas été vaincu par cette racaille. Ça n'est pas possible.

— Tu te trompes. J'aurais été vaincu.

— Comment cela ?

— Par le simple nombre. Si j'en battais dix, il en viendrait cent autres. Si j'en battais cent, il en viendrait mille. Impossible de gagner dans les situations de ce genre.

— Mais est-ce que ça veut dire qu'on va se moquer de vous tout le restant de vos jours ?

— Bien sûr que non. Je suis aussi décidé que n'importe qui à me faire un nom. Je le dois à mes ancêtres. Et j'ai l'intention de devenir un homme dont on ne se moque jamais. Voilà ce que je suis venu apprendre ici.

— Nous aurons beau marcher tout notre soûl, je ne crois pas que nous trouvions la moindre maison. Ne devrions-nous pas essayer de trouver un temple où loger de nouveau ?

— L'idée n'est pas mauvaise ; mais ce que je veux en réalité, c'est trouver un endroit quelconque avec beaucoup d'arbres, où bâtir une maison à nous.

— Comme à Hōtengahara ?

— Non. Cette fois, nous ne ferons pas de culture. Je crois que je pratiquerai chaque jour la méditation zen. Tu pourras lire des livres, et je te donnerai des leçons d'escrime.

Entrés dans la plaine au village de Kashiwagi, arrivés à Edo par Kōshū, ils avaient descendu la longue pente à partir de Jūnisho Gongen, et suivi un étroit sentier qui sans arrêt menaçait de disparaître sous les herbes ondulantes de l'été. Lorsqu'ils eurent fini par atteindre une butte couverte de pins, Musashi examina brièvement le terrain et dit :

— Voilà qui fera très bien l'affaire.

Il était partout chez lui... plus : où qu'il se trouvât, c'était l'univers.

Ils empruntèrent des outils et engagèrent un ouvrier à la ferme la plus proche. Pour construire une maison, la méthode de Musashi n'était pas du tout compliquée ; et même, il eût beaucoup appris en regardant des oiseaux bâtir un nid. Le résultat, achevé quelques jours plus tard, était bien curieux : moins solide qu'une retraite d'ermite dans la montagne, sans toutefois être aussi sommaire qu'un hangar. Les montants étaient faits de bûches où subsistait l'écorce ; le reste : un mélange grossier de planches, d'écorce, de bambou et de miscanthus.

Reculant pour bien considérer son œuvre, Musashi se dit, songeur : « Cela doit ressembler aux maisons que l'on habitait du temps des dieux. » Le seul contraste avec ce caractère primitif était fourni par des bouts de papier assemblés avec amour pour former de petits shoji.

Les jours suivants, le son de la voix d'Iori, s'élevant de derrière un store en roseaux tandis qu'il récitait ses leçons, domina le bourdonnement des cigales. Son éducation était devenue très stricte à tous égards.

Dans le cas de Jōtarō, Musashi n'avait pas insisté sur la discipline, estimant à l'époque qu'il valait mieux laisser grandir les garçons de façon naturelle. Mais avec le temps il avait observé qu'en réalité les défauts tendaient à se développer, et les qualités à disparaître. De même, il avait constaté que les arbres et les plantes qu'il voulait faire pousser refusaient de pousser tandis que mauvaises herbes et broussailles prospéraient, aussi souvent qu'il les coupât.

Durant le siècle qui suivit la guerre d'Ōnin, la nation avait ressemblé à une masse emmêlée de chanvre monté en graine. Puis Nobunaga avait coupé ces broussailles, Hideyoshi les avait mises en meules, Ieyasu avait brisé, ameubli le sol afin d'édifier un monde nouveau. Selon Musashi, les guerriers qui n'attribuaient de valeur éminente qu'aux exercices martiaux, et dont l'ambition sans bornes constituait la caractéristique la plus notable, ne constituaient plus l'élément dominant de la société. Sekigahara avait mis un terme à cela.

Musashi en était venu à croire que soit que la nation demeurât aux mains des Tokugawa, soit qu'elle retournât aux Toyotomi, le peuple dans son ensemble savait déjà dans quelle direction il voulait aller : du chaos vers l'ordre, de la destruction vers la construction.

Parfois, il avait eu le sentiment d'être né trop tard. A peine la gloire de Hydeyoshi eut-elle pénétré dans les régions rurales éloignées pour enflammer le cœur de jeunes garçons tels que Musashi, que la possibilité de suivre les traces de Hideyoshi se désintégra.

Ce fut donc sa propre expérience qui décida Musashi à mettre l'accent sur la discipline dans l'éducation d'Iori. Tant qu'à former un samouraï, autant en former un pour l'époque à venir, et non pour l'époque révolue.

— Iori...

— Oui, monsieur.

Le garçon fut à genoux devant Musashi avant même d'avoir parlé.

— C'est presque le coucher du soleil. L'heure de nous entraîner. Apporte les sabres.

— Bien, monsieur.

En les posant devant Musashi, il s'agenouilla et demanda protocolairement une leçon.

Le sabre de Musashi était long, court celui d'Iori, l'un et l'autre des armes de bois destinées à l'entraînement. Maître et disciple se faisaient face dans un silence tendu, tenant leur sabre à hauteur de l'œil. Une frange de clarté solaire bordait l'horizon. Le bosquet de cryptomerias, derrière la cabane, se trouvait déjà plongé dans l'obscurité mais si l'on regardait vers les voix des cigales, un croissant de lune était visible à travers les branches.

— Les yeux, dit Musashi.

Iori ouvrit tout grands les siens.

— *Mes* yeux. Regarde-les.

Iori faisait de son mieux, mais ses yeux paraissaient littéralement rebondir loin de ceux de Musashi. Au lieu de le foudroyer du regard, il était vaincu par les yeux de son adversaire. Quand il essaya de nouveau, il fut pris d'un étourdissement. Il lui semblait que sa tête ne lui appartenait plus. Ses mains, ses pieds, tout son corps tremblaient.

— ... Regarde mes yeux ! ordonna Musashi avec une grande sévérité.

Le regard d'Iori avait fui de nouveau. Alors, en se concentrant sur les yeux de son maître, il oublia le sabre qu'il tenait à la main. Le court morceau de bois incurvé semblait devenu aussi pesant qu'une barre d'acier.

— ... Les yeux, les yeux ! dit Musashi en s'avançant légèrement.

Iori domina son désir de reculer, qu'on lui avait reproché des douzaines de fois. Mais lorsqu'il essaya de suivre l'exemple de son adversaire en s'avançant, ses pieds restèrent cloués au sol. Incapable aussi bien d'avancer que de reculer, il sentait s'élever sa température corporelle. « Qu'est-ce qui m'arrive ? » Cette question jaillit en lui comme un feu d'artifice. Sentant cette explosion d'énergie mentale, Musashi hurla :

— ... Attaque !

En même temps, il abaissait les épaules, reculait, esquivait avec une agilité de poisson. Haletant, Iori bondit en avant, tournoya... et vit Musashi debout à l'endroit où il s'était lui-même tenu.

Alors, l'affrontement reprit tout comme avant, maître et disciple gardant un silence absolu.

Bientôt, l'herbe fut trempée de rosée, et le croissant de lune domina les cryptomerias. A chaque coup de vent, les insectes s'arrêtaient momentanément de chanter. L'automne était venu, et les fleurs sauvages, peu spectaculaires durant le jour, maintenant frémissaient avec grâce, comme la robe plumeuse d'une divinité qui danse.

— ... Assez, dit Musashi en abaissant son sabre.

Comme il le tendait à Iori, ils entendirent une voix du côté du boqueteau.

— ... Je me demande qui c'est, dit Musashi.

— Sans doute un voyageur perdu qui demande asile pour la nuit.

— Cours voir.

Tandis qu'Iori contournait en hâte la maison, Musashi s'assit sur la véranda de bambous, à regarder la plaine. La lumière qui baignait l'herbe était celle de l'automne. Quand Iori revint, Musashi lui demanda :

— ... Un voyageur ?

— Non, un visiteur.

— Un visiteur ? Ici ?

— Hōjō Shinzō. Il a attaché son cheval, et vous attend derrière.

— Cette maison n'a en réalité ni devant ni derrière, mais je crois qu'il serait mieux de le recevoir ici.

Iori contourna la cabane en courant et en criant :

— S'il vous plaît, par ici !

— Quelle joie ! s'écria Musashi dont les yeux exprimaient son ravissement de voir Shinzō complètement guéri.

— Je suis désolé de vous avoir laissé sans nouvelles si longtemps. Je suppose que vous vivez ici pour fuir le monde. J'espère que vous me pardonnerez de surgir ainsi à l'improviste.

Les salutations échangées, Musashi invita Shinzō à le rejoindre sur la véranda.

— Comment m'avez-vous trouvé ? Je n'ai dit à personne où je suis.

— Zushino Kōsuke. Il m'a dit que vous aviez terminé la Kannon promise, et envoyé Iori la lui livrer.

— Ha ! ha ! Je suppose qu'Iori a trahi le secret. Peu importe. Je ne suis pas assez vieux pour renoncer au monde et prendre ma retraite. Pourtant, en effet, je me suis dit que si je quittais la scène pendant deux mois, les bavardages malveillants se calmeraient. Alors, il y aurait moins de risques de représailles contre Kōsuke et mes autres amis.

Shinzō baissa la tête.

— Je vous dois des excuses : tous ces ennuis à cause de moi.

— Pas vraiment. C'était là une cause secondaire. La véritable racine de l'affaire a trait aux rapports entre Kojirō et moi.

— Avez-vous su qu'il avait tué Obata Yogorō ?

— Non.

— Yogorō, en apprenant ce qui m'était arrivé, a résolu de se venger lui-même. Il ne faisait pas le poids devant Kojirō.

— Je l'avais prévenu...

L'image du jeune Yogorō, debout sur le seuil de la maison de son père, demeurait vivante dans l'esprit de Musashi. « Quel dommage ! » se dit-il.

— Je comprends ce qu'il ressentait, reprit Shinzō. Les élèves étaient tous partis, et son père était mort. Il a dû penser qu'il était le seul à pouvoir le faire. En tout cas, il semble être allé chez Kojirō. Personne, pourtant, ne les a vus ensemble ; il n'y a pas de preuve certaine.

— Hum... Ma mise en garde a peut-être eu l'effet contraire de celui que je souhaitais : stimulé sa fierté de telle sorte qu'il a cru devoir se battre. C'est navrant.

— Navrant. Yogorō était le seul parent de *Sensei.* Avec sa mort, la Maison d'Obata cessait d'exister. Toutefois, mon père a discuté la question avec le seigneur Munenori, lequel a réussi par un moyen quelconque à instaurer une procédure d'adoption. Je dois devenir l'héritier et le successeur de Kagenori, et perpétuer le nom d'Obata... Je ne suis pas certain d'être encore assez mûr pour cela. Je crains d'attirer en fin de compte encore plus de honte sur le pauvre homme. Après tout, il était le plus grand représentant de la tradition militaire Kōshū.

— Votre père est le seigneur d'Awa. Ne considère-t-on pas la tradition militaire Hōjō comme l'égale de l'école Kōshū ? Et votre père, un aussi grand maître que Kagenori ?

— On le dit. Nos ancêtres venaient de la province de Tōtōmi. Mon grand-père servait Hōjō Ujitsuna et Hōjō Ujiyasu d'Odawara, et mon père a été choisi par Ieyasu lui-même pour leur succéder comme chef de la famille.

— Descendant d'une famille de militaires illustres, n'est-il pas étrange que vous soyez devenu disciple de Kagenori ?

— Mon père a ses disciples, et il a donné des cours de science militaire en présence du shōgun. Cependant, au lieu de m'enseigner quoi que ce soit, il m'a dit d'aller apprendre auprès de quelqu'un d'autre. A la dure ! Voilà le genre d'homme qu'est mon père.

Musashi sentait dans le comportement de Shinzō un élément de décence et même de noblesse. Et c'était sans doute naturel, se disait-il : son père, Ujikatsu, était un général éminent, et sa mère, la fille de Hōjō Ujiyasu.

— ... Je crains d'avoir été trop bavard, dit Shinzō. A la vérité, c'est mon père qui m'a envoyé ici. Bien sûr, il n'eût été que tout naturel de sa part de venir vous exprimer en personne sa gratitude, mais en ce moment il a sous son toit une personne très désireuse de vous voir. Mon père m'a dit de vous ramener. Viendrez-vous ?

Il scrutait Musashi d'un œil interrogateur.

— Une personne que reçoit votre père veut me voir ?

— Oui.

— Qui cela peut-il bien être ? Je ne connais presque personne à Edo.

— Quelqu'un que vous connaissez depuis l'enfance.

Musashi ne devinait pas qui cela pouvait être. Matahachi ? Un samouraï du château de Takeyama ? Un ami de son père ? Peut-être même Otsū... Mais Shinzō refusa de divulguer son secret :

— ... Je ne dois pas vous dire qui c'est. La personne a déclaré qu'il valait mieux vous réserver la surprise. Viendrez-vous ?

La curiosité de Musashi était piquée. Il se dit que ce ne pouvait être Otsū, mais dans son cœur il espérait que ce fût elle.

— Allons, dit-il en se levant. Iori, ne m'attends pas pour te coucher.

Shinzō, content d'avoir réussi dans sa mission, alla derrière la maison chercher son cheval. Selle et étriers étaient trempés de rosée. Tenant la bride, il proposa le cheval à Musashi qui le monta sans tergiverser. Au départ, Musashi dit à Iori :

— Soigne-toi bien. Je ne serai peut-être pas rentré avant demain.

La brume du soir ne fut pas longue à l'engloutir.

Iori, assis en silence sur la véranda, était perdu dans ses pensées. « Les yeux... se disait-il. Les yeux... » A d'innombrables reprises, il avait reçu l'ordre de ne pas quitter des yeux ceux de son adversaire ; mais jusqu'alors, il n'arrivait ni à comprendre l'importance de la recommandation, ni à en chasser l'idée. Il levait des yeux vides vers le Fleuve céleste.

Qu'est-ce qui n'allait pas en lui ? Pourquoi, lorsque Musashi le regardait fixement, ne pouvait-il lui rendre son regard ? Plus vexé de son échec que ne l'eût été un adulte, il essayait de toutes ses forces de trouver l'explication quand il prit conscience d'une paire d'yeux. Ils étaient braqués sur lui des branches d'une vigne sauvage entortillée autour d'un arbre, devant la cabane.

« Qu'est-ce que c'est ? » se demanda-t-il.

Les yeux étincelants lui rappelaient beaucoup ceux de Musashi lors des séances d'entraînement.

« Ce doit être un opossum. » Il en avait vu un plusieurs fois, en train de manger les raisins sauvages. Ces yeux d'agate ressemblaient à ceux d'un lutin féroce.

— Sale bête ! cria Iori. Tu crois donc que je n'ai pas le moindre courage ; tu crois que même toi peux me faire baisser les yeux. Eh bien, je vais te montrer ! Je ne vais pas me laisser vaincre par toi.

Avec une sombre détermination, il foudroya du regard celui qui le foudroyait du regard. L'opossum, par entêtement ou curiosité, ne prit pas la fuite. Ses yeux brillèrent davantage encore.

Iori s'absorbait dans son effort au point d'en oublier de respirer. Il se jura de nouveau de ne pas se laisser vaincre par ce vulgaire animal. Après ce qui lui parut des heures, il se rendit compte en un éclair qu'il avait triomphé. Les feuilles de la vigne frémirent, et l'opossum disparut.

« Ça t'apprendra ! » exultait Iori. Il était trempé de sueur, mais se sentait soulagé, rafraîchi. Il n'espérait qu'une chose : être capable de renouveler son exploit la prochaine fois qu'il affronterait Musashi.

Ayant baissé un store de roseaux et éteint la lampe, il se coucha. L'herbe, au-dehors, reflétait une clarté d'un blanc bleuâtre. Il s'assoupit, mais à l'intérieur de sa tête il croyait voir un point minuscule, brillant comme un joyau. Avec le temps, le point grossit pour devenir le vague contour de la face de l'opossum. S'agitant, gémissant, il eut soudain la conviction qu'il y avait des yeux au pied de sa couche. Il se réveilla péniblement.

— ... Le gredin ! cria-t-il en tendant la main vers son sabre.

Il porta un coup meurtrier qui s'acheva en culbute. L'ombre de l'opossum était une tache mouvante sur le store. Iori la pourfendit sauvagement puis s'élança dehors afin d'en user de même avec la vigne. Il leva les yeux vers le ciel en quête de ceux de l'opossum.

Là, il vit deux grosses étoiles bleuâtres.

Une seule lumière pour quatre sages

— Nous y voici, dit Shinzō comme ils arrivaient au pied de la colline d'Akagi.

D'après la musique de flûte, qui sonnait comme l'accompagnement d'une danse sacrée, et le feu de plein air visible à travers bois, Musashi crut à une fête nocturne. Le voyage à Ushigome avait duré deux heures.

D'un côté s'étendait la spacieuse enceinte du sanctuaire d'Akagi ; de l'autre côté de la rue en pente se dressait le mur de terre d'une vaste résidence privée, et un portail aux proportions magnifiques. Lorsqu'ils y parvinrent, Musashi descendit de sa monture et tendit les rênes à Shinzō en le remerciant.

Shinzō mena le cheval à l'intérieur et le confia à un samouraï qui faisait partie d'un groupe en train d'attendre auprès de l'entrée, des lanternes de papier à la main. Ils s'avancèrent tous, lui souhaitèrent la bienvenue et ouvrirent la marche à travers les arbres vers une clairière, devant l'imposant hall d'entrée. A l'intérieur, des serviteurs portant des lanternes s'alignaient des deux côtés. Le régisseur principal les accueillit en disant :

— Entrez. Sa Seigneurie vous attend. Je vais vous conduire.

— Merci, répondit Musashi, qui suivit le régisseur en haut d'un escalier puis dans une antichambre.

La maison présentait une disposition inhabituelle ; un escalier après l'autre menaient à une suite d'appartements qui donnaient l'impression d'être empilés l'un au-dessus de l'autre jusqu'en haut de la colline d'Akagi. En s'asseyant, Musashi observa que la salle était située assez haut sur la pente. Au-delà d'une déclivité, en bordure du jardin, il distinguait à peine la partie nord du fossé du château et les bois qui encadraient l'escarpement. Il songea que dans la journée, la vue de cette pièce devait être saisissante.

Sans bruit, la porte voûtée s'ouvrit. Une très belle jeune servante entra gracieusement et disposa devant lui un plateau chargé de gâteaux, de thé, de tabac. Puis elle ressortit aussi silencieusement qu'elle était entrée. On eût dit que son kimono et son obi de couleurs vives s'étaient matérialisés puis fondus dans le mur même. Une légère fragrance s'attarda après elle, et soudain Musashi se rappela que les femmes existaient. Le maître de maison parut peu après, escorté d'un jeune samouraï. Passant sur les formalités, il déclara :

— C'est aimable à vous d'être venu.

A la mode militaire, il s'assit jambes croisées sur un coussin disposé par son samouraï, et reprit :

— ... D'après ce que l'on me dit, mon fils vous doit beaucoup. J'espère que vous me pardonnerez de vous avoir prié de venir au lieu de me rendre chez vous afin de vous exprimer mes remerciements.

Les mains reposant légèrement sur l'éventail qu'il tenait sur ses genoux, il inclina de manière imperceptible son front saillant.

— Je suis honoré d'être invité à vous rencontrer, dit Musashi.

Evaluer l'âge de Hōjō Ujikatsu n'était pas chose facile. Il lui manquait trois dents du devant mais son teint lisse et frais témoignait d'une détermination à ne jamais vieillir. La grosse moustache noire, striée de quelques rares fils blancs, avait été autorisée à déborder des deux côtés pour cacher toutes les rides qui risquaient de résulter de l'absence de dents. La première impression de Musashi fut celle d'un homme qui avait beaucoup d'enfants, et s'entendait bien avec les jeunes. Sentant que son hôte n'y verrait pas d'objection, Musashi alla droit au but :

— ... Votre fils me dit que vous recevez une personne qui me connaît. Qui cela peut-il être ?

— Pas une, mais deux. Vous les verrez bientôt.

— Deux personnes ?

— Oui. Elles se connaissent fort bien, et ce sont de bons amis à moi. Je les ai rencontrés par hasard au château, aujourd'hui. Ils sont revenus avec moi, et quand Shinzō est entré me saluer la conversation est tombée sur vous. L'un d'eux a déclaré qu'il ne vous avait pas vu depuis longtemps, et souhaitait vous revoir. L'autre, qui ne vous connaît que de réputation, a exprimé le désir de vous être présenté.

Musashi répondit avec un large sourire :

— Je crois que j'ai deviné. L'un est Takuan Sōhō, n'est-ce pas ?

— C'est ma foi vrai ! s'exclama le seigneur Ujikatsu en frappant son genou de surprise.

— Je ne l'ai pas revu depuis que je suis venu dans l'Est, il y a plusieurs années.

Avant que Musashi eût eu le temps de formuler une hypothèse sur l'identité de l'autre, Sa Seigneurie lui dit : « Venez avec moi » et sortit dans le corridor.

Ils grimpèrent un bref escalier, et suivirent un long couloir obscur. D'un côté, des volets clos. Soudain, Musashi perdit de vue le seigneur Ujikatsu. Il s'arrêta et tendit l'oreille. Au bout de quelques instants, Ujikatsu l'appela :

— ... Je suis ici, en bas !

Sa voix semblait venir d'une pièce bien éclairée, située de l'autre côté d'un renfoncement du corridor.

— Compris ! cria Musashi en réponse.

Au lieu d'aller droit à la lumière, il resta où il était. Quelque chose lui disait qu'un danger planait dans l'obscurité de cette espace extérieur au couloir.

— Qu'attendez-vous, Musashi ? Nous sommes par ici.

— Je viens, répondit Musashi.

Il ne pouvait répondre autre chose, mais son sixième sens l'avait averti de se tenir sur ses gardes. Subrepticement, il revint en arrière d'une dizaine de pas jusqu'à une petite porte qui donnait sur le jardin. Il passa une paire de sandales, et contourna le jardin jusqu'à la véranda du salon du seigneur Ujikatsu.

— Ah ! vraiment, vous êtes venu par là ? dit Sa Seigneurie en se retournant de l'autre extrémité de la salle, l'air déçu.

— Takuan ! appela Musashi en pénétrant dans la pièce, un radieux sourire aux lèvres.

Le prêtre, assis devant l'alcôve, se leva pour l'accueillir. Se revoir — et sous le toit du seigneur Hōjō Ujikatsu — semblait presque incroyable.

— Nous allons devoir faire le point, dit Takuan. Je commence ?

Il portait ses habituelles robes de tous les jours. Point de parure, pas même un chapelet. Il avait pourtant plus d'onction qu'auparavant, la parole plus douce. Tout comme l'éducation rurale de Musashi avait été effacée par ses tentatives acharnées d'autodiscipline, Takuan semblait s'être arrondi aux angles, et posséder plus profondément la sagesse du Zen. A coup sûr, ce n'était plus un jeune homme. De onze ans l'aîné de Musashi, il frisait maintenant la quarantaine.

— ... Voyons. Kyoto, n'est-ce pas ? Ah ! oui, je me souviens. C'était peu avant mon retour à Tajima. Après la mort de ma mère, j'ai passé un an à la pleurer. Puis j'ai voyagé un moment, passé quelque temps au Nansōji d'Izumi puis au Daitokuji. Plus tard, j'ai beaucoup vu le seigneur Karasumaru — composé de la poésie avec lui, célébré des cérémonies du thé, chassé les soucis de ce monde. Avant d'avoir eu le temps de m'en apercevoir, j'avais passé trois années à Kyoto. Récemment, je me suis lié d'amitié avec le seigneur Koide, du château de Kishiwada, et suis venu avec lui jeter un coup d'œil à Edo.

— Alors, vous n'êtes ici que depuis peu ?

— Oui. Bien que j'aie à deux reprises rencontré Hidetada au

Daitokuji, et été convoqué un certain nombre de fois en présence d'Ieyasu, c'est mon premier voyage à Edo. Et toi ?

— Je ne suis ici que depuis le début de cet été.

— Il semble que tu aies beaucoup fait parler de toi dans la région.

Musashi n'essaya pas de se justifier. Il baissa la tête et dit :

— Je suppose que vous êtes au courant.

Takuan le fixa quelques instants du regard, l'air de le comparer au Takezō de jadis.

— Pourquoi s'inquiéter de cela ? Il serait curieux qu'un homme de ton âge eût trop bonne réputation. Dès l'instant que tu n'as commis aucun acte de déloyauté ou de rébellion, aucune ignominie, qu'est-ce que ça peut faire ? Il m'intéresse davantage d'entendre parler de ton entraînement.

Musashi donna un bref compte rendu de ses récentes expériences, et termina en disant :

— J'ai bien peur d'être encore immature, imprudent — loin d'être vraiment éclairé. Plus j'avance et plus la route s'allonge. J'ai le sentiment de grimper un interminable sentier de montagne.

— Il en doit aller ainsi, dit Takuan, visiblement satisfait de l'intégrité et de l'humilité du jeune homme. Si un homme de moins de trente ans prétend connaître quoi que ce soit de la Voie, c'est le signe assuré que son développement s'est arrêté. Moi-même, je tremble toujours de gêne quand on donne à entendre qu'un prêtre mal dégrossi tel que moi pourrait connaître la signification suprême du Zen. C'est déconcertant comme les gens me demandent toujours de leur parler de la Loi bouddhiste ou de leur expliquer les véritables enseignements. Les gens s'efforcent de voir dans un prêtre un Bouddha vivant. Félicite-toi qu'autrui ne te surestime pas, — de n'avoir pas à te soucier des apparences.

Tandis que les deux hommes renouaient avec bonheur leur amitié, des serviteurs apportèrent de quoi manger et boire. Bientôt, Takuan dit :

— ... Que Votre Seigneurie m'excuse. Je crains que nous n'oubliions quelque chose. Pourquoi ne faites-vous pas entrer votre autre invité ?

Musashi était maintenant certain de savoir qui était la quatrième personne, mais il préféra garder le silence. Avec une hésitation légère, Ujikatsu demanda :

— Je le fais entrer ?

Puis, à Musashi :

— ... Je dois reconnaître que vous avez percé à jour notre petite ruse. Moi qui l'ai organisée, j'ai un peu honte.

Takuan se mit à rire.

— Un bon point pour vous ! J'ai plaisir à voir que vous reconnaissez votre défaite. Mais pourquoi pas ? Ce n'était là qu'un jeu destiné à l'amusement général, n'est-ce pas ? Certainement rien qui pût faire perdre la face au maître du style Hōjō.

— Mon Dieu, il n'est pas douteux que j'aie été vaincu, murmura Ujikatsu dont la voix restait contrariée. A la vérité, l'on avait eu beau me dire quel genre d'homme vous êtes, je n'avais aucun moyen de savoir à quel point au juste vous étiez bien entraîné et discipliné. J'ai résolu d'en juger par moi-même, et mon autre invité a accepté de m'aider. Quand vous vous êtes arrêté dans le couloir, il attendait en embuscade, prêt à dégainer.

Sa Seigneurie semblait regretter d'avoir dû mettre Musashi à l'épreuve.

— ... Mais vous vous êtes rendu compte que l'on vous attirait dans un piège, et vous êtes venu par le jardin. Puis-je vous demander pourquoi ?

Musashi se contenta de sourire à belles dents. Takuan prit la parole :

— C'est toute la différence, Votre Seigneurie, entre le stratège militaire et l'homme d'épée.

— Vraiment ?

— C'est affaire de réactions instinctives : celle d'un spécialiste des questions militaires, fondée sur des principes intellectuels, contre celle d'un homme qui suit la Voie du sabre, fondée sur le cœur. Vous avez pensé que si vous conduisiez Musashi, il vous suivrait. Or, sans être en mesure de voir véritablement ni de mettre le doigt sur quoi que ce soit de précis, Musashi a flairé le danger et s'est protégé. Sa réaction était spontanée, instinctive.

— Instinctive ?

— Comme une révélation du Zen.

— Avez-vous des prémonitions pareilles ?

— Je ne saurais vraiment vous le dire.

— En tout cas, cela m'a donné une leçon. Un samouraï quelconque, flairant le péril, eût peut-être perdu la tête ou pris prétexte du piège pour faire étalage de sa prouesse au sabre. Quand j'ai vu Musashi retourner sur ses pas, chausser les sandales et traverser le jardin, j'ai été profondément impressionné.

Musashi gardait le silence ; son visage ne révélait aucun plaisir particulier dû aux éloges du seigneur Ujikatsu. Sa pensée allait vers l'homme qui restait debout dans le noir, laissé en plan par une victime qui refusait de tomber dans le piège. Il dit à son hôte :

— Puis-je demander que le seigneur de Tajima prenne place parmi nous ?

— Quoi ?

Ujikatsu était stupéfait, ainsi que Takuan.

— ... Comment le saviez-vous ?

Reculant pour donner la place d'honneur à Yagyū, Munenori, Musashi répondit :

— Malgré l'obscurité, j'ai senti la présence d'un maître inégalé du sabre. Compte tenu des autres personnes présentes, je ne vois pas qui d'autre cela pourrait être.

— Vous avez deviné de nouveau ! s'écria Ujikatsu, abasourdi.

Sur un signe de tête de sa part, Takuan dit :

— Le seigneur de Tajima. Exact.

Se tournant vers la porte, il cria :

— Votre secret est éventé, seigneur Munenori ! Veuillez nous rejoindre.

On entendit un éclat de rire, et Munenori parut sur le seuil. Au lieu de s'installer confortablement devant l'alcôve, il s'agenouilla face à Musashi et le salua comme un égal, disant :

— Mon nom est Mataemon Munenori. J'espère que vous vous souviendrez de moi.

— C'est un honneur que de vous rencontrer. Je suis un rōnin

de Mimasaka, du nom de Miyamoto Musashi. Je forme des vœux pour que vous me conseilliez à l'avenir.

— Kimura Sukekurō m'a parlé de vous il y a quelques mois, mais à l'époque la maladie de mon père m'occupait fort.

— Comment va le seigneur Sekishūsai ?

— Mon Dieu, il est très âgé. Il n'y a pas moyen de savoir...

Après un bref silence, il reprit avec une cordialité chaleureuse :

— ... Mon père m'a parlé de vous dans une lettre, et Takuan vous a mentionné devant moi plusieurs fois. Je dois dire que votre réaction, voilà quelques minutes, était admirable. Si vous n'y voyez pas d'inconvénient, je crois que nous devrions considérer la passe d'armes que vous avez demandée comme ayant eu lieu. J'espère que ma façon peu orthodoxe de l'exécuter ne vous a pas offensé.

Musashi eut une impression d'intelligence et de maturité tout à fait conforme à la réputation du daimyō.

— Je suis confus de votre sollicitude, répondit-il en s'inclinant très bas.

Sa manifestation de respect était bien naturelle : le rang du seigneur Munenori, tellement supérieur à celui de Musashi, le situait pour ainsi dire dans un autre monde. Bien que son fief ne s'élevât qu'à cinquante mille boisseaux, sa famille de magistrats provinciaux était célèbre depuis le xe siècle. Pour la plupart des gens, il eût paru étrange de trouver l'un des instructeurs du shōgun dans la même pièce que Musashi, a fortiori de l'entendre s'adresser à lui sur un mode amical et détendu. Musashi avait le soulagement de constater que ni Ujikatsu, érudit et membre de la garde du shōgun, ni Takuan, ancien prêtre de campagne, n'éprouvaient la moindre contrainte en raison du rang de Munenori.

L'on apporta du saké chaud ; l'on échangea des coupes ; conversation et rire s'ensuivirent. On oublia les différences d'âge et de classe. Musashi savait qu'il était accepté dans ce cercle choisi non point à cause de son rang. Il cherchait la Voie, tout comme eux. C'était la Voie qui permettait une aussi libre camaraderie. A un certain moment, Takuan posa sa coupe et demanda à Musashi :

— Qu'est devenue Otsū ?

Rougissant légèrement, Musashi répondit qu'il ne l'avait vue ni eu la moindre nouvelle d'elle depuis quelque temps.

— Pas la moindre nouvelle ?

— Pas la moindre.

— Dommage. Tu ne peux la planter là éternellement, tu sais. Ça n'est pas bon pour toi non plus.

— Cette Otsū est-elle la jeune fille qui séjournait autrefois chez mon père à Koyagyū ? demanda Munenori.

— Oui, répondit Takuan, à la place de Musashi.

— Je sais où elle se trouve. Elle est allée à Koyagyū avec mon neveu Hyōgo pour aider à soigner mon père.

Un remarquable expert militaire et Takuan étant présents, ils auraient pu s'entretenir de stratégie ou discuter de Zen, se disait Musashi. Munenori et Musashi étant présents, l'on aurait pu parler sabres. Après avoir adressé à Musashi un signe de tête d'excuse, Takuan parla aux autres d'Otsū et de ses relations avec Musashi.

— Tôt ou tard, conclut-il, quelqu'un devra vous réunir tous deux à nouveau, mais je crains que cela ne soit pas l'affaire d'un prêtre. Je demande l'assistance des deux messieurs ici présents.

Ce qu'il proposait en réalité, c'était de faire jouer à Ujikatsu et Munenori le rôle de tuteurs de Musashi. Ils semblaient d'accord pour accepter ce rôle, Munenori observant que Musashi avait l'âge de fonder une famille, et Ujikatsu déclarant qu'il avait atteint un niveau d'entraînement satisfaisant.

Munenori suggérait qu'un de ces jours, on rappelât Otsū de Koyagyū pour la donner en mariage à Musashi. Alors, Musashi pourrait s'établir à Edo où sa maison, avec celles d'Ono Tadaaki et de Yagyū Munenori, formerait un triumvirat du sabre et introduirait dans la nouvelle capitale un âge d'or de l'escrime. Takuan et Ujikatsu approuvèrent.

En particulier, le seigneur Ujikatsu, vivement désireux de remercier Musashi pour ses bontés envers Shinzō, le voulait recommander comme instructeur du shōgun, idée que tous trois avaient examinée avant d'envoyer Shinzō chercher Musashi. Or, ayant vu comment Musashi avait réagi à leur épreuve,

Munenori lui-même était maintenant disposé à donner son approbation au projet.

Il y avait des difficultés à surmonter, l'une étant qu'un enseignant, dans la maison du shōgun, devait aussi faire partie de la garde d'honneur. Beaucoup de ses membres étaient de fidèles vassaux des Tokugawa depuis l'époque où Ieyasu tenait le fief de Mikawa ; l'on répugnait donc à nommer des gens nouveaux, et tous les candidats étaient examinés avec le plus grand soin. Toutefois, l'on estimait qu'avec des recommandations d'Ujikatsu et de Munenori, ainsi qu'une lettre de garantie de Takuan, Musashi serait accepté.

Le problème, c'était sa généalogie. Il n'existait pas de document écrit faisant remonter cette généalogie à Hirata Shōgen, du clan Akamatsu, ni même d'arbre généalogique prouvant qu'il fût d'une bonne famille de samouraïs. Il n'avait assurément avec les Tokugawa aucun lien de parenté. Il existait au contraire un fait indéniable : blanc-bec de dix-sept ans, il s'était battu contre les forces des Tokugawa à Sekigahara. Il restait pourtant une chance ; d'autres rōnins provenant d'anciens clans ennemis avaient rejoint après Sekigahara la Maison de Tokugawa. Même Ono Tadaaki, rōnin du clan Kitabatake, maintenant dans la clandestinité à Ise Matsuzaka, occupait un poste d'instructeur du shōgun en dépit de ses relations indésirables. Une fois que les trois hommes eurent à nouveau pesé le pour et le contre, Takuan déclara :

— Très bien, alors, recommandons-le. Mais peut-être conviendrait-il de savoir ce que lui-même en pense.

La question était posée à Musashi, qui répondit avec douceur :

— Proposer cela est aimable et généreux de votre part, mais je ne suis qu'un jeune homme immature.

— N'envisage pas la question sous cet angle, dit Takuan d'un air candide. Ce que nous te conseillons, c'est d'acquérir la maturité. Veux-tu fonder un foyer, ou as-tu l'intention de faire indéfiniment vivre Otsū comme elle vit en ce moment ?

Musashi se sentait pris au piège. Otsū avait dit qu'elle acceptait de supporter n'importe quelle épreuve ; or, cela ne diminuerait en aucune façon la responsabilité de Musashi pour tout ce qui risquait de lui arriver de fâcheux. Une femme avait le droit d'agir en accord avec ses propres sentiments, mais si cela donnait un mauvais résultat la faute en retomberait sur l'homme.

Non que Musashi refusât ses responsabilités. Au bout du compte, il brûlait d'accepter. Otsū avait été guidée par l'amour, et la charge de cet amour lui incombait à lui autant qu'à elle. Néanmoins, il estimait qu'il était encore trop tôt pour se marier et fonder une famille. La longue et difficile Voie du sabre s'étendait encore devant lui ; son désir de la suivre n'avait pas tiédi.

Que son attitude envers le sabre eût changé ne simplifiait pas la question. Depuis Hōtengahara, le sabre du conquérant et le sabre du tueur appartenaient au passé, n'avaient plus ni usage ni signification.

Etre un technicien, même un technicien qui instruisait des hommes de la suite du shōgun, ne l'intéressait pas non plus. La Voie du sabre, telle qu'il en était venu à la considérer, devait avoir des objectifs spécifiques : établir l'ordre, protéger et raffiner l'esprit. La Voie, les hommes devaient la pouvoir chérir comme ils chérissaient leur vie, jusqu'à leur dernier jour. Si elle existait, ne pouvait-elle servir à apporter la paix au monde et le bonheur à tous ?

Quand Musashi avait répondu à la lettre de Sukekurō par un défi lancé au seigneur Munenori, son motif n'avait pas été le frivole besoin de remporter une victoire, besoin qui l'avait poussé à défier Sekishūsai. Maintenant, il désirait s'engager dans l'art de gouverner. Pas sur une vaste échelle, bien sûr ; un petit fief insignifiant suffirait car les activités qu'imaginait Musashi favoriseraient la cause d'un bon gouvernement.

Mais il manquait de la confiance nécessaire pour exprimer ses idées, estimant que d'autres hommes d'épée rejetteraient comme absurdes ses ambitions juvéniles. Ou bien, s'ils le prenaient au sérieux, ils se croiraient obligés de le mettre en garde : la politique mène à la destruction ; en entrant au gouvernement, il souillerait son bien-aimé sabre. Ils feraient cela par intérêt authentique envers son âme.

Il allait jusqu'à croire que s'il exprimait sincèrement le fond de sa pensée, les deux hommes de guerre et le prêtre réagiraient soit par le rire, soit par l'inquiétude.

Lorsque enfin il parla, ce fut pour protester : il était trop jeune, trop immature, son entraînement était inadéquat... Takuan finit par l'interrompre :

— Remets-t'en à nous.

— Nous veillerons à ce que cela tourne bien pour vous, ajouta le seigneur Ujikatsu.

L'affaire fut conclue.

Shinzō, lequel entrait de temps en temps pour émécher la lampe, avait saisi l'essentiel de la conversation. Il fit doucement savoir à son père et aux invités que ce qu'il avait entendu lui causait un plaisir immense.

Le caroubier

Matahachi ouvrit les yeux, les promena autour de lui, se leva et passa la tête par la porte du fond.

— Akemi ! appela-t-il.

Pas de réponse.

Il eut l'idée d'ouvrir l'armoire. Akemi venait de terminer la confection d'un nouveau kimono. Il avait disparu.

D'abord, Matahachi se rendit chez le voisin, Umpei, puis suivit l'allée en direction de la rue, demandant anxieusement à tous les gens qu'il rencontrait s'ils l'avaient vue.

— Je l'ai vue ce matin, répondit la femme du marchand de charbon de bois.

— Vraiment ? Où donc ?

— Elle était sur son trente et un. Je lui ai demandé où elle allait comme ça, et elle m'a dit : voir de la famille à Shinagawa.

— A Shinagawa ?

— Elle n'a donc pas de famille là-bas ? demanda la commère, sceptique.

Il allait répondre que non, mais se ravisa :

— Heu... si, bien sûr. Voilà où elle est partie.

Courir après elle ? A la vérité, il ne lui était pas spécialement attaché, et se sentait plus agacé qu'autre chose. Sa disparition lui laissait dans la bouche un goût doux-amer.

Il cracha, lâcha un juron ou deux puis descendit en flânant à la plage, de l'autre côté de la grand-route de Shibaura. Un peu en retrait de l'eau s'éparpillaient quelques maisons de pêcheurs. Il avait coutume de venir ici chaque matin chercher du poisson tandis qu'Akemi faisait cuire du riz. En général, au moins cinq ou six poissons étaient tombés des filets, et il rentrait juste à temps pour les faire cuire pour le petit déjeuner. Ce jour-là, il ignora le poisson.

— Qu'est-ce qui vous arrive, Matahachi ? demanda le prêteur sur gages de la rue principale en lui tapant sur l'épaule.

— Bonjour, dit Matahachi.

— C'est agréable de sortir de bonne heure, hein ? C'est un plaisir que de vous voir faire votre petit tour chaque matin. Merveilleux pour la santé !

— Vous plaisantez, je suppose. Si j'étais aussi riche que vous, peut-être que je ferais de la marche pour ma santé. Moi, je marche pour travailler.

— Vous n'avez pas l'air en très bonne forme. Quelque chose ne va pas ?

Matahachi ramassa une poignée de sable qu'il jeta peu à peu dans le vent. Lui et Akemi connaissaient bien le prêteur sur gages, qui les avait plusieurs fois dépannés. Sans se laisser décourager, l'homme reprit :

— ... Vous savez, il y a quelque chose dont j'avais l'intention de vous parler, mais je n'en ai jamais eu l'occasion. Vous allez travailler, aujourd'hui ?

— Pour quoi faire ? Ça ne rapporte pas grand-chose, les pastèques.

— Venez donc pêcher avec moi.

Matahachi se gratta la tête et prit une expression confuse :

— Merci, mais à la vérité je n'aime pas la pêche.

— Eh bien, vous n'avez pas besoin de pêcher si ça ne vous dit rien. Mais venez tout de même. Ça vous fera du bien. Voilà mon bateau, là-bas. Vous savez ramer, hein ?

— Je pense.

— Venez donc. Je vais vous dire comment gagner beaucoup d'argent... peut-être un millier de pièces d'or. Ça vous plairait ?

Soudain, Matahachi s'intéressa beaucoup à la pêche.

A quelque mille mètres du rivage, l'eau était encore assez peu profonde pour que l'on pût toucher le fond avec la rame. Laissant le bateau dériver, Matahachi demanda :

— Qu'est-ce que je dois faire au juste pour gagner cet argent ?

— Je vous le dirai bientôt.

Le prêteur sur gages installa son opulente personne sur le siège, au centre du bateau.

— ... Vous me feriez plaisir en tenant une canne à pêche au-dessus de l'eau.

— Pourquoi ?

— Il vaut mieux que les gens nous croient en train de pêcher. Deux personnes ramant aussi loin juste pour bavarder auraient l'air suspect.

— Comme ça ?

— Parfait.

Il sortit une pipe à fourneau de céramique, la bourra de tabac de luxe, et l'alluma.

— ... Avant que je vous dise ce que j'ai en tête, permettez-moi de vous poser une question. Qu'est-ce que vos voisins pensent de moi ?

— De vous ?

— Oui, de Daizō de Narai.

— Mon Dieu, les prêteurs sur gages passent pour être avares, mais tout le monde vous dit très généreux pour prêter de l'argent. Ils disent que vous êtes un homme qui comprend vite.

— Je ne parle pas de mes affaires. Je veux savoir leur opinion sur moi personnellement.

— Ils vous trouvent bon, un homme de cœur. Ce n'est pas simple flatterie de ma part. Voilà ce qu'ils disent.

— Est-ce qu'il leur arrive de faire des commentaires sur mon esprit religieux ?

— Oh ! oui, naturellement. Votre charité stupéfie tout le monde.

— Est-ce que des hommes du magistrat sont jamais venus enquêter à mon sujet ?

— Non, pourquoi ?

Daizō eut un petit rire.

— Je suppose que vous trouvez mes questions absurdes, mais la vérité, c'est que je ne suis pas vraiment un prêteur sur gages.

— Quoi ?

— Matahachi, vous n'aurez peut-être jamais une autre occasion de gagner autant d'argent d'un seul coup.

— Sans doute avez-vous raison.

— Voulez-vous la saisir ?

— Quoi ?

— La chance.

— Que... que dois-je faire ?

— Me faire une promesse et la tenir.

— C'est tout ?

— C'est tout, mais si vous changez d'avis ensuite, vous êtes un homme mort. Je sais que l'argent vous intéresse, mais réfléchissez bien avant de me donner votre réponse définitive.

— Que dois-je faire au juste ? demanda Matahachi, soupçonneux.

— Devenir un puisatier. Voilà tout.

— Au château d'Edo ?

Daizō contempla la baie. Des bateaux chargés de matériaux de construction et portant les drapeaux de plusieurs clans importants — Tōdō, Arima, Katō, Date, Hosokawa — se suivaient presque proue contre proue.

— Vous comprendrez vite, Matahachi.

Le prêteur sur gages bourra de nouveau sa pipe.

— ... Le château d'Edo est précisément ce que j'ai en tête. Si je ne me trompe, Umpei a essayé de vous convaincre de forer des puits pour lui. Il serait parfaitement naturel de votre part d'accepter sa proposition.

— Je n'ai rien d'autre à faire ?... Comment le fait de devenir puisatier me rapportera-t-il autant d'argent ?

— Un peu de patience. Je vous dirai tout.

Quand ils regagnèrent le rivage, Matahachi était euphorique. Ils se séparèrent sur une promesse. Le soir même, il devait, à l'insu de tous, aller chez Daizō toucher une avance de trente pièces d'or.

Il rentra chez lui, s'assoupit et se réveilla quelques heures plus tard avec, dansant devant ses yeux, l'image de la forte somme qui serait bientôt sienne.

Beaucoup d'argent, assez pour compenser toute la malchance qu'il avait connue jusqu'alors. Assez pour lui durer jusqu'à la fin de ses jours. Plus exaltante encore était la perspective de pouvoir montrer aux gens qu'ils se trompaient à son propos.

En proie à la fièvre de l'or, il n'arrivait pas à se calmer. Sa bouche restait sèche. Il sortit dans l'allée déserte, face au bosquet de bambous derrière la maison, et se dit : « Qui est-il ? Qu'a-t-il au juste derrière la tête ? » Puis il se remémora sa conversation avec Daizō.

Les puisatiers travaillaient présentement au Goshinjō, le nouveau château de l'enceinte ouest. Daizō lui avait dit : « Vous devrez guetter l'occasion, puis abattre le nouveau shōgun avec un mousquet. » L'arme et les munitions seraient dans l'enceinte du château, sous un énorme caroubier séculaire, près du portail du fond, au pied de la colline de Momiji.

Il va sans dire que les ouvriers étaient étroitement surveillés, mais Hidetada aimait inspecter les travaux avec sa suite. La mission serait assez facile à accomplir. A la faveur du désordre qui s'ensuivrait, Matahachi pourrait s'enfuir en sautant dans le fossé extérieur, duquel Daizō et ses complices le tireraient... « sans faute », avait-il assuré.

De retour dans sa chambre, Matahachi contempla le plafond. Il avait l'impression d'entendre la voix de Daizō chuchoter encore et encore certains mots, et se rappelait comment ses propres lèvres avaient tremblé quand il avait dit : « Oui, je le ferai. » Il eut la chair de poule et se releva d'un bond. « C'est épouvantable ! Je vais de ce pas lui déclarer que je ne veux pas tremper là-dedans. »

Alors, il se rappela d'autres paroles de Daizō : « Maintenant que je vous ai dit tout ça, vous êtes engagé. Je serais navré qu'il vous arrivât malheur, mais si vous tentez de reculer, mes amis auront votre tête dans les... mettons, trois jours au maximum. » Le regard perçant de Daizō, lorsqu'il avait prononcé ces mots, étincelait devant les yeux de Matahachi.

Ce dernier parcourut à pied la brève distance qui menait, par l'allée de Nishikubo, à l'angle de la grand-route de Takanawa, où se dressait le bureau de prêts sur gages. La baie, enveloppée de ténèbres, s'étendait à l'extrémité d'une rue de traverse. Matahachi pénétra dans le chemin qui longeait l'entrepôt familier, se rendit à la discrète porte du fond de la boutique, et frappa doucement.

— Ce n'est pas fermé à clé, répondit-on aussitôt.

— Daizō ?

— Oui. Content que vous soyez venu. Allons dans l'entrepôt.

Un volet avait été laissé ouvert. Matahachi pénétra dans le corridor extérieur et suivit le prêteur sur gages.

— ... Asseyez-vous, dit Daizō en posant une chandelle sur un long coffre à vêtements.

Il s'assit lui-même, croisa les bras et demanda :

— ... Vous avez vu Umpei ?

— Oui.

— Quand vous emmènera-t-il au château ?

— Après-demain, jour où il doit y conduire dix nouveaux ouvriers. Il a dit qu'il m'inclurait dans le lot.

— Alors, tout est au point ?

— Mon Dieu, il nous reste à obtenir du chef de district et des cinq hommes de l'association locale qu'ils apposent leurs sceaux sur les papiers.

— Aucune difficulté. Il se trouve que je fais partie de l'association.

— Vraiment ? Vous ?

— Qu'y a-t-il de tellement surprenant à cela ? Je suis l'un des hommes d'affaires les plus influents du voisinage. Au printemps dernier, le chef a insisté pour que je fasse partie de l'association.

— Oh ! ce n'est pas que ça me surprenait. Je... je ne savais pas, voilà tout.

— Ha ! ha ! Je sais exactement ce que vous pensiez. Vous pensiez qu'il était scandaleux pour un homme tel que moi d'être membre d'un comité qui s'occupe des affaires du quartier. Eh bien, permettez-moi de vous dire une chose : si vous avez de l'argent, tout le monde vous déclarera un homme comme il faut. Impossible d'éviter de devenir un chef local, même si l'on essayait. Réfléchissez-y Matahachi. D'ici peu, vous roulerez sur l'or, vous aussi.

— Ou-ou-i, bégaya Matahachi, qui ne put réprimer un frisson. Vou-vou-voulez-vous me donner l'avance maintenant ?

— Une minute.

Il prit la bougie et se rendit au fond de l'entrepôt. Il ouvrit une cassette, compta trente pièces d'or, revint et demanda :

— ... Vous avez de quoi les envelopper ?

— Non.

— Servez-vous de ça.

Il ramassa par terre un chiffon de coton qu'il lança à Matahachi.

— ... Vous feriez mieux de le mettre sous votre ceinture bien serrée.

— Je dois vous donner un reçu ?

— Un reçu ? répéta en écho Daizō avec un rire involontaire. Hé quoi, seriez-vous malhonnête ? Mais non, je n'ai pas besoin de reçu. Si vous faites un faux pas, je confisque votre tête.

Matahachi battit des paupières et dit :

— Je suppose que maintenant, il va falloir que je me sauve.

— Pas si vite. Cet argent entraîne certaines obligations. Vous rappelez-vous tout ce que j'ai dit ce matin ?

— Oui... Mon Dieu, juste une chose... Vous disiez que le mousquet serait sous le caroubier. Qui va l'y mettre ?

Etant donné la difficulté qu'il y avait pour le commun des ouvriers à pénétrer dans l'enceinte du château, il se demandait comment quiconque pourrait parvenir à introduire en fraude mousquet et munitions. Et comment quiconque, à moins d'être doté de pouvoirs surnaturels, les pourrait-il enterrer afin qu'ils soient prêts pour la quinzaine à venir ?

— Ce n'est pas votre affaire. Contentez-vous de faire ce que vous avez accepté de faire. Pour le moment, vous êtes inquiet parce que vous n'êtes pas habitué à l'idée. Quand vous aurez passé là-bas quinze jours, tout ira bien.

— J'espère.

— Avant tout, il faut vous décider à aller jusqu'au bout. Ensuite, vous devrez guetter l'instant favorable.

— Je comprends.

— Et maintenant, je ne veux pas d'erreurs. Cachez cet argent dans un endroit où nul ne puisse le trouver. Et laissez-l'y jusqu'à ce que vous ayez accompli votre mission. Quand des projets pareils échouent, c'est toujours pour une question d'argent.

— Ne vous inquiétez pas. J'y ai déjà pensé. Mais permettez-moi de vous poser une question : qu'est-ce qui m'assure qu'une fois que j'aurai fait mon travail, vous ne refuserez pas de me verser le reste ?

— Heu... Ç'a peut-être l'air d'une vantardise, mais l'argent est le cadet de mes soucis. Repaissez-vous les yeux de ces boîtes.

Il leva la chandelle afin de permettre à Matahachi de mieux voir. La salle était remplie de caisses — pour plateaux laqués, pour armures, pour maints autres usages.

— ... Chacune contient un millier de pièces d'or.

Sans y regarder de très près, Matahachi déclara d'un ton d'excuse :

— Je ne doute pas de votre parole, bien sûr.

L'entretien secret se poursuivit encore une heure environ. Matahachi, un peu rasséréné, partit par l'issue de derrière. Daizō se rendit à une pièce voisine, à l'intérieur de laquelle il regarda.

— Akemi, vous êtes là ? appela-t-il. Je crois qu'il va de ce pas cacher l'argent. Vous feriez bien de le suivre.

Après quelques visites au bureau de prêts sur gages, Akemi, captivée par la personnalité de Daizō, lui avait ouvert son cœur, se plaignant de sa situation présente et exprimant son désir de l'améliorer. L'avant-veille, Daizō avait déclaré qu'il avait besoin d'une femme pour tenir son ménage. Très tôt ce matin-là, Akemi s'était présentée à sa porte. En l'accueillant, il lui avait dit de ne pas s'inquiéter, qu'il « s'occuperait » de Matahachi.

L'assassin en puissance, à cent lieues de se croire suivi, rentra chez lui. Houe en main, il grimpa ensuite, à travers le petit bois sombre, situé derrière la maison, jusqu'au sommet de la colline de Nishikubo où il enfouit son trésor.

Ayant observé tout cela, Akemi le rapporta à Daizō, lequel aussitôt partit pour la colline de Nishikubo. Le jour était presque levé lorsqu'il regagna l'entrepôt et compta les pièces d'or qu'il avait déterrées. Il les compta une seconde fois, une troisième, mais il n'y avait pas d'erreur. Seulement vingt-huit.

Daizō inclina de côté la tête et fronça le sourcil. Les gens qui lui volaient son argent lui déplaisaient souverainement.

La folie de Tadaaki

Osugi n'était pas femme à se laisser réduire au désespoir par les chagrins et l'amère déception que lui causait l'ingratitude de son fils mais là, avec les insectes qui chantaient parmi les trèfles, avec le grand fleuve qui coulait lentement, elle ressentait profondément le caractère fugitif de la vie.

— Vous êtes de retour ?

Dans l'air immobile du soir, la voix paraissait bien rude.

— Qui est-ce ? cria-t-elle.

— Je suis de chez Hangawara. Il est arrivé de Katsushika tout un lot de légumes frais. Le patron m'a dit de vous en porter.

— Yajibei est toujours si prévenant !

Assise à une table basse, pinceau à écrire en main, elle copiait le *Sutra sur le grand amour des parents.* Elle avait emménagé dans une petite maison de location du quartier peu peuplé de Hamachō, et gagnait assez bien sa vie en traitant au moxa les maux de sa clientèle. Elle-même ne souffrait pour ainsi dire plus physiquement. Depuis le début de l'automne, elle avait retrouvé sa jeunesse.

— Dites donc, grand-mère, est-ce qu'un jeune homme est venu vous voir en début de soirée ?

— Pour un traitement au moxa ?

— Oui. Il est venu chez Yajibei ; il semblait avoir en tête

quelque chose d'important. Il a demandé où vous habitiez maintenant, et nous le lui avons dit.

— Quel âge avait-il ?

— Vingt-sept, vingt-huit ans, je suppose.

— Comment était-il ?

— La face plutôt ronde. Pas très grand.

— Hum... je me demande...

— Il avait un accent comme le vôtre. J'ai pensé qu'il venait peut-être du même endroit... Allons, je me sauve. Bonne nuit.

Tandis que les pas s'éloignaient, les voix des insectes s'élevaient de nouveau comme le son d'une petite pluie fine. Osugi posa son pinceau, les yeux fixés sur la bougie ; elle songeait aux jours de sa jeunesse où les gens lisaient l'avenir dans le halo d'une chandelle. Celles que l'on avait laissées n'avaient aucun moyen de savoir ce que devenaient leurs époux, leurs fils et leurs frères partis pour la guerre, non plus que de connaître leur propre avenir. Un halo brillant passait pour être un signe de chance ; des ombres pourpres, pour indiquer un décès. Quand la flamme crépitait comme des aiguilles de pin, un être espéré ne manquerait pas de revenir.

Osugi avait oublié la façon d'interpréter les présages ; mais ce soir, le halo joyeux, aussi beau et coloré qu'un arc-en-ciel, suggérait qu'il se préparait quelque chose de merveilleux.

Pouvait-il s'agir de Matahachi ? La main d'Osugi se tendit une fois vers le pinceau mais revint en arrière. Comme en extase, Osugi s'oubliait elle-même, oubliait ce qui l'entourait, et durant une heure ou deux ensuite ne pensa qu'au visage de son fils, qui semblait flotter dans les ténèbres de la pièce.

Un froissement, à la porte du fond, la tira de sa rêverie. Se demandant si quelque belette faisait des siennes dans sa cuisine, elle prit la bougie afin d'aller voir.

Le sac de légumes se trouvait à côté de l'évier ; sur le sac, il y avait quelque chose de blanc. Le ramassant, elle constata que c'était lourd... aussi lourd que deux pièces d'or. Sur le papier blanc qui les enveloppait, Matahachi avait écrit : « Je n'ai pas encore le courage de t'affronter. S'il te plaît, pardonne-moi si je te néglige encore six mois. Je me contenterai de laisser ce mot, sans entrer. »

Un samouraï aux yeux de meurtrier s'élançait à travers l'herbe haute pour atteindre deux hommes debout sur la berge du fleuve. Haletant, il appelait :

— Hamada, c'était lui ?

— Non, gémit Hamada. Ce n'était pas notre homme.

Mais ses yeux étincelaient tandis qu'il continuait à surveiller les alentours.

— Je suis certain que c'était lui.

— Ce n'était pas lui. C'était un batelier.

— Tu es sûr ?

— Quand j'ai couru après lui, il a grimpé dans ce bateau, là-bas.

— Ça ne fait pas de lui un batelier.

— J'ai vérifié.

— Je dois dire qu'il a le pied rapide.

Se détournant du fleuve, ils prirent le chemin du retour à travers les champs de Hamachō.

— Matahachi... Matahachi !

D'abord, le son s'élevait à peine au-dessus du murmure du fleuve ; mais comme il se répétait et qu'il n'y avait pas à s'y méprendre, ils s'arrêtèrent et se regardèrent l'un l'autre, stupéfaits.

— Quelqu'un l'appelle ! Comment est-ce possible ?

— On dirait la voix d'une vieille femme.

Menés par Hamada, ils repérèrent bientôt l'origine du bruit ; quand Osugi entendit leurs pas, elle courut vers eux.

— Matahachi ? Est-ce que l'un de vous...

Ils l'entourèrent et lui lièrent les bras derrière le dos.

— ... Qu'est-ce que vous me faites ? s'écria-t-elle, furieuse. Et d'abord, qui êtes-vous ?

— Nous sommes des élèves de l'école Ono.

— Je ne connais personne de ce nom.

— Vous n'avez jamais entendu parler d'Ono Tadaaki, instructeur du shōgun ?

— Jamais.

— Comment, espèce de vieille...

— Attends. Voyons ce qu'elle sait de Matahachi.

— Je suis sa mère.

— Vous êtes la mère de Matahachi, le marchand de pastèques ?

— Que voulez-vous dire, espèce de porc ? Marchand de pastèques ! Matahachi descend de la Maison de Hon'iden, famille importante de la province de Mimasaka. Sachez que les Hon'iden sont d'importants serviteurs de Shimmen Munetsura, seigneur du château de Takeyama, à Yoshino.

— Assez sur ce chapitre, dit l'un des hommes.

— Que faire ?

— La soulever et l'emporter.

— En otage ? Crois-tu que ça marchera ?

— Si elle est sa mère, il faudra bien qu'il vienne la chercher.

Osugi rassembla ses maigres forces pour se battre comme une tigresse, mais en vain.

En proie à l'ennui et à l'insatisfaction depuis plusieurs semaines, Kojirō avait pris l'habitude de beaucoup dormir, de jour comme de nuit. Pour le moment, couché sur le dos, il grommelait à part soi en serrant son épée contre son cœur :

« Assez laissé pleurer ma « Perche à sécher ». Une pareille épée, un pareil homme d'épée... pourrir dans la maison d'un autre ! »

Il y eut un violent cliquetis et un éclair métallique.

— Imbécile !

L'arme décrivit un grand arc de cercle au-dessus de lui, et se glissa de nouveau dans son fourreau comme un être vivant.

— Magnifique ! s'exclama un serviteur, du bord de la véranda. Etes-vous en train de vous exercer à frapper couché sur le dos ?

— Ne sois pas stupide, répondit avec mépris Kojirō.

Il se retourna sur le ventre, ramassa deux petits fragments et les lança vers la véranda.

— ... Il me gênait.

Le serviteur écarquilla les yeux. L'insecte, un genre de papillon de nuit, avait eu ses deux ailes tendres et son corps minuscule bien proprement tranchés en deux.

— ... Tu viens préparer mon lit ? demanda Kojirō.

— Oh ! non ! Pardon ! Il y a une lettre pour vous.

Sans se presser, Kojirō déplia la lettre et se mit à lire. Au fur et à mesure, son visage exprimait une certaine excitation. D'après Yajibei, Osugi n'avait pas reparu depuis la veille au soir. Kojirō était prié de venir aussitôt conférer d'un plan d'action.

La lettre expliquait de manière assez détaillée comment ils avaient appris où se trouvait la vieille femme. Yajibei l'avait fait rechercher toute la journée par l'ensemble de ses hommes, mais le nœud de l'affaire était le message laissé au Donjiki par Kojirō. L'on avait barré ce message, et inscrit en marge : « A Sasaki Kojirō. La personne qui garde prisonnière la mère de Matahachi est Hamada Toranosuke, de la Maison d'Ono. »

— Enfin, dit Kojirō d'une voix gutturale.

Au moment où il avait secouru Matahachi, il avait soupçonné les deux samouraïs qu'il avait abattus d'avoir un lien quelconque avec l'école Ono. Il gloussa de joie et dit :

— ... Exactement ce que j'attendais.

Debout sur la véranda, il leva les yeux vers le ciel nocturne. Il y avait des nuages, mais la pluie ne paraissait pas menacer. Très peu de temps après, on le vit monter la grand-route de Takanawa sur un cheval de louage. Il était tard lorsqu'il atteignit la maison Hangawara. Après avoir interrogé Yajibei en détail, il résolu de dormir là et de passer à l'action le lendemain matin.

Ono Tadaaki avait reçu son nouveau nom peu de temps après la bataille de Sekigahara. C'était sous le nom de Mikogami Tenzen qu'il avait été convoqué au camp de Hidetada pour donner des cours d'escrime, ce qu'il fit avec distinction. En même temps que son nouveau nom, il reçut sa nomination de vassal direct des Tokugawa et une résidence nouvelle sur la colline de Kanda, à Edo.

Cette colline offrait une vue magnifique sur le mont Fugi ; le shogunat la désigna donc comme quartier résidentiel pour les vassaux de Suruga, la province où était situé le mont Fuji.

— L'on m'a dit que la maison se trouve sur la pente de Saikachi, déclara Kojirō.

Lui et l'un des hommes de Hangawara étaient au sommet de la colline. Dans la vallée profonde, au-dessous d'eux, ils pouvaient voir Ochanomizu, une section de la rivière d'où provenait, disait-on, l'eau destinée au thé du shōgun.

— Attendez ici, dit le guide de Kojirō. Je vais voir où elle est.

Peu de temps après, il revint avec le renseignement qu'ils l'avaient déjà dépassée.

— Je ne me rappelle aucun endroit qui eût l'air d'appartenir à l'instructeur du shōgun.

— Moi non plus. Je croyais qu'il aurait une grande résidence, comme Yagyū Munenori. Mais il s'agit de la vieille maison que nous avons vue à droite. J'ai ouï dire qu'elle appartenait autrefois au palefrenier du shōgun.

— Je suppose qu'il n'y a pas là de quoi s'étonner. Ono ne vaut que quinze cents boisseaux. La majeure partie des revenus de Munenori a été acquise par ses ancêtres.

— C'est là, dit le guide, l'index tendu.

Kojirō s'arrêta pour inspecter la disposition d'ensemble des bâtiments. Le vieux mur de terre remontait de la partie médiane de la pente jusqu'à un hallier situé sur une colline, par-delà. L'enceinte avait l'air fort vaste. Du portail sans porte, Kojirō pouvait distinguer, au-delà de la maison principale, un bâtiment qu'il prit pour le dōjō, et une annexe, apparemment de construction plus récente.

— Tu peux rentrer, maintenant, dit Kojirō. Et préviens Yajibei que si je ne suis pas revenu ce soir avec la vieille dame, il peut me considérer comme tué.

— Bien, monsieur.

L'homme redescendit en courant la pente de Saikachi ; il s'arrêta plusieurs fois pour se retourner.

Kojirō n'avait pas perdu de temps à tenter d'approcher Yagyū Munenori. Il n'y avait aucun moyen de le vaincre et par là de confisquer à son profit la gloire de l'autre : le style Yagyū servait en fait aux Tokugawa. En soi, c'était une excuse suffisante pour que Munenori refusât d'affronter les rōnins ambitieux. Tadaaki avait tendance à affronter tout ce qui se présentait. En comparaison du style Yagyū, celui d'Ono était plus pratique, le but étant non de faire un grand étalage d'adresse, mais de tuer vraiment. Kojirō n'avait entendu parler de personne qui eût réussi à s'attaquer à la Maison d'Ono et à lui infliger la honte. Alors que Munenori était en général le plus respecté, Tadaaki passait pour être le plus fort.

Dès son arrivée à Edo, et dès qu'il avait pris connaissance de cette situation, Kojirō s'était dit qu'un de ces jours, il frapperait au portail d'Ono.

Numata Kajūrō jeta un coup d'œil par la fenêtre du vestiaire du dōjō, et ses yeux balayèrent la pièce à la recherche de Toranosuke. Il le repéra au milieu de la salle, en train de donner une leçon à un élève plus jeune, courut à lui, et, à voix basse, bredouilla :

— Il est là ! Là-bas, dans la cour du devant !

Toranosuke, son sabre de bois brandi, cria à l'élève :

— En garde !

Puis il se précipita ; ses pas retentissaient. A l'instant où les deux hommes atteignaient l'angle nord, l'élève exécuta une culbute et son sabre de bois vola dans les airs. Toranosuke se retourna et dit :

— ... De qui parles-tu ? De Kojirō ?

— Oui, il est juste à l'intérieur du portail. Il sera ici d'une minute à l'autre.

— Beaucoup plus tôt que je ne l'espérais. Prendre la vieille dame en otage était une bonne idée.

— Qu'as-tu l'intention de faire, maintenant ? Qui va le recevoir ? Il faudrait que ce fût quelqu'un de prêt à tout. S'il a le culot de venir seul ici, il risque d'essayer de nous prendre par surprise.

— Fais-le venir au dōjō. Je le recevrai moi-même. Vous autres, restez à l'arrière-plan et tenez-vous tranquilles.

— Du moins sommes-nous très nombreux ici, dit Kajūrō.

En regardant autour de lui, il fut encouragé de voir les visages de champions comme Kamei Hyōsuke, Negoro Hachikurō et Itō Magobei. Il y en avait également une vingtaine d'autres ; ils n'avaient aucune idée des intentions de Kojirō, mais savaient tous pourquoi Toranosuke voulait qu'il fût là. L'un des deux hommes tués par Kojirō près du Donjiki était le frère aîné de

Toranosuke. Il avait beau être un bon à rien, mal noté en classe, sa mort devait être vengée à cause des liens du sang.

Malgré sa jeunesse et ses revenus modestes, Toranosuke était un samouraï avec lequel il fallait compter à Edo. Comme les Tokugawa, il venait de la province de Mikawa, et sa famille faisait partie des plus anciens vassaux héréditaires du shōgun. Il était aussi l'un des « quatre généraux de la pente de Saikachi », les autres étant Kamei, Negoro et Itō.

Quand Toranosuke était rentré la veille au soir avec Osugi, l'avis général fut qu'il avait frappé un grand coup. Maintenant, il serait difficile à Kojirō de ne pas se montrer. Les hommes jurèrent que si en effet il paraissait, ils le battraient presque à mort, lui couperaient le nez et le pendraient à un arbre, au bord du fleuve Kanda, pour être vu de tous. Mais ils n'étaient nullement certains qu'il viendrait ; et même, ils avaient parié là-dessus, la majorité assurant qu'il ne viendrait pas.

Assemblés dans la grand-salle du dōjō, ils laissèrent un espace libre au centre et attendirent avec anxiété. Au bout d'un moment, un homme demanda à Kajūrō :

— Tu es sûr que c'est bien Kojirō que tu as vu ?

— Absolument sûr.

Ils formaient un cercle redoutable. Leurs visages, de bois au début, donnaient maintenant des signes de tension. Certains craignaient que si cela durait plus longtemps, ils ne fussent victimes de cette même tension. Comme le point de rupture semblait proche, un rapide bruit de sandales s'arrêta devant le vestiaire et la face d'un autre élève, dressé sur la pointe des pieds, parut à la fenêtre.

— Ecoutez ! Il est absurde d'attendre ici. Kojirō ne vient pas.

— Que veux-tu dire ? Kajūrō vient de le voir.

— Oui, mais il est allé droit à la maison. Comment il s'est fait recevoir, je l'ignore, mais il se trouve dans la salle de réception, en train de causer avec le maître.

— Avec le maître ? répéta en écho le groupe avec un haut-le-corps collectif.

— Dis-tu la vérité ? demanda Toranosuke, l'air consterné

Il suspectait fort que si l'on enquêtait sur les circonstances de la mort de son frère il se révélerait qu'il n'avait rien fait de bon ;

mais Toranosuke avait glissé là-dessus en relatant l'incident à Tadaaki. Et si son maître apprenait qu'il avait enlevé Osugi, ce ne serait pas de son fait.

— Si tu ne me crois pas, vas-y voir.

— Quel gâchis ! gémit Toranosuke.

Loin de sympathiser avec lui, ses condisciples étaient agacés par son indécision.

En conseillant aux autres de rester calmes pendant qu'ils allaient voir ce qui se passait, Kamei et Negoro enfilaient leurs *zōri* lorsqu'une séduisante jeune fille au teint clair sortit en courant de la maison. Ils reconnurent Omitsu, s'immobilisèrent, et les autres se précipitèrent sur le seuil.

— Vous tous ! cria-t-elle d'une voix aiguë, excitée. Venez immédiatement ! Mon oncle et l'hôte ont tiré l'épée. Au jardin. Ils se battent !

Bien qu'Omitsu fût considérée officiellement comme la nièce de Tadaaki, l'on chuchotait qu'elle était en réalité la fille d'Itō Ittōsai et d'une maîtresse. La rumeur voulait qu'étant donné qu'Ittōsai était le maître de Tadaaki, ce dernier devait avoir accepté d'élever l'enfant.

La jeune fille avait une extraordinaire expression de frayeur.

— ... J'ai entendu mon oncle et l'hôte parler, d'une voix de plus en plus forte ; aussitôt après... Je ne crois pas que mon oncle coure un danger, mais...

Les quatre généraux jappèrent d'une même voix et s'élancèrent en direction du jardin, séparé de la partie extérieure de l'enceinte par une baie. Les autres les rejoignirent à la porte en bambou.

— La porte est fermée à clé.

— On ne peut pas la forcer ?

Cela fut inutile. La porte céda sous le poids des samouraïs qui se pressaient contre elle. En tombant, elle révéla un vaste espace borné par une colline. Tadaaki, sa fidèle épée Yukihira brandie à hauteur de l'œil, se tenait au centre. Au-delà, à une certaine distance, se tenait Kojirō, la grande « Perche à sécher » brandie au-dessus de sa tête, les yeux étincelants.

L'atmosphère chargée d'électricité semblait dresser une invisible barrière. Pour des hommes élevés dans la stricte tradition de la classe des samouraïs, la solennité qui entourait les combattants, la dignité meurtrière des épées dégainées, étaient inviolables. Malgré leur agitation, ce spectacle privait momentanément les élèves de mouvement et d'émotion.

Mais alors, deux ou trois d'entre eux s'avancèrent derrière Kojirō.

— Halte ! cria Tadaaki, irrité.

Sa voix, rude à vous glacer le sang, pas du tout la voix paternelle dont ils avaient l'habitude, pétrifia ses élèves.

On donnait souvent à Tadaaki jusqu'à dix ans de moins que ses cinquante-quatre ou cinquante-cinq ans, et l'on considérait sa taille comme moyenne alors qu'en réalité elle était un peu inférieure à la moyenne. Ses cheveux étaient noirs encore, son corps petit mais solidement bâti. Les mouvements de ses longs membres n'avaient aucune raideur, aucune gaucherie.

Kojirō n'avait pas encore frappé... à la vérité, il ne l'avait pu.

Toutefois, Tadaaki avait dû immédiatement se rendre à l'évidence : il affrontait là un terrifiant homme d'épée. « C'est un autre Zenki ! » se dit-il avec un imperceptible frisson.

Zenki, c'était le dernier combattant qu'il avait rencontré, ayant pareille envergure et pareille ambition. Or, cela se passait jadis, dans sa jeunesse, alors qu'il voyageait avec Ittō et menait la vie d'un *shugyōsha*. Zenki, fils d'un batelier de la province de Kuwana, avait été le disciple principal d'Ittōsai. Comme Ittōsai prenait de l'âge, Zenki s'était mis à le considérer de haut, allant jusqu'à proclamer que le style Ittō était sa propre invention. Zenki avait causé beaucoup de peine à Ittōsai : plus il devenait habile au sabre, plus il nuisait à autrui. « Zenki, c'est la plus grande erreur de ma vie, se lamentait Ittōsai. Quand je le regarde, je vois un monstre qui incarne tous les défauts que j'aie jamais eus. Le regarder me pousse à me haïr moi-même. »

Comme par ironie, Zenki rendit service au jeune Tadaaki — en tant que mauvais exemple — en l'incitant à de plus grands exploits qu'il n'en eût accompli sans lui. Enfin, Tadaaki affronta ce diabolique prodige à Koganegahara (Shimōsa) et le tua ; sur quoi Ittōsai lui décerna son certificat de style Ittō et lui donna le livre des instructions secrètes.

L'unique défaut de Zenki avait été que son adresse technique était gâtée par un manque d'éducation. Il n'en allait pas de même pour Kojirō. Son intelligence et sa culture éclataient dans son art de l'épée.

« Je ne puis gagner ce combat », pensait Tadaaki, lequel ne s'estimait en aucune manière inférieur à Munenori. A la vérité, il n'avait pas une très haute opinion des talents de Munenori.

Tandis qu'il fixait des yeux son impressionnant adversaire, une autre vérité se fit jour dans son esprit : « Les années ont passé », se dit-il avec mélancolie.

Ils se tenaient immobiles ; on ne voyait pas la plus légère modification. Pourtant, Tadaaki et Kojirō dépensaient de l'énergie vitale à un rythme effrayant : la sueur ruisselait de leurs fronts, l'air jaillissait de leurs narines dilatées, leur peau devenait blanche, puis bleuâtre. Bien qu'un mouvement parût imminent, les épées restaient brandies, immobiles.

— ... Je renonce, dit Tadaaki en reculant brusquement de plusieurs pas.

Ils étaient convenus que ce ne serait pas un combat jusqu'à une décision. L'un et l'autre pouvaient se retirer en se reconnaissant pour vaincus. Kojirō bondit comme une bête de proie, asséna de haut en bas un coup de la « Perche à sécher » avec une force et une rapidité d'ouragan. Tadaaki esquiva de justesse, mais son toupet tranché vola dans les airs. Il exécuta cependant une brillante riposte en emportant une quinzaine de centimètres de la manche de Kojirō.

— Lâche ! s'écrièrent les élèves, la face empourprée de rage.

En profitant de la capitulation de son adversaire pour déclencher un assaut, Kojirō avait violé le code éthique du samouraï. Tous les élèves s'élancèrent vers Kojirō.

Il réagit en fuyant à la vitesse d'un cormoran jusqu'à un grand jujubier, à une extrémité du jardin, derrière le tronc duquel il se cacha à demi. Ses yeux allaient et venaient avec une intimidante rapidité.

— Vous avez vu ? criait-il. Vous avez vu qui a gagné ?

— Ils l'ont vu, dit Tadaaki. Ecartez-vous ! ordonna-t-il à ses hommes en remettant son sabre au fourreau et en regagnant la véranda de son cabinet de travail.

Il convoqua Omitsu, et lui dit de lui attacher les cheveux.

Tandis qu'elle le faisait, il reprenait souffle. Son torse ruisselait de sueur.

Un vieux dicton lui revint à l'esprit : il est facile de surpasser un prédécesseur, mais difficile d'éviter d'être surpassé par un successeur. Il avait joui des fruits du dur entraînement de sa jeunesse, en se complaisant dans la connaissance du fait que son style Ittō n'était pas moins florissant que le style Yagyū. Entre-temps, la société avait donné naissance à de nouveaux génies comme Kojirō. S'en rendre compte lui causait un choc amer, mais il n'était pas homme à l'ignorer. Quand Omitsu eut terminé, il lui dit :

— ... Donne à notre jeune hôte de l'eau pour se rincer la bouche, et raccompagne-le à la salle de réception.

Autour de lui, les élèves étaient livides. Certains refoulaient leurs larmes ; d'autres considéraient leur maître avec ressentiment.

— ... Nous nous assemblerons dans le dōjō, dit-il. Maintenant.

Lui-même ouvrit le cortège. Tadaaki prit place sur le siège élevé, en face, et contempla en silence les trois rangs de ses disciples assis devant lui. Enfin, il baissa les yeux et déclara doucement :

— ... J'ai bien peur d'avoir vieilli, moi aussi. Quand je regarde en arrière, il me semble que ma meilleure époque d'homme d'épée était celle où j'ai vaincu ce démon de Zenki. Au moment où cette école a été fondée et où l'on a commencé à parler du groupe Ono sur la pente de Saikachi, en qualifiant le style Ittō d'invincible, j'avais déjà dépassé mon apogée d'homme d'épée.

La signification de ces paroles était si étrangère à leur mode de pensée habituel que les élèves n'en croyaient pas leurs oreilles. La voix de Tadaaki s'affermit, et il regarda en face leurs visages remplis de doute et de mécontentement.

— ... A mon avis, c'est là une chose qui arrive à tous les hommes. L'âge nous gagne à notre insu. Les temps changent. Les disciples surpassent leurs maîtres. Une génération plus jeune ouvre une voie nouvelle... Il en devrait aller ainsi car le monde ne progresse que grâce au changement. Pourtant, c'est inadmissible dans le domaine du sabre. La Voie du sabre devrait être une voie qui ne permet pas à l'homme de vieillir... Ittōsai... Je ne sais pas s'il est encore en vie. Voilà des années que je suis sans nouvelles de mon maître. Après Koganegahara, il a pris la tonsure et s'est retiré dans les montagnes. Son but, disait-il, était d'étudier le sabre, de pratiquer le Zen, de chercher la Voie de la Vie et de la Mort, de gravir le grand pic de l'illumination parfaite... Maintenant, c'est mon tour. Après aujourd'hui, je ne pourrais plus me présenter la tête haute devant mon maître... Je regrette de n'avoir pas vécu une vie meilleure.

— M-m-maître ! interrompit Negoro Hachikurō. Vous dites que vous avez perdu ; mais nous ne croyons pas que vous seriez vaincu par un homme comme Kojirō dans des conditions normales, même s'il est jeune. Aujourd'hui, il devait y avoir quelque chose qui n'allait pas.

— Quelque chose qui n'allait pas ? répéta Tadaaki en hochant la tête et en s'esclaffant. Tout allait bien. Kojirō est jeune. Mais ce n'est pas pour cela que j'ai perdu. J'ai perdu parce que les temps ont changé.

— Que voulez-vous dire ?

— Ouvrez vos oreilles et vos yeux.

De Hachikurō, son regard passa aux autres visages silencieux.

— ... Je vais tâcher d'être bref, car Kojirō m'attend. Je veux que vous prêtiez une oreille attentive à mes idées et à mes espérances d'avenir.

Alors, il leur apprit que de ce jour, il se retirait du dōjō. Son intention n'était pas de prendre sa retraite au sens ordinaire, mais de suivre l'exemple d'Ittōsai et de partir en quête de l'illumination.

— ... Telle est ma première grande espérance, leur déclara-t-il.

Ensuite, il demandait à Itō Magobei, son neveu, de prendre en charge son fils unique, Tadanari. Magobei avait aussi le devoir de relater les événements de la journée au shogunat, et d'expliquer que Tadaaki avait décidé de se faire moine bouddhiste. Après quoi, il dit :

— ... Le fait d'avoir été vaincu par un cadet ne me laisse pas de profonds regrets. Ce qui me trouble et me cause de la honte est ceci : des combattants nouveaux tels que Sasaki sont en train d'apparaître en d'autres lieux, mais pas un seul homme d'épée de cette envergure n'est sorti de l'école Ono. Je crois savoir pourquoi. Beaucoup d'entre vous sont des vassaux héréditaires du shōgun. Vous avez laissé votre rang vous monter à la tête. Après un peu d'entraînement, vous commencez à vous féliciter d'être maîtres de l' « invincible style Ittō ». Vous êtes trop contents de vous.

— Halte-là, monsieur, protesta Hyōsuke d'une voix tremblante. Ce n'est pas juste. Nous ne sommes pas tous arrogants et paresseux. Nous ne négligeons pas tous nos études.

— Assez ! cria Tadaaki en lui lançant un regard furieux. Le laxisme de la part des élèves reflète le laxisme de la part du maître. Je suis en train de confesser ma propre honte, de me juger moi-même... La tâche que vous avez devant vous consiste à éliminer le laxisme, à faire de l'école Ono un centre où les talents juvéniles se puissent développer comme il faut. Elle doit devenir un lieu de formation pour l'avenir. Faute de quoi, mon départ pour céder la place à une réforme sera inutile.

La sincérité de cette déclaration commençait enfin à faire son effet. Les élèves, tête basse, méditaient les paroles de Tadaaki ; chacun réfléchissait sur ses propres défauts.

— Hamada... dit Tadaaki.

Toranosuke répondit : « Oui, monsieur », mais fut manifestement pris par surprise. Sous le regard froid de Tadaaki, lui-même baissa les yeux.

— Lève-toi.

— Oui, monsieur, dit-il sans bouger.

— Lève-toi ! Immédiatement.

Toranosuke se leva. Les autres regardaient en silence.

— ... Je te chasse de l'école.

Il observa une pause afin de donner plus de poids à ses paroles.

— ... Mais, ce faisant, j'espère qu'il arrivera un jour où tu auras amendé ton comportement, appris la discipline et saisi la signification de l'Art de la guerre. Peut-être alors pourrons-nous redevenir maître et disciple. Et maintenant, dehors !

— M-maître, pourquoi ? Je ne me souviens pas d'avoir fait quoi que ce soit pour mériter cela.

— Tu ne t'en souviens pas parce que tu ne comprends pas l'Art de la guerre. Si tu y réfléchis longtemps, attentivement, tu verras.

— Dites-moi, je vous en prie. Je ne saurais partir avant. Les veines saillaient à son front.

— Soit. La lâcheté est la plus honteuse faiblesse dont un samouraï puisse être accusé. L'Art de la guerre met strictement en garde contre elle. C'est une règle absolue, dans notre école, que tout homme coupable de lâcheté doive être expulsé... N'empêche que toi, Hamada Toranosuke, après la mort de ton frère, tu as laissé passer plusieurs semaines avant de défier Sasaki Kojirō. Entre-temps, tu as tenté de te venger sur un insignifiant marchand de pastèques. Et hier, tu as fait prisonnière la mère âgée de cet homme, et l'as amenée ici. Tu appelles ça une conduite digne d'un samouraï ?

— Mais, monsieur, vous ne comprenez pas. Je l'ai fait pour débusquer Kojirō.

Il allait se lancer dans un plaidoyer passionné mais Tadaaki l'arrêta net.

— Voilà précisément ce que j'entends par lâcheté. Si tu voulais combattre Kojirō, que n'es-tu allé droit chez lui ? Que ne lui as-tu envoyé un message de défi ? Que n'as-tu décliné ton nom et ton intention ?

— M-m-mon Dieu, j'y ai bien pensé, mais...

— Pensé ? Rien ne devait t'empêcher de le faire. Mais tu as eu recours à la ruse lâche d'inciter autrui à t'aider à attirer ici Kojirō pour pouvoir l'attaquer en masse. En comparaison, l'attitude de Kojirō était admirable.

Tadaaki observa une pause.

— ... Il est venu seul, me voir en personne. Refusant de rien avoir à faire avec un lâche, il m'a défié pour la raison que l'inconduite d'un disciple est l'inconduite de son maître... Le résultat de l'affrontement entre son épée et la mienne a révélé un crime honteux. Maintenant, j'avoue humblement ce crime.

Il régnait dans la salle un silence de mort.

— ... Et maintenant, Toranosuke, à la réflexion, te prends-tu encore pour un samouraï sans honte ?

— Pardonnez-moi.

— Hors d'ici !

Les yeux baissés, Toranosuke recula de dix pas et s'agenouilla par terre, les bras devant lui, prêt à s'incliner.

— Je vous souhaite la meilleure santé du monde, monsieur... Ainsi qu'à vous autres.

Il avait une voix blanche. Il se releva et sortit tristement du dōjō. Tadaaki se leva.

— Moi aussi, je dois prendre congé du monde.

On entendait refouler des sanglots. Ses paroles finales furent sévères, bien que pleines d'affection :

— ... Pourquoi pleurer ? Votre heure a sonné. A vous de veiller à ce que cette école progresse avec honneur dans une ère nouvelle. Désormais, soyez humbles, travaillez dur et tâchez de toutes vos forces de cultiver votre esprit.

Retourné à la salle de réception, Tadaaki paraissait tout à fait calme tandis qu'il prenait un siège et s'adressait à Kojirō. Après s'être excusé de l'avoir fait attendre, il lui déclara :

— ... Je viens de chasser Hamada. Je lui ai conseillé de changer de conduite, d'essayer de comprendre la véritable signification de la discipline du samouraï. Bien entendu, j'ai l'intention de relâcher la vieille femme. Voulez-vous la ramener, ou dois-je prendre des dispositions pour qu'elle parte plus tard ?

— Je suis content de ce que vous avez fait. Elle peut m'accompagner.

Kojirō fit mine de se lever. Le combat l'avait complètement épuisé, et l'attente qui avait suivi lui avait paru très, très longue.

— Ne partez pas encore, dit Tadaaki. Maintenant que tout est fini, prenons une coupe ensemble, et enterrons le passé.

Frappant dans ses mains, il appela :

— Omitsu ! Apporte du saké.

— Merci, dit Kojirō. C'est aimable à vous de m'inviter. Il sourit et dit avec hypocrisie :

— ... Je sais maintenant pourquoi Ono Tadaaki et le style Ittō sont tellement célèbres.

Il n'avait pas le moindre respect pour Tadaaki. « Si ses talents naturels se développent dans le bon sens, il aura le monde à ses pieds, se disait Tadaaki. Mais s'il prend la mauvaise direction, un nouveau Zenki se prépare. »

« Si vous étiez mon élève... » Tadaaki avait ces mots sur le bout de la langue. Au lieu de les prononcer, il se mit à rire et répondit modestement à la flatterie de Kojirō.

Au cours de leur conversation, le nom de Musashi fut mentionné, et Kojirō apprit qu'il était question qu'il devînt membre du groupe choisi des hommes qui donnaient des leçons au shōgun. Kojirō se contenta de répondre :

— Tiens, tiens ?

Mais son expression trahissait sa contrariété. Détournant vivement les yeux vers le soleil couchant, il assura qu'il était temps pour lui de prendre congé.

Peu de jours après, Tadaaki disparut d'Edo. Il avait la réputation d'être un guerrier simple, direct, l'honnêteté et la modestie mêmes, mais un homme à qui manquait le sens politique de Munenori. Ne comprenant pas pourquoi un homme qui semblait en mesure de réaliser tous ses désirs fuyait le monde, les gens brûlèrent de curiosité et donnèrent à sa disparition toutes sortes de significations.

Résultat de son échec, Tadaaki, affirmait-on, avait perdu l'esprit.

Le pathétique des choses

Musashi déclarait que c'était la pire tempête qu'il eût jamais vue.

Iori considérait avec regret les pages trempées, lacérées, çà et là dispersées, et songeait tristement : « Finie, l'étude. »

Les cultivateurs redoutaient particulièrement deux journées d'automne : les deux cent dixième et deux cent vingtième jours de l'année. C'était ces deux jours-là que les typhons risquaient le plus de détruire la récolte de riz. Iori, plus sensible aux dangers que son maître, avait pris la précaution d'assujettir le toit et de le lester de pierres. Pourtant, durant la nuit, le vent avait arraché le toit, et, quand il fit assez clair pour examiner les dégâts, il fut évident qu'il n'y avait aucun espoir de réparer la cabane.

Se souvenant de son aventure à Hōtengahara, Musashi partit peu après l'aube. En le regardant s'en aller, Iori pensa : « A quoi donc est-ce que ça l'avancera de voir les rizières des voisins ? Bien sûr, qu'elles sont inondées. Est-ce que sa propre maison ne signifie rien pour lui ? »

Il fit un feu avec des morceaux des murs et du plancher, et fit rôtir pour son petit déjeuner des châtaignes et des oiseaux morts. La fumée lui piquait les yeux. Musashi revint un peu après midi. Une heure plus tard environ, un groupe de fermiers portant d'épaisses capes de paille contre la pluie arrivèrent pour présenter leurs remerciements — pour l'assistance à un malade, pour avoir aidé à drainer l'inondation, pour nombre d'autres services. Un vieil homme avoua :

— Nous nous querellons toujours en des moments pareils : chacun se dépêche de s'occuper d'abord de ses propres difficultés. Mais aujourd'hui, nous avons suivi votre conseil et travaillé ensemble.

Ils apportèrent aussi des présents de nourriture : sucreries, marinades et, à la grande joie d'Iori, gâteaux de riz. Toutes réflexions faites, Iori conclut que ce jour-là il avait appris une leçon : si l'on s'oubliait soi-même et si l'on travaillait pour la communauté, la nourriture affluait tout naturellement.

— Nous vous bâtirons une nouvelle maison, promit un fermier. Une maison que le typhon ne démolira pas.

Pour l'heure, il les invita à loger dans la sienne, la plus vieille du village. Lorsqu'ils y arrivèrent, l'épouse de cet homme suspendit leurs vêtements pour les faire sécher, et quand ils furent prêts à se coucher on leur donna des chambres séparées. Avant de s'endormir. Iori prit conscience d'un son qui excita son intérêt. Se retournant vers la chambre de Musashi, il chuchota à travers le shoji :

— Vous entendez, monsieur ?

— Hein ?

— Ecoutez : les tambours des danses du sanctuaire. Bizarre,

vous ne trouvez pas, d'exécuter des danses religieuses un soir de typhon ?

Seule une respiration profonde lui répondit. Le lendemain matin, Iori se leva de bonne heure et interrogea le fermier au sujet des tambours. Revenu à la chambre de Musashi, il dit d'un air fin :

— Le sanctuaire de Mitsumine, à Chichibu, n'est pas très loin d'ici, n'est-ce pas ?

— Il me semble.

— Je voudrais que vous m'y emmeniez. Faire mes dévotions.

Intrigué, Musashi demanda le pourquoi de cet intérêt soudain ; on lui répondit que les joueurs de tambour étaient des musiciens d'un village voisin qui s'exerçaient pour la danse sacrée Asagaya dont leur famille était spécialiste depuis un lointain passé. Tous les mois, ils allaient jouer à la fête du sanctuaire de Mitsumine.

Les beautés de la musique et de la danse n'étaient connues d'Iori qu'à travers ces danses Shinto. Il éprouvait pour elles une extraordinaire passion ; ayant appris que les danses de Mitsumine constituaient l'un des trois grands types de cette tradition, il tenait fort à les voir.

— Vous ne voulez pas m'y emmener ? suppliait-il. Il faudra cinq ou six jours au moins avant que notre maison soit prête.

L'insistance d'Iori rappelait à Musashi Jōtarō, qui se rendait souvent odieux — pleurnichant, boudant, ronronnant — pour obtenir ce qu'il voulait. Iori, si mûr et indépendant pour son âge, recourait rarement à de pareilles tactiques. Musashi n'y songeait pas particulièrement, mais un observateur eût distingué les traces de son influence. Une chose qu'il avait délibérément enseignée à Iori, c'était de pratiquer une stricte distinction entre lui-même et son maître. D'abord, il répondit de manière évasive, mais après y avoir un peu réfléchi, il dit :

— Bon je t'emmène.

Iori bondit en l'air en s'exclamant :

— Et il fait beau, par-dessus le marché !

En moins de cinq minutes, il avait fait part de sa chance à leur hôte, demandé des déjeuners à emporter, et s'était procuré des sandales de paille neuves. De retour devant son maître, il lui demanda :

— ... Nous partons ?

Le fermier assista à leur départ en promettant que leur maison serait achevée au moment de leur retour.

Ils passèrent devant des endroits où le typhon avait laissé dans son sillage des mares, presque des petits lacs ; mais autrement, on avait peine à croire que les cieux avaient déchaîné leur furie deux jours seulement plus tôt. Des pies volaient bas dans le ciel bleu clair.

Le premier soir, ils choisirent une auberge bon marché dans le village de Tanashi, et se couchèrent tôt. Le lendemain, leur route les mena plus avant dans la grande plaine de Musashino.

Leur voyage fut interrompu plusieurs heures à la rivière Iruma, dont le volume avait triplé. Seul restait debout un court fragment du pont de terre, inutile au milieu du courant. Tandis que Musashi regardait un groupe de fermiers apporter de nouvelles piles des deux côtés pour permettre un passage temporaire, Iori remarquait de vieilles pointes de flèches, les signalait et ajoutait :

— ... Il y a aussi des sommets de casques. Il doit y avoir eu une bataille ici.

Il s'amusa le long de la berge à déterrer des pointes de flèches, des morceaux rouillés de sabres brisés et divers bouts de vieux métal inidentifiable. Soudain, il écarta vivement la main de quelque chose de blanc qu'il allait ramasser.

— C'est un os humain ! s'exclama-t-il.

— Apporte-le ici, dit Musashi.

Iori n'avait pas le courage d'y toucher à nouveau.

— Qu'est-ce que vous en ferez ?

— Enterre-le à un endroit où l'on ne marche pas dessus.

— Il n'y en a pas seulement un ou deux. Il y en a des quantités.

— Bon. Ça nous occupera. Apporte tous ceux que tu pourras trouver.

Tournant le dos à la rivière, il ajouta :

— ... Tu peux les enterrer là-bas, à l'endroit où ces gentianes fleurissent.

— Je n'ai pas de pelle.

— Sers-toi d'un sabre cassé.

Quand le trou fut assez profond, Iori y mit les ossements puis rassembla sa collection de pointes de flèches et de bouts de métal, qu'il enfouit avec les os.

— Ça va ? demanda-t-il.

— Mets des pierres par-dessus. Fais-en un véritable monument.

— Quand donc y a-t-il eu une bataille ici ?

— Tu as oublié ? Tu dois avoir fait une lecture là-dessus. Le *Taiheiki* parle de deux combats furieux, en 1333 et 1352, dans un endroit nommé Kotesashigahara. C'est à peu près l'endroit où nous sommes. D'un côté il y avait la famille Nitta qui soutenait la Cour du Sud, et de l'autre une énorme armée commandée par Ashikaga Takauji.

— Ah ! les batailles de Kotesashigahara... Maintenant, je me souviens.

Pressé par Musashi, Iori poursuivit :

— Le livre nous dit que le prince Munenaga vécut longtemps dans la région de l'Est et étudia la Voie du samouraï, mais fut stupéfait lorsque l'empereur le nomma shōgun.

— Quel était le poème qu'il composa à cette occasion ? demanda Musashi.

Iori leva les yeux vers un oiseau qui s'élevait dans le ciel azuré, et récita :

« Comment aurais-je pu savoir
Que je serais jamais le maître de
L'arc de catalpa ?
N'avais-je point traversé la vie
Sans le toucher ? »

— Et le poème au chapitre qui raconte comment il passa dans la province de Musashi et combattit à Kotesashigahara ?

Le jeune garçon hésita, se mordit la lèvre et commença dans une formulation qui était pour une large part de son cru :

« Pourquoi, alors, devrais-je m'accrocher
A une vie qui est accomplie
Quand elle est noblement donnée
Pour l'amour de notre grand seigneur,
Pour l'amour du peuple ? »

— Et la signification ?

— Je comprends ça.

— En es-tu bien sûr ?

— Quiconque est incapable de comprendre sans se le faire expliquer n'est pas un véritable Japonais, même s'il s'agit d'un samouraï. Je me trompe ?

— Non. Mais dis-moi, Iori, dans ce cas pourquoi te conduis-tu comme si le maniement de ces os te salissait les mains ?

— Vous aimeriez manier les os des morts ?

— Les hommes qui sont morts ici étaient des soldats. Ils s'étaient battus et avaient péri pour les sentiments exprimés dans le poème du prince Munenaga. Les samouraïs de ce type sont innombrables ; leurs ossements, enfouis dans la terre, constituent les fondements sur quoi notre pays est édifié. Sans eux, nous n'aurions encore ni paix ni perspective de prospérité... Les guerres, comme le typhon que nous avons essuyé, passent. Dans son ensemble, la terre est inchangée, mais nous ne devons jamais oublier notre dette envers les ossements blanchis qui sont sous la surface du sol.

Presque à chaque mot, Iori approuvait de la tête.

— Maintenant, je comprends. Dois-je faire une offrande de fleurs et m'incliner devant les os que j'ai enterrés ?

Musashi se mit à rire.

— T'incliner n'est pas vraiment nécessaire si tu gardes le souvenir vivant dans ton cœur.

— Pourtant...

Pas tout à fait satisfait, le garçon cueillit des fleurs et les disposa devant les pierres entassées. Il était sur le point de joindre les mains en signe de respect lorsqu'il lui vint une autre idée inquiétante :

— ... Monsieur, tout cela est bel et bon si ces os appartenaient vraiment à des samouraïs loyaux envers l'empereur. Mais s'ils sont les restes des hommes d'Ashikaga Takauji ?... Je ne voudrais pas leur rendre hommage.

Iori le dévisageait dans l'attente de sa réponse. Musashi fixa les yeux sur le fin croissant de lune diurne. Mais aucune réponse satisfaisante ne lui vint à l'esprit. Il finit par déclarer :

— Dans le bouddhisme, il existe un salut même pour ceux qui ont commis les dix mauvaises actions et les cinq péchés mortels. Le cœur lui-même est l'illumination. Le Bouddha pardonne aux méchants à la seule condition qu'ils ouvrent leurs yeux à sa sagesse.

— Est-ce que ça veut dire que les guerriers loyaux et les méchants rebelles sont les mêmes après leur mort ?

— Non ! dit avec force Musashi. Un samouraï tient son nom pour sacré. S'il le souille, c'est à jamais irrémédiable.

— Alors, pourquoi est-ce que le Bouddha traite de la même façon les méchants et les serviteurs loyaux ?

— Parce que tous les êtres humains sont fondamentalement les mêmes. Il y a ceux que l'intérêt personnel et le désir aveuglent au point qu'ils deviennent rebelles ou brigands. Le Bouddha accepte de n'en pas tenir compte. Il presse tous les hommes de recevoir l'illumination, d'ouvrir les yeux à la vraie sagesse. Tel est le message d'un millier de livres saints. Bien sûr, quand on meurt, tout devient vide.

— Je vois, dit Iori sans vraiment voir.

Il médita la question durant quelques minutes, puis demanda :

— ... Mais ça n'est pas vrai pour les samouraïs, n'est-ce pas ? Quand un samouraï meurt, *tout* ne devient pas vide ?

— Pourquoi dis-tu cela ?

— Son nom survit, n'est-ce pas ?

— Certes.

— S'il s'agit d'un nom mauvais, il reste mauvais. Si le nom est bon, même quand le samouraï se trouve réduit à l'état d'ossements. Ce n'est pas ainsi que ça se passe ?

— Si, mais en réalité ce n'est pas tout à fait aussi simple, dit Musashi en se demandant s'il réussirait à satisfaire la curiosité de son élève. Dans le cas du samouraï, il y a ce que l'on pourrait nommer le sentiment du pathétique des choses. Le guerrier à qui cette sensibilité fait défaut ressemble à un arbuste dans un désert. Etre un combattant puissant et rien de plus, c'est être pareil à un typhon. Il en va de même pour les hommes d'épée qui ne pensent qu'épée, épée, épée. Un véritable samouraï, un homme d'épée authentique, a un cœur compatissant. Il comprend le pathétique de la vie.

En silence, Iori réarrangea les fleurs et joignit les mains.

Deux baguettes de tambour

A mi-pente de la montagne, des silhouettes humaines pareilles à des fourmis, qui grimpaient en procession continuelle, étaient avalées par un épais cercle de nuages. Emergeant près du sommet, où se trouvait situé le sanctuaire de Mitsumine, elles étaient accueillies par un ciel dégagé.

Les trois pics de la montagne, Kumotori, Shiraiwa et Moyōhōgatake, se tenaient à cheval sur quatre provinces de l'Est. L'enceinte shinto comprenait des temples bouddhistes, des pagodes, divers autres bâtiments et portails. Au-dehors s'étendait une petite ville florissante avec maisons de thé, marchands de souvenir, les bureaux des grands-prêtres, et les maisons de quelque soixante-dix fermiers dont les produits étaient réservés à l'usage du sanctuaire.

— Ecoutez ! Ils ont commencé à jouer des gros tambours, dit Iori, tout excité, en ingurgitant son riz et ses haricots rouges.

Musashi, assis en face, savourait son repas sans se presser. Iori jeta ses baguettes.

— ... La musique a commencé. Allons voir.

— Ça m'a suffi la nuit dernière. Vas-y seul.

— Mais ils n'ont donné que deux danses, hier au soir. Vous ne voulez donc pas voir les autres ?

— Pas si ça oblige à se presser.

Constatant que le bol en bois de son maître était encore à moitié plein, Iori déclara d'un ton plus calme :

— Des milliers de gens sont arrivés depuis hier. S'il pleuvait, ce serait navrant.

— Oui ?

Quand Musashi finit par dire : « Nous y allons, maintenant ? », Iori bondit vers la porte du devant comme un chien lâché, emprunta des sandales de paille et les disposa sur le seuil à l'intention de son maître.

Devant le Kannon'in, le temple secondaire où ils logeaient, et des deux côtés du portail principal du sanctuaire, de grands feux de joie flambaient. Une torche brûlait à chaque façade, et l'endroit tout entier, à plusieurs milliers de pieds au-dessus du niveau de la mer, se trouvait éclairé comme en plein jour. Là-haut, dans un ciel couleur de laque noire, le Fleuve céleste scintillait comme une fumée enchantée, tandis que dans les rues des essaims d'hommes et de femmes, oublieux de la fraîcheur de l'air montagnard, affluaient vers la scène où l'on exécutait les danses sacrées. Flûtes et gros tambours résonnaient dans le vent. La scène elle-même était vide à l'exception des bannières qui flottaient doucement, et serviraient bientôt de toile de fond.

Ballotté par la foule, Iori fut séparé de Musashi mais fendit rapidement l'affluence jusqu'à ce qu'il l'aperçût debout près d'un bâtiment, le visage levé vers une liste de donateurs. Iori l'appela, courut à lui, le tira par la manche, mais l'attention de Musashi était rivée à une seule plaque, plus grande que les autres. Elle se détachait sur tout le reste à cause de l'importance de la contribution faite par « Daizō de Narai, village de Shibaura, province de Musashi. »

Le vacarme des tambours allait crescendo.

— La danse a commencé ! glapissait Iori dont le cœur volait vers le pavillon des danses sacrées. *Sensei,* qu'est-ce que vous regardez là ?

Tiré de sa rêverie, Musashi répondit :

— Oh ! rien de particulier... Je me rappelais seulement une chose que j'ai à faire. Toi, va regarder les danses. Je te rejoindrai plus tard.

Musashi chercha la sacristie des prêtres shinto, où le reçut un vieil homme.

— ... Je voudrais vous poser une question sur un donateur, dit Musashi.

— Je regrette, nous n'avons rien à voir avec cela ici. Il faut que vous alliez à la résidence du grand prêtre bouddhiste. Je vais vous montrer où elle se trouve.

Bien que Mitsumine fût un sanctuaire shinto, un prélat bouddhiste supervisait l'ensemble de l'établissement. Au-dessus du portail, dans les gros caractères qui convenaient, l'on pouvait lire : « Bureau du grand prêtre ».

Dans l'antichambre, le vieil homme parlementa assez longuement avec le prêtre de service. Quand ils eurent terminé, le prêtre invita Musashi à entrer, et avec beaucoup de politesse le mena à une salle intérieure. Le thé était servi, avec un plateau de gâteaux magnifique. Puis vint un second plateau, suivi de près par un jeune acolyte qui apportait du saké. Bientôt parut un personnage qui n'était rien de moins qu'un évêque.

— Bienvenue dans nos montagnes, dit-il. Je crains que nous n'ayons à vous offrir que de simples mets campagnards. J'espère que vous nous pardonnerez. Je vous en prie, mettez-vous à l'aise.

Musashi se perdait en conjectures sur la raison d'une telle sollicitude. Sans toucher au saké, il déclara :

— Je suis venu vous demander des renseignements sur l'un de vos donateurs.

— Quoi ?

La contenance bénigne du prêtre, un homme rond d'une cinquantaine d'années, subit une altération subtile.

— ... Des renseignements ? répéta-t-il d'un ton soupçonneux.

En succession rapide, Musashi demanda quand Daizō était venu au temple, s'il y venait souvent, s'il se trouvait accompagné, et, dans l'affirmative, de quel genre de personne. A chacune de ces questions, le déplaisir du prêtre augmentait jusqu'à ce qu'il finît par dire :

— Alors, vous n'êtes pas ici pour apporter une contribution mais seulement pour poser des questions sur quelqu'un qui en a apporté une ?

Son visage était l'image même de l'exaspération.

— Le vieil homme doit m'avoir mal compris. Je n'ai jamais eu l'intention de faire une donation. Je voulais seulement poser des questions sur Daizō.

— Vous auriez pu le préciser en arrivant, dit le prêtre avec hauteur. A ce que je vois, vous êtes un rōnin. Je ne sais qui vous êtes, ni d'où vous venez. Vous devez comprendre que je ne peux donner de renseignements sur nos donateurs à n'importe qui.

— Je vous assure qu'il n'arrivera rien.

— Eh bien, vous devrez voir le prêtre qui s'occupe de ces questions.

L'air d'avoir été volé, il congédia Musashi. Le registre des bienfaiteurs ne se révéla pas plus utile : il notait seulement que Daizō était venu plusieurs fois. Musashi remercia le prêtre et s'en alla.

Près du pavillon de danse, il chercha des yeux Iori mais ne le vit pas. S'il avait levé les yeux en l'air, il l'aurait vu. Le garçon se trouvait presque au-dessus de sa tête : il était grimpé à un arbre pour mieux voir.

En regardant le spectacle, Musashi revécut son enfance, les fêtes nocturnes au sanctuaire de Sanumo à Miyamoto. Il voyait des images fantômes des foules, du blanc visage d'Otsū au milieu d'elles. De Matahachi, toujours en train de mâchonner quelque chose, et de l'oncle Gon, qui allait et venait d'un air important. Il sentait vaguement le visage de sa mère inquiète qu'il fût dehors aussi tard, et qui venait le chercher.

Les musiciens, vêtus de costumes insolites destinés à simuler l'élégance de la garde impériale de jadis, prenaient place sur la scène. A la lueur des feux, leurs clinquants atours, scintillants de brocart d'or, évoquaient les robes mythiques de l'âge des dieux. Le battement des peaux de tambour légèrement détendues résonnait à travers la forêt de cryptomerias, puis les flûtes préludèrent. Le maître de la danse s'avança, portant un masque de vieillard. Cette face inhumaine, sur laquelle une bonne partie de la laque avait pelé aux joues et au menton, remuait lentement tandis qu'il chantait les paroles de *Kamiasobi,* la danse des dieux :

Sur la montagne sacrée de Mimuro.
A la clôture divine,
Devant la grande déité
Les feuilles de l'arbre sakaki
Croissent en profuse abondance,
Croissent en profuse abondance.

Le rythme des tambours reprit, à quoi d'autres instruments se joignirent. Bientôt, chants et danses se mêlèrent en un rythme vif, syncopé.

D'où vient cet épieu ?
C'est l'épieu de la demeure sacrée
De la princesse Toyooka qui est au ciel
— L'épieu de la demeure sacrée.

Musashi connaissait certains des chants. Enfant, il les avait chantés, porté un masque et pris part à la danse au sanctuaire de Sanumo.

Le sabre qui protège le peuple,
Le peuple de tous les pays,
Suspendons-le joyeusement devant la divinité,
Suspendons-le joyeusement devant la divinité.

La révélation frappa comme la foudre. Musashi regardait les mains de l'un des joueurs de tambour en train de manier deux courtes baguettes. Le souffle coupé, il cria presque :

— C'est ça ! Deux sabres !

Saisi par cette voix, Iori quitta des yeux la scène juste assez longtemps pour regarder au-dessous de lui et dire :

— Ah ! vous voilà.

Musashi ne leva même pas les yeux. Il regardait fixement droit devant lui, non point dans un ravissement rêveur, comme les autres, mais avec une expression pénétrante qui faisait presque peur.

« Deux sabres, répéta-t-il. C'est le même principe. Deux baguettes de tambour, mais un seul son. » Il croisa les bras plus serré, et scruta chaque mouvement du joueur de tambour.

D'un certain point de vue, c'était la simplicité même. Les

gens naissaient avec deux mains ; pourquoi ne pas se servir des deux ? En fait, on ne se battait qu'avec un seul sabre et souvent une seule main. Cela s'expliquait dans la mesure où tout le monde pratiquait de même. Mais si un seul combattant se servait simultanément de deux sabres, quelle chance aurait de gagner un adversaire qui n'en utiliserait qu'un seul ?

Contre l'école Yoshioka, à Ichijōji, Musashi s'était découvert son sabre long dans la main droite, son sabre court dans la gauche. Il avait empoigné les deux armes d'instinct, inconsciemment, chaque bras occupé au maximum à le protéger. Dans un combat de vie et de mort, il avait réagi d'une façon qui n'était pas orthodoxe. Et voici que tout d'un coup cela semblait naturel, sinon inévitable.

Si deux armées se faisaient face au combat, il serait inimaginable, suivant les règles de l'Art de la guerre, que chacune se servît d'un seul flanc tout en laissant l'autre inactif. N'y avait-il pas là un principe que l'homme d'épée isolé ne pouvait se permettre d'ignorer ? Dès Ichijōji, il avait paru à Musashi que l'emploi des deux mains et des deux sabres constituait la méthode normale, humaine. La seule coutume, aveuglément suivie à travers les siècles, l'avait fait paraître anormale. Il eut le sentiment d'être parvenu à une indéniable vérité : la coutume avait fait paraître non naturel le naturel, et vice versa.

Alors que la coutume était affaire d'expérience quotidienne, se trouver à la frontière entre la vie et la mort n'avait lieu que de rares fois au cours d'une existence. Pourtant, le but suprême de la Voie du sabre était de pouvoir se tenir à tout moment au seuil de la mort : regarder fermement la mort en face devrait être une expérience aussi familière que toutes les autres expériences quotidiennes. Et ce processus devait être conscient, bien que le mouvement dût être aussi libre que s'il était purement réflexe.

Le style « aux deux sabres » devait être de cette nature : conscient mais en même temps aussi automatique qu'un réflexe, tout à fait libéré des restrictions qu'impose l'action consciente. Depuis quelque temps, Musashi tentait d'unir en un principe valable ce qu'il savait d'instinct avec ce qu'il avait appris par des moyens intellectuels. Maintenant, il était près de le formuler en mots, et cela le rendrait célèbre dans tout le pays pour des générations.

Deux baguettes de tambour, un seul son. Le joueur de tambour était conscient de la gauche et de la droite, de la droite et de la gauche, mais en même temps il en était inconscient. Là, devant ses yeux, s'étendait le domaine bouddhique de l'interpénétration libre. Musashi se sentait illuminé, comblé.

Les cinq danses sacrées, ayant commencé par le chant du maître de la danse, se poursuivirent par les évolutions des danseurs. Il y eut la danse large et majestueuse d'Iwato, puis la danse d'Ara Mikoto no Hoko. Les mélodies des flûtes s'accélérèrent ; des clochettes tintèrent selon un rythme animé. Musashi leva les yeux vers Iori, et dit :

— Tu n'es pas prêt à partir ?

— Pas encore, répondit Iori d'un air absent.

Il avait l'impression d'être un des danseurs.

— Ne rentre pas trop tard. Demain, nous faisons l'ascension du pic pour aller au sanctuaire intérieur.

Le serviteur du démon

Les chiens de Mitsumine étaient d'une race sauvage, sans doute le fruit du croisement de chiens apportés par des immigrants de Corée, plus de mille ans auparavant, avec les chiens sauvages des montagnes de Chichibu. Ils parcouraient les pentes montagneuses en se nourrissant comme des loups d'autres bêtes sauvages de la région. Mais étant donné qu'on les considérait comme des messagers de la divinité, et que l'on en parlait comme de ses « serviteurs », les fidèles rapportaient souvent chez eux des images gravées ou sculptées de ces animaux en tant que porte-bonheur.

Le chien noir de l'homme qui suivait Musashi était de la taille d'un veau.

Tandis que Musashi entrait au Kannon'in, l'homme se retourna, dit : « Par ici », et fit un signe de sa main libre.

Le chien gronda, tira sur sa laisse — un morceau de corde épaisse — et se mit à flairer. Fouettant de la laisse le dos du chien, l'homme lui dit :

— ... Chut, Kuro, la paix.

L'homme avait la cinquantaine : solide, mais souple, à l'exemple de son chien il ne semblait pas tout à fait apprivoisé. Mais il était bien habillé. Avec son kimono, qui ressemblait à une robe de prêtre ou au costume de cérémonie d'un samouraï, il portait une obi étroite, plate, et un *hakama* de chanvre. Ses sandales de paille, semblables à celles que les hommes chaussaient pour les fêtes, étaient munies de lanières neuves.

— Baiken ?

La femme reculait pour éviter le chien.

— Couché ! ordonna Baiken en frappant rudement l'animal sur la tête. Je suis content que tu l'aies repéré, Okō.

— Alors, c'était bien lui ?

— Aucun doute là-dessus.

Ils restèrent là quelques instants à regarder en silence, par une déchirure des nuages, les étoiles ; ils entendaient sans vraiment l'écouter la musique des danses sacrées.

— Qu'est-ce que nous allons faire ? demanda-t-elle.

— Je trouverai bien quelque chose.

— Nous ne pouvons laisser passer cette occasion.

Okō fixait Baiken d'un regard interrogateur.

— Tōji est à la maison ? demanda-t-il.

— Oui ; il s'est enivré de saké à la fête et s'est endormi.

— Réveillez-le.

— Et vous ?

— J'ai à faire. Après mes tournées, je passerai chez vous.

Devant le portail principal du sanctuaire, Okō se mit à trotter. La plupart des vingt ou trente maisons étaient des magasins de souvenirs ou des maisons de thé. Il y avait aussi quelques petits restaurants d'où fusaient des voix enjouées de fêtards. De l'auvent de la masure où pénétra Okō pendait une enseigne où on lisait « Maison de repos ». Assise sur un des tabourets de la salle du devant au sol en terre battue, une jeune servante faisait un petit somme.

— Encore à dormir ? dit Okō.

La fille, craignant d'être grondée, secoua vigoureusement la tête.

— ... Je ne parle pas de toi... mon mari.

— Oh ! oui, il dort encore.

Avec un claquement de langue désapprobateur, Okō grommela :

— C'est fête, et il dort. C'est la seule boutique qui ne soit pas pleine de clients.

Près de la porte, un homme et une vieille femme faisaient cuire à la vapeur du riz et des fèves dans un four en terre. Les flammes apportaient la seule note joyeuse à cet intérieur autrement sinistre. Okō se rendit à un banc près du mur où dormait un homme, lui frappa sur l'épaule et dit :

— ... Debout, toi ! Ouvre les yeux, pour changer.

— Hein ? grogna-t-il en se redressant un peu.

— Mon Dieu ! s'exclama-t-elle en reculant, puis elle éclata de rire et dit : Pardon. Je vous prenais pour mon mari.

Un morceau de natte avait glissé à terre. L'homme, un adolescent à face ronde aux grands yeux interrogateurs, le ramassa, le ramena sur son visage et s'étendit à nouveau. Sa tête reposait sur un oreiller de bois, et ses sandales étaient maculées de boue. Sur la table, à côté de lui, un plateau et un bol à riz vide ; contre le mur, un sac de voyage, un chapeau de vannerie et un bâton. Se retournant vers la fille, Okō lui dit :

— ... Je suppose qu'il s'agit d'un client ?

— Oui. Il a dit qu'il avait l'intention de monter au sanctuaire intérieur demain matin de bonne heure, et a demandé s'il pouvait se reposer ici.

— Où donc est Tōji ?

— Par ici, idiote.

La voix provenait de derrière un shoji déchiré. Couché dans la pièce voisine, un pied dépassant dans la boutique, il reprit d'un ton maussade :

— ... Et pourquoi tant d'histoires quand je fais un petit somme ? Où étais-tu pendant tout ce temps, au lieu de travailler ?

A maints égards, les années avaient été encore moins clémentes pour Okō que pour Tōji. Non seulement les charmes de ses jeunes années s'étaient évanouis, mais tenir la maison de thé Oinu exigeait d'elle un travail d'homme en compensation d'un conjoint amorphe : Tōji gagnait sa vie en chassant l'hiver, mais ne faisait pas grand-chose d'autre. Après que Musashi avait incendié leur repaire avec sa chambre truquée au col de Wada, leurs complices les avaient tous abandonnés.

Les yeux rouges et chassieux de Tōji accommodèrent progressivement sur un baril d'eau. Il se leva pesamment, s'y rendit et en engloutit une pleine louchée. Okō le considérait par-dessus son épaule.

— Ça m'est égal, que ce soit fête. Il est temps de t'arrêter. Tu as eu de la chance de ne pas recevoir un bon coup de sabre pendant que tu étais sorti.

— Hein ?

— Je te dis que tu ferais mieux d'être plus prudent.

— Je ne sais pas ce que tu racontes.

— Tu savais que Musashi est ici, à la fête ?

— Musashi ? Miyamoto... Musashi ?

Réveillé en sursaut, il demanda :

— ... Tu parles sérieusement ? Ecoute : tu ferais mieux d'aller te cacher au fond de la maison.

— Tu ne penses donc qu'à ça : te cacher ?

— Je ne veux pas que ce qui s'est passé au col de Wada se reproduise.

— Lâche ! Tu ne brûles donc pas de te venger de lui, non seulement pour ça mais pour ce qu'il a fait à l'école Yoshioka ? Moi si, et je ne suis qu'une femme.

— Ouais, mais n'oublie pas qu'alors, nous avions des tas d'hommes pour nous aider. Maintenant, nous ne sommes plus que tous les deux.

Tōji n'était pas à Ichijōji mais il avait appris comment s'était battu Musashi, et ne conservait aucune illusion sur celui qui mourrait si tous deux se rencontraient de nouveau. S'approchant de son mari, Okō déclara :

— Voilà où tu te trompes. Il y a ici un autre homme, non ? Un homme qui hait Musashi autant que toi.

Tōji savait qu'elle voulait parler de Baiken, dont ils avaient fait la connaissance lorsque leurs pérégrinations les avaient amenés à Mitsumine.

Comme il n'y avait plus de batailles, l'état de pillard ne rapportait plus ; aussi Baiken avait-il ouvert une forge à Iga, dont il avait été chassé quand le seigneur Tōdō avait resserré son emprise sur la province. Dans l'intention de chercher fortune à Edo, il avait dispersé sa bande ; mais alors, par l'entremise d'un ami, il était devenu gardien du trésor du temple.

Même maintenant, des bandits infestaient les montagnes, entre les provinces de Musashi et de Kai. En engageant Baiken pour garder la maison qui renfermait les trésors religieux et l'argent des donations, les autorités du temple prenaient les grands moyens. Il avait l'avantage d'être intimement familier des comportements des bandits ; il était en outre un spécialiste reconnu du fléau d'armes. En sa qualité de créateur du style Yaegaki, il eût peut-être attiré l'attention d'un daimyō s'il n'avait eu pour frère Tsujikaze Temma. Jadis, tous deux avaient terrorisé la région située entre le mont Ibuki et le district de Yasugawa. Que les temps eussent changé n'avait pour Baiken aucun sens. A ses yeux, la mort de Temma des mains de Takezō avait constitué la cause suprême de toutes ses difficultés subséquentes.

Okō avait depuis longtemps mis Baiken au courant de leurs griefs contre Musashi, en exagérant sa rancœur afin de cimenter son amitié avec lui. Il avait répondu en fronçant le sourcil et en disant : « Un de ces jours... »

Okō venait de raconter à Tōji comment elle avait aperçu Musashi de la maison de thé, puis l'avait perdu de vue dans la foule. Plus tard, sur une intuition, elle était allée au Kannon'in où elle était arrivée à l'instant précis où Musashi et Iori en partaient pour se rendre au sanctuaire extérieur. Renseignement qu'elle s'était hâtée de communiquer à Baiken.

— C'est donc ça, dit Tōji, encouragé de savoir qu'un allié digne de confiance était déjà acquis.

Il n'ignorait pas que Baiken, en se servant de son arme favorite, avait vaincu tous les hommes d'épée au récent tournoi du sanctuaire. S'il s'attaquait à Musashi, il avait de bonnes chances de gagner.

— … Qu'est-ce qu'il a répondu quand tu lui as dit ça ?

— Qu'il viendra dès qu'il aura fini ses rondes.

— Musashi n'est pas fou. Si nous n'y prenons garde…

Tōji frémit et poussa un grognement inintelligible. Okō suivit son regard vers l'homme endormi sur le banc.

— … Qui est-ce ? demanda Tōji.

— Un simple client, répondit Okō.

— Réveille-le et fais-le partir.

Okō délégua cette tâche à la servante, qui alla à l'angle opposé secouer l'homme jusqu'à ce qu'il se mît sur son séant.

— Dehors, dit-elle sans ménagement. On ferme.

Il se leva, s'étira et dit :

— J'ai fait un bon somme.

Souriant tout seul et clignant de ses grands yeux, il se déplaçait vite, mais avec souplesse, tandis qu'il enveloppait ses épaules de la natte, coiffait son chapeau de vannerie et ajustait son paquetage. Il mit son bâton sous son bras, dit : « Merci bien », s'inclina et sortit rapidement. A ses vêtements et à son accent, Okō jugea qu'il n'était pas l'un des paysans de l'endroit ; mais il paraissait assez inoffensif.

— Drôle de bonhomme, dit-elle. Je me demande s'il a réglé sa note.

Okō et Tōji étaient en train de relever les stores et de mettre la boutique en ordre quand Baiken entra, accompagné de Kuro.

— Content de vous voir, dit Tōji. Passons dans la pièce du fond.

En silence, Baiken ôta ses sandales et les suivit tandis que le chien flairait partout en quête de nourriture. La pièce du fond n'était qu'un appentis délabré, aux murs badigeonnés d'une simple couche de plâtre grossier. De la boutique on n'entendait pas ce qui s'y disait. Quand la lampe fut allumée, Baiken déclara :

— Ce soir, devant la scène de danse, j'ai surpris Musashi en train de dire au garçon qu'ils monteraient demain matin au sanctuaire intérieur. Plus tard, je suis allé vérifier au Kannon'in.

Okō et Tōji avalèrent leur salive en regardant par la fenêtre ;

le pic sur lequel se dressait le sanctuaire intérieur se détachait sur le ciel étoilé.

Sachant à qui il avait affaire, Baiken avait conçu un plan d'attaque et mobilisé des renforts. Deux prêtres, gardiens du trésor, avaient déjà accepté d'apporter leur aide, et étaient partis en avant avec leurs lances. Il y avait en outre un homme de l'école Yoshioka, qui dirigeait au sanctuaire un petit dōjō. Baiken calculait qu'il pourrait mobiliser une dizaine de pillards, des hommes qu'il avait connus à Iga et qui travaillaient maintenant dans le voisinage. Tōji porterait un mousquet tandis que Baiken aurait son fléau d'armes.

— Vous avez déjà fait tout ça ? demanda Tōji qui n'en croyait pas ses oreilles.

Baiken fit un large sourire, mais n'ajouta rien.

Un mince croissant de lune planait haut au-dessus de la vallée, caché à la vue par un brouillard épais. Le grand pic dormait encore ; seul, le clapotis de la rivière soulignait le silence. Un groupe de silhouettes sombres se pressaient sur le pont de Kosaruzawa.

— Tōji ? chuchota Baiken d'une voix rauque.

— Présent.

— Attention de garder votre mèche bien sèche.

Au milieu de la troupe bigarrée, se remarquaient les deux prêtres lanciers, les pans de leurs robes retroussés pour le combat. Les autres portaient des tenues variées, mais tous étaient chaussés de manière à pouvoir se déplacer avec agilité.

— Tout le monde est là ?

— Oui.

— Combien en tout ?

Ils comptèrent : treize.

— Bon, dit Baiken.

Il récapitula ses instructions. Ils écoutaient en silence, acquiesçant parfois de la tête. Puis, sur un signal, ils se dispersèrent dans le brouillard pour prendre position le long de la route. A l'extrémité du pont, ils dépassèrent une borne indiquant : « Sanctuaire intérieur, six kilomètres. »

Quand le pont fut de nouveau libre, une troupe nombreuse de

singes sortit de sa cachette, sautant des branches, grimpant aux lianes, pour converger sur la route. Ils couraient sur le pont, rampaient dessous, jetaient des pierres dans le ravin. Le brouillard jouait avec eux, comme s'il eût encouragé leurs ébats.

L'aboiement d'un chien se répercutait à travers les montagnes. Les singes disparurent, comme feuilles de sumac au vent d'automne.

Kuro montait la route, traînant Okō. Il lui avait échappé, et bien qu'Okō eût fini par rattraper la laisse, elle n'avait pu lui faire rebrousser chemin. Elle savait que Tōji ne voulait pas que le chien fût là pour faire du bruit ; aussi crut-elle pouvoir l'éloigner en le laissant monter au sanctuaire intérieur.

Tandis que le brouillard commençait à se déposer dans les vallées comme de la neige, les trois pics de Mitsumine et les montagnes moins hautes, entre Musashino et Kai, se dressaient dans toute leur majesté. La route sinueuse se dessinait en blanc ; les oiseaux commençaient à se lisser les plumes et à saluer l'aube de leurs gazouillis. Iori dit, à moitié pour lui-même :

— Comment ça se fait, je me le demande ?

— Quoi donc ? dit Musashi.

— Le jour se lève, mais je ne vois pas le soleil.

— D'abord, tu regardes vers l'ouest.

— Ah !

Iori jeta un rapide coup d'œil à la lune en train de se coucher derrière les pics lointains.

— Iori, il semble qu'un grand nombre de tes amis habitent ces montagnes.

— Où ça ?

— Là-bas, répondit Musashi en riant et en désignant des singes blottis autour de leur mère.

— Je voudrais bien être l'un d'eux.

— Pourquoi ?

— Du moins ils ont une mère.

Ils gravirent en silence une partie escarpée de la route, et parvinrent à un segment assez plat. Musashi remarqua qu'un grand nombre de pieds avaient foulé l'herbe.

Après avoir encore un moment serpenté autour de la montagne, ils atteignirent un plateau face à l'est.

— ... Regardez ! s'écria Iori en regardant Musashi. Le soleil se lève.

— C'est pourtant vrai.

De l'océan de nuages, au-dessous d'eux, les montagnes de Kai et de Kōzuke jaillissaient comme des îles. Iori s'arrêta et se pétrifia, pieds joints, au garde-à-vous, lèvres serrées. Il contemplait avec une fascination extasiée la grande sphère dorée en s'imaginant être un enfant du soleil. Tout à coup, il s'exclama d'une voix très forte :

— C'est Amaterasu Ōmikami ! N'est-ce pas ?

Il regarda Musashi pour obtenir confirmation.

— Exact.

Levant haut les bras au-dessus de sa tête, le garçon fit passer la brillante lumière à travers ses doigts.

— Mon sang ! cria-t-il. Il est de la même couleur que le sang du soleil.

Frappant dans ses mains comme il eût fait dans un sanctuaire pour appeler la divinité, il inclina la tête en hommage silencieux, et pensa : « Les singes ont une mère. Je n'en ai pas. Mais j'ai cette déesse. Eux n'en ont pas. »

Cette révélation le remplit de joie, et comme il fondait en larmes, il lui sembla entendre, venue d'au-delà des nuages, la musique des danses du sanctuaire. Ses pieds attrapèrent le rythme ; ses bras se balançaient gracieusement. A ses lèvres montèrent les paroles qu'il n'avait apprises que la veille au soir :

> « L'arc de catalpa...
> A chaque retour du printemps,
> J'espère voir la danse
> Des myriades de dieux,
> Oh ! combien j'espère voir leur danse... »

Soudain, s'apercevant que Musashi avait continué sa route, il renonça à sa danse pour le rattraper à toutes jambes.

La lumière du matin pénétrait à peine la forêt où ils entraient maintenant. Ici, aux abords du sanctuaire intérieur, les cryptomerias étaient d'une circonférence énorme, et tous à peu près de la même hauteur.

D'une seconde à l'autre, la terre parut trembler sous leurs pieds. Un cri épouvantable ; une cascade d'échos aigus. Iori se boucha des mains les oreilles et plongea dans les bambous.

— Iori ! Couche-toi ! commanda Musashi de l'ombre d'un grand arbre. Ne bouge même pas si l'on te piétine !

La pénombre lugubre semblait infestée de lances et de sabres. A cause du cri, les assaillants crurent d'abord que la balle avait atteint sa cible ; mais point de corps en vue. Incertains de ce qui s'était passé, ils s'immobilisèrent.

Iori se trouvait au centre d'un cercle d'yeux et de lames dégainées. Dans le silence de mort qui suivit, la curiosité l'emporta en lui. Il leva lentement la tête au-dessus des bambous. A quelques pieds seulement, une lame de sabre, tendue de derrière un arbre, attrapa un rayon de soleil. Perdant tout contrôle, Iori cria à pleine voix :

— *Sensei !* Il y a quelqu'un de caché là !

Tout en criant, il se releva d'un bond et s'élança vers un abri. Le sabre jaillit de l'ombre et resta suspendu comme un démon au-dessus de sa tête. Mais un instant seulement. Le poignard de Musashi vola droit à la tête de l'agresseur et se ficha dans sa tempe.

— Ya-a-h !

L'un des prêtres chargea Musashi avec sa lance. Musashi la saisit et l'empoigna solidement d'une main.

Un autre cri d'agonie retentit. Se demandant si ses assaillants se battaient entre eux, Musashi s'efforçait d'y voir clair. L'autre prêtre visa soigneusement avec sa lance, et se précipita vers lui. Musashi attrapa aussi cette lance, qu'il immobilisa sous son bras droit.

— Sautez-lui dessus, maintenant ! cria l'un des prêtres, en se rendant compte que Musashi avait les mains occupées.

D'une voix de stentor, Musashi cria :

— Qui êtes-vous ? Nommez-vous, ou je vous considérerai tous comme des ennemis. C'est honteux de répandre du sang sur ce sol sacré, mais il se peut que je n'aie pas le choix. Musashi fit tournoyer les lances autour de lui et envoya les deux prêtres en différentes directions ; il dégaina et acheva l'un d'eux avant qu'il eût cessé de rouler. En tournant sur lui-même, il se trouva face à trois autres lames, alignées en travers de l'étroit sentier. Sans reprendre haleine, il s'avança vers elles, menaçant, pas à pas. Deux autres hommes sortirent de l'ombre et prirent place, épaule contre épaule, à côté des trois premiers. Tandis que Musashi s'avançait et que ses adversaires reculaient, il aperçut l'autre prêtre lancier qui avait récupéré son arme et poursuivait Iori.

— ... Arrête, assassin !

Mais sitôt que Musashi se fut détourné pour porter secours à Iori, les cinq hommes poussèrent un hurlement et chargèrent. Musashi se précipita au-devant d'eux. Cela ressembla à la collision de deux vagues furieuses, mais dont les embruns étaient de sang. Musashi ne cessait de tourbillonner d'un adversaire à l'autre à la vitesse d'un typhon. Deux cris à vous glacer le sang, puis un troisième. Ils s'abattaient comme des arbres morts, chacun fendu par le milieu du torse. Musashi avait son long sabre dans la main droite, son sabre court dans la main gauche. En poussant des cris de terreur, les deux derniers firent demi-tour et prirent la fuite, Musashi sur leurs talons.

— ... Où allez-vous comme ça ? cria-t-il, et il fendit en deux la tête de l'un avec le sabre court.

Le sang noir jaillit dans l'œil de Musashi. Par réflexe, il leva la main gauche à son visage, et, à cet instant, entendit derrière lui un étrange son métallique. Il donna un coup de son long sabre afin de détourner le cours de l'objet, mais l'effet de son acte fut très différent de son intention. Voyant la boule et la chaîne entourant la lame, près de la garde du sabre, il fut saisi d'inquiétude. Musashi venait d'être pris au dépourvu.

— Musashi ! cria Baiken en tendant la chaîne. Tu m'as oublié ?

Musashi le considéra quelques instants avant de s'exclamer :

— Shishido Baiken, du mont Suzuka !

— Tout juste. Mon frère Temma t'appelle de la vallée infernale. Compte sur moi pour t'y expédier vite !

Musashi ne pouvait dégager son sabre. Lentement, Baiken ramenait la chaîne et se rapprochait pour faire usage de la faucille aussi tranchante qu'un rasoir. Tandis que Musashi cherchait un moyen d'utiliser son sabre court, il se rendit compte avec un haut-le-corps que s'il ne s'était battu qu'avec son long sabre, il eût été maintenant tout à fait sans défense.

Baiken avait le cou si gonflé qu'il était presque aussi gros que sa tête. Ahanant, il tira puissamment sur la chaîne.

Musashi avait commis une faute, et le savait. Le fléau était une arme peu courante, mais qu'il connaissait. Des années auparavant, il avait été frappé d'admiration en voyant pour la première fois cette machine infernale entre les mains de l'épouse de Baiken. Mais l'avoir vue était une chose ; savoir s'en défendre en était une autre.

Baiken exultait ; un large sourire mauvais se répandait sur son visage. Musashi savait qu'il n'avait qu'un seul recours : lâcher son long sabre. Il guettait l'instant opportun.

Avec un hurlement féroce, Baiken bondit, la faucille brandie vers la tête de Musashi, qu'il manqua d'un cheveu. Musashi lâcha le sabre. A peine la faucille retirée, la boule arriva en sifflant dans l'air. Puis la faucille, la boule, la faucille...

Eviter la faucille plaçait Musashi en plein sur le trajet de la boule. Incapable de s'approcher assez pour frapper, il se demandait avec affolement combien de temps il pourrait tenir. « Est-ce la fin ? » se demanda-t-il.

Trop tard pour s'abriter derrière un arbre. S'il s'y élançait maintenant, il risquait de tomber sur un autre ennemi. Il entendit un cri aigu, plaintif, et songea : « Iori ? » Dans son cœur, il considéra le jeune garçon comme perdu.

— Meurs, coquin! cria-t-on derrière Musashi, puis : Musashi, pourquoi traînez-vous ? Je m'occupe de la vermine qui est derrière vous.

Musashi ne reconnut pas la voix mais décida qu'il pouvait concentrer son attention sur le seul Baiken.

Pour ce dernier, le facteur le plus important était sa distance par rapport à son adversaire ; sa propre efficacité dépendait de la manipulation de la longueur de la chaîne. Si Musashi pouvait reculer d'un pas au-delà de la portée de la chaîne, ou se rapprocher d'un pas, Baiken serait en difficulté. Il fallait veiller à ce que Musashi ne fît ni l'un ni l'autre.

Musashi s'émerveillait de la technique secrète de cet homme, et, tandis qu'il s'émerveillait, une chose le frappa soudain : là, se trouvait le principe des deux sabres. La boule fonctionnait comme le sabre de droite ; la faucille, comme celui de gauche.

Il poussa un cri de triomphe : « Bien sûr ! C'est ça... c'est le style Yaegaki. » Désormais confiant en la victoire, il bondit en arrière, mettant cinq pas entre eux deux. Il fit passer son sabre dans sa main droite, et le lança aussi droit qu'une flèche.

Baiken ploya le corps ; le sabre dévia et alla se planter au pied d'un arbre proche. Mais au cours du mouvement de Baiken, la chaîne s'enroula autour de son torse. Avant qu'il pût même pousser un cri, Musashi se jeta sur lui de tout son poids. Baiken porta la main à la poignée de son sabre, mais Musashi, par un coup violent sur le poignet, l'empêcha de la saisir. Du même mouvement, il tira l'arme, et fendit Baiken en deux comme la foudre fend un arbre.

« Quel dommage ! » se dit Musashi.

— Le coup *karatake !* s'exclama une voix admirative. Jusqu'au bas du tronc. Comme on fend un bambou. Je n'ai jamais vu ça de ma vie.

Musashi se retourna et dit :

— Comment, mais n'est-ce pas... Gonnosuke de Kiso. Que faites-vous ici ?

— Voilà bien longtemps que nous ne nous sommes vus, n'est-ce pas ? Le dieu de Mitsumine doit avoir organisé cette rencontre, peut-être avec l'aide de ma mère, qui m'a tant appris avant sa mort.

Ils se mirent à bavarder, mais Musashi s'interrompit soudain pour crier :

— Iori !

— Il est sain et sauf. Je l'ai tiré des pattes de ce cochon de prêtre, et l'ai fait grimper dans un arbre.

Iori, qui les considérait d'une haute branche, ouvrit la bouche pour parler mais, à la place, s'abrita les yeux pour regarder vers un petit plateau, au-delà de l'orée. Kuro, attaché à un arbre, avait saisi entre ses crocs la manche du kimono d'Okō. Elle tirait frénétiquement sur la manche. D'un seul coup, la manche céda, et Okō s'enfuit.

L'unique survivant, l'autre prêtre, avançait en boitant, pesamment appuyé sur sa lance ; du sang coulait d'une blessure à la tête. Le chien, peut-être affolé par l'odeur du sang, se mit à faire un vacarme effrayant. Un temps, les échos de ses aboiements se démultiplièrent ; mais alors, la corde céda, et le chien poursuivit Okō. Lorsqu'il atteignit le prêtre, celui-ci leva sa lance et visa la tête de l'animal. Blessé au cou, il s'enfuit dans les bois.

— Cette femme est en train de s'enfuir ! cria Iori.

— Tant pis. Maintenant, tu peux descendre.

— Il y a un prêtre blessé, là-bas. Ne devriez-vous pas l'attraper ?

— Oublie-le. Il n'a plus d'importance.

— La femme doit être celle de la maison de thé Oinu, dit Gonnosuke.

Et il expliqua sa présence, la coïncidence providentielle qui lui avait permis de venir au secours de Musashi. Profondément reconnaissant, ce dernier lui demanda :

— Avez-vous tué l'homme au mousquet ?

— Non, répondit Gonnosuke en souriant. Pas moi ; mon gourdin. Je savais que d'ordinaire vous pouviez vous charger de ce type de gens ; mais puisqu'ils entendaient se servir d'une arme à feu, j'ai décidé d'intervenir. Alors, je suis arrivé ici avant eux pour me glisser derrière l'homme pendant qu'il faisait encore sombre.

Ils examinèrent les cadavres. Sept avaient été tués au bâton, seulement cinq au sabre. Musashi déclara :

— Je n'ai fait que me défendre, mais ce terrain appartient au sanctuaire. Je crois que je devrais exposer l'affaire au représentant du gouvernement.

En redescendant de la montagne, ils tombèrent sur un contingent de fonctionnaires armés au pont de Kosaruzawa. Musashi raconta son histoire. Le capitaine écouta, apparemment perplexe, mais n'en ordonna pas moins de ligoter Musashi.

Ce dernier, choqué, demanda pourquoi.

— Allez, ordonna le capitaine.

Quelle que fût l'irritation de Musashi d'être traité en

criminel, une seconde surprise l'attendait. Plus bas au flanc de la montagne, il y avait d'autres fonctionnaires. Lorsqu'ils arrivèrent en ville, sa garde ne comprenait pas moins d'une centaine d'hommes.

Codisciples

— Allons, assez pleuré, dit Gonnosuke en serrant Iori contre sa poitrine. Tu es un homme, non ?

— C'est parce que je suis un homme... que je pleure.

Il leva la tête, ouvrit la bouche toute grande et hurla vers le ciel.

— Ils n'ont pas arrêté Musashi. C'est lui qui s'est rendu.

Les paroles bénignes de Gonnosuke masquaient sa propre inquiétude.

— ... Allons, partons, maintenant.

— Non ! Pas avant qu'ils le ramènent.

— Ils le relâcheront bientôt. Ils ne pourront faire autrement. Tu veux donc que je te laisse tout seul ici ?

Gonnosuke s'éloigna de quelques pas.

Iori ne bougea pas. A cet instant, le chien de Baiken jaillit des bois, le museau ensanglanté.

— Au secours ! cria Iori en courant se réfugier près de Gonnosuke.

— Tu n'en peux plus, hein ? Ecoute : veux-tu que je te porte sur mon dos ?

Iori, enchanté, marmonna des remerciements, grimpa sur le dos offert, et entoura de ses bras les larges épaules.

A la fin de la fête, la veille au soir, les visiteurs étaient repartis. Une brise légère poussait des enveloppes de bambou et des bouts de papier le long des rues désertes.

En passant devant la maison de thé Oinu, Gonnosuke jeta un coup d'œil à l'intérieur, désireux de ne pas se faire remarquer. Mais Iori s'exclama de sa voix flûtée :

— Voilà la femme qui s'est enfuie !

— Je pensais bien la trouver ici.

Il s'arrêta et se demanda tout haut :

— ... Si les fonctionnaires ont arrêté Musashi, pourquoi ne l'ont-ils pas arrêtée, elle aussi ?

Quand Okō vit Gonnosuke, ses yeux étincelèrent de colère. Comme elle paraissait rassembler en hâte ses affaires, Gonnosuke lui demanda en riant :

— ... On part en voyage ?

— Ça ne vous regarde pas. Ne croyez pas que je ne sache pas qui vous êtes, sale mouchard. Vous avez tué mon mari !

— Vous l'avez cherché.

— Je me vengerai, un de ces jours.

— Diablesse ! cria Iori par-dessus la tête de Gonnosuke.

Okō se retira dans l'arrière-salle avec un rire de mépris :

— Vous avez du toupet de dire du mal de moi, alors que vous êtes les voleurs qui ont cambriolé le trésor.

— Qu'est-ce que c'est que cette histoire ?

Gonnosuke laissa glisser Iori à terre pour entrer dans la maison de thé.

— ... Qui traitez-vous de voleurs ?

— Je vois clair dans votre jeu.

— Répétez ce que vous venez de dire.

— *Voleurs !*

Alors que Gonnosuke l'attrapait par le bras, elle se retourna et le frappa d'un poignard. Sans recourir à son gourdin, il lui arracha le poignard et l'envoya s'étaler dans la rue. Okō se releva d'un bond et cria :

— Au secours ! Au voleur ! On m'attaque !

Gonnosuke visa et lança le poignard. Il s'enfonça dans le dos, et la pointe ressortit par-devant. Okō s'abattit, face contre terre.

Surgi de nulle part, Kuro bondit sur le corps ; d'abord, il engloutit voracement le sang, puis leva la tête pour hurler à la lune.

— Regardez ses yeux ! s'exclama Iori, horrifié.

Les appels au secours d'Okō étaient parvenus aux oreilles des villageois surexcités. Un peu avant l'aube, on s'était introduit par effraction dans le trésor du temple. Il s'agissait manifestement de gens du dehors : le trésor religieux — sabres et miroirs anciens, etc. — avait été laissé intact, mais une fortune en poudre d'or, or en barres et espèces, accumulée sur une période de nombreuses années, manquait. La nouvelle, qui avait filtré lentement, n'était pas encore confirmée. L'effet du cri d'Okō, preuve la plus tangible jusque-là, fut électrisant.

— Les voilà !

— A l'Oinu !

Ces cris attirèrent une foule encore plus vaste, armée d'épieux de bambou, de fusils à sangliers, de gourdins et de pierres. En un rien de temps, l'on eût dit que tout le village, assoiffé de sang, cernait la maison de thé.

Gonnosuke et Iori s'enfuirent par-derrière, et, durant les quelques heures qui suivirent, passèrent d'une cachette à l'autre. Mais ils tenaient maintenant une explication : l'on avait arrêté Musashi non pour le « crime » qu'il était sur le point d'avouer mais en tant que voleur. Ils n'échappèrent aux derniers de leurs poursuivants qu'au col de Shōmaru.

— D'ici, on peut voir la plaine de Musashino, dit Iori. Je me demande ce que devient mon maître.

— Hum... Je suppose qu'il se trouve en prison à l'heure qu'il est, et qu'on l'interroge.

— Est-ce qu'il n'y a pas moyen de le tirer de là ?

— Il doit bien y en avoir un.

— Je vous en prie, faites quelque chose. Je vous en prie.

— Inutile de supplier. Pour moi aussi, il est une sorte de maître. Mais, Iori, tu ne sers pas à grand-chose ici. Es-tu capable de rentrer seul chez toi ?

— Je pense, s'il le faut.

— Bon.

— Et vous ?

— Je retourne à Chichibu. S'ils refusent de relâcher Musashi, je le tirerai de là par un moyen quelconque. Même si je dois pour cela démolir la prison.

Pour souligner son propos, il frappait le sol de son gourdin. Iori, témoin de la puissance de cette arme, s'empressa d'acquiescer.

— ... Voilà un garçon raisonnable. Tu retournes surveiller les affaires jusqu'à ce que je ramène Musashi sain et sauf.

Il prit son gourdin sous son bras, et retourna vers Chichibu. Iori ne souffrait pas de solitude ; il n'avait pas peur et ne craignait pas de se perdre. Mais il avait affreusement sommeil et, tout en cheminant sous le soleil brûlant, à peine pouvait-il garder les yeux ouverts. A Sakamoto, il vit un Bouddha de pierre au bord du chemin, et se coucha dans son ombre.

Lorsqu'il se réveilla, le soir tombait ; il entendait parler à voix basse, de l'autre côté de la statue. Pour ne pas paraître indiscret, il feignit de continuer à dormir.

Ils étaient deux, l'un assis sur une souche, et l'autre sur une pierre. Attachés à un arbre, non loin de là, deux chevaux avec des coffres laqués suspendus de chaque côté de leur selle. Une étiquette en bois, fixée à l'un des coffres, indiquait : « Province de Shimotsuke. Pour la construction de l'enceinte ouest. Fournisseur de laque du Shōgun. »

Aux yeux d'Iori, qui les épiait maintenant de l'autre côté de la statue, ils ne ressemblaient pas aux habituels fonctionnaires bien nourris des châteaux. Ils avaient le regard trop aigu, le corps trop musclé. Le plus vieux était un homme d'aspect vigoureux de plus de cinquante ans. Les derniers rayons du soleil se reflétaient fortement sur son bonnet qui descendait sur les deux oreilles et faisait saillie devant, cachant les traits.

Son compagnon était un adolescent mince et nerveux ; il portait sur le devant une mèche qui seyait à son visage enfantin. Il avait la tête couverte d'une serviette nouée sous le menton.

— Que dis-tu des coffres de laque ? demanda le plus jeune. Bonne idée, hein ?

— Oui, c'était astucieux de nous présenter, comme mêlés aux travaux du château. Je n'aurais pas trouvé ça tout seul.

— Il va falloir que je t'enseigne ces choses-là, petit à petit.

— Attention. Ne commence pas à te moquer de tes aînés. Mais qui sait ? peut-être que dans quatre ou cinq ans, le vieux Daizō sera à tes ordres.

— Mon Dieu, la jeunesse grandit, en effet. Les vieux ne font que vieillir, quels que soient leurs efforts pour rester jeunes.

— Tu crois que c'est mon cas ?

— Ça saute aux yeux, non ? Tu ne penses qu'à ton âge ; voilà pourquoi tu tiens tellement à voir ta mission accomplie.

— Tu me connais fort bien, il me semble.

— Nous partons ?

— Oui ; la nuit nous rattrape.

— Je n'ai pas envie d'être rattrapé.

— Ha ! ha ! Si tu t'effraies facilement, tu ne peux avoir grande confiance en ce que tu fais.

— Il n'y a pas bien longtemps que je suis dans le métier. Même le bruit du vent me rend nerveux, quelquefois.

— Parce que tu continues à te prendre pour un voleur ordinaire. Si tu gardes présent à l'esprit que tu fais cela dans l'intérêt du pays, tout ira bien.

— Tu dis toujours ça. Je te crois, mais quelque chose me dit sans arrêt que je fais mal.

— Il faut avoir le courage de tes convictions.

Pourtant, l'admonestation manquait un peu de conviction, comme si Daizō se fût rassuré lui-même. L'adolescent sauta souplement en selle et partit en avant.

— Garde l'œil sur moi, cria-t-il en se retournant. Si je vois quoi que ce soit, je te ferai signe.

La route descendait longuement vers le sud. Une minute, Iori les observa de derrière le Bouddha de pierre, puis résolut de les suivre. D'une façon quelconque, l'idée s'était imposée à lui qu'il s'agissait là des voleurs du trésor.

Une ou deux fois, ils regardèrent en arrière avec circonspection. Ils ne parurent pas trouver qu'il y avait lieu de s'inquiéter, et semblèrent oublier Iori au bout d'un moment. Bientôt, il fit trop sombre pour voir à plus de quelques mètres devant soi. Les deux cavaliers se trouvaient presque à la lisière de la plaine de Musashino quand l'adolescent désigna quelque chose de la main et dit :

— ... Là, chef, voilà les lumières d'Ōgimachiya.

La route devenait plane. Non loin devant eux, la rivière Iruma, serpentant comme une obi rejetée, brillait d'une lueur argentée au clair de lune. Maintenant, Iori veillait à passer inaperçu. L'idée que ces hommes étaient les voleurs était devenue certitude ; or, depuis l'époque de Hōtengahara, il n'ignorait rien des bandits. Les bandits étaient de méchants hommes qui se livreraient à des voies de fait pour un seul œuf ou une poignée de haricots rouges. Le meurtre gratuit n'était rien à leurs yeux. Ils entrèrent bientôt dans la ville d'Ogimachiya. Daizō leva le bras et dit :

— Jōta, nous nous arrêterons ici pour manger un morceau. Il faut nourrir les chevaux, et j'ai envie de fumer.

Ils attachèrent les chevaux devant une boutique faiblement éclairée où ils entrèrent. Jōta se posta près de la porte, ne quittant pas les coffres du regard durant tout le temps qu'il mangea. Quand il eut terminé, il sortit nourrir les chevaux.

Iori entra dans un magasin d'alimentation situé en face, et, quand les deux cavaliers repartirent, attrapa sa dernière poignée de riz qu'il mangea en marchant.

Maintenant, ils chevauchaient côte à côte ; la route était sombre, mais plate.

— ... Jōta, as-tu envoyé un courrier à Kiso ?

— Oui, je m'en suis chargé.

— Quelle heure leur as-tu dit ?

— Minuit. Nous devrions arriver à l'heure.

Dans la nuit silencieuse, Iori surprit assez de leurs propos pour apprendre que Daizō appelait son compagnon d'un nom d'enfant, alors que Jōta nommait son aîné « chef ». Cela signifiait peut-être uniquement qu'il était chef de bande ; pourtant, Dieu sait pourquoi, Iori eut l'impression qu'ils étaient père et fils. Ce qui faisait d'eux non de simples bandits mais des bandits héréditaires, des hommes très dangereux qu'il ne parviendrait jamais à capturer seul. Toutefois, s'il arrivait à les filer assez longtemps, il pourrait signaler aux autorités l'endroit où ils se trouvaient.

La ville de Kawagoe dormait profondément. Ayant dépassé des rangées de maisons obscures, les deux cavaliers quittèrent la grand-route et se mirent à gravir une colline. En bas, une borne indiquait : « Forêt de la Butte aux têtes enfouies — En haut. »

Iori grimpa à travers les buissons, le long du sentier, et parvint au sommet le premier. Il y avait là un grand pin isolé auquel un cheval était attaché. Accroupis au pied de l'arbre, trois hommes habillés comme des rōnins, bras croisés sur les genoux, regardaient impatiemment en direction du sentier. A peine Iori s'était-il blotti lui-même dans une cachette que l'un des hommes se leva et dit :

— C'est bien Daizō.

Tous trois s'élancèrent et échangèrent des salutations joviales. Daizō et ses complices ne s'étaient pas rencontrés depuis près de quatre ans. Rapidement, ils se mirent à l'ouvrage. Sous la direction de Daizō, ils déplacèrent une énorme pierre et entreprirent de creuser. La terre s'amoncela d'un côté, une grande quantité d'or et d'argent de l'autre. Jōta déchargea les coffres des chevaux et en déversa le contenu qui, ainsi que l'avait soupçonné Iori, représentait le trésor manquant du sanctuaire de Mitsumine. S'ajoutant à la cachette précédente, le butin total devait s'élever à des dizaines de milliers de *ryos*.

Les métaux précieux, déversés dans des sacs de paille ordinaires, furent chargés sur trois chevaux. Les coffres laqués vides, ainsi que d'autres objets qui avaient joué leur rôle, furent jetés dans le trou. Une fois le sol bien égalisé, la pierre retrouva sa position première.

— Ça devrait suffire, déclara Daizō. C'est l'heure de la pipe.

Il s'assit au pied du pin et sortit sa pipe. Les autres époussetèrent leurs vêtements et le rejoignirent. Durant les quatre ans de son prétendu pèlerinage, Daizō avait parcouru très à fond la plaine de Kantō. Il y avait peu de temples ou de sanctuaires sans une plaque attestant sa générosité proverbiale. L'étrange, c'est que nul n'eût songé à s'enquérir de l'origine de tout cet argent.

Daizō, Jōtarō et les trois hommes de Kiso restèrent assis en cercle une heure environ, à discuter de projets d'avenir. Qu'il fût maintenant risqué pour Daizō de retourner à Edo ne faisait aucun doute, mais l'un d'eux devait s'y rendre. Il y avait de l'or à récupérer dans l'entrepôt de Shibaura, et des documents à brûler. De plus, il fallait faire quelque chose à propos d'Akemi.

Juste avant l'aube, Daizō et les trois hommes commencèrent à descendre la grand-route de Kōshū vers Kiso. Jōtarō, à pied, prit la direction opposée.

Les étoiles qu'Iori contemplait ne donnaient aucune réponse à sa question : « Qui suivre ? »

Sous le ciel automnal d'un bleu transparent, les puissants rayons du soleil d'après-midi semblaient pénétrer dans la peau de Jōtarō. La tête pleine de l'idée du rôle qu'il allait jouer dans l'époque à venir, il flânait à travers la plaine de Musashino comme si elle lui avait appartenu.

Il jeta derrière lui un regard un peu craintif et se dit : « Il est encore là. » Croyant que le jeune garçon voulait peut-être lui parler, il s'était déjà arrêté deux fois mais le garçon n'avait pas essayé de le rattraper.

Il résolut d'en avoir le cœur net, choisit un buisson et s'y cacha.

Quand Iori atteignit le segment de route où il avait pour la dernière fois vu Jōtarō, il se mit à jeter autour de lui des regards anxieux. Brusquement, Jōtarō se dressa et l'appela :

— Eh, là-bas, le nabot !

Iori tressaillit mais fut prompt à se remettre. Sachant qu'il ne pouvait s'en tirer, il dépassa l'autre et lui demanda nonchalamment :

— Qu'est-ce que tu veux ?

— Tu me suis, n'est-ce pas ?

— Mais non, répondit Iori en secouant une tête innocente. Je vais à Jūnisō Nakano.

— Tu mens ! Tu me suivais.

— Je ne sais pas ce que tu veux dire.

Iori allait prendre la fuite, quand Jōtarō le rattrapa par le pan de son kimono.

— Accouche !

— Mais… je… je ne sais rien.

— Menteur ! dit Jōtarō en resserrant son emprise. Quelqu'un t'a envoyé à ma poursuite. Tu es un mouchard !

— Et toi… tu es un sale voleur !

— Quoi ? vociféra Jōtarō dont la face touchait presque celle d'Iori.

Ce dernier se courba presque jusqu'au sol, et s'échappa. Jōtarō hésita un instant, puis partit à sa poursuite.

D'un côté, Iori apercevait des toits de chaume, disséminés comme des nids de guêpes. Il courut à travers un champ d'herbe rougeâtre, en écrasant du pied plusieurs taupinières poudreuses.

— Au secours ! Au secours ! Au voleur ! criait Iori.

Le petit village où il entrait était habité par des familles chargées de lutter contre les incendies de la plaine. Iori entendait le marteau et l'enclume d'un forgeron. Des gens s'élançaient d'étables obscures ou de maisons où séchaient des kakis suspendus. En agitant les bras, Iori haletait :

— ... L'homme au foulard... qui me poursuit... est un voleur. Capturez-le. Je vous en prie !... Oh ! oh ! le voilà.

Les villageois ouvraient des yeux ronds ; certains regardaient avec effroi les deux adolescents mais, à la consternation d'Iori, ne faisaient pas un geste pour capturer Jōtarō.

— ... C'est un voleur ! Il a cambriolé le temple !

Il s'arrêta au milieu du village, conscient du fait que ses seuls cris troublaient la paisible atmosphère. Puis il reprit ses jambes à son cou, et trouva un endroit pour se cacher et reprendre haleine.

Jōtarō ralentit prudemment jusqu'à une allure pleine de dignité. Les villageois regardaient en silence. Il n'avait certes l'air ni d'un voleur, ni d'un rōnin qui prépare un mauvais coup ; en réalité, il ressemblait à un adolescent franc comme l'or, incapable de faire du mal à une mouche.

Ecœuré de voir les villageois — des adultes ! — refuser d'affronter un voleur, Iori décida de revenir en hâte à Nakano, où du moins il pourrait exposer son affaire à des gens qu'il connaissait.

Il quitta la route et s'élança à travers la plaine. Lorsqu'il aperçut le petit bois de cryptomerias derrière la maison, il n'y avait plus qu'un kilomètre et demi à parcourir. Soulagé, il changea de vitesse : du trot au galop.

Soudain, il vit qu'un homme aux deux bras écartés lui barrait la route.

Il n'avait pas le temps de s'expliquer comment Jōtarō l'avait devancé, mais il était maintenant sur son propre terrain. Il sauta en arrière et tira son sabre.

— Gredin ! cria-t-il.

Jōtarō bondit en avant, les mains nues, et saisit Iori au collet ; mais le jeune garçon se dégagea et s'écarta de dix pas.

— Salaud ! marmonna Jōtarō en sentant un sang chaud couler à son bras droit d'une entaille de cinq centimètres.

Iori se mit en garde et se concentra sur la leçon que Musashi lui avait serinée. Les yeux... les yeux... les yeux... Sa force se concentrait dans ses pupilles brillantes ; tout son être semblait canalisé dans une paire d'yeux étincelants. Jōtarō détourna les siens et dégaina son propre sabre.

— ... Je vais te tuer, gronda-t-il.

Iori, dont le coup qu'il avait porté redoublait le courage, chargea ; son attaque était celle qu'il avait toujours pratiquée contre Musashi.

Jōtarō réfléchissait. Il n'avait pas cru Iori capable de se servir d'un sabre ; désormais, il mit toutes ses forces dans le combat. Dans l'intérêt de ses camarades, il devait écarter cet enfant indiscret. Paraissant ignorer l'assaut d'Iori, il s'avança et frappa méchamment, mais en vain.

Après deux ou trois assauts, Iori fit demi-tour, courut, s'arrêta et chargea de plus belle. Quand Jōtarō para, il se retira de nouveau, encouragé de voir que sa stratégie réussissait. Il attirait l'adversaire sur son propre territoire. S'arrêtant pour reprendre haleine. Jōtarō embrassa du regard le bois sombre et cria :

— ... Où donc es-tu, sale petit imbécile ?

Une averse d'écorce et de feuilles lui répondit. Jōtarō leva la tête et cria : « Je te vois ! » bien qu'en réalité, à travers le feuillage, il ne vît que deux étoiles. Jōtarō se mit à grimper vers le bruit de froissement fait par Iori en s'avançant sur une grosse branche. A partir de là, hélas ! il n'y avait nulle part où aller.

— ... Maintenant, je te tiens. A moins que tu n'aies des ailes, tu ferais mieux de renoncer. Sinon, tu es mort.

Iori revint en silence à la fourche de deux branches. Jōtarō grimpait lentement, prudemment. Lorsqu'il tendit la main pour le saisir, Iori s'éloigna de nouveau. Avec un grognement, Jōtarō empoigna une branche à deux mains et commença à se hisser en l'air, fournissant à Iori l'occasion qu'il avait attendue. D'un coup sonore, son sabre frappa la branche sur laquelle était Jōtarō. Elle se rompit, et Jōtarō tomba au sol comme une pierre.

— Qu'est-ce que tu penses de ça, voleur ? triompha Iori.

Sa chute ayant été amortie par des branches basses, Jōtarō n'eut de blessure grave que d'amour-propre. Il jura et recommença à grimper, cette fois à la vitesse d'une panthère. Lorsqu'il fut de nouveau sous les pieds d'Iori, ce dernier fit des moulinets de son sabre pour l'empêcher d'approcher.

Ils se trouvaient dans cette situation sans issue quand les sons plaintifs d'un *shakuhachi* leur parvinrent aux oreilles. Un instant, tous deux s'arrêtèrent pour écouter. Puis Jōtarō décida de tenter de raisonner son adversaire :

— Bon, dit-il, tu te bats mieux que je ne m'y attendais. Je t'admire. Si tu me dis qui t'a demandé de me suivre, je te laisse aller.

— Avoue que tu es battu !

— Tu perds la tête ?

— Je ne suis peut-être pas bien grand mais je suis Misawa Iori, l'unique disciple de Miyamoto Musashi. Demander merci serait une insulte à la réputation de mon maître. Renonce !

— Qu... quoi ? fit Jōtarō, incrédule. Ré... répète ?

Il avait une voix aiguë, incertaine.

— Ecoute-moi bien, dit Iori avec orgueil. Je suis Misawa Iori, l'unique disciple de Miyamoto Musashi. Ça t'étonne ?

Jōtarō était disposé à s'avouer vaincu. Avec un mélange de doute et de curiosité, il demanda :

— Comment va mon maître ? Il va bien ? Où est-il ?

Stupéfait, mais se maintenant à distance respectueuse de Jōtarō qui se rapprochait, Iori dit :

— Ha ! *Sensei* n'aurait jamais un voleur pour disciple.

— Ne me traite pas de voleur. Musashi ne t'a jamais parlé de Jōtarō ?

— Jōtarō ?

— Si tu es réellement le disciple de Musashi, tu dois l'avoir entendu citer mon nom à un moment ou à un autre. J'avais à peu près ton âge, alors.

— Tu mens.

— Non. C'est la vérité.

Envahi de nostalgie, Jōtarō tendit la main vers Iori et tenta d'expliquer qu'ils devaient être amis puisqu'ils étaient disciples du même maître. Encore circonspect, Iori lui envoya un coup dans les côtes.

En équilibre précaire entre deux branches, Jōtarō parvint tout juste à saisir Iori par le poignet. Pour une raison quelconque, Iori lâcha la branche à laquelle il s'accrochait. Ils tombèrent ensemble, et atterrirent l'un sur l'autre en perdant connaissance.

Dans la nouvelle maison de Musashi la lumière était visible de toutes les directions : bien que le toit fût en place, les murs n'avaient pas encore été construits.

Takuan, arrivé la veille en visite, avait résolu d'attendre le retour de Musashi. Ce jour-là, tout de suite après la tombée de la nuit, sa solitude avait été troublée par un prêtre mendiant qui demandait de l'eau chaude afin de préparer son souper.

Après son maigre repas de boulettes de riz, le vieux prêtre avait pris sur lui de jouer de son *shakuhachi* à l'intention de Takuan ; il maniait son instrument de manière hésitante, en amateur. Pourtant, cette musique impressionna Takuan : elle exprimait un sentiment authentique, quoique sur le mode sans art des poèmes écrits par des non-poètes. Takuan croyait aussi pouvoir reconnaître l'émotion que l'interprète essayait d'arracher à son instrument. C'était le remords, de la première fausse note à la dernière : un cri plaintif de repentir.

Il semblait que ce fût l'histoire de la vie de cet homme ; mais alors, se dit Takuan, elle ne pouvait pas être tellement différente de la sienne propre. Grand homme ou non, la vie intérieure ne différait guère de l'un à l'autre. Aux yeux de Takuan, lui-même et son compagnon étaient fondamentalement un faisceau d'illusions enveloppées dans de la peau humaine.

— Il me semble vraiment vous avoir déjà vu quelque part, murmura Takuan, songeur.

Le prêtre cligna de ses yeux presque aveugles, et répondit :

— Maintenant que vous en parlez, j'ai cru reconnaître votre voix. N'êtes-vous pas Takuan Sōhō de Tajima ?

La mémoire de Takuan lui revint. Rapprochant la lampe du visage de l'homme, il dit :

— Vous êtes Aoki Tanzaemon, n'est-ce pas ?

— Alors, vous êtes bien Takuan ! Oh ! je voudrais me glisser dans un trou de souris pour cacher cette misérable chair !

— Que c'est étrange, de nous rencontrer dans un pareil endroit ! Près de dix ans se sont écoulés depuis l'époque du Shippōji, n'est-ce pas ?

— Penser à cette époque me donne froid dans le dos.

Avec raideur il ajouta :

— ... Maintenant que j'en suis réduit à errer dans les ténèbres, ce misérable sac d'os ne tient debout que grâce à la pensée de mon fils.

— Vous avez un fils ?

— On m'a dit qu'il était avec cet homme que l'on avait ligoté dans le vieux cryptomeria. Takezō, c'est bien ça ? Il paraît qu'on l'appelle maintenant Miyamoto Musashi. L'on raconte que tous deux sont venus dans l'Est.

— Vous voulez dire que votre fils est le disciple de Musashi ?

— Voilà ce que l'on raconte. J'avais tellement honte ! Je ne pouvais affronter Musashi ; aussi ai-je résolu de chasser l'enfant de mon esprit. Mais aujourd'hui... il a dix-sept ans cette année. Si seulement je pouvais le voir une seule fois, voir quel genre d'homme il va devenir, je serais prêt à accepter la mort.

— Ainsi, Jōtarō est votre fils. Je l'ignorais, dit Takuan. Tanzaemon acquiesça de la tête. Dans ce corps desséché, rien ne rappelait plus le fier capitaine qui convoitait Otsū. Takuan le considérait avec pitié, peiné de le voir aussi tourmenté par le remords.

Se rendant compte que malgré ses habits de prêtre il lui manquait jusqu'au réconfort de la foi religieuse, Takuan décida que la première chose à faire était de l'amener face à face avec le Bouddha Amida, dont l'infinie compassion sauve même ceux qui sont coupables des dix méfaits et des cinq péchés mortels. Une fois guéri de son désespoir, il aurait tout le temps de rechercher Jōtarō. Takuan lui donna le nom d'un temple zen d'Edo.

— ... Si vous leur dites que c'est moi qui vous envoie, ils

vous garderont aussi longtemps que vous le souhaiterez. Dès que j'en aurai le temps, je viendrai, et nous aurons une longue conversation. J'ai une idée de l'endroit où se trouve peut-être votre fils. Je ferai tout mon possible pour que vous le voyiez dans un assez proche avenir. D'ici là, cessez de broyer du noir. Même à plus de cinquante ou soixante ans, l'homme peut encore connaître le bonheur, voire faire œuvre utile. Vous avez peut-être encore nombre d'années à vivre. Discutez-en avec les prêtres quand vous serez au temple.

Takuan mit Tanzaemon à la porte, sans cérémonie et sans manifester la moindre sympathie ; mais Tanzaemon eut l'air d'apprécier cette attitude exempte de sentimentalité. Après maintes révérences de gratitude, il prit son chapeau de roseaux et son *shakuhachi*, et partit.

De crainte de glisser, Tanzaemon choisit de traverser le bois où le sentier était moins abrupt. Bientôt, sa canne heurta un obstacle. Il tâtonna, et eut la surprise de trouver deux corps qui gisaient sans mouvement sur le sol humide. Il revint en hâte à la cabane :

— Takuan ! Pouvez-vous m'aider ? Dans le bois, j'ai trouvé deux jeunes garçons évanouis.

Takuan sortit. Tanzaemon poursuivait :

— ... Je n'ai pas de médicaments sur moi, et je n'y vois pas assez pour aller leur chercher de l'eau.

Takuan enfila ses sandales et cria vers le bas de la colline. Sa voix portait. Un fermier répondit, lui demandant ce qu'il voulait. Takuan lui dit d'apporter une torche, des renforts et de l'eau. En attendant, il déclara à Tanzaemon que la route constituait le meilleur chemin, la lui décrivit en détail. A mi-pente, Tanzaemon croisa les hommes qui montaient.

Quand Takuan arriva avec les fermiers, Jōtarō, revenu à lui, était assis sous un arbre, l'air hébété. La main sur le bras d'Iori, il se demandait s'il devait le ranimer pour apprendre ce qu'il voulait savoir, ou décamper. A la torche, il réagit comme une bête nocturne, les muscles tendus, prêt à fuir.

— Que se passe-t-il ? demanda Takuan.

Comme il y regardait de plus près, son intérêt inquisiteur se mua en surprise, une surprise égale à celle de Jōtarō. Le jeune homme était beaucoup plus grand que l'enfant qu'avait connu Takuan, et son visage était fort changé.

— ... Tu es Jōtarō, n'est-ce pas ?

L'adolescent posa les deux mains par terre et se prosterna.

— Oui, répondit-il avec hésitation, presque avec frayeur. Il avait reconnu Takuan aussitôt.

— Eh bien, je dois dire que tu es devenu un beau jeune homme.

Tournant son attention vers Iori, il l'entoura de son bras et s'assura qu'il vivait encore. Iori reprit connaissance, et, après avoir durant quelques secondes promené autour de lui des regards curieux, éclata en sanglots.

— ... Qu'est-ce qu'il y a ? demanda Takuan d'un ton apaisant. Tu es blessé ?

Iori secoua la tête et larmoya :

— Je ne suis pas blessé. Mais ils ont emmené mon maître. Il est à la prison de Chichibu.

Takuan avait du mal à comprendre Iori à travers ses hoquets ; mais bientôt, l'essentiel de l'histoire lui devint clair. Takuan, se rendant compte de la gravité de la situation, s'en affecta presque autant qu'Iori. Jōtarō se trouvait lui aussi dans un état de profonde agitation. D'une voix tremblante, il déclara brusquement :

— Takuan, j'ai quelque chose à vous dire. Pourrions-nous aller quelque part où parler ?

— Il est un des voleurs, dit Iori. Ne le croyez pas. Il ne vous dira que des mensonges.

Il tendait vers Jōtarō un index accusateur ; ils se foudroyaient du regard.

— Silence, l'un et l'autre. A moi de décider qui a tort et qui a raison.

Takuan les emmena à la maison et leur dit de faire un feu au-dehors. S'asseyant près du feu, Takuan les fit asseoir de même. Iori hésitait : son expression disait fort clairement qu'il n'avait aucune intention d'être aimable avec un voleur. Mais, voyant Takuan et Jōtarō s'entretenir amicalement du bon vieux temps, il éprouva de la jalousie et s'assit à contrecœur auprès d'eux.

Jōtarō baissa la voix, et, comme une femme qui confesse ses péchés devant le Bouddha, devint très grave :

— Voilà quatre ans que je reçois les enseignements d'un homme appelé Daizō. Il vient de Narai, dans la province de Kiso. Je connais ses aspirations et ce qu'il veut faire pour le monde. J'accepterais de mourir pour lui, s'il le fallait. Et voilà pourquoi j'ai essayé de l'aider dans son travail... Mon Dieu, ça fait réellement du mal d'être traité de voleur. Pourtant, je suis toujours le disciple de Musashi. J'ai beau être séparé de lui, je n'ai jamais un seul jour été séparé de lui en esprit.

Il se hâta de poursuivre, sans attendre qu'on l'interrogeât :

— ... Daizō et moi, nous avons juré par les dieux du ciel et de la terre de ne révéler à personne quel est notre but dans la vie. Je ne puis même pas vous le dire à vous. Pourtant, je ne peux rester les bras croisés alors qu'on jette Musashi en prison. J'irai demain à Chichibu, et j'avouerai.

— Alors, c'est toi et Daizō qui avez cambriolé le trésor, dit Takuan.

— Oui, répondit Jōtarō sans le moindre signe de contrition.

— Alors, tu es bien un voleur, dit Takuan.

Jōtarō baissa la tête afin d'éviter les yeux de Takuan.

— Non, non, murmura-t-il. Nous ne sommes pas des cambrioleurs ordinaires.

— J'ignorais qu'il existait des variétés différentes de voleurs.

— Eh bien, ce que j'essaie d'exprimer, c'est que nous ne faisons pas ces choses dans notre propre intérêt. Nous les faisons pour le peuple. Il s'agit de déplacer des fonds publics dans l'intérêt du public.

— Je ne comprends rien à ce genre de raisonnement. Veux-tu dire que tes vols sont des délits vertueux ? Veux-tu dire que tu ressembles aux bandits héroïques des romans chinois ? Si oui, il s'agit d'une piètre imitation.

— Je ne puis répondre à cela sans révéler mon accord secret avec Daizō.

— Ha ! ha ! Tu t'en tires à bon compte, hein ?

— Parlez toujours. Je n'avouerai que pour sauver Musashi.

— Musashi est innocent. Que tu avoues ou non, on finira bien par le relâcher. Il me paraît beaucoup plus important pour toi de te présenter devant le Bouddha. Prends-moi pour intermédiaire, et fais-lui une confession générale.

— Le Bouddha ?

— Tu m'as bien entendu. Si je te comprends bien, tu fais quelque chose de grand pour le compte d'autrui. En réalité, tu te mets avant les autres. Il ne t'est pas venu à l'esprit que tu laisses bon nombre de gens dans le malheur ?

— On ne pense pas à soi lorsque l'on travaille pour la société.

— Imbécile ! s'écria-t-il en envoyant à Jōtarō un bon coup de poing dans la mâchoire. Le soi est la base de toute chose. Toute action est une manifestation du soi. Un être qui ne se connaît pas lui-même ne peut rien faire pour autrui.

— Ce que je voulais dire... c'est que je n'agissais pas pour satisfaire mes propres désirs.

— Silence ! Tu ne vois donc pas que tu n'es guère adulte ? Il n'y a rien de plus affreux qu'un bienfaiteur à moitié cuit qui ne sait rien du monde, mais prend sur soi de dire au monde ce qui est bon pour lui. Inutile de m'en dire davantage sur ce que vous faites, toi et Daizō ; j'en ai déjà une idée fort claire... Pourquoi pleures-tu ? Mouche-toi.

Ayant reçu l'ordre d'aller se coucher, Jōtarō s'étendit avec obéissance, mais ne put fermer l'œil car il pensait à Musashi. Les mains jointes sur la poitrine, il demandait pardon en silence. Les larmes lui dégoulinaient dans les oreilles. Il se tourna sur le flanc, et se mit à penser à Otsū. Sa joue lui faisait mal ; les larmes d'Otsū feraient plus mal encore. Néanmoins, révéler sa promesse secrète à Daizō n'était pas concevable, même si Takuan essayait de la lui arracher le lendemain matin, ainsi qu'il ne pouvait manquer de le faire.

Il se leva sans bruit, sortit et regarda les étoiles. Il faudrait se dépêcher ; la nuit était presque achevée.

— ... Halte !

Cette voix pétrifia Jōtarō. Derrière lui, Takuan était une ombre énorme. Le prêtre vint à son côté et l'entoura de son bras.

— ... Es-tu décidé à aller avouer ?

De la tête, Jōtarō fit signe que oui.

— ... Ça n'est pas très intelligent, dit Takuan avec sympathie. Tu mourras comme un chien. Tu parais croire que si tu te rends, Musashi sera remis en liberté ; mais ce n'est pas aussi simple. Les autorités garderont Musashi en prison jusqu'à ce que tu leur dises tout ce que tu as refusé de me dire. Et toi... l'on te torturera jusqu'à ce que tu parles, que cela prenne un an, deux ans ou davantage.

Jōtarō baissait la tête.

— ... Est-ce là ce que tu veux : mourir comme un chien ? Mais tu n'as pas le choix, maintenant : ou bien tu avoues tout sous les tortures, ou bien tu me dis tout. En tant que disciple du Bouddha, je ne jugerai point. Je m'en remettrai à Amida.

Jōtarō se taisait.

— ... Il existe une autre solution. Par le plus grand des hasards, j'ai rencontré ton père, hier au soir. Il porte aujourd'hui l'habit du prêtre mendiant. Bien entendu, je n'imaginais pas une seconde que tu étais là, toi aussi. Je l'ai envoyé à un temple d'Edo. Si tu as pris la décision de mourir, il sera bon que tu le voies d'abord. Et quand tu le verras, tu pourras lui demander si je n'ai pas raison... Jōtarō, trois voies te sont ouvertes. Tu dois décider seul laquelle suivre.

Il se détourna et regagna la maison. Jōtarō se rendait compte que le *shakuhachi* qu'il avait entendu la veille au soir devait appartenir à son père. Il imaginait sans peine à quoi celui-ci pouvait ressembler et ce qu'il devait ressentir, errant ainsi seul à travers le pays.

— Takuan, attendez ! Je parlerai. Je dirai tout au Bouddha, y compris ma promesse à Daizō.

Il saisit le prêtre par la manche, et tous deux se rendirent dans le petit bois. Jōtarō se confessa en un long monologue, sans rien omettre. Pas un muscle de Takuan ne bougea, et il se tut.

— C'est tout, dit Jōtarō.

— Tout ?

— Absolument tout.

— Bien.

Durant une bonne heure, Takuan garda le silence. L'aube se leva. Les corbeaux commencèrent à croasser ; la rosée étincelait partout. Takuan était assis sur une racine de cryptomeria. Jōtarō, appuyé contre un autre arbre, tête basse, attendait les propos au vitriol qu'il prévoyait. Quand Takuan prit enfin la parole, il semblait ne conserver aucun doute :

— ... Je dois dire que tu es tombé là dans une drôle de bande. Le ciel leur vienne en aide. Ils ne comprennent pas dans quel sens tourne la terre. C'est une bonne chose que tu m'aies parlé avant que l'affaire ne s'envenime.

Il fouilla dans son kimono dont il tira — ô surprise ! — deux pièces d'or qu'il tendit à Jōtarō.

— ... Tu ferais mieux de prendre le large aussi vite que possible. Le moindre retard risque d'attirer le désastre non seulement sur toi mais sur ton père et sur ton maître. Pars aussi loin que possible, mais sans t'approcher de la grand-route de Kōshū ni du Nakasendō. Aujourd'hui, dès midi, l'on surveillera de près tous les voyageurs.

— Que va-t-il arriver à *Sensei ?* Je ne puis partir en le laissant où il est.

— Remets-t'en à moi. Dans un an ou deux, quand les choses se seront tassées, tu pourras l'aller voir pour lui présenter tes excuses.

— Adieu.

— Un instant.

— Oui ?

— Va d'abord à Edo. A Azabu, il y a un temple zen appelé Shōjuan. Ton père devrait y être, à l'heure qu'il est. Prends ce sceau que j'ai reçu du Daitokuji. Ils sauront qu'il est à moi. Fais-toi donner par eux, ainsi qu'à ton père, des chapeaux et des habits de prêtre, et les papiers nécessaires. Alors, vous pourrez voyager sous ce déguisement.

— Pourquoi dois-je faire semblant d'être prêtre ?

— Ta naïveté est donc sans limite ? Toi que voici, mon stupide jeune ami, tu fais partie d'un groupe qui se propose de tuer le shōgun, d'incendier le château d'Ieyasu à Suruga, de jeter tout le district de Kantō dans la confusion et de prendre les rênes du gouvernement. Bref, tu es un traître. Si tu te fais prendre, tu encours la mort par pendaison.

Jōtarō était bouche bée.

— ... Maintenant, va.

— Puis-je vous poser une question ? Pourquoi des hommes

qui veulent renverser les Tokugawa devraient-ils être considérés comme des traîtres ? Pourquoi ceux qui ont renversé les Toyotami et pris la tête du pays ne sont-ils pas des traîtres ?

— Ce n'est pas à moi qu'il faut demander ça, répondit Takuan avec un regard froid.

La grenade

Takuan et Iori arrivèrent à la résidence du seigneur Hōjō Ujikatsu, à Ushigome, plus tard au cours de la même journée. Un jeune portier alla annoncer Takuan ; quelques minutes plus tard, Shinzō sortit.

— Mon père est au château d'Edo, déclara Shinzō. Voulez-vous entrer pour l'attendre ?

— Au château ? dit Takuan. Je poursuis ma route, alors, puisque c'est là que j'allais de toute façon. Ça vous ennuierait si je laissais Iori ici avec vous ?

— Pas le moins du monde, répondit Shinzō avec un sourire et un rapide coup d'œil à Iori. Puis-je vous commander un palanquin ?

— S'il vous plaît.

A peine le palanquin laqué avait-il disparu qu'Iori se trouvait aux écuries à passer en revue, un à un, les chevaux bien nourris, bais et gris pommelé, du seigneur Ujikatsu. Il admirait particulièrement leurs têtes, qu'il trouvait beaucoup plus aristocratiques que celle des chevaux de somme qu'il connaissait. Pourtant, il y avait ici un mystère : comment la classe des guerriers pouvait-elle se permettre de garder oisifs un grand nombre de chevaux, au lieu de les faire travailler aux champs ? Il commençait à imaginer des cavaliers entrant à cheval dans la bataille, quand la grosse voix de Shinzō interrompit sa rêverie. Il regarda vers la maison, s'attendant à une réprimande, mais vit que l'objet de la colère de Shinzō était une mince vieille femme avec un bâton et une expression têtue.

— Semblant d'être sorti ? s'écriait Shinzō. Pourquoi mon

père devrait-il faire semblant pour une vieille sorcière qu'il ne connaît même pas ?

— Fichtre, quelle colère ! dit Osugi, sarcastique. Si je comprends bien, vous êtes le fils de Sa Seigneurie. Savez-vous combien de fois je suis venue ici pour essayer de voir votre père ? Bien souvent, permettez-moi de vous le dire ; et chaque fois, l'on m'a répondu qu'il était sorti.

Un peu démonté, Shinzō répliqua :

— Ça n'a rien à voir avec le nombre de fois que vous êtes venue. Mon père n'aime pas recevoir. S'il ne veut pas vous voir, pourquoi revenez-vous sans cesse ?

Non découragée, Osugi ricana :

— Il n'aime pas voir les gens ! Alors, pourquoi vit-il parmi eux ?

Elle montrait les crocs. L'idée de lui lancer une insulte et de lui donner à entendre le cliquetis de son sabre dégainé traversa l'esprit de Shinzō ; mais il ne voulait pas se mettre dans une colère inconvenante, et n'était pas certain que cela serait efficace.

— Mon père n'est pas là, dit-il d'un ton neutre. Pourquoi ne pas vous asseoir et m'exposer toute l'affaire ?

— Eh bien, je crois que je vais accepter votre aimable proposition. La route était longue et j'ai les jambes lasses.

Elle s'assit au bord de la marche et se frotta les genoux.

— ... Quand vous me parlez avec douceur, jeune homme, j'ai honte d'élever la voix. Maintenant, je veux que vous répétiez mes paroles à votre père, quand il rentrera.

— Volontiers.

— Je suis venue lui parler de Miyamoto Musashi.

Surpris, Shinzō demanda :

— Il est arrivé quelque chose à Musashi ?

— Non ; je veux que votre père sache de quel genre d'homme il s'agit. A dix-sept ans, il est allé à Sekigahara se battre contre les Tokugawa. *Contre* les Tokugawa, vous m'entendez bien ? Plus : au Mimasaka, il a commis tant de méfaits que, là-bas, nul n'en pense rien de bon. Il a commis d'innombrables meurtres, et voilà des années qu'il me fuit parce que j'essaie à bon droit de me venger de lui. Musashi est un vagabond inutile et dangereux !

— Un instant...

— Non, écoutez-moi ! Musashi s'est mis à tourner autour de la fiancée de mon fils. En fait, il la lui a volée et il est parti avec elle.

— En voilà assez, dit Shinzō, levant la main pour protester. Pourquoi raconter sur Musashi de pareilles histoires ?

— Je le fais dans l'intérêt du pays, répondit Osugi d'un air suffisant.

— Quel bien cela fera-t-il au pays de calomnier Musashi ?

Osugi changea de position pour dire :

— J'apprends que ce coquin à la langue rusée doit être bientôt nommé instructeur dans la maison du shōgun.

— D'où tenez-vous ça ?

— D'un homme qui était au dōjō d'Ono. Je l'ai entendu de mes propres oreilles.

— Vraiment ?

— Un porc tel que Musashi ne devrait même pas être autorisé à paraître devant le shōgun, à plus forte raison être nommé instructeur. Un maître de la Maison de Tokugawa, c'est un maître de la nation. Cette seule idée me rend malade. Je suis venue avertir le seigneur Hōjō, car on me dit qu'il a recommandé Musashi. Vous comprenez, maintenant ?

Elle ravala la salive qui coulait aux coins de sa bouche, et reprit :

— ... Je suis sûre qu'il est profitable au pays de mettre en garde votre père. Et permettez-moi de vous mettre en garde, vous aussi. Attention de ne pas vous laisser duper par les propos mielleux de Musashi.

Craignant qu'elle ne continuât des heures dans cette veine, Shinzō fit appel à ses ultimes réserves de patience pour dire :

— Merci. Je comprends. Je transmettrai vos paroles à mon père.

— Je vous en prie !

Avec l'air d'une personne qui a fini par atteindre un but désiré, Osugi se leva et s'avança vers le portail ; ses sandales claquaient dans l'allée.

— Sale vieille sorcière ! cria une voix juvénile.

Saisie, Osugi aboya : « Quoi ?... Quoi ?... » et regarda autour d'elle jusqu'à ce qu'elle repérât Iori parmi les arbres, qui montrait les dents comme un cheval.

— Mange ça ! cria-t-il en lui lançant une grenade.

Elle frappa si fort qu'elle éclata.

— Aï-ï-ïe ! cria Osugi, la main à la poitrine.

Elle se baissa pour ramasser quelque chose à lui lancer, mais il disparut. Elle courut à l'écurie et regardait à l'intérieur lorsqu'un gros morceau bien tendre de crottin de cheval l'atteignit en pleine figure.

Toussant et crachant, Osugi essuya l'ordure avec ses doigts, et ses larmes se mirent à couler. Tous ses voyages à travers le pays à cause de son fils pour en arriver là !

De derrière un arbre, Iori l'observait à distance respectueuse. La voyant pleurer comme un bébé, il eut soudain grand-honte de lui-même. Il avait à moitié l'envie d'aller lui présenter des excuses avant qu'elle ne franchît le portail ; mais sa fureur de l'entendre diffamer Musashi ne s'était pas calmée. Pris entre la haine et la pitié, il se tint là un moment, à se ronger les ongles.

— Monte donc ici, Iori. Tu verras le Fuji rouge.

La voix de Shinzō venait d'une chambre située haut sur la colline. Avec un vif soulagement, Iori s'élança. « Le mont Fuji ? » La vision du pic cramoisi sous le soleil couchant balaya de son esprit toute autre pensée.

Shinzō, lui aussi, paraissait avoir oublié sa conversation avec Osugi.

Pays de rêve

En 1605, Ieyasu transmit les fonctions de shōgun à Hidetada mais continua de gouverner de son château de Suruga. Maintenant que les bases du nouveau régime étaient en grande partie posées, Ieyasu commençait à laisser Hidetada exercer son pouvoir légitime.

En lui cédant son autorité, Ieyasu avait demandé à son fils ce qu'il avait l'intention de faire.

La réponse de Hidetada : « Je vais construire », passait pour avoir fait au vieux shōgun un plaisir immense.

Contrairement à Edo, Osaka restait préoccupé des préparatifs en vue de la bataille finale. D'illustres généraux conspiraient ; des courriers portaient des messages à des fiefs sûrs ; des chefs militaires et des rōnins destitués recevaient consolation et compensation. Les munitions s'accumulaient, les lances se polissaient, les fossés s'approfondissaient.

De plus en plus de citadins abandonnaient les villes de l'Ouest pour la florissante cité de l'Est, changeant souvent de parti car la peur subsistait qu'une victoire des Toyotomi ne signifiât un retour à la guerre civile chronique.

Pour les daimyōs et les vassaux de haut rang qui devaient encore décider s'il fallait confier le sort de leurs enfants et petits-enfants à Edo ou Osaka, l'impressionnant programme de construction d'Edo constituait un argument en faveur des Tokugawa.

Ce jour-là, comme de nombreux autres jours, Hidetada se livrait à l'un de ses passe-temps favoris. Vêtu comme pour une excursion à la campagne, il quitta l'enceinte principale et se rendit à la colline de Fukiage pour inspecter les travaux de construction.

Vers le moment où le shōgun et sa suite de ministres, de serviteurs personnels et de prêtres bouddhistes s'arrêtaient pour se reposer, un incident éclata au bas de la colline de Momiji :

— Arrêtez le coquin !

— Attrapez-le !

Un puisatier courait en cercles, essayant d'éviter les charpentiers qui le poursuivaient. Il fila comme un lièvre entre des piles de bois, et se cacha derrière une cabane de plâtriers. Puis il s'élança vers les échafaudages de la muraille extérieure, et entreprit de grimper.

En poussant des jurons sonores, deux des charpentiers grimpèrent après lui et le saisirent par les pieds. Le puisatier, dont les bras s'agitaient frénétiquement, retomba sur un tas de copeaux.

Les charpentiers se jetèrent sur lui, le bourrèrent de coups de pied et de coups de poing. Pour une étrange raison, il ne cria ni ne tenta de résister mais s'agrippa au sol de toutes ses forces, comme à son seul espoir.

Le samouraï qui dirigeait les charpentiers et l'inspecteur des ouvriers accoururent.

— Qu'est-ce qui se passe, ici ? demanda le samouraï.

— Il a marché sur mon équerre, ce sale cochon ! pleurnicha un charpentier. L'équerre, c'est l'âme du charpentier !

— Du calme.

— Qu'est-ce que vous feriez s'il marchait sur votre sabre ? demanda le charpentier.

— Bon, ça suffit. Le shōgun se repose là-haut, sur la colline.

Au nom du shōgun, le premier charpentier se calma, mais un autre homme déclara :

— Il doit aller se laver. Ensuite, il doit se prosterner devant l'équerre et présenter des excuses !

— Nous nous chargeons de la punition, dit l'inspecteur. Vous, les gars, retournez au travail.

Il saisit au collet l'homme prostré, et lui dit :

— ... Lève la tête.

— Oui, monsieur.

— Tu es l'un des puisatiers, hein ?

— Oui, monsieur.

— Qu'est-ce que tu fais par ici ? Ce n'est pas ton lieu de travail.

— Il rôdait par ici hier aussi, dit le charpentier.

— Vraiment ? dit l'inspecteur en examinant la figure pâle de Matahachi, et en observant que pour un puisatier il était un peu trop délicat, un peu trop fin.

Il conféra une minute avec le samouraï, puis emmena Matahachi.

Ce dernier fut mis sous clé dans un bûcher derrière le bureau de l'inspecteur des ouvriers ; durant les quelques jours qui suivirent, il n'eut rien d'autre à contempler que du bois de chauffage, un ou deux sacs de charbon de bois, et des tonneaux pour préparer des marinades. Redoutant que l'on ne découvrît le complot, il fut bientôt dans un état d'épouvante.

Ce qui l'amenait au pied de la colline de Momiji chaque fois qu'il le pouvait au cours de ses périodes de repos, c'était une complication imprévue. Une bibliothèque devait être construite, et quand elle le serait on déplacerait le caroubier. Plein de remords, Matahachi supposait que l'on découvrirait le mousquet, ce qui le lierait directement au complot. Mais il n'avait pu trouver un moment de solitude pour déterrer le mousquet et le faire disparaître.

Jusque dans son sommeil il en avait des sueurs froides. Une fois, il rêva qu'il était au pays des morts ; partout où il regardait, il y avait des caroubiers. Quelques nuits après son emprisonnement au bûcher, en une vision aussi nette que l'état de veille il rêva de sa mère. Au lieu d'avoir pitié de lui, Osugi poussait des clameurs irritées et lui lançait un plein panier de cocons. Sous cette averse de cocons, il essayait de fuir. Elle le poursuivait, les cheveux mystérieusement transformés en cocons blancs. Il avait beau courir, courir, elle était toujours derrière lui. Baigné de sueur, il sautait d'une falaise et se mettait à tomber à travers les ténèbres de l'enfer, à tomber sans fin à travers l'obscurité.

« Mère ! pardonne-moi », criait-il ainsi qu'un enfant blessé, et le son de sa propre voix le réveilla. La réalité qu'il retrouvait alors — la perspective de la mort — était plus terrifiante que le rêve.

Il essaya d'ouvrir la porte, fermée à clé comme il le savait déjà. Désespérément il grimpa sur un tonneau de saumure, brisa une petite fenêtre près du toit, et se glissa au travers. En se cachant derrière des tas de bois, de pierres et de terre d'excavation, il se faufila au voisinage de la porte arrière ouest. Le caroubier était toujours là. Il soupira de soulagement.

Il trouva une houe et se mit à creuser comme s'il eût espéré découvrir sa propre vie. Effrayé du bruit qu'il faisait, il s'arrêta pour regarder autour de lui. Ne voyant personne, il se remit à l'ouvrage.

La crainte que quelqu'un d'autre eût déjà trouvé le mousquet lui faisait manier la houe avec frénésie. Son souffle devint rapide, inégal. Sueur et crasse, mêlées, lui donnaient l'air de sortir d'un bain de boue. La tête commençait à lui tourner mais il ne pouvait s'arrêter.

Le fer heurta quelque chose d'allongé. Il rejeta la houe et tendit la main pour le tirer en se disant : « Je le tiens. »

Son soulagement fut de courte durée. L'objet n'était pas enveloppé dans du papier imperméable, et n'avait pas la froideur du métal. Matahachi le saisit, le souleva, le relâcha. C'était l'os d'un bras ou d'une jambe, mince et blanc.

Matahachi n'avait pas le courage de reprendre la houe. On eût dit un autre cauchemar. Mais il se savait éveillé ; il pouvait compter chaque feuille du caroubier.

« Quel intérêt Daizō aurait-il à mentir ? » se demanda-t-il en contournant l'arbre et en lançant un coup de pied dans la terre. A cet instant, une silhouette le rejoignit à pas de loup et lui frappa légèrement l'épaule. Avec un rire sonore, tout près de l'oreille de Matahachi, le nouveau venu déclara :

— Tu ne le trouveras pas.

Le corps entier de Matahachi se liquéfia. Il faillit tomber dans le trou. Il tourna la tête en direction de la voix, ouvrit des yeux vides pendant un long moment avant de pousser un petit grognement de stupeur.

— Viens avec moi, dit Takuan en le prenant par la main.

Matahachi était incapable de bouger. Ses doigts se paralysaient en essayant de saisir la main du prêtre. Un frisson d'horreur lui monta des talons.

— ... Tu ne m'entends donc pas ? Viens avec moi, dit Takuan, le regard sévère.

La langue de Matahachi était presque aussi inutile que celle d'un muet :

— Ce-ce... terre... je...

D'une voix impitoyable, Takuan lui dit :

— Laisse. Tu perds ton temps. Les choses que font les gens sur cette terre, bonnes ou mauvaises, sont comme de l'encre sur du papier buvard. Mille ans ne suffiraient pas à les effacer. Tu t'imagines que le fait de remuer un peu de terre avec le pied défera ce que tu as fait. C'est à cause de pensées pareilles que ta vie est aussi confuse. Et maintenant, viens avec moi. Tu es un criminel, et ton crime est abominable. Je vais te couper la tête avec une scie à bambou, et te jeter dans la Mare de Sang de l'enfer.

Il saisit Matahachi par le lobe de l'oreille, et l'entraîna. Il frappa à la porte du baraquement où dormaient les aides-cuisiniers.

— ... Que l'un de vous vienne ici, dit-il.

Un garçon sortit, frottant des yeux ensommeillés. Lorsqu'il reconnut le prêtre qu'il avait vu s'entretenir avec le shōgun, il se réveilla et dit :

— Bien, monsieur. Que puis-je pour vous ?

— Je veux que tu m'ouvres ce bûcher.

— Il y a un puisatier enfermé dedans.

— Il n'y est pas. Il est ici même. Inutile de le réintroduire par la fenêtre ; ouvre donc la porte.

Le garçon se hâta d'aller chercher l'inspecteur, lequel accourut, se confondant en excuses et suppliant Takuan de ne pas le dénoncer.

Takuan poussa Matahachi dans le bûcher, y entra et ferma la porte. Quelques minutes plus tard, il passa la tête au-dehors pour dire :

— Vous avez bien un rasoir quelque part. Aiguisez-le et apportez-le.

L'inspecteur et l'aide-cuisinier se regardèrent ; aucun des deux n'osait demander au prêtre ce qu'il voulait faire du rasoir. Ils le repassèrent et le lui tendirent.

— ... Merci, dit Takuan. Et maintenant, vous pouvez retourner vous coucher.

A l'intérieur du bûcher, il faisait nuit noire ; seule, la clarté des étoiles était visible à travers la fenêtre brisée. Takuan s'assit sur une pile de bois d'allumage. Matahachi se laissa tomber sur une natte de roseaux, tête basse. Il y eut un long silence. Incapable de distinguer le rasoir, Matahachi se demandait avec inquiétude si Takuan l'avait en main. Takuan finit par prendre la parole :

— ... Matahachi, qu'as-tu déterré sous le caroubier ?

Silence.

— ... Je pourrais te montrer comment déterrer quelque chose. Cela voudrait dire extraire quelque chose de rien, recouvrer le vrai monde à partir d'un pays de rêve.

— Oui, monsieur.

— Tu n'as pas la moindre notion de ce qu'est la réalité dont je parle. Nul doute que tu ne sois toujours dans ton monde de fantasmes. Eh bien, puisque tu as la naïveté d'un bébé, je suppose qu'il va me falloir te mâcher ta nourriture intellectuelle... Quel âge as-tu ?

— Vingt-huit ans.

— Le même âge que Musashi.

Matahachi porta les mains à son visage et pleura. Takuan se tut jusqu'à ce qu'il eût fini de pleurer. Puis il reprit :

— ... N'est-il pas effrayant de penser que le caroubier a failli devenir le monument funéraire d'un fou ? Tu creusais ta propre tombe ; en vérité, tu allais t'y jeter toi-même.

Matahachi agrippa les jambes de Takuan et l'implora :

— Sauvez-moi. Je vous en prie, sauvez-moi. Mes yeux... mes yeux sont ouverts, maintenant. J'ai été dupé par Daizō de Narai.

— Non, tes yeux ne sont pas ouverts. Et Daizō ne t'a pas dupé. Il a simplement essayé de se servir du plus grand imbécile de la terre... d'un benêt cupide, sans finesse, à l'esprit mesquin, qui n'en a pas moins eu la témérité de se charger d'une tâche devant laquelle eût reculé n'importe quel homme sensé.

— Oui... oui... j'étais fou.

— Qui donc au juste croyais-tu qu'était ce Daizō ? Il s'appelle en réalité Mizoguchi Shinano. Il était vassal d'Ōtani Yoshitsugu, ami intime d'Ishida Mitsunari. Mitsunari, tu dois t'en souvenir, était l'un des vaincus de Sekigahara.

— N... non ! haleta Matahachi. L'un des hommes de guerre que le shogunat essaie de traquer ?

— Qui d'autre pourrait bien être un homme qui se propose d'assassiner le shōgun ? Tu es d'une stupidité consternante.

— Il ne m'a pas dit ça. Il a dit seulement qu'il haïssait les Tokugawa. Il estimait que cela vaudrait mieux pour le pays si les Toyotomi étaient au pouvoir. Il parlait d'œuvrer dans l'intérêt général.

— Tu n'as pas pris la peine de te demander qui il était en réalité, n'est-ce pas ? Sans te servir une seule fois de ta tête, tu as entrepris audacieusement de creuser ta propre tombe. Ton genre de courage est effrayant, Matahachi.

— Que dois-je faire ?
— Faire ?
— Je vous en prie, Takuan, je vous en prie, aidez-moi !
— Lâche-moi.
— Mais... mais en réalité je ne me suis pas servi du mousquet. Je ne l'ai pas même trouvé !
— Bien sûr que non. Il n'est pas arrivé à temps. Si Jōtarō, que Daizō a entraîné dans cet affreux complot, était arrivé à Edo comme prévu, le mousquet aurait fort bien pu être enterré sous l'arbre.
— Jōtarō ? Vous voulez dire le garçon...
— Peu importe. Ça n'est pas ton affaire. Ton affaire, en revanche, c'est le crime de trahison que tu as commis et qui ne saurait se pardonner. Non plus qu'il ne saurait être pardonné par les dieux et le Bouddha. Autant cesser de songer au salut.
— Il n'y a donc pas moyen... ?
— Certainement pas !
— Pitié ! sanglotait Matahachi, cramponné aux genoux de Takuan.
Ce dernier se leva et l'écarta d'un coup de pied.
— Idiot ! cria-t-il d'une voix terrible.
Ses yeux étaient d'une indescriptible férocité : un Bouddha refusant que l'on s'accrochât à lui, un terrifiant Bouddha refusant de sauver même celui qui se repentait.
Durant une ou deux secondes, Matahachi soutint ce regard avec ressentiment. Puis sa tête retomba, résignée, et son corps fut secoué de sanglots.
Takuan prit le rasoir au sommet du tas de bois, et en toucha légèrement la tête de Matahachi.
— ... Puisque tu vas mourir, autant mourir en disciple du Bouddha. Par amitié, je t'y aiderai. Ferme les yeux, et assieds-toi silencieusement les jambes croisées. La ligne de démarcation entre la vie et la mort est aussi fine qu'une paupière. La mort n'a rien d'effrayant, rien qui vaille des larmes. Ne pleure pas, mon enfant, ne pleure pas. Takuan va te préparer à mourir.

La salle où se réunissait le Conseil des Anciens du shōgun pour discuter des affaires de l'Etat se trouvait isolée du reste du château d'Edo. Cette chambre secrète était de toutes parts entourée d'autres salles et de couloirs. Chaque fois qu'il fallait recevoir une décision du shōgun, ou bien les ministres allaient dans cette salle d'audience, ou bien ils envoyaient une pétition dans un coffret laqué. Billets et réponses avaient fait la navette avec une fréquence inhabituelle ; Takuan et le seigneur Hōjō avaient été admis à plusieurs reprises dans la chambre où ils restaient souvent à délibérer durant la journée entière.

Ce jour-là, dans une autre salle, moins isolée mais non moins bien gardée, les ministres avaient entendu le rapport de l'envoyé à Kiso.

Il déclara que bien qu'il n'y eût eu aucun retard dans l'exécution de l'ordre d'arrestation de Daizō, ce dernier s'était échappé après avoir fermé son établissement de Narai, en emportant tout ce qu'il possédait. Une perquisition avait mis au jour une quantité substantielle d'armes et de munitions, plus quelques documents qui avaient échappé à la destruction. Ces papiers comprenaient un échange de lettres avec des partisans de Toyotomi à Osaka. L'émissaire avait organisé l'expédition de ces documents vers la capitale du shōgun, puis regagné Edo par cheval rapide.

Les ministres se faisaient l'effet de pêcheurs qui ont jeté un grand filet sans prendre un seul vairon. Le lendemain même, un vassal du seigneur Sakai, membre du Conseil des Anciens, fit un autre genre de rapport :

— Conformément aux instructions de Votre Seigneurie, Miyamoto Musashi a été libéré. Il a été remis à un certain Musō Gonnosuke, à qui nous avons expliqué en détail l'origine du malentendu.

Le seigneur Sakai se hâta d'en informer Takuan, qui répondit avec légèreté :

— Bien aimable à vous.

— Veuillez prier votre ami Musashi de ne pas trop nous en vouloir, dit le seigneur Sakai d'un ton d'excuse, gêné qu'il était de l'erreur commise sur le territoire soumis à sa juridiction.

L'un des problèmes les plus rapidement résolus fut celui de la base d'opérations de Daizō à Edo. Des hommes du Commissaire de cette ville effectuèrent une descente à la boutique de prêts sur gages de Shibaura, et confisquèrent tout, biens et documents secrets. Lors de l'opération, l'infortunée Akemi fut arrêtée, bien qu'elle ignorât tout des projets de son patron. Reçu en audience par le shōgun, un soir, Takuan relata ce qu'il savait. Il termina en disant :

— Je vous en prie, n'oubliez pas un seul instant qu'il y a bien d'autres Daizō de Narai en ce monde.

Hidetada accueillit cette mise en garde en acquiesçant vigoureusement du chef.

— ... Si vous essayez de débusquer tous ces hommes et de les traduire en justice, poursuivit Takuan, vous perdrez tout votre temps et tous vos efforts à lutter contre les insurgés. Vous ne pourrez accomplir la grande œuvre que l'on attend de vous en tant que successeur de votre père.

Le shōgun perçut la vérité des propos de Takuan, et prit à cœur d'en tenir compte :

— Que les châtiments soient légers, ordonna-t-il. Etant donné que vous avez dénoncé la conspiration, je vous laisse le soin de décider des peines.

Après avoir exprimé ses remerciements sincères, Takuan déclara :

— Sans en avoir eu la moindre intention, je m'aperçois que je suis ici, au château, depuis plus d'un mois. Maintenant, il est temps de partir. J'irai à Koyagyū, dans la province de Yamato, voir le seigneur Sekishūsai. Puis je reviendrai au Daitokuji, en passant par le district de Senshū.

La mention de Sekishūsai parut évoquer d'agréables souvenirs à Hidetada.

— Comment va ce vieux Yagyū ? demanda-t-il.

— Hélas ! on me dit que le seigneur Munenori croit que la fin est proche.

Hidetada évoqua une époque où il avait été au camp de Shōkokuji, et où Sekishūsai avait été reçu par Ieyasu. Hidetada était un enfant alors, et le comportement viril de Sekishūsai lui avait fait une impression profonde. Takuan rompit le silence :

— Il y a une autre question, déclara-t-il. Ayant consulté le Conseil des Anciens et avec son autorisation, le seigneur Hōjō d'Awa et moi-même avons recommandé un samouraï du nom de

Miyamoto Musashi pour être instructeur dans la maison de Votre Excellence. J'espère que vous considérerez cette recommandation d'un œil favorable.

— J'ai été informé de cette affaire. On dit que la Maison de Hosokawa s'intéresse à ce jeune homme, ce qui plaide fort en sa faveur. J'ai décidé qu'il serait bon de nommer un instructeur supplémentaire.

Takuan allait quitter le château le lendemain ou le surlendemain ; entre-temps, il acquit un nouveau disciple. Il se rendit au bûcher, derrière le bureau de l'inspecteur, et se fit ouvrir la porte par un des aides-cuisiniers ; la lumière tomba sur une tête fraîchement rasée. Temporairement aveuglé, l'apprenti qui se croyait un homme condamné, leva lentement les yeux et fit :

— Ah !

— Viens, dit Takuan.

Vêtu de l'habit de prêtre que lui avait envoyé Takuan, Matahachi se leva en chancelant sur des jambes flageolantes. Takuan l'entoura doucement de son bras, et l'aida à sortir du bûcher.

L'heure du jugement avait sonné. Derrière ses paupières, fermées par la résignation, Matahachi voyait la natte de roseaux sur laquelle il serait forcé de s'agenouiller avant que le bourreau ne levât son sabre. Il semblait avoir oublié que les traîtres subissaient une mort ignominieuse : la pendaison. Des larmes roulaient sur ses joues rasées de frais.

— ... Peux-tu marcher ? demanda Takuan.

Matahachi crut qu'il répondait ; en fait, aucun son ne sortit de ses lèvres. Il eut à peine conscience de franchir les portes du château et de traverser les ponts qui enjambaient les fossés intérieur et extérieur. Cheminant péniblement, lugubrement à côté de Takuan, il était l'image même du mouton proverbial que l'on mène à l'abattoir. « Gloire au Bouddha Amida, gloire au Bouddha Amida... » En silence, il répétait l'invocation au Bouddha d'Eternelle Lumière.

Matahachi plissa les yeux pour regarder, au-delà du fossé externe, de majestueuses résidences de daimyōs. Plus loin vers l'est s'étendait le village de Hibiya ; par-delà, on apercevait les rues du quartier central. Matahachi ferma les yeux et répéta rapidement :

— Gloire au Bouddha Amida, gloire au Bouddha Amida...

Cette prière devint d'abord audible, puis de plus en plus forte, de plus en plus rapide.

— Dépêche-toi, dit sévèrement Takuan.

A partir du fossé, ils tournèrent en direction d'Ōtemachi, et coupèrent en diagonale à travers un grand terrain vague. Matahachi avait l'impression d'avoir déjà parcouru des centaines de kilomètres. La route allait-elle tout bonnement continuer ainsi jusqu'en enfer, la lumière du jour peu à peu remplacée par les ténèbres ?

— ... Attends ici, ordonna Takuan.

Ils étaient au milieu d'un terrain plat, découvert ; de l'eau boueuse coulait du pont de Tokiwa dans le fossé. De l'autre côté de la rue se dressait un mur en terre, plâtré de fraîche date. Au-delà, c'étaient la palissade de la nouvelle prison et un groupe de bâtiments noirs qui ressemblaient à des maisons citadines ordinaires, mais constituaient en réalité la résidence officielle du Commissaire d'Edo.

Les jambes tremblantes de Matahachi ne le soutenaient plus. Il s'affala par terre.

Fuir ? Ni ses pieds ni ses mains n'étaient liés. Mais non, se dit-il, il ne pouvait s'en tirer. Si le shōgun décidait de l'arrêter, il n'y aurait ni feuille ni brin d'herbe derrière quoi se cacher.

Dans son cœur il appela sa mère, laquelle en cet instant lui était fort chère. Si seulement il ne l'avait jamais quittée, il ne serait pas ici maintenant. Il évoqua aussi d'autres femmes : Okō, Akemi, Otsū, d'autres qu'il avait aimées ou avec lesquelles il avait folâtré. Mais sa mère était la seule femme qu'il brûlât vraiment de voir. Si seulement on lui donnait la chance de continuer à vivre, il était sûr de ne jamais plus s'opposer à sa volonté, de ne jamais plus manquer de piété filiale.

Il eut à la nuque une sensation de fraîcheur humide. Il leva les yeux vers trois oies sauvages qui volaient à tire d'aile en direction de la baie, et les envia.

Le besoin de prendre son essor le démangeait. Et pourquoi non ? Il n'avait rien à perdre. Si on le rattrapait, il ne serait pas en plus mauvaise posture qu'il ne l'était maintenant. Il jeta au portail, de l'autre côté de la rue, un coup d'œil désespéré. Pas trace de Takuan.

Il se releva d'un bond et prit ses jambes à son cou.

— Halte !

La seule puissance de cette voix suffisait à lui enlever son courage. Il tourna la tête et vit l'un des bourreaux du commissaire. L'homme s'avança et abattit son long gourdin sur l'épaule de Matahachi qu'il terrassa d'un seul coup ; puis il le plaqua au sol avec le gourdin comme un enfant plaquerait au sol une grenouille avec un bâton.

Quand Takuan ressortit de la résidence du commissaire, il était accompagné de plusieurs gardes, dont un capitaine. Ils faisaient sortir un autre prisonnier, lié par une corde.

Le capitaine choisit le lieu de l'exécution, et deux nattes de roseaux neuves furent étendues à terre.

— On y va ? demanda-t-il à Takuan, lequel acquiesça de la tête.

Tandis que le capitaine et le prêtre s'asseyaient sur des tabourets pour regarder, le bourreau cria : « Debout ! » et leva son gourdin. Matahachi se releva péniblement, mais il était trop faible pour marcher. Le bourreau, irrité, l'empoigna par le dos de sa robe et le traîna vers une des nattes.

Il s'assit. Sa tête roula sur sa poitrine. Il entendait des voix, mais indistinctes, comme séparées de lui par un mur.

En entendant chuchoter son nom, il leva des yeux surpris.

— Akemi ! haleta-t-il. Qu'est-ce que tu fais là ?

Elle était agenouillée sur l'autre natte.

— Silence !

Deux des gardiens se servirent de leurs gourdins pour les séparer. Le capitaine se leva et se mit à lire les jugements et sentences officiels, d'un ton sévère et digne. Akemi retenait ses larmes, mais Matahachi pleurait sans vergogne. Le capitaine, ayant terminé, s'assit et cria :

— Frappez !

Deux gardiens subalternes, porteurs de longues badines de bambou fendu, se mirent majestueusement en position pour frapper le dos des captifs.

— Un. Deux. Trois, comptaient-ils.

Matahachi gémissait. Akemi, la tête inclinée et le visage livide, serrait les dents de toutes ses forces pour supporter la douleur.

— ... Sept. Huit. Neuf.

Les badines se cassaient ; l'on eût dit qu'elles fumaient du bout. Quelques passants s'arrêtèrent au bord du terrain pour regarder.

— Qu'est-ce qui se passe ?

— Deux prisonniers qu'on punit, on dirait.

— Cent coups, probablement.

— Ils n'en sont même pas encore à cinquante.

— Doit faire mal.

Un gardien s'approcha et les fit sursauter en frappant violemment le sol de son gourdin :

— Filez. Vous n'avez pas le droit de rester là.

Les badauds s'éloignèrent à distance respectueuse, et, se retournant, virent que le châtiment était terminé. Les gardiens rejetaient ce qui restait de leurs badines, et essuyaient leur visage en sueur.

Takuan se leva. Le capitaine était déjà debout. Ils échangèrent des politesses, et le capitaine reconduisit ses hommes à la résidence du commissaire. Takuan resta immobile plusieurs minutes, à regarder les silhouettes courbées sur les nattes. Il ne dit rien avant de s'éloigner.

Le shōgun lui avait fait un certain nombre de cadeaux ; il les avait donnés à divers temples zen de la ville. Pourtant, à Edo, les langues allaient bon train. Selon la rumeur, c'était un prêtre ambitieux qui se mêlait de politique. A moins que l'un des Tokugawa ne l'eût persuadé d'espionner la faction d'Osaka.

Ces rumeurs laissaient Takuan indifférent. Bien qu'il se souciât fort du bonheur de la nation, peu lui importait que les châteaux d'Edo et d'Osaka, ces fleurs voyantes de l'époque, fleurissent ou tombent.

Quelques minces rayons de soleil filtraient à travers les nuages ; durant un long moment, aucune des silhouettes ne bougea, bien qu'aucune n'eût complètement perdu connaissance. Akemi finit par murmurer :

— Regarde, Matahachi : de l'eau.

Devant eux, deux seaux d'eau, chacun muni d'une louche, témoignaient que le Commissariat n'était pas tout à fait sans cœur. Après avoir avalé plusieurs gorgées, Akemi tendit la louche à Matahachi. Comme il restait sans réaction, elle lui demanda :

— ... Que se passe-t-il ? Tu n'en veux pas ?

Lentement, il tendit la main et prit la louche. Une fois qu'elle eut touché ses lèvres, il but avidement.

— ... Matahachi, es-tu devenu prêtre ?

— Hein ?... C'est tout ?

— Qu'est-ce qui est tout ?

— Le châtiment est terminé ? Ils ne nous ont pas encore coupé la tête.

— Ils ne devaient pas le faire. Tu n'as donc pas entendu l'homme lire les sentences ?

— Qu'est-ce qu'il a dit ?

— Il a dit que nous devions être bannis d'Edo.

— Je suis vivant ! s'écria-t-il d'une voix aiguë.

Fou de joie, il se leva d'un bond et s'éloigna sans même se retourner pour jeter un regard à Akemi. Celle-ci porta les mains à sa tête et se mit à s'occuper de sa chevelure. Puis elle ajusta son kimono et serra son obi.

— Honteux, murmura-t-elle avec une grimace.

Matahachi n'était plus qu'un point à l'horizon.

Le défi

Au bout de quelques jours à peine à la résidence Hōjō, Iori s'ennuya. Il n'y avait rien d'autre à faire qu'à jouer.

— Quand Takuan revient-il ? demanda-t-il un matin à Shinzō, désireux en réalité de savoir ce qui était arrivé à Musashi.

— Mon père est encore au château ; je suppose donc que

Takuan y est aussi, répondit Shinzō. Ils reviendront tôt ou tard. Pourquoi ne t'amuses-tu pas avec les chevaux ?

Iori courut à l'écurie et jeta une selle laquée et nacrée sur son coursier favori. Il avait monté ce cheval, la veille et l'avant-veille, sans le dire à Shinzō. En recevoir l'autorisation le rendait fier. Il monta et franchit le portail de derrière au grand galop.

Les maisons des daimyōs, les sentiers à travers champs, les rizières, les forêts : à peine avait-il le temps de les voir qu'il les avait dépassés. Courges rouge vif et herbes rousses proclamaient que l'automne était à son apogée. La chaîne de Chichibu se dressait au fond de la plaine de Musashino. « Il est quelque part dans ces montagnes », songea Iori. Il se représentait son maître bien-aimé en prison, et les larmes, sur ses joues, donnaient au vent une apaisante fraîcheur.

Pourquoi ne pas aller voir Musashi ? Sans réfléchir davantage, il fouetta le cheval.

Après avoir parcouru plus d'un kilomètre à bride abattue, il freina le cheval en se disant : « Peut-être qu'il est retourné à la maison. » Il trouva la nouvelle maison terminée, mais inhabitée. A la rizière la plus proche, il cria aux paysans qui récoltaient leur riz :

— Quelqu'un a-t-il vu mon maître ?

En réponse, ils secouèrent tristement la tête. Alors, il fallait que ce fût Chichibu. A cheval, il pouvait faire le voyage en une journée.

Au bout d'un moment, il arriva au village de Nobidome. L'entrée du village était pratiquement obstruée par des montures de samouraïs, des chevaux de somme, des malles, des palanquins et quarante à cinquante samouraïs en train de déjeuner. Iori fit demi-tour afin de chercher un chemin pour contourner le village.

Trois ou quatre serviteurs de samouraïs lui coururent après :

— Halte-là, espèce de coquin !

— C'est à moi que vous parlez ? demanda Iori, furieux.

— Descends de cheval !

Ils le cernaient maintenant de toutes parts.

— Pourquoi ? Je ne vous connais même pas.

— Tais-toi et descends.

— Non ! Vous ne m'aurez pas.

Avant qu'il se rendît compte de ce qui lui arrivait, l'un des hommes lui souleva la jambe droite en l'air, ce qui le fit basculer de l'autre côté du cheval.

— Quelqu'un veut te voir. Viens avec moi.

Il saisit Iori au collet, et l'entraîna vers une maison de thé du bord de la route. Osugi se tenait au-dehors, une canne à la main. D'un geste de l'autre main, elle congédia les serviteurs. En tenue de voyage, elle accompagnait tous ces samouraïs. Iori ne savait qu'en penser, et il n'en avait guère le temps.

— Sale mioche ! dit Osugi, puis elle lui donna un coup de canne en travers de l'épaule.

Il se mit en garde, tout en sachant que la partie était désespérément inégale.

— ... Musashi n'a que les meilleurs disciples. Ha ! L'on me dit que tu es l'un d'entre eux.

— Vous... vous ne devriez pas parler comme ça.

— Ah ! vraiment ?

— Je... je n'ai rien à faire avec vous.

— Mais si, mais si. Tu vas nous dire deux ou trois petites choses. Qui t'a chargé de nous suivre ?

— De vous suivre ? demanda Iori avec un reniflement de mépris.

— Comment oses-tu me parler sur ce ton ? glapit la vieille femme. Musashi ne t'a donc pas enseigné les bonnes manières ?

— Je me passe de vos leçons. Je m'en vais.

— Que non ! s'écria Osugi en l'attrapant par le tibia avec sa canne.

— Aï-i-ïe ! cria Iori, qui s'étala.

Des serviteurs empoignèrent le jeune garçon qu'ils traînèrent à la boutique du meunier, près de la porte du village, où était assis un samouraï, visiblement de haut rang. Il avait fini de manger. Devant l'infortune d'Iori, il eut un large sourire.

« Dangereux », se dit le jeune garçon tandis que ses yeux rencontraient ceux de Kojirō. Avec une expression de triomphe, Osugi avança le menton pour s'écrier :

— Voyez ! Je ne m'étais pas trompée : c'était bien Iori.

Qu'est-ce que Musashi est en train de tramer, maintenant ? Qui d'autre pourrait l'avoir envoyé pour nous suivre ?

— Hum, marmonna Kojirō en hochant la tête et en renvoyant ses acolytes, dont l'un demanda s'il voulait qu'on ligotât le garçon.

Kojirō sourit et secoua la tête. Sous l'emprise des yeux de Kojirō, Iori était incapable de se tenir droit, à plus forte raison de s'enfuir. Kojirō prit la parole :

— Tu as entendu ce qu'elle a dit. C'est vrai ?

— Non ; je suis sorti pour une simple promenade à cheval. Je ne vous suivais pas, ni personne d'autre.

— Hum, c'est bien possible. Si Musashi est un samouraï digne de ce nom, il ne recourt pas à des ruses mesquines.

Puis Kojirō se mit à réfléchir à voix haute :

— ... En revanche, s'il apprenait que nous sommes brusquement partis en voyage avec un contingent de samouraïs de Hosokawa, il risquerait d'avoir des soupçons et d'envoyer quelqu'un pour surveiller nos mouvements. Cela serait tout naturel.

Le changement survenu dans la situation de Kojirō était frappant. La mèche du devant avait disparu ; son crâne était rasé à la mode propre aux samouraïs. Au lieu des habits voyants qu'il avait coutume de porter, il était vêtu d'un kimono tout noir qui, avec son *hakama* rustique, lui donnait une allure très traditionnelle. La « Perche à sécher », il la ceignait maintenant au côté. Son espoir de devenir un vassal de la Maison de Hosokawa s'était réalisé — non pour les cinq mille boisseaux qu'il avait désirés mais pour une solde d'environ la moitié.

Cette troupe de samouraïs, commandée par Kakubei, était une avant-garde qui se rendait à Buzen afin de préparer le retour de Hosokawa Tadatoshi. En pensant à l'âge de son père, il avait présenté sa requête au shogunat depuis longtemps déjà. L'autorisation avait fini par lui être accordée, indice que le shogunat ne doutait pas du loyalisme des Hosokawa.

Osugi avait demandé à les accompagner car elle éprouvait un désir impératif de rentrer chez elle. Elle n'avait pas renoncé à son rang de chef de famille, et pourtant, cela faisait presque dix ans qu'elle était absente. L'oncle Gon aurait pu la remplacer s'il avait vécu. En l'état des choses, elle soupçonnait qu'un certain nombre d'affaires de famille la requéraient.

Ils passeraient par Osaka, où elle avait laissé les cendres de l'oncle Gon. Elle pourrait les porter au Mimadaka, et célébrer un service funèbre. Cela faisait longtemps également qu'elle n'avait célébré de service en mémoire de ses ancêtres négligés. Une fois réglées ses affaires domestiques, elle pourrait reprendre sa quête.

Récemment, elle avait été contente d'elle, croyant avoir frappé un grand coup contre Musashi. En apprenant par Kojirō sa recommandation, elle était d'abord tombée dans un état d'extrême dépression. Si Musashi devait recevoir cette nomination, il lui échapperait d'autant plus.

Elle avait pris sur elle d'éviter ce désastre au shogunat et à la nation. Elle n'avait pas vu Takuan, mais s'était rendue à la Maison de Yagyū aussi bien qu'à la Maison de Hōjō, dénonçant Musashi, prétendant que ce serait une dangereuse folie que de l'élever à un poste important. Non contente de cela, elle avait réitéré ses calomnies chez tous les ministres du gouvernement dont les serviteurs lui permettaient de franchir le portail.

Bien entendu, Kojirō ne faisait rien pour l'en empêcher ; mais il ne l'encourageait pas non plus, sachant qu'elle n'aurait de cesse d'aller au bout de son entreprise. Et elle y allait : elle écrivit même des lettres diffamatoires sur le passé de Musashi, qu'elle jeta chez le Commissaire d'Edo et chez les membres du Conseil des Anciens. Kojirō en personne se demanda si elle n'allait pas trop loin.

Kojirō encouragea Osugi à faire le voyage : il estimait que cela vaudrait mieux pour lui qu'elle fût de retour dans un pays où elle ne pourrait faire qu'un minimum de mal. Si Osugi avait un quelconque regret, c'était seulement que Matahachi ne l'accompagnât pas car elle demeurait persuadée qu'un jour il lui reviendrait.

Iori ne pouvait savoir tout cela. Incapable de fuir, répugnant à pleurer de crainte de discréditer Musashi, il se sentait pris au piège par l'ennemi.

Délibérément, Kojirō fixa le garçon dans les yeux ; à sa surprise, l'autre soutint ce regard.

— Avez-vous un pinceau et de l'encre ? demanda Kojirō à Osugi.

— Oui, mais l'encre est toute sèche. Pourquoi ?

— Je veux écrire une lettre. Les pancartes apposées par les hommes de Yajibei n'ont pas débusqué Musashi, et je ne sais où il se trouve. Iori est le meilleur messager que l'on puisse rêver. Je crois que je devrais envoyer à Musashi un mot à l'occasion de mon départ d'Edo.

— Qu'allez-vous écrire ?

— Rien de bien compliqué. Je vais lui dire de s'entraîner au sabre pour venir me voir à Buzen un de ces jours, et lui faire savoir que j'accepte de l'attendre tout le restant de ma vie. Il pourra venir dès qu'il aura la confiance en soi nécessaire.

Osugi, horrifiée, leva les bras au ciel :

— Comment pouvez-vous parler ainsi ? Le restant de votre vie, vraiment ? Je n'ai pas autant de temps à attendre. Je dois voir Musashi mort dans les deux ou trois années à venir, tout au plus.

— Remettez-vous-en à moi. Je m'occuperai de votre affaire en même temps que de la mienne.

— Vous ne voyez donc pas que je vieillis ? Il faut que cela se fasse pendant que je suis encore en vie.

— Si vous prenez bien soin de vous-même, vous serez là quand mon invincible épée fera son œuvre.

Kojirō prit le nécessaire à écrire et se rendit à un ruisseau proche où il mouilla son doigt pour humecter le bâton d'encre. Toujours debout, il tira du papier de son kimono. Il écrivait rapidement, mais sa calligraphie et sa composition étaient celles d'un expert.

— Vous pouvez cacheter avec ceci, dit Osugi en prenant quelques grains de riz cuit qu'elle posa sur une feuille.

Kojirō les écrasa entre ses doigts, étala la substance au bord de sa lettre, qu'il scella. Au dos, il inscrivit : « De Sasaki Ganryū, vassal de la Maison de Hosokawa. »

— Viens, toi. Je ne te ferai pas de mal. Je veux que tu portes cette lettre à Musashi. Remets-la-lui bien car elle est importante.

Iori hésita un moment, puis grogna son assentiment et arracha la missive de la main de Kojirō.

— Qu'est-ce qu'il y a d'écrit dedans ?

— Rien que ce que j'ai dit à la vieille dame.

— Je peux regarder ?

— Tu ne dois pas rompre le cachet.

— Si vous avez écrit quelque chose d'insultant, je ne m'en chargerai pas.

— Il n'y a rien de grossier dedans. Je le prie de se rappeler notre promesse, et lui fais part de mon impatience de le revoir, peut-être à Buzen, si par hasard il s'y rend.

— Que voulez-vous dire par « le revoir » ?

— Je veux dire : le rencontrer à la frontière entre la vie et la mort, répondit Kojirō dont les joues rosirent.

Fourrant la lettre dans son kimono, Iori déclara : « Bon, je la remettrai », et s'éloigna à toutes jambes. A une trentaine de mètres de distance, il s'arrêta, se retourna et tira la langue à Osugi.

— ... Vieille folle ! Vieille sorcière ! cria-t-il.

— Que... quoi ?

Elle était prête à courir après lui, mais Kojirō lui saisit le bras pour la retenir.

— Laissez, dit-il avec un sourire. Ce n'est qu'un enfant. Puis il cria à Iori :

— ... Tu n'as rien de mieux à dire ?

— Non...

Des larmes de colère lui montaient aux yeux.

— ... Mais vous le regretterez. Il est impossible que Musashi soit vaincu par un homme comme vous.

— Tu es bien comme lui ! Il ne faut jamais dire : « Fontaine... » Mais j'aime la façon dont tu prends sa défense. Si jamais il meurt, viens à moi. Je te ferai ratisser le jardin, ou quelque chose de ce genre.

Ne s'apercevant pas que Kojirō ne faisait que le taquiner, Iori se sentit profondément vexé. Il ramassa une pierre. Quand il leva le bras pour la lancer, Kojirō le fixa des yeux.

— ... Ne fais pas ça, dit-il d'une voix calme, mais forte.

Iori, que les yeux avaient frappé comme deux balles de fusil, lâcha la pierre et reprit sa course. Il courut, courut jusqu'à ce que, complètement épuisé, il s'effondrât au milieu de la plaine de Musashino.

Il resta assis là deux heures, à penser à l'homme qu'il révérait comme étant son maître. Bien qu'il sût que Musashi avait beaucoup d'ennemis, il le considérait comme un grand homme, et voulait devenir un grand homme lui-même. Croyant devoir faire quelque chose pour remplir ses obligations envers son maître et assurer sa sécurité, il résolut de développer ses propres forces aussi rapidement que possible.

Puis le souvenir de la lueur terrifiante, dans les yeux de Kojirō, revint le hanter. Il se demanda si Musashi pourrait vaincre un homme aussi fort ; pessimiste, il conclut que même son maître devrait étudier et s'entraîner davantage. Il se leva.

La brume blanche qui dévalait des montagnes se répandait sur la plaine. Décidant d'aller à Chichibu remettre la lettre de Kojirō, il se rappela soudain le cheval. Dans la crainte que des bandits ne s'en fussent emparés, il chercha frénétiquement, l'appela, le siffla à chaque pas.

Il crut entendre un bruit de sabots venir de la direction de ce qu'il prenait pour un étang. Il y courut. Mais il n'y avait ni cheval ni étang. Rien que la brume.

— C'est bien Iori, n'est-ce pas ?

— Je crois que oui.

Iori se tourna vers les voix et les deux silhouettes humaines qui se détachaient en noir contre le ciel du soir.

— *Sensei !* cria Iori, qui trébucha en courant vers le cavalier. C'est vous !

Fou de joie, il se cramponnait à l'étrier, les yeux levés pour s'assurer qu'il ne rêvait pas.

— Qu'est-il arrivé ? demanda Musashi. Que fais-tu donc, seul ici ?

Le visage de Musashi paraissait émacié — était-ce le clair de lune ? — mais la voix chaleureuse était ce qu'Iori avait faim d'entendre depuis des semaines.

— Je pensais aller à Chichibu...

Iori aperçut la selle.

— ... Comment, mais c'est le cheval que je montais !

— Il est à toi ? demanda Gonnosuke en riant.

— Oui.

— Nous ne savions pas à qui il appartenait. Il errait près du fleuve Iruma ; aussi, je l'ai pris pour un présent du ciel à Musashi.

— Le dieu de la plaine doit avoir envoyé le cheval à votre rencontre, dit Iori avec une sincérité parfaite.

— Ton cheval, dis-tu ? Cette selle ne saurait appartenir à un samouraï qui gagne moins de cinq mille boisseaux.

— Eh bien, il est en réalité à Shinzō.

— Tu as donc séjourné chez lui ? demanda Musashi en mettant pied à terre.

— Oui. Takuan m'y a emmené.

— Et notre nouvelle maison ?

— Elle est finie.

— Bon. Nous pouvons y retourner.

— *Sensei...*

— Oui ?

— Vous êtes si maigre ! Pourquoi ?

— J'ai passé un bon bout de temps à méditer.

— Comment êtes-vous sorti de prison ?

— Gonnosuke te le racontera plus tard. Pour le moment, disons que j'avais les dieux avec moi.

— Ne t'inquiète plus, Iori, intervint Gonnosuke. Personne ne doute de son innocence.

Soulagé, Iori devint très bavard : il leur raconta sa rencontre avec Jōtarō, et le départ de Jōtarō pour Edo. Quand il en vint à la « répugnante vieille » qui s'était présentée à la résidence Hōjō, il se rappela la lettre de Kojirō.

— ... Ah ! j'oubliais quelque chose d'important ! s'exclama-t-il en tendant la lettre à Musashi.

— Une lettre de Kojirō ?

Surpris, il la tint un moment dans sa main comme s'il s'agissait de la missive d'un ami depuis longtemps perdu.

— ... Où l'as-tu vu ? demanda-t-il.

— Au village de Nobidome. Cette sale vieille était avec lui. Il a dit qu'il allait à Buzen.

— Tiens ?

— Il était avec un tas de samouraïs de Hosokawa... *Sensei,* vous feriez bien de vous tenir sur vos gardes, et de ne pas prendre de risques.

Musashi fourra dans son kimono la lettre qu'il n'avait pas ouverte, et acquiesça. Incertain d'avoir été compris, Iori insista :

— ... Ce Kojirō est très fort, n'est-ce pas ? Il a quelque chose contre vous ?

Il rapporta à Musashi tous les détails de sa rencontre avec l'ennemi.

Lorsqu'ils arrivèrent à la cabane, Iori descendit au bas de la colline chercher à manger ; Gonnosuke ramassa du bois et alla puiser de l'eau. Ils s'assirent près du feu qui brûlait clair dans l'âtre, et savourèrent le plaisir de se retrouver l'un l'autre sains et saufs. Ce fut alors qu'Iori remarqua les cicatrices et ecchymoses récentes, sur les bras et le cou de Musashi.

— ... D'où vous viennent toutes ces marques ? demanda-t-il. Vous en êtes couvert.

— Rien de grave. As-tu nourri le cheval ?

— Oui, monsieur.

— Demain, tu devras le rendre.

Le lendemain matin de bonne heure, Iori monta le cheval et fit un bref galop de promenade avant le petit déjeuner. Quand le soleil fut au-dessus de l'horizon, il arrêta sa monture, bouche bée. Il regagna la cabane au galop, en criant :

— *Sensei,* levez-vous ! Vite ! C'est comme quand nous l'avons vu de la montagne de Chichibu. Le soleil... il est énorme ; on dirait qu'il va rouler sur la plaine. Debout, Gonnosuke.

— Bonjour, dit Musashi du petit bois où il se promenait.

Trop excité pour songer au petit déjeuner, Iori annonça : « Je m'en vais, maintenant », et s'éloigna sur son coursier.

Musashi regarda le jeune garçon et le cheval prendre l'aspect d'un corbeau au centre même du soleil. La tache noire devint de plus en plus petite, pour être finalement absorbée par le grand orbe enflammé.

La porte de la gloire

Avant de s'attabler devant son petit déjeuner, le portier ratissa le jardin, brûla les feuilles mortes et ouvrit le portail. Shinzō, lui aussi, était levé depuis un moment. Il commençait sa journée, comme toujours, en lisant un choix de classiques chinois. A quoi succédait l'entraînement au sabre.

Du puits, où il était allé se laver, il se rendit à l'écurie, voir les chevaux.

— Palefrenier ! appela-t-il.

— Monsieur ?

— Le rouan n'est pas encore de retour ?

— Non, mais le cheval m'inquiète moins que le garçon.

— Ne t'inquiète pas pour Iori. Il a grandi à la campagne. Il sait se conduire.

Le vieux portier s'approcha de Shinzō pour l'informer que des hommes étaient venus le voir et l'attendaient au jardin. En se dirigeant vers la maison, Shinzō leur fit un signe de la main ; comme il allait à eux, l'un des hommes lui dit :

— Voilà bien longtemps que nous ne nous sommes vus.

— Quel plaisir, de vous revoir tous ensemble ! dit Shinzō.

— La santé ?

— Parfaite, comme vous pouvez le voir.

— Nous avons entendu dire que tu avais été blessé.

— Pas grave. Qu'est-ce qui vous amène d'aussi bonne heure ?

— Nous voudrions discuter avec toi d'une petite affaire.

Les cinq anciens élèves d'Obata Kagenori, tous beaux, fils de gardes du drapeau ou d'érudits confucéens, échangèrent des regards significatifs.

— Allons par là, dit Shinzō en désignant un tertre couvert d'érables, dans un angle du jardin.

Parvenus au feu du portier, ils s'arrêtèrent autour. Shinzō porta la main à son cou ; puis, constatant que les autres l'observaient, il expliqua :

— ... Par temps froid, ça fait un peu mal.

A tour de rôle, ils examinèrent la cicatrice.

— On m'a dit que c'était l'œuvre de Sasaki Kojirō.

Il y eut un silence bref, mais tendu.

— Le but de notre visite était justement de parler de Kojirō. Hier, nous avons appris que c'est lui qui a tué Yogorō.

— Je m'en doutais. Vous avez des preuves ?

— Indirectes, mais convaincantes. On a retrouvé le corps d'Yogorō au pied de la colline d'Isarago, derrière le temple. La maison de Kakubei se trouve à mi-pente de la colline. Kojirō habitait là.

— Hum... Je ne serais pas surpris qu'Yogorō fût allé seul voir Kojirō.

— Tu peux en être sûr. Trois ou quatre soirs avant que l'on ait retrouvé le corps, un fleuriste a vu un homme qui répondait à la description d'Yogorō grimper la colline. Kojirō doit l'avoir tué, et transporté le corps au bas de la colline.

Les six hommes se regardaient solennellement les uns les autres ; leurs yeux reflétaient leur colère silencieuse. Shinzō, le visage rougi par le feu, demanda :

— C'est tout ?

— Non. Nous voulions parler de l'avenir de la Maison d'Obata, et du parti que nous allons prendre en ce qui concerne Kojirō.

Shinzō se tenait là, perdu dans ses pensées. L'homme qui avait parlé en premier reprit la parole :

— Tu le sais peut-être déjà, Kojirō est devenu vassal du seigneur Hosokawa Tadatoshi. Il est en route pour Buzen en ce moment, et n'a pas payé pour ce qu'il a fait : ruiné la réputation de notre maître, tué son fils unique et héritier, et massacré nos camarades.

— Shinzō, insista un troisième, en tant que disciples d'Obata Kagenori nous devons faire quelque chose.

Des parcelles de cendre blanche s'envolaient du feu. Un homme respira une bouffée de fumée et toussa. Après les avoir écoutés quelques minutes exprimer toute l'amertume de leur indignation, Shinzō déclara :

— Je suis l'une des victimes, bien sûr, et j'ai mon plan personnel. Mais dites-moi ce que vous avez au juste en tête.

— Nous pensons protester auprès du seigneur Hosokawa.

Nous lui raconterons toute l'histoire, et demanderons que Kojirō nous soit remis.

— Et alors ?

— Nous exposerons sa tête au bout d'une pique devant les tombes de notre maître et de son fils.

— Vous pourriez peut-être le faire si l'on vous le remettait ligoté. Mais il y a peu de chances pour que les Hosokawa en usent ainsi. Il a beau n'avoir été engagé que de fraîche date, il est leur vassal, et c'est son talent qui les intéresse. Vos plaintes ne constitueraient à leurs yeux qu'une preuve supplémentaire de son habileté. Quel daimyō accepterait de remettre à quiconque un de ses vassaux sans raisons impératives ?

— Alors, il nous faudra recourir à des mesures extrêmes.

— Par exemple ?

— Le groupe avec lequel il voyage est assez important. Nous pourrions facilement les rattraper. Avec toi pour chef, nous six et d'autres disciples fidèles...

— Veux-tu parler de l'attaquer ?

— Oui. Viens avec nous, Shinzō.

— Ça ne me plaît pas.

— N'es-tu pas celui qui a été choisi pour perpétuer le nom d'Obata ?

— Reconnaître qu'un ennemi est plus fort que nous n'est pas chose facile, dit pensivement Shinzō. Pourtant, de manière objective, Kojirō est le meilleur homme d'épée. Même avec des douzaines d'hommes, je crains bien qu'en fin de compte nous n'ajoutions à notre honte.

— Tu vas rester les bras croisés ? demanda un bomme avec indignation.

— Non, je souffre autant que vous tous du fait que Kojirō s'en tire, étant donné ce qu'il a commis. Mais j'accepte d'attendre le bon moment.

— Quelle patience ! dit un homme, sarcastique.

— N'es-tu pas en train d'éluder tes responsabilités ? demanda un autre.

Shinzō ne répondant pas, les cinq hommes jugèrent inutile de parler davantage, et se hâtèrent de partir.

En route ils croisèrent Iori, lequel avait mis pied à terre au portail et menait le cheval à l'écurie. Après avoir attaché l'animal, il aperçut Shinzō près du feu, et l'alla rejoindre.

— Ah ! te voilà de retour, dit Shinzō.

— Oui, répondit Iori. Dites donc, vous vous êtes disputés ?

— Pourquoi me demandes-tu ça ?

— Quand je suis entré, là, tout de suite, j'ai croisé des samouraïs. Ils avaient l'air en colère. Ils disaient des choses bizarres, comme : « Je le surestimais », et : « C'est un faible. »

— Ça n'a pas d'importance, fit Shinzō avec un petit rire. Viens te chauffer.

— Je n'ai pas besoin de feu. J'ai fait tout le trajet, à cheval, d'une traite depuis Musashino.

— Tu m'as l'air de bonne humeur. Où donc as-tu passé la nuit dernière ?

— A la maison. *Sensei* est de retour !

— J'avais entendu dire qu'il l'était ou le serait bientôt.

— Vous saviez déjà ?

— Takuan me l'avait dit. Iori, sais-tu la nouvelle ?

— Quelle nouvelle ?

— Ton maître sera un grand homme. Pour lui, c'est un merveilleux coup de chance. Il va être un des maîtres du shōgun. Il sera le fondateur de sa propre école d'escrime.

— Vraiment ?

— Ça te fait plaisir ?

— Bien sûr... plus que tout. Puis-je emprunter le cheval ?

— Maintenant ? Tu viens de rentrer.

— Je vais le lui dire.

— Inutile. Avant ce soir, le Conseil des Anciens le convoquera officiellement. Dès que nous aurons reçu la nouvelle, j'irai moi-même la porter à Musashi.

— Il viendra ici ?

— Oui, lui assura Shinzō.

Sur un dernier regard au feu qui se mourait, il prit le chemin de la maison, un peu ragaillardi par Iori mais inquiet du sort de ses amis en colère.

La convocation ne fut pas longue à venir. Environ deux heures plus tard, un messager arriva, porteur d'une lettre pour

Takuan et d'un ordre pour Musashi de se présenter le lendemain au Pavillon des Réceptions, devant la Porte de Wadakura. Une fois sa nomination confirmée, il serait reçu en audience par le shōgun.

Quand Shinzō, flanqué d'un serviteur, parvint à la maison de la plaine de Musashino, il trouva Musashi assis au soleil, un chaton sur les genoux, en train de causer avec Gonnosuke. Shinzō alla droit au but :

— Je viens vous chercher.

— Merci, dit Musashi. J'étais sur le point d'aller vous remercier d'avoir pris soin d'Iori.

Sans plus attendre, il monta le cheval que Shinzō avait amené pour lui, et ils retournèrent à Ushigome.

Ce soir-là, assis avec Takuan et le seigneur Ujikatsu, il apprécia la chance immense qui lui était donnée de pouvoir considérer ces hommes, ainsi que Shinzō, comme de vrais amis.

Le lendemain matin, à son réveil, Musashi trouva des vêtements appropriés à la circonstance déjà préparés à son intention, ainsi que des accessoires comme un éventail et du papier de soie. Et au petit déjeuner, le seigneur Ujikatsu lui déclara :

— C'est un grand jour. Vous devriez vous réjouir.

Le repas comportait du riz avec des haricots rouges, une brème de mer entière pour chaque convive, et d'autres plats que l'on ne servait qu'aux jours de fête. Ce menu ressemblait fort à ce qu'il eût été pour une cérémonie de majorité dans la famille Hōjō.

Musashi voulait refuser la nomination. A Chichibu, il avait reconsidéré ses deux années à Hōtengahara, et son ambition de mettre au service d'un bon gouvernement sa science du sabre. Maintenant, la croyance qu'Edo, pour ne point parler du reste du pays, était prêt pour le type du gouvernement idéal qu'il envisageait, lui paraissait moins défendable.

Mais il ne pouvait refuser. Ce qui le décidait en fin de compte, c'était la confiance en lui manifestée par ses partisans. Pas moyen de dire non à Takuan, son vieil ami et sévère mentor, ni au seigneur Ujikatsu, devenu une relation précieuse.

En vêtement de cérémonie, sur un cheval magnifique avec

une selle de toute beauté, il partit sur une route ensoleillée à destination du château ; chaque pas le rapprochait de la porte de la gloire.

Devant le Pavillon des Réceptions s'étendait une cour tapissée de gravier ; sur un haut poteau, une pancarte disait : « Descendez de cheval. » Tandis que Musashi mettait pied à terre, un personnage officiel et l'un des palefreniers s'avancèrent.

— Je m'appelle Miyamoto Musashi, annonça-t-il. Je viens en réponse à une convocation envoyée hier par le Conseil des Anciens. Puis-je vous prier de me présenter au préposé à la salle d'attente ?

Il était venu seul, ainsi qu'il se devait. Un autre personnage se présenta qui l'escorta à l'antichambre où il fut prié d'attendre « jusqu'à l'arrivée d'un ordre intérieur ».

Il s'agissait d'une vaste salle, dite « salle aux orchidées » d'après les peintures d'oiseaux et d'orchidées printanières qui décoraient les murs et les portes. Bientôt, un serviteur entra, chargé de thé et de gâteaux ; mais ce fut le seul contact de Musashi avec des êtres humains durant près d'une demi-journée. Les petits oiseaux des tableaux ne chantaient pas ; les orchidées n'embaumaient pas. Musashi se mit à bâiller.

Il prit pour un des ministres l'homme à face rougeaude, à cheveux blancs qui finit par paraître. Peut-être dans sa jeunesse avait-il été un distingué homme de guerre.

— Vous êtes Musashi, n'est-ce pas ? dit en s'asseyant le seigneur Sakai Tadakatsu. Pardonnez-nous de vous avoir fait attendre aussi longtemps.

Bien que seigneur de Kawagoe et daimyō bien connu, dans le château du shōgun il n'était qu'un personnage officiel parmi d'autres, assisté d'un seul samouraï. Ses manières donnaient à penser qu'il ne se souciait guère de pompe ou de protocole. Musashi se prosterna, et déclara, avec une raideur cérémonieuse :

— Je m'appelle Miyamoto Musashi. Je suis un rōnin de Mimasaka, fils de Munisai, qui descendait de la famille Shimmen. Je suis venu à la porte du château pour obéir à la volonté du shōgun, exprimée dans la convocation qui m'a été envoyée.

Tadakatsu approuva du chef à plusieurs reprises, ce qui fit trembler son double menton.

— Grand merci de vous être donné cette peine, dit-il, mais il poursuivit d'un ton d'excuse : En ce qui concerne votre nomination à un poste officiel, pour lequel vous étiez recommandé par le prêtre Takuan et le seigneur Hōjō d'Awa, il est survenu hier au soir un brusque changement dans les projets du shōgun. En conséquence, vous ne serez pas engagé. Cette décision n'ayant pas satisfait plusieurs d'entre nous, le Conseil des Anciens a réexaminé l'affaire ce matin. De fait, nous en avons débattu jusqu'à l'instant même. Nous avons reposé la question au shōgun. J'ai le regret de vous dire que nous n'avons pu modifier sa plus récente décision.

Il y avait de la sympathie dans ses yeux, et il parut un moment chercher des mots de consolation.

— ... Dans notre monde instable, continua-t-il, ce genre de chose arrive tout le temps. Ne vous laissez pas affecter par ce que les gens disent de vous. En matière de nominations officielles, il est souvent malaisé de déterminer si l'on a eu de la chance ou de la malchance.

— Oui, monsieur, dit Musashi, toujours incliné.

Pour ses oreilles, les paroles de Tadakatsu étaient de la musique. Une gratitude venue du fond du cœur lui remplissait tout le corps.

— ... Je comprends cette décision, monsieur. Je vous suis reconnaissant.

Les mots venaient tout naturellement. Musashi ne se souciait pas de l'apparence ; il n'était pas non plus ironique. Il avait le sentiment qu'un être beaucoup plus grand que le shōgun venait de lui accorder une nomination bien plus haute que celle d'instructeur officiel. « Il l'a bien pris », se dit Tadakatsu. Et tout haut :

— Peut-être est-ce présomptueux de ma part, mais on m'a dit que vous vous intéressiez à l'art d'une manière inhabituelle chez un samouraï. J'aimerais montrer au shōgun un exemple de vos travaux. Il est vain de répondre aux médisances des gens ordinaires. Je crois qu'il siérait davantage à un noble samouraï de s'élever au-dessus des commérages en laissant derrière soi un silencieux témoignage de sa pureté de cœur. Une œuvre d'art ferait l'affaire, vous ne croyez pas ?

Tandis que Musashi méditait encore sur la signification de ces propos, Tadakatsu reprit : « J'espère vous revoir », et quitta la pièce.

Musashi leva la tête et s'assit bien droit. Il lui fallut deux minutes pour saisir la signification des paroles de Tadakatsu — à savoir qu'il était inutile de répondre aux bavardages malveillants mais que Musashi devait faire preuve de caractère. S'il y parvenait, son honneur ne serait pas flétri, et les hommes qui l'avaient recommandé ne perdraient nullement la face.

L'œil de Musashi tomba sur un paravent à six panneaux dans un angle de la pièce. Il était d'un vide attirant. Musashi fit venir un jeune samouraï de la salle des gardes ; il lui expliqua que le seigneur Sakai lui avait demandé de faire un dessin, et demanda de quoi le satisfaire : pinceaux, encre de bonne qualité, du vieux cinabre et un peu de pigment bleu.

Musashi songea qu'il était bien curieux que la plupart des enfants après avoir su dessiner — et chanter —, l'oublient en grandissant. Peut-être le peu de sagesse qu'ils acquéraient les inhibait-il. Lui-même ne faisait pas exception à la règle. Enfant, il avait souvent dessiné ; c'était l'un de ses moyens favoris de lutter contre la solitude. Mais de sa treizième ou quatorzième année jusque passé vingt ans, il avait presque entièrement renoncé au dessin.

Au cours de ses voyages, il avait souvent séjourné dans des temples ou chez des gens riches, où il avait l'occasion de voir de la bonne peinture — fresques ou rouleaux accrochés dans les alcôves —, ce qui lui avait donné un vif intérêt pour l'art. La simplicité aristocratique et la subtile profondeur du tableau sur les châtaignes de Liang-k'ai lui avaient fait une impression particulièrement profonde. Après avoir vu cette œuvre chez Kōetsu, il avait saisi toutes les occasions d'admirer les précieuses peintures chinoises de la dynastie Sung, les ouvrages des maîtres zen japonais du XVe siècle, et les peintures des maîtres contemporains de l'école Kanō, en particulier Kanō

Sanraku et Kaihō Yūshō. Bien entendu, il y avait ce qu'il aimait et ce qu'il n'aimait pas. L'audacieux et viril coup de pinceau de Liang-k'ai, vu par son œil d'homme d'épée, le frappait comme révélant la force prodigieuse d'un géant. Kaihō Yūshō, peut-être parce qu'il descendait de samouraïs, avait dans sa vieillesse atteint un si haut degré de pureté que Musashi le considérait comme digne d'être pris pour modèle. Il était aussi attiré par les effets de lumière imprévus des œuvres du prêtre ermite et esthète Shōkadō Shōjō, qu'il aimait d'autant plus qu'il passait pour être ami intime de Takuan.

La peinture, qui semblait fort éloignée de la voie qu'il avait choisie, n'était guère un art pour un homme qui séjournait rarement un mois entier au même endroit. Il n'en peignait pas moins de temps à autre.

Comme chez les autres adultes qui avaient oublié l'art de dessiner, son mental travaillait, mais non son esprit. Désireux de dessiner avec adresse, il était incapable de s'exprimer de façon naturelle. Maintes fois, il s'était découragé et avait renoncé. Et puis, tôt ou tard, une impulsion quelconque lui faisait reprendre le pinceau... en secret. Honteux de sa peinture, il ne la montrait jamais à autrui bien qu'il permît aux gens de regarder sa sculpture.

C'est-à-dire, jusqu'à maintenant. Pour commémorer ce jour fatidique, il résolut de peindre un tableau que le shōgun, ou n'importe qui d'autre, pussent voir.

Il travailla vite et sans interruption jusqu'à ce que cela fût terminé. Puis il mit tranquillement le pinceau dans un verre d'eau, et partit sans un seul regard en arrière à son œuvre.

Dans la cour, il se retourna bien pour jeter un dernier regard à la porte imposante ; une question lui emplissait l'esprit : la gloire était-elle en deçà ou au-delà de la porte ?

Sakai Tadakatsu retourna dans l'antichambre et s'assit un moment, les yeux fixés sur la peinture encore humide. Le tableau représentait la plaine de Musashino. Au milieu, très vaste, le soleil levant. L'astre, qui symbolisait la confiance de Musashi en sa propre intégrité, était vermillon. Le reste de l'ouvrage était exécuté à l'encre afin de rendre le sentiment de l'automne sur la plaine.

Tadakatsu se dit : « Nous avons perdu un tigre au profit de la brousse. »

La musique des sphères

— Déjà de retour ? dit Gonnosuke, clignant des yeux à la vue de Musashi en vêtements de cérémonie raides d'empois.

Musashi entra dans la maison et s'assit. Gonnosuke s'agenouilla au bord de la natte de roseaux et s'inclina :

— Félicitations, dit-il avec chaleur. Devrez-vous aller travailler tout de suite ?

— La nomination a été annulée, répondit en riant Musashi.

— Annulée ? Vous plaisantez ?

— Non. Et, qui plus est, je considère que c'est une bonne chose.

— Je ne comprends pas. Savez-vous ce qui s'est passé ?

— Je n'ai vu aucune raison de le demander. Je remercie le ciel de la façon dont les choses ont tourné.

— Mais ça paraît dommage !

— Alors, même toi, tu es d'avis que je ne peux trouver la gloire que dans l'enceinte du château d'Edo ?

Gonnosuke ne répondit pas.

— ... Un temps, j'ai eu pareille ambition. J'ai rêvé d'appliquer ma compréhension du sabre au problème consistant à apporter paix et bonheur au peuple, transformant la Voie du sabre en Voie du gouvernement.

— Quelqu'un vous a calomnié. C'est bien ça ?

— Peut-être, mais je n'y pense plus. Et comprends-moi bien. J'ai appris, surtout aujourd'hui, que mes idées ne sont guère plus que des rêves.

— Ce n'est pas vrai. J'ai eu la même idée ; la Voie du sabre et l'esprit du bon gouvernement devraient être une seule et même chose.

— Je suis content que nous soyons d'accord. Mais en fait, la vérité de l'érudit, seul dans son cabinet de travail, ne s'accorde pas toujours avec ce que le gros du monde considère comme vrai.

— Vous croyez donc que la vérité que nous cherchons, vous et moi, est sans utilité dans le monde réel.

— Non, ce n'est pas cela, répondit Musashi avec impatience. Aussi longtemps que ce pays existera, les choses auront beau changer, la Voie de l'esprit du brave ne cessera jamais d'être utile... Si tu réfléchis, tu verra que la Voie du gouvernement n'est pas concernée par le seul Art de la guerre. Un système politique impeccable doit reposer sur un parfait mélange des arts militaire et littéraire. Faire vivre en paix le monde est le but suprême de la Voie du sabre. Voilà pourquoi j'en suis arrivé à la conclusion que mes pensées ne sont que des rêves, et des rêves puérils, de surcroît. Je dois apprendre à être l'humble serviteur de deux dieux, l'un du sabre, l'autre de la plume. Avant d'essayer de gouverner la nation, je dois apprendre ce que la nation a à m'enseigner.

Il conclut par un éclat de rire, mais l'interrompit soudain pour demander à Gonnosuke s'il avait un encrier ou une écritoire. Quand il eut fini d'écrire, il plia sa lettre et dit à Gonnosuke :

— ... Je regrette de t'ennuyer, mais je voudrais te prier de remettre ceci de ma part.

— A la résidence Hōjō ?

— Oui. Je me suis pleinement expliqué par écrit sur ce que j'éprouve. Fais part à Takuan et au seigneur Ujikatsu de mes salutations les plus chaleureuses... Ah ! autre chose. Je gardais ceci, qui appartient à Iori. Sois gentil de le lui remettre.

Il tira la bourse que le père d'Iori lui avait laissée, et la posa à côté de la lettre. L'air inquiet, Gonnosuke s'avança à genoux et demanda :

— Pourquoi rendez-vous ceci à Iori maintenant ?

— Je vais dans les montagnes.

— Montagnes ou ville, où que vous alliez, Iori et moi voulons vous accompagner en tant que disciples.

— Je ne m'en vais pas pour toujours. En mon absence, je voudrais que tu prennes soin d'Iori, disons durant deux ou trois ans.

— Quoi ? Vous vous retirez ?

Musashi se mit à rire, décroisa les jambes et s'appuya en arrière sur ses bras.

— Pour ça, je suis beaucoup trop jeune. Je ne renonce pas à ma grande espérance. J'ai encore tout devant moi : désir, illusion, tout... Il y a une chanson... Je ne sais qui l'a écrite, mais elle dit :

> Tout en désirant gagner
> Les profondeurs des montagnes,
> Je suis poussé contre ma volonté
> Vers les endroits
> Où habitent les gens.

Gonnosuke baissa la tête en écoutant. Puis il se leva et fourra dans son kimono lettre et bourse.

— Je ferais mieux de partir maintenant, dit-il doucement. La nuit tombe.

— Très bien. Sois gentil de restituer le cheval, et de dire au seigneur Ujikatsu que puisque les vêtements sont salis par le voyage, je les garde.

— Oui, bien sûr.

— Je crois qu'il serait indiscret de ma part de retourner chez le seigneur Ujikatsu. La nomination annulée doit signifier que le shogunat me considère comme peu sûr et suspect. Une association plus étroite avec moi risquerait de causer des ennuis au seigneur Ujikatsu. Je ne l'ai pas écrit dans ma lettre ; je désire donc que tu le lui expliques. Dis-lui que j'espère qu'il ne m'en veut pas.

— Je comprends. Je serai de retour avant le jour.

Le soleil se couchait rapidement. Gonnosuke prit le cheval par la bride et s'éloigna dans l'allée. Comme on l'avait prêté à Musashi, à aucun moment l'idée de le monter ne lui vint à l'esprit.

Il arriva à Ushigome environ deux heures plus tard. Les hommes, assis en cercle, se demandaient ce que devenait Musashi. Gonnosuke les rejoignit et remit la missive à Takuan.

Un émissaire était déjà passé les informer qu'il y avait eu des rapports défavorables sur le caractère et les activités passées de Musashi. De tous les griefs retenus contre lui, le plus grave était qu'il avait un ennemi qui avait juré vengeance. D'après la rumeur, Musashi se trouvait dans son tort. L'émissaire étant reparti, Shinzō avait raconté à son père et à Takuan la visite d'Osugi.

— Elle a même essayé de faire son boniment ici, dit-il.

Ce qui demeurait inexpliqué, c'était pourquoi les gens prenaient ainsi pour argent comptant ce qu'on leur racontait. Non seulement les gens ordinaires — les femmes qui cancanaient autour du puits ou les ouvriers qui buvaient dans les débits de saké bon marché —, mais des hommes assez intelligents pour distinguer la réalité du mensonge. Les ministres du shōgun avaient discuté la question durant de longues heures ; pourtant, même eux avaient fini par accorder créance aux calomnies d'Osugi.

Takuan et les autres s'attendaient un peu à ce que la lettre de Musashi exprimât sa contrariété ; mais en réalité, elle ne faisait guère que donner la raison de son départ. Il commençait par déclarer qu'il avait prié Gonnosuke de leur faire part de ce qu'il éprouvait. Puis venait la chanson qu'il avait chantée à Gonnosuke. La courte missive se terminait ainsi : « M'abandonnant à mon chronique goût de l'errance, je pars pour un autre voyage sans but. A cette occasion, je vous offre le poème suivant qui vous amusera peut-être :

> Au sein de l'univers
> Se trouve certes mon jardin ;
> Quand je le regarde,
> Je me tiens à la sortie de
> La maison nommée « Le Monde fluctuant ».

Le respect de Musashi toucha profondément Ujikatsu et Shinzō ; Ujikatsu n'en déclara pas moins :

— Il est trop discret. J'aimerais le voir encore une fois avant son départ. Takuan, je doute qu'il vienne si nous l'envoyons chercher ; aussi, allons à lui.

Il se leva, prêt à partir aussitôt.

— Pourriez-vous attendre un instant, monsieur ? demanda Gonnosuke. J'aimerais vous accompagner, mais Musashi m'a prié de remettre quelque chose à Iori. Pourriez-vous le faire venir ici ?

En entrant, Iori dit :

— Vous m'avez fait demander ?

Ses yeux se portèrent aussitôt sur la bourse que tenait Gonnosuke.

— Musashi dit que tu dois prendre bien soin de ceci, déclara Gonnosuke, car c'est l'unique souvenir qui te reste de ton père.

Il expliqua alors que tous deux demeureraient ensemble jusqu'au retour de Musashi. Iori ne pouvait cacher sa déception ; pourtant, ne voulant pas paraître faible, il approuva de la tête sans conviction. En réponse aux questions de Takuan, Iori raconta tout ce qu'il savait de ses parents. Une fois les questions épuisées, il déclara :

— Une chose que je n'ai jamais sue, c'est ce que ma sœur est devenue. Mon père ne m'en a pas dit grand-chose, et ma mère est morte sans me révéler quoi que ce soit dont je me souvienne. Je ne sais pas où elle vit, ni même si elle est vivante ou morte.

Takuan posa la bourse sur son genou, et en tira un morceau de papier froissé. Tandis qu'il lisait le message énigmatique rédigé par le père d'Iori, la surprise lui fit hausser les sourcils. Regardant fixement Iori, il dit :

— Voici qui nous apprend quelque chose au sujet de ta sœur.

— Je le supposais, mais je ne comprenais pas, non plus que le prêtre du Tokuganji.

Sautant la première partie, Takuan lut à voix haute :

— « Etant donné que j'avais résolu de mourir de faim plutôt que de servir un second seigneur, ma femme et moi avons erré durant des années, menant la vie la plus humble. Une année, nous avons dû abandonner notre ville dans un temple des provinces du centre. Nous avons mis *la musique des sphères* dans ses vêtements de bébé, et confié son avenir au seuil de compassion. Puis nous sommes passés dans une autre province… Plus tard, j'ai acquis ma chaumière dans les champs de Shimōsa. J'ai repensé à cette époque antérieure ; mais l'endroit était éloigné, et nous étions sans nouvelles ; aussi ai-je craint qu'il ne fût pas de l'intérêt de la fille d'essayer de la retrouver. En conséquence, j'ai laissé les choses en l'état... Combien certains parents peuvent être cruels ! Je suis blâmé par les paroles de Minamoto no Sanetomo :

> Les animaux eux-mêmes,
> Incapables d'exprimer leurs sentiments par la parole,
> Ne sont point privés du
> Tendre et généreux amour
> Des parents pour leur progéniture.

« Puissent mes ancêtres avoir pitié de moi qui ai refusé de flétrir mon honneur de samouraï en prenant un second seigneur ! Tu es mon fils. Quelle que soit ton ambition, ne mange pas le millet du déshonneur ! »

En replaçant le papier dans la bourse, Takuan déclara :

— ... Tu pourras voir ta sœur. Je la connais depuis ma jeunesse. Musashi la connaît aussi. Viens avec nous, Iori.

Il n'indiquait pas la raison de ces paroles, non plus qu'il ne mentionnait Otsū ni « la musique des sphères », où il reconnaissait sa flûte. Ils partirent tous ensemble et se hâtèrent vers la cabane où ils arrivèrent peu après que les premiers rayons du soleil levant l'eurent touchée. Elle était vide. Au bord de la plaine, il y avait un seul nuage blanc.

Livre VII

LA PARFAITE LUMIÈRE

Le bœuf emballé

L'ombre de la branche de prunier projetée sur le plâtre blanc du mur par le pâle soleil était belle, avec une retenue évocatrice des dessins à l'encre monochrome. C'était le début du printemps à Koyagyū ; silencieuses, les branches des pruniers semblaient appeler du geste, vers le sud, les rossignols qui afflueraient bientôt dans la vallée.

A la différence des oiseaux, les *shugyōshas* qui se présentaient à la porte du château ne connaissaient aucune saison. Ils affluaient constamment, cherchant ou bien à se faire instruire par Sekishūsai, ou bien à s'essayer contre lui. La litanie variait peu : « S'il vous plaît, une simple passe d'armes » ; « je vous en prie, permettez-moi de le voir » ; « je suis le seul disciple authentique d'untel, qui enseigne à tel endroit ». Depuis dix ans, les gardes faisaient la même réponse : en raison de son grand âge, leur maître était dans l'incapacité de recevoir quiconque. Peu d'hommes d'épée, ou d'apprentis hommes d'épée, se contentaient de cette réponse. Certains se lançaient dans des diatribes sur la signification de la vraie Voie, ajoutant qu'il ne devrait y avoir aucune discrimination entre jeunes et vieux, riches et pauvres, débutants et experts. D'autres se bornaient à supplier ; d'autres encore essayaient inconsidérément de recourir à la corruption. Beaucoup s'en allaient en marmonnant des imprécations.

Le grand public eût-il connu la vérité, à savoir que Sekishūsai était mort à la fin de l'année précédente, les choses auraient sans doute été grandement simplifiées. Mais on avait décidé que puisque Munenori ne pouvait quitter Edo avant le quatrième mois, la mort serait gardée secrète jusqu'à la cérémonie funèbre. L'une des rares personnes, en dehors du château, à connaître la nouvelle était maintenant assise dans une salle de réception, et demandait avec une certaine insistance à voir Hyōgo.

Il s'agissait d'Inshun, le vieil abbé du Hōzōin, qui durant la période de sénilité d'In'ei et après sa mort avait maintenu la réputation du temple en tant que centre d'arts martiaux. Beaucoup croyaient même qu'il l'avait accrue. Il avait fait tout son possible pour conserver les liens étroits qui existaient entre le temple et Koyagyū depuis l'époque d'In'ei et de Sekishūsai. Il voulait voir Hyōgo, disait-il, parce qu'il désirait s'entretenir avec lui des arts martiaux. Sukekurō savait ce qu'il voulait en réalité : faire une passe d'armes avec l'homme que son grand-père avait en privé considéré comme un meilleur homme d'épée que lui-même ou Munenori. Bien entendu, Hyōgo ne voulait pas entendre parler d'un pareil duel qui, d'après lui, ne profiterait à aucune des parties et était par conséquent dépourvu de sens. Sukekurō certifia à Inshun que le message avait été transmis.

— Je suis persuadé que Hyōgo viendrait vous saluer s'il se trouvait en meilleure santé.

— Alors, vous voulez dire qu'il est toujours enrhumé ?

— Oui ; il semble qu'il n'arrive pas à guérir.

— Je ne le savais pas d'une santé aussi fragile.

— Oh ! il ne l'est pas vraiment, mais il a passé quelque temps à Edo, vous savez, et s'habitue mal à ces froids hivers de montagne.

Tandis que les deux hommes bavardaient, un jeune serviteur appelait Otsū dans le jardin de l'enceinte intérieure. Un shoji s'ouvrit, et elle sortit de l'une des maisons, traînant dans son sillage une légère vapeur d'encens. Elle était encore en deuil, plus de cent jours après le décès de Sekishūsai, et son visage avait la blancheur d'une fleur de poirier.

— Où donc étiez-vous ? J'ai cherché partout, dit l'enfant.

— J'étais dans la chapelle bouddhiste.

— Hyōgo vous demande.

Lorsqu'elle entra chez Hyōgo, il lui dit :

— Ah ! Otsū, merci d'être venue. J'aimerais que vous receviez un visiteur de ma part.

— Mais bien sûr.

— Il est ici depuis un bon moment. Sukekurō est allé lui tenir compagnie ; mais écouter ses discours intarissables sur l'Art de la guerre doit avoir épuisé Sukekurō.

— L'abbé du Hōzōin ?

— Tout juste.

Otsū esquissa un sourire, s'inclina et sortit.

Cependant, Inshun interrogeait sans trop de subtilité Sukekurō sur le passé et le caractère de Hyōgo.

— L'on me dit que lorsque Katō Kiyomasa lui a offert un poste, Sekishūsai a refusé d'y consentir à moins que Kiyomasa n'acceptât une condition insolite.

— Vraiment ? Je ne me souviens pas d'avoir jamais entendu pareille chose.

— D'après In'ei, Sekishūsai dit à Kiyomasa qu'étant donné l'extrême irritabilité de Hyōgo, Sa Seigneurie devait promettre que si Hyōgo commettait des offenses majeures, il pardonnerait les trois premières. Sekishūsai n'a jamais passé pour être indulgent envers l'impétuosité. Il devait avoir une affection toute particulière pour Hyōgo.

Ces propos surprirent Sukekurō à tel point qu'ils le laissèrent sans voix jusqu'à l'entrée d'Otsū. Elle sourit à l'abbé, et dit :

— Quel plaisir de vous revoir ! Hélas ! Hyōgo est obligé de préparer un rapport qui doit être envoyé à Edo sur-le-champ, mais il m'a priée de vous transmettre ses excuses de ne pouvoir vous voir cette fois-ci.

Et elle s'affaira à servir du thé et des gâteaux à Inshun et aux deux jeunes prêtres qui l'escortaient. L'abbé sembla déçu mais ignora poliment l'absence de concordance entre l'excuse de Sukekurō et celle d'Otsū.

— Je le regrette. J'avais des renseignements importants à lui communiquer.

— Je me ferai un plaisir de les lui transmettre, dit Sukekurō, et vous pouvez être assuré que nul autre que Hyōgo n'en aura connaissance.

— Oh ! je n'en doute pas, dit le vieux prêtre. Je voulais seulement mettre en garde Hyōgo en personne.

Alors, Inshun rapporta une rumeur qu'il avait entendue, concernant des samouraïs du château d'Ueno dans la province d'Iga. La ligne de démarcation entre Koyagyū et le château se trouvait dans une zone peu habitée, à environ trois kilomètres à l'est ; depuis qu'Ieyasu l'avait confisqué au daimyo chrétien Tsutsui Sadatsugu et réattribué à Tōdō Takatora, de nombreux changements s'étaient produits. Takatora, depuis qu'il était venu y résider l'année précédente, avait réparé le château, révisé le système des impôts, amélioré l'irrigation, et pris d'autres mesures en vue de consolider son pouvoir. Tout cela était de notoriété publique. Ce dont Inshun avait eu vent, c'est que Takatora tentait d'accroître son domaine en repoussant la ligne de démarcation.

D'après les rapports, Takatora avait dépêché un certain nombre de samouraïs à Tsukigase où ils construisaient des maisons, abattaient des pruniers, s'attaquaient aux voyageurs et empiétaient ouvertement sur le domaine du seigneur Yagyū.

— ... Peut-être, commentait Inshun, le seigneur Takatora profite-t-il du fait que vous êtes en deuil. Me prendrez-vous pour un alarmiste ? Il me semble qu'il projette de repousser la limite dans votre direction et d'élever une clôture nouvelle. Si oui, il serait beaucoup plus facile de prendre des mesures maintenant qu'une fois qu'il aura terminé. Si vous restez les bras croisés, je crains que vous ne le regrettiez plus tard.

Etant l'un des principaux vassaux, Sukekurō remercia Inshun de ces renseignements.

— Je vais faire enquêter, et porterai plainte en cas de nécessité.

L'abbé prit congé. Quand Sukekurō alla informer Kyōgo de ces bruits, ce dernier ne fit qu'en rire.

— Laissons faire, déclara-t-il. Quand mon oncle reviendra, il pourra s'en occuper.

Sukekurō, qui savait l'importance de garder le moindre pouce de terre, ne fut guère satisfait de l'attitude de Hyōgo. Il conféra avec les autres samouraïs de haut rang ; ils convinrent que, bien que la discrétion s'imposât, il fallait faire quelque chose. Tōdō Takatora était l'un des plus puissants daimyos du pays.

Le lendemain matin, en sortant du dōjō, au-dessus du Shinkagedō, après son entraînement au sabre, Sukekurō rencontra un garçon de treize ou quatorze ans. L'adolescent s'inclina devant Sukekurō qui lui dit jovialement :

— Salut, Ushinosuke. Encore en train d'épier le dōjō ? Tu m'apportes un cadeau ? Voyons... des pommes de terre sauvages ?

Il ne taquinait qu'à demi : les pommes de terre d'Ushinosuke étaient toujours meilleures que celles de quiconque. Le garçon vivait avec sa mère dans le village de montagne isolé d'Araki, et venait souvent au château vendre du charbon de bois, de la viande de sanglier, etc.

— Pas de pommes de terre aujourd'hui mais j'apporte ceci pour Otsū.

Il tendait un paquet enveloppé dans de la paille.

— Qu'est-ce que ça peut bien être... de la rhubarbe ?

— Non, c'est vivant ! A Tsukigase, il m'arrive d'entendre chanter des rossignols. J'en ai attrapé un !

— Hum, tu viens toujours par Tsukigase, n'est-ce pas ?

— Exact. C'est la seule route.

— Une question : as-tu vu beaucoup de samouraïs par là récemment ?

— Quelques-uns, oui.

— Qu'est-ce qu'ils y font ?

— Ils construisent des cabanes...

— Les as-tu vus élever des clôtures, ou quelque chose de ce genre ?

— Non.

— Est-ce qu'ils ont abattu des pruniers ?

— Mon Dieu, en dehors des cabanes ils ont construit des ponts ; alors, ils ont abattu toutes sortes d'arbres. Pour faire du feu, aussi.

— Est-ce qu'ils arrêtent les gens sur la route ?

— Je ne crois pas. Je ne les ai pas vus le faire.

Sukekurō inclina la tête :

— J'ai ouï dire que ces samouraïs sont du fief du seigneur Tōdō, mais je ne sais pas ce qu'ils font à Tsukigase. Que disent les gens de ton village ?

— Ils disent que ce sont des rōnins chassés de Nara et d'Uji. Ils n'avaient nulle part où vivre ; alors, ils sont venus dans les montagnes.

Malgré les propos d'Inshun, Sukekurō ne trouvait pas déraisonnable cette explication. Ōkubo Nagayasu, le magistrat de Nara, n'avait pas relâché ses efforts pour débarrasser sa juridiction des rōnins indigents.

— ... Où donc est Otsū ? demanda Ushinosuke. Je veux lui donner son cadeau.

Il était toujours impatient de la voir, mais non pas seulement parce qu'elle lui donnait des bonbons et lui disait des choses gentilles. Sa beauté avait quelque chose de mystérieux, d'inhumain. Parfois, il se demandait si elle était femme ou déesse.

— Elle est au château, j'imagine, répondit Sukekurō.

Puis, regardant vers le jardin, il dit :

— ... Ah ! il me semble que tu as de la chance. Ce n'est pas elle, là-bas ?

— Otsū ! appela d'une voix forte Ushinosuke.

Elle se retourna et sourit. Il courut vers elle à perdre haleine et lui tendit son paquet.

— ... Regardez ! J'ai attrapé un rossignol. C'est pour vous.

— Un rossignol ?

Le sourcil froncé, elle ne tendait pas la main. Ushinosuke eut l'air déçu.

— Il a une belle voix, dit-il. Vous n'aimeriez donc pas l'entendre ?

— Si, mais seulement s'il est libre de voler où il veut. Alors, il nous chantera de jolies chansons.

— Vous avez peut-être raison, dit-il avec une petite moue. Voulez-vous que je le relâche ?

— Je te sais gré de vouloir me faire un cadeau, mais oui, ça me rendrait plus heureuse que de le garder.

En silence, Ushinosuke ouvrit le paquet de paille ; comme une flèche, l'oiseau s'envola par-dessus le mur du château.

— ... Là, tu vois comme il est content d'être libre, dit Otsū.

— On dit que les rossignols sont les messagers du printemps, n'est-ce pas ? Quelqu'un va peut-être vous apporter une bonne nouvelle.

— Un messager, apporter une nouvelle aussi bienvenue que le retour du printemps ? Il est vrai qu'il y a quelque chose que je brûle d'entendre.

Otsū se dirigea vers le bois et le bosquet de bambou, derrière le château ; Ushinosuke lui emboîta le pas.

— Où allez-vous ? demanda-t-il.

— Voilà bien longtemps que je ne suis pas sortie. J'avais l'intention de monter sur la colline, voir les fleurs de prunier pour me changer les idées.

— Les fleurs de prunier ? Là-haut, il n'y a pas grand-chose à voir. Vous devriez aller à Tsukigase.

— Ça me paraît une bonne idée. C'est loin ?

— Environ trois kilomètres. Pourquoi n'y allez-vous pas ? J'ai apporté du bois à brûler, aujourd'hui ; aussi, j'ai le bœuf avec moi.

Ayant rarement quitté le château de tout l'hiver, Otsū ne fut pas longue à se décider. Sans dire à personne où elle allait, tous deux descendirent sans se presser jusqu'à la porte de derrière, qui servait aux commerçants et à d'autres personnes ayant affaire au château. Elle était gardée par un samouraï armé d'une lance. Il adressa un salut de la tête et un sourire à Otsū. Ushinosuke était lui aussi une silhouette familière, et le garde le laissa franchir la porte sans vérifier l'autorisation écrite, pour le garçon, de se trouver dans l'enceinte du château. Les gens qui se trouvaient dans les champs et sur la route saluaient cordialement Otsū, qu'ils la connussent ou non. Quand les demeures se firent plus clairsemées, elle se retourna vers le château blanc niché au pied de la montagne, et dit :

— Je pourrai rentrer avant la nuit ?

— Sûr, mais de toute façon je vous raccompagnerai.

— Le village d'Araki est au-delà de Tsukigase, n'est-ce pas ?

— Ça n'a pas d'importance.

Bavardant de choses et d'autres, ils passèrent devant chez un marchand de sel où un homme troquait de la viande de sanglier contre un sac de sel. Sa transaction terminée, il sortit et suivit la route derrière eux. Avec la neige qui fondait, la route devenait de plus en plus mauvaise. Les passants étaient rares.

— Ushinosuke, dit Otsū, tu viens toujours à Koyagyū, n'est-ce pas ?

— Oui.

— Le château d'Ueno n'est donc pas plus proche du village d'Araki ?

— Si, mais au château d'Ueno, il n'y a pas de grand homme d'épée comme le seigneur Yagyū.

— Tu aimes donc l'épée ?

— Oui.

Il arrêta le bœuf, lâcha la corde, et descendit en courant jusqu'au bord du cours d'eau. Il y avait un pont dont une poutre était tombée. Il la remit en place, et attendit que l'homme qui se trouvait derrière eux traversât le premier.

Cet homme avait l'air d'un rōnin. En dépassant Otsū, il la considéra effrontément puis se retourna plusieurs fois du pont et de l'autre rive avant de disparaître dans le pli de la montagne.

— Qui crois-tu que ce soit ? demanda Otsū, nerveuse.

— Il vous a fait peur ?

— Non, mais...

— Il y a des tas de rōnins dans les montagnes, par ici.

— Vraiment ? fit-elle, mal à l'aise.

En se retournant, Ushinosuke lui déclara :

— Otsū, je me demande si vous accepteriez de m'aider. Croyez-vous que vous pourriez demander à Maître Kimura de m'engager ? Je veux dire, vous savez bien : je pourrais ratisser, tirer de l'eau... faire des choses de ce genre.

Depuis peu, le garçon avait reçu de Sukekurō la permission spéciale d'entrer au dōjō regarder les hommes s'entraîner ; mais déjà, il n'avait qu'une ambition. Ses ancêtres portaient le nom de famille de Kikumura ; le chef de famille, depuis plusieurs générations, portait le prénom de Mataemon. Ushinosuke avait décidé que lorsqu'il deviendrait samouraï, il s'appellerait Mataemon ; mais aucun des Kikumura n'avait fait quoi que ce soit de remarquable. Ce serait donc son village qui lui fournirait son nom de famille, et si son rêve se réalisait, il deviendrait universellement célèbre sous le nom d'Araki Mataemon.

En l'écoutant, Otsū pensait à Jōtarō ; un sentiment de solitude s'empara d'elle. Elle avait maintenant vingt-cinq ans ; Jōtarō devait en avoir dix-neuf ou vingt. En regardant autour d'elle les fleurs de prunier — pas encore en plein épanouissement —, elle ne pouvait se défendre du sentiment que le printemps était déjà passé pour elle.

— Rentrons, Ushinosuke, dit-elle soudain.

— Halte ! cria une voix masculine.

Deux rōnins s'étaient joints à celui du marchand de sel. Tous trois vinrent entourer le bœuf, les bras croisés.

— Que voulez-vous ? demanda Ushinosuke.

Les hommes gardaient les yeux fixés sur Otsū.

— Je vois ce que tu veux dire, déclara l'un.

— C'est une beauté, hein ?

— Je l'ai déjà vue quelque part, dit le troisième. A Kyoto, je crois.

— Elle doit être de Kyoto ; sûrement d'aucun des villages du coin.

— Je ne me souviens pas si c'était à l'école Yoshioka ou ailleurs, mais je sais que je l'ai vue.

— Vous étiez à l'école Yoshioka ?

— Trois ans, après Sekigahara.

— Si vous nous voulez quelque chose, dites-le ! reprit Ushinosuke avec irritation. Nous voulons rentrer avant la nuit.

L'un des rōnins le toisa, comme s'il s'apercevait seulement de sa présence :

— Tu es bien d'Araki ? L'un des fabricants de charbon de bois ?

— Oui, et alors ?

— Nous n'avons pas besoin de toi. File chez toi.

— C'est justement ce que je vais faire.

Il tira sur la corde ; un homme lui décocha un regard qui eût fait trembler d'effroi la plupart des jeunes garçons.

— ... Ecartez-vous de là, dit Ushinosuke.

— Cette dame vient avec nous.

— Où ça ?

— Qu'est-ce que ça peut te faire ? Donne-moi cette corde.

— Non !

— Dis donc, il ne me prend pas au sérieux.

Les deux autres hommes, bombant le torse, l'air menaçant, marchèrent sur Ushinosuke.

Otsū s'agrippait à l'échine du bœuf. Le froncement de sourcils d'Ushinosuke disait fort clairement ce qui allait se passer.

— Oh ! non, arrête ! s'écria-t-elle, dans l'espoir d'empêcher le garçon de se livrer à des actes de violence.

Mais la note plaintive qu'il y avait dans la voix de la jeune fille ne réussit qu'à exciter le jeune garçon à l'action. Il donna un vif coup de pied, atteignit l'homme qui se trouvait devant lui, l'envoya chanceler en arrière. A peine le pied d'Ushinosuke eut-il repris contact avec le sol qu'il envoya un coup de tête dans le ventre de l'homme qui se tenait à sa gauche. En même temps, il empoignait le sabre de cet homme et le tirait de son fourreau. Alors, il se mit à faire des moulinets.

Il se déplaçait à la vitesse de l'éclair. Il tourbillonnait et semblait attaquer dans toutes les directions à la fois ses trois adversaires simultanément avec une égale force. Soit que son action brillante fût instinctive ou due à une intrépidité d'enfant, sa tactique peu orthodoxe prit les rōnins par surprise.

Il plongea son sabre dans la poitrine de l'un des hommes. Otsū hurla mais sa voix fut couverte par celle du blessé. Il tomba en direction du bœuf ; un geyser de sang jaillit à la face de l'animal. Epouvanté, le bœuf poussa un cri indescriptible. A cet instant, le sabre d'Ushinosuke lui entailla profondément la croupe. Le bœuf partit au galop. Les deux autres rōnins se précipitèrent vers Ushinosuke, qui bondissait agilement de roc en roc dans le lit du cours d'eau.

— Je n'ai rien fait de mal ! C'est vous ! braillait-il.

Les deux rōnins, se rendant compte qu'il leur échappait, coururent après le bœuf. Ushinosuke regagna d'un saut la route et se mit à leurs trousses en vociférant :

— ... Vous fuyez ? Vous fuyez ?

L'un des hommes fit halte et se retourna à demi :

— Espèce de petit salaud !

— Garde-le pour plus tard ! lui lança l'autre homme.

Le bœuf, aveuglé de frayeur, quitta la route de la vallée et s'élança au sommet d'une colline, en suivit un court moment la crête, puis plongea de l'autre côté. En très peu de temps il couvrit une distance considérable et parvint non loin du fief de Yagyū.

Otsū, les yeux clos, résignée, réussit à éviter d'être jetée à terre en s'accrochant au bât. Elle entendait les voix des gens qu'ils dépassaient, mais était trop commotionnée pour appeler au secours. Non que cela eût servi à quoi que ce fût. Aucune des personnes qui commentaient le spectacle n'avait le courage d'arrêter la bête affolée.

Lorsqu'ils eurent presque atteint la plaine de Hannya, un homme sortant d'un chemin latéral déboucha sur la grand-route de Kasagi. Il portait à l'épaule un étui à lettre, et paraissait un serviteur quelconque. Les gens criaient : « Attention ! Garez-vous ! », mais il continuait de marcher en plein sur le trajet du bœuf.

On entendit alors un terrible craquement.

— Il a été réduit en bouillie !

— L'imbécile !

Mais ce n'était pas ce qu'avaient d'abord cru les badauds. Le son qu'ils avaient perçu n'était pas celui du bœuf heurtant l'homme, mais de l'homme portant un coup d'assommoir au côté de la tête de l'animal. Le bœuf leva latéralement sa lourde encolure, fit demi-tour et repartit dans l'autre direction. Il n'avait pas fait trois mètres qu'il s'arrêta pile, bavant, tremblant de tout son corps.

— Descendez vite, dit l'homme à Otsū.

Les badauds excités s'attroupaient, l'œil fixé sur le pied de l'homme, solidement planté sur la corde.

Une fois sur la terre ferme, Otsū s'inclina devant son sauveteur, bien qu'elle fût encore trop étourdie pour savoir où elle était ou ce qu'elle faisait.

— ... Qu'est-ce qui a bien pu rendre fou un animal aussi doux ? demanda l'homme en menant le bœuf au bord de la route et en l'attachant à un arbre.

Il aperçut le sang sur les jambes de l'animal, et reprit :

— ... Tiens, qu'est-ce que c'est que ça ? Mais il a été blessé... avec un sabre !

Tandis qu'il examinait la blessure en grommelant, Kimura Sukekurō fendit la foule et la dispersa.

— N'êtes-vous pas le serviteur de l'abbé Inshun ? demanda-t-il, hors d'haleine.

— Quelle chance de vous rencontrer ici, monsieur ! J'ai une lettre pour vous de l'abbé. Si vous n'y voyez pas d'inconvénient, j'aimerais vous prier de la lire immédiatement.

Il tira la lettre de l'étui, et la tendit à Sukekurō.

— Pour moi ? demanda Sukekurō, surpris.

S'étant assuré qu'il n'y avait pas d'erreur, il ouvrit la lettre et la lut : « En ce qui concerne les samouraïs de Tsukigase, j'ai, depuis notre conversation d'hier, vérifié qu'ils n'appartiennent pas au seigneur Tōdō. C'est de la racaille, des rōnins expulsés des grandes villes, et qui se sont terrés là pour l'hiver. Je m'empresse de vous informer de cette malheureuse erreur de ma part. »

— ... Merci, dit Sukekurō. Cela s'accorde avec ce que j'ai appris d'une autre source. Dites à l'abbé que je suis très soulagé, et que je suppose qu'il en va de même pour lui.

— Pardonnez-moi de vous remettre cette lettre au milieu de la route. Je transmettrai votre message à l'abbé. Au revoir.

— Un instant. Depuis combien de temps êtes-vous au Hōzōin ?

— Peu de temps.

— Comment vous appelez-vous ?

— Torazō.

— Je me demande... marmonna Sukekurō en scrutant le visage de l'homme. Seriez-vous par hasard Hamada Toranosuke ?

— Non.

— Je n'ai jamais rencontré Hamada, mais il y a un homme au château qui affirme que Hamada est maintenant serviteur d'Inshun.

Torazō, tout rouge, baissa la voix :

— A vrai dire, je suis Hamada. Je suis venu au Hōzōin pour

des raisons personnelles. Afin d'éviter un surcroît de honte à mon maître et à moi-même, je voudrais garder mon identité secrète. Si vous n'y voyez pas d'inconvénient...

— Soyez sans inquiétude. Je n'avais pas l'intention d'être indiscret.

— Vous avez sûrement entendu parler de Tadaaki. Le fait qu'il ait abandonné son école et se soit retiré dans les montagnes était dû à une erreur de ma part. J'ai renoncé à mon rang. Exécuter des tâches subalternes au temple constituera une bonne discipline. Je n'ai pas donné mon vrai nom aux prêtres. Tout cela est bien gênant.

— Le résultat du combat de Tadaaki avec Kojirō n'est pas un secret. Kojirō en a informé tous les gens qu'il a rencontrés entre Edo et Buzen. Si je comprends bien, vous avez résolu de venger votre maître.

— Un de ces jours... Au revoir, monsieur.

Torazō prit congé rapidement, comme incapable de rester là un instant de plus.

Graine de chanvre

Hyōgo s'inquiétait. Après s'être rendu chez Otsū, une lettre de Takuan à la main, il l'avait cherchée dans tout le château, de plus en plus soucieux à mesure que les heures passaient.

La lettre, datée du dixième mois de l'année précédente, mais inexplicablement retardée, parlait de l'imminente nomination de Musashi comme instructeur du shōgun. Takuan demandait qu'Otsū vînt dans la capitale aussitôt que possible étant donné que Musashi aurait bientôt besoin d'une maison et de « quelqu'un pour la tenir ». Hyōgo brûlait d'impatience de voir s'illuminer le visage de la jeune fille.

Ne la trouvant pas, il finit par aller questionner le garde, à la porte ; on lui répondit que des hommes étaient partis à sa recherche. Hyōgo poussa un profond soupir en songeant combien il ressemblait peu à Otsū de plonger son entourage dans l'inquiétude, de s'éloigner sans prévenir. Elle agissait rarement de manière impulsive, même dans les plus petites choses.

Toutefois, avant qu'il ne commençât à envisager le pire, la nouvelle arriva qu'ils étaient de retour, Otsū avec Sukekurō, Ushinosuke avec les hommes envoyés à Tsukigase. Le jeune garçon, qui s'excusait auprès de tout le monde pour nul ne savait quoi, avait manifestement hâte de prendre le large.

— Où donc cours-tu comme ça ? demanda l'un des serviteurs.

— Il faut que je rentre à Araki. Sinon, ma mère s'inquiétera.

— Si tu essaies de rentrer maintenant, dit Sukekurō, ces rōnins t'attraperont, et tu as peu de chances d'en réchapper. Tu peux passer la nuit ici, et partir demain matin.

Ushinosuke marmonna un vague acquiescement ; on lui indiqua un bûcher, dans l'enceinte externe, où dormaient les aspirants samouraïs.

Hyōgo fit signe à Otsū, la prit à part et lui dit ce que Takuan avait écrit. Il ne s'étonna pas lorsqu'elle répondit : « Je partirai demain matin » ; sa rougeur en disait long sur ce qu'elle éprouvait.

Hyōgo lui rappela alors la venue prochaine de Munenori, et suggéra qu'elle regagnât Edo avec lui, tout en sachant parfaitement ce qu'elle répondrait. Elle n'était pas d'humeur à attendre deux jours, à plus forte raison deux mois. Il fit une autre tentative, déclarant que si elle attendait jusqu'après le service funèbre, elle pourrait voyager avec lui jusqu'à Nagoya puisqu'il avait été invité à devenir vassal du seigneur Tokugawa d'Owari. Devant les nouvelles réticences de la jeune fille, il lui dit combien lui déplaisait l'idée qu'elle effectuât seule ce long voyage. Dans chaque ville, dans chaque auberge au long de sa route elle rencontrerait des incommodités sinon de véritables dangers. Elle sourit :

— Vous paraissez oublier que j'ai l'habitude des voyages. Vous n'avez pas d'inquiétude à avoir.

Ce soir-là, lors d'une modeste réunion d'adieu, chacun exprima son affection à Otsū, et le lendemain matin, par un beau temps clair, famille et domestiques se rassemblèrent au portail du devant pour la voir partir.

Sukekurō envoya un homme chercher Ushinosuke, dans l'idée qu'Otsū pourrait monter son bœuf jusqu'à Uji. L'homme leur apprit qu'en fin de compte, le garçon était rentré chez lui la veille au soir ; alors, Sukekurō fit venir un cheval.

Otsū se considérait d'un rang trop inférieur pour recevoir une telle faveur ; elle refusa donc l'offre, mais Hyōgo insista. Le cheval, gris pommelé, fut mené par un aspirant samouraï jusqu'au bas de la pente douce qui aboutissait au portail externe.

Hyōgo fit une partie du chemin, puis s'arrêta. Il ne pouvait le nier : il lui arrivait d'envier Musashi, comme il aurait envié n'importe quel homme qu'eût aimé Otsū. Que le cœur de la jeune fille appartînt à un autre ne diminuait pas l'affection de Hyōgo pour elle. Lors du voyage pour venir d'Edo, elle avait été une compagne délicieuse ; au cours des semaines et des mois qui avaient suivi, il s'était émerveillé du dévouement avec lequel elle soignait son grand-père. Bien que plus fort que jamais, son amour pour elle était sans égoïsme. Sekishūsai lui avait ordonné de la remettre à Musashi ; Hyōgo n'entendait pas faire autre chose. Il n'était pas dans sa nature de convoiter la chance d'un autre homme, ni de songer à l'en priver.

Il était perdu dans sa rêverie lorsque Otsū se retourna et s'inclina pour remercier ses bienfaiteurs. En se mettant en route, elle frôla des fleurs de prunier. Hyōgo, qui regardait inconsciemment tomber les pétales, pouvait presque sentir le parfum. Il avait le sentiment de la voir pour la dernière fois, et trouvait réconfort à prier en silence pour la vie future de la jeune femme. Debout, il la regarda disparaître.

— Monsieur...

Hyōgo se retourna ; un sourire éclaira peu à peu son visage.

— Ushinosuke... Eh bien, eh bien... J'apprends que tu es rentré chez toi hier au soir, après que je t'eus dit de n'en rien faire.

— Oui, monsieur ; ma mère...

Il était encore à un âge où parler de séparation d'avec sa mère l'amenait au bord des larmes.

— Ça n'a pas d'importance. Il est bon pour un garçon de prendre soin de sa mère. Mais comment as-tu évité les rōnins de Tsukigase ?

— Oh ! ç'a été facile.

— Vraiment ?

— Ils n'étaient pas là, dit en souriant le garçon. Ils avaient appris qu'Otsū habitait le château ; aussi avaient-ils peur d'être attaqués. Je suppose qu'ils seront allés de l'autre côté de la montagne.

— Ha ! Ha ! Nous n'avons plus à nous inquiéter d'eux, n'est-ce pas ? As-tu pris ton petit déjeuner ?

— Non, répondit Ushinosuke, un peu gêné. Je me suis levé tôt pour arracher des pommes de terre sauvages pour maître Kimura. Si vous les aimez, je vous en apporterai aussi.

— Merci.

— Savez-vous où est Otsū ?

— Elle vient de partir pour Edo.

— Pour Edo ?...

Il hésita :

— ... Je me demande si elle vous a posé, ou à maître Kimura, la question que je voulais qu'elle vous pose.

— C'est-à-dire ?

— Je souhaite que vous me laissiez devenir serviteur d'un samouraï.

— Pour ça, tu es encore un peu trop jeune. Peut-être quand tu seras plus vieux.

— Mais je veux apprendre l'art du sabre ! Ne voulez-vous pas me l'enseigner ? Je vous en prie ! Je dois apprendre pendant que ma mère est encore en vie.

— As-tu étudié auprès de quelqu'un ?

— Non, mais je me suis entraîné avec mon sabre de bois sur des arbres et des animaux.

— Bon début. Quand tu seras un peu plus vieux, tu pourras venir me rejoindre à Nagoya. J'irai bientôt y vivre.

— C'est tout là-bas dans la province d'Owari, n'est-ce pas ? Je ne peux aller aussi loin pendant que ma mère est encore vivante.

— Viens avec moi, dit Hyōgo, ému.

Ushinosuke le suivit en silence.

— ... Nous irons au dōjō. Je verrai si tu as des dispositions pour devenir homme d'épée.

— Au dōjō ?

Ushinosuke se demanda s'il rêvait. Depuis sa plus tendre enfance, il considérait le vieux dōjō de Yagyū comme un symbole de tout ce à quoi il aspirait au monde. Bien que Sukekurō lui eût dit qu'il pouvait y entrer, il ne l'avait pas encore fait. Mais voici qu'il y était invité par un membre de la famille.

— Rince-toi les pieds.

— Oui, monsieur.

Ushinosuke se rendit à un petit étang, près de l'entrée, et se lava très soigneusement les pieds, en prenant soin de se curer les ongles d'orteils. Une fois à l'intérieur, il se sentit petit, insignifiant. Les poutres et chevrons étaient vieux et massifs, le sol poli comme un miroir. Même la voix de Hyōgo, lorsqu'il dit : « Prends un sabre », sonnait différemment.

Ushinosuke choisit un sabre en chêne noir parmi les armes pendues au mur. Hyōgo en prit un, lui aussi, et, la pointe dirigée vers le sol, s'avança jusqu'au milieu de la salle.

— ... Prêt ? demanda-t-il avec froideur.

— Oui, répondit Ushinosuke en élevant son arme au niveau de la poitrine.

Hyōgo ouvrit légèrement sa garde en diagonale. Ushinosuke était rebroussé comme un hérisson. Le sourcil férocement froncé, il avait le cœur battant. Quand Hyōgo lui signala des yeux qu'il était sur le point d'attaquer, Ushinosuke poussa un fort grognement. Les pieds martelant le sol, Hyōgo se précipita et frappa de côté Ushinosuke à la taille.

— ... Pas encore ! cria le garçon.

Comme s'il eût chassé du pied le sol loin de lui, il bondit plus haut que l'épaule de Hyōgo. Ce dernier tendit la main gauche et poussa légèrement les pieds du garçon vers le haut. Ushinosuke exécuta un saut périlleux et atterrit derrière Hyōgo. Relevé en un clin d'œil, il courut reprendre son sabre.

— Cela suffit, dit Hyōgo.

— Non ; encore une fois !

Empoignant son sabre, Ushinosuke le brandit à deux mains au-dessus de sa tête et vola comme un aigle en direction de Hyōgo. L'arme de Hyōgo, pointée droit vers lui, l'arrêta net dans son élan. Il vit la lueur dans les yeux de Hyōgo, et les siens se remplirent de larmes. « Ce garçon a de la flamme », se dit Hyōgo, mais il feignit d'être en colère :

— Tu te bats en traître ! vociféra-t-il. Tu as sauté par-dessus mon épaule.

Ushinosuke ne savait que répondre à cela.

— ... Tu ne tiens pas compte de ton rang... prendre ainsi des libertés avec tes supérieurs ! ! !... Assieds-toi là.

Le garçon s'agenouilla et tendit les mains devant lui pour se prosterner en signe d'excuse. En s'approchant de lui, Hyōgo lâcha son sabre de bois et dégaina sa propre arme.

— ... Et maintenant, je vais te tuer. Inutile de crier.

— Me-me-me tuer ?

— Tends le cou. Pour un samouraï, *rien* n'est plus important que de respecter les règles de bonne conduite. Tu as beau n'être qu'un jeune paysan, ce que tu as fait est impardonnable.

— Vous allez me tuer uniquement parce que j'ai fait quelque chose de grossier ?

— Tout juste.

Après avoir un instant levé les yeux vers le samouraï, Ushinosuke, avec une expression résignée, tendit les mains en direction de son village et dit :

— Mère, je vais faire partie de la terre de ce château. Je sais combien tu es triste. Pardonne-moi de n'être pas un bon fils.

Après quoi, avec obéissance, il tendit le cou. Hyōgo éclata de rire et remit son sabre au fourreau. Tapotant le dos d'Ushinosuke, il lui dit :

— Tu ne crois pas vraiment que je tuerais un garçon comme toi, n'est-ce pas ?

— Ce n'était pas sérieux ?

— Mais non !

— Vous parliez de l'importance de la bonne conduite. Est-ce bien, de la part d'un samouraï, de faire des plaisanteries pareilles ?

— Ce n'était pas une plaisanterie. Si tu vas t'entraîner pour devenir samouraï, je dois savoir de quel métal tu es fait.

— Je croyais que vous étiez sérieux, dit Ushinosuke, dont la respiration redevenait normale.

— Tu m'as déclaré que tu n'avais pas pris de leçons, fit Hyōgo. Or, quand je t'ai poussé en bordure de la salle, tu as sauté par-dessus mon épaule. Peu d'élèves, même au bout de trois ou quatre ans d'entraînement, seraient capables d'un tel exploit.

— Pourtant, je n'ai jamais étudié avec personne.

— Il n'y a pas de raison de le cacher. Tu dois avoir eu un maître, et un bon. Qui était-ce ?

Le garçon réfléchit quelques instants, puis répondit :

— Oh ! je me souviens comment j'ai appris ça.

— Qui te l'a enseigné ?

— Ce n'était pas un être humain.

— Un lutin, peut-être ?

— Non, une graine de chanvre.

— Quoi ?

— Une graine de chanvre.

— Comment donc as-tu pu apprendre d'une graine de chanvre ?

— Eh bien, là-haut, dans les montagnes, il y a de ces combattants... vous savez, ceux qui semblent disparaître en plein sous vos yeux. Je les ai regardés s'entraîner une ou deux fois.

— Tu veux parler des *ninja*, n'est-ce pas ? Ce doit être le groupe d'Iga que tu as vu. Mais quel rapport avec une graine de chanvre ?

— Eh bien, une fois que l'on a planté le chanvre au printemps, une petite pousse n'est pas longue à lever.

— Et alors ?

— On saute par-dessus. Chaque jour, on s'entraîne à sauter dans les deux sens. Quand le temps devient plus chaud, le chanvre pousse vite — rien ne pousse aussi vite ; aussi doit-on sauter plus haut de jour en jour. Si l'on ne s'exerce pas chaque jour, bientôt le chanvre devient si haut que l'on ne peut plus sauter par-dessus.

— Je vois.

— Je l'ai fait l'an dernier, et l'année d'avant. Du printemps à l'automne.

A cet instant, Sukekurō entra dans le dōjō et dit :

— Hyōgo, voici une autre lettre d'Edo.

Après l'avoir lue, Hyōgo demanda :

— Otsū ne peut être bien loin, n'est-ce pas ?

— Pas plus d'une huitaine de kilomètres, sans doute. Il y a du nouveau ?

— Oui. Takuan dit que la nomination de Musashi a été annulée. Ils semblent avoir des doutes sur son caractère. Je ne crois pas que nous devrions laisser Otsū continuer jusqu'à Edo sans la mettre au courant.

— J'y vais.

— Non. J'y vais moi-même.

Sur un signe de tête à Ushinosuke, Hyōgo quitta le dōjō pour aller tout droit à l'écurie.

Il était à mi-chemin d'Uji lorsqu'il eut des doutes ; l'absence de nomination de Musashi ne changerait rien pour Otsū ; ce qui lui importait, c'était l'homme lui-même, et non son rang. Même si Hyōgo parvenait à la convaincre de rester un peu plus longtemps à Koyagyū, elle voudrait à coup sûr gagner Edo. A quoi bon gâcher son voyage en lui apprenant la mauvaise nouvelle ?

Il fit demi-tour en direction de Koyagyū, et ralentit son allure. Il avait beau paraître en paix avec le monde, une bataille furieuse faisait rage dans son cœur. Si seulement il pouvait voir Otsū encore une fois !

Il tenta de maîtriser ses émotions. Les guerriers avaient leurs moments de faiblesse, leurs moments de folie, comme tout le monde. Son devoir, celui de tout samouraï n'en était pas moins clair : persévérer jusqu'à atteindre un état d'équilibre stoïque. Une fois qu'il aurait franchi la barrière de l'illusion, son âme serait légère et libre, ses yeux ouverts aux saules verdoyants qui l'entouraient, au moindre brin d'herbe. L'amour n'était pas la seule émotion capable d'enflammer un cœur de samouraï. Son monde était un autre monde.

— Quelle foule ! remarqua Hyōgo, le cœur léger.

— Oui ; il ne fait pas souvent aussi beau à Nara, répondit Sukekurō.

— On dirait une partie de campagne.

A quelques pas derrière eux suivait Ushinosuke, à qui Hyōgo s'attachait beaucoup. Maintenant, le garçon venait plus souvent au château, et était en passe de devenir un véritable serviteur. Il portait leurs déjeuners sur son dos, et, attachée à son obi, une paire de sandales de rechange pour Hyōgo.

Ils se trouvaient dans un terrain vague au milieu de la ville. D'un côté, la pagode à cinq étages du Kōfukuji s'élevait au-dessus des bois environnants ; visibles de l'autre côté du champ, les maisons des prêtres bouddhistes et shinto. Bien que la journée fût claire et l'atmosphère printanière, une légère brume planait sur les zones les plus basses, où vivaient les citadins. La foule, de quatre à cinq cents personnes, ne paraissait pas aussi nombreuse à cause de la grandeur du champ. Certains des cervidés pour lesquels Nara était célèbre se glissaient parmi les spectateurs, flairant çà et là quelque bon morceau.

— ... Ils n'ont pas encore fini, n'est-ce pas ? demanda Hyōgo.

— Non, répondit Sukekurō. Ils semblent faire une pause pour déjeuner.

— Alors, même les prêtres doivent manger !

Sukekurō éclata de rire.

En fait c'était un spectacle. Les grandes villes avaient des théâtres ; mais à Nara et dans les villes plus petites, les spectacles se déroulaient en plein air. Prestidigitateurs, danseurs, marionnettistes, ainsi qu'archers et hommes d'épée, tout le monde s'exhibait dehors. Pourtant, l'attraction du jour était plus qu'un simple divertissement. Chaque année, les prêtres-lanciers du Hōzōin organisaient un tournoi qui déterminait l'ordre de préséance au temple. Comme ils se produisaient en public, les concurrents menaient une lutte acharnée ; les passes d'armes étaient souvent violentes et spectaculaires. Devant le Kōfukuji, une pancarte indiquait clairement que le tournoi était ouvert à tous ceux qui se consacraient aux arts martiaux ; mais les étrangers qui osaient affronter les prêtres-lanciers étaient très, très rares.

— ... Pourquoi ne pas nous asseoir quelque part pour déjeuner ? dit Hyōgo. Il semble que nous ayons amplement le temps.

— Quel endroit conviendrait ? demanda Sukekurō en promenant les yeux autour de lui.

— Là-bas ! s'écria Ushinosuke. Vous pouvez vous asseoir là-dessus.

Il désignait un morceau de natte de roseaux qu'il avait ramassé quelque part et déployé sur un agréable tertre. Hyōgo admira l'esprit de ressource du garçon ; de façon générale, il était content de la manière dont l'enfant le servait, bien qu'il ne considérât pas la prévenance comme une qualité idéale pour un futur samouraï. Après qu'ils se furent installés, Ushinosuke servit le frugal repas : boulettes de riz nature, marinade de prunes et beurre de fèves sucré, le tout enveloppé de bambou séché pour le rendre plus facile à transporter.

— Ushinosuke, dit Sukekurō, cours jusqu'à ces prêtres, là-bas, pour avoir du thé. Mais ne leur dis pas pour qui c'est.

— Ce serait assommant s'ils venaient présenter leurs respects, ajouta Hyōgo, un chapeau de vannerie enfoncé jusqu'aux yeux.

Une écharpe, comme en portaient les prêtres, cachait plus qu'à demi les traits de Sukekurō. Tandis qu'Ushinosuke se levait, un autre garçon, à une quinzaine de mètres de là, déclarait :

— Je n'y comprends rien. La natte se trouvait ici même.

— N'y pense plus, Iori, dit Gonnosuke. Ça n'est pas une grande perte.

— Quelqu'un doit nous l'avoir chapardée. Qui crois-tu capable de faire une chose pareille ?

— Ne t'inquiète pas.

Gonnosuke s'assit sur l'herbe, sortit son encre et son pinceau, et se mit à noter ses dépenses dans un petit carnet, habitude qu'il tenait depuis peu d'Iori. A certains égards, Iori était trop sérieux pour son âge. Il veillait de près à ses finances personnelles, ne gaspillait jamais, était d'une netteté méticuleuse, éprouvait de la reconnaissance pour le moindre bol de riz, le moindre beau jour. Bref, il était délicat, et méprisait ceux qui ne l'étaient pas.

Pour quiconque prenait un objet appartenant à autrui, ne fût-ce qu'un morceau de natte bon marché, il n'éprouvait que dédain.

— Tiens, le voilà ! s'écria-t-il. Ces hommes, là-bas, l'ont pris. Dites donc, vous !

Il courut vers eux mais s'arrêta à une dizaine de pas pour réfléchir à ce qu'il allait dire, et se trouva nez à nez avec Ushinosuke.

— Qu'est-ce que tu veux ? gronda Ushinosuke.

— Qu'est-ce que tu veux dire ? aboya Iori.

Le considérant avec la froideur que les gens de la campagne réservent aux étrangers, Ushinosuke lui lança :

— Tu es celui qui nous a appelés !

— Quiconque prend les affaires de quelqu'un d'autre est un voleur !

— Un voleur ! Pourquoi, espèce de salaud ?

— Cette natte nous appartient.

— Cette natte ? Je l'ai trouvée par terre. C'est là tout ce qui te tracasse ?

— Une natte, c'est important pour un voyageur, dit Iori non sans une certaine emphase. Elle le protège de la pluie, lui fournit quelque chose sur quoi dormir. Et ainsi de suite. Rends-la-moi !

— Tu peux la ravoir, mais retire d'abord le mot de voleur !

— Je n'ai pas à m'excuser de reprendre ce qui nous appartient. Si tu ne me la rends pas, je te la reprendrai !

— Essaie un peu. Je suis Ushinosuke d'Araki. Je n'ai pas l'intention de me laisser vaincre par un nabot comme toi. Je suis le disciple d'un samouraï.

— Vraiment ? dit Iori en se redressant. Tu fais le fanfaron avec tous ces gens autour de toi, mais tu n'oserais pas te battre si nous étions seuls.

— Je n'oublierai pas ça !

— Viens ici plus tard.

— Où ?

— Près de la pagode. Viens seul.

Ils se séparèrent ; Ushinosuke alla chercher le thé ; lorsqu'il revint avec une théière en terre, il défia Iori du regard. Les yeux d'Iori lui répondirent. Tous deux croyaient que seule comptait la victoire.

La foule bruyante poussait de-ci de-là, soulevant des nuages de poussière jaune. Au centre du cercle se tenait un prêtre avec une longue lance. L'un après l'autre, ses rivaux s'avançaient pour le défier. L'un après l'autre, ils étaient abattus ou volaient dans les airs.

— Approchez ! criait-il, mais à la fin nul ne vint plus. S'il n'y a personne d'autre, je m'en vais. Y a-t-il une objection à me déclarer, moi, Nankōbō, le vainqueur ?

Après avoir étudié sous In'ei, il avait créé un style à lui et était maintenant le principal rival d'Inshun, absent ce jour-là sous prétexte de maladie. Nul ne savait s'il avait peur de Nankōbō, ou préférait éviter un conflit. Personne ne se présenta ; le robuste prêtre abaissa sa lance, la tint à l'horizontale et annonça :

— ... Il n'y a aucun défi.

— Attendez ! cria un prêtre en courant vers Nankōbō. Je suis Daun, un disciple d'Inshun. Je vous défie.

— Préparez-vous.

Après s'être inclinés l'un devant l'autre, les deux hommes se séparèrent d'un bond. Leurs deux lances restèrent en arrêt l'une en face de l'autre, comme des êtres vivants, si longtemps que la foule, qui s'ennuyait, se mit à leur crier d'agir. Puis tout d'un coup les vociférations cessèrent. La lance de Nankōbō frappa Daun à la tête ; pareil à un épouvantail renversé par le vent, son corps pencha lentement d'un côté puis s'abattit soudain. Trois ou quatre lanciers s'avancèrent en courant, non pour tirer vengeance mais seulement pour emporter le corps. Nankōbō bomba le torse avec arrogance et inspecta la foule.

— ... Il semble qu'il reste quelques braves. Si oui, approchez.

Un prêtre montagnard s'avança de derrière une tente, déposa la malle qu'il portait sur le dos, et demanda :

— Le tournoi n'est-il ouvert qu'aux lanciers du Hōzōin ?

— Non, répondirent en chœur les prêtres du Hōzōin.

Le prêtre s'inclina.

— Dans ce cas, j'aimerais m'essayer. Quelqu'un peut-il me prêter un sabre de bois ?

Hyōgo jeta un coup d'œil à Sukekurō et dit :

— Voilà qui devient intéressant.

— Oui.

— Le résultat ne fait aucun doute.

— Je ne crois pas que Nankōbō risque de perdre.

— Ce n'est pas ce que je voulais dire. Je ne crois pas que Nankōbō acceptera le combat. S'il l'accepte, il perdra.

Sukekurō parut perplexe, mais ne demanda pas d'explication.

Quelqu'un tendit au prêtre vagabond un sabre de bois. Il s'approcha de Nankōbō, s'inclina et proclama son défi. C'était un homme d'une quarantaine d'années ; mais son corps d'acier évoquait non la formation ascétique des prêtres montagnards, mais celle du champ de bataille ; cet homme devait avoir affronté maintes fois la mort, et être prêt à l'accepter philosophiquement. Il parlait avec douceur et son regard était calme. En dépit de son arrogance, Nankōbō n'était pas fou :

— Vous êtes de l'extérieur ? demanda-t-il inutilement.

— Oui, répondit l'autre en s'inclinant de nouveau.

— Attendez une minute.

Nankōbō voyait clairement deux choses : sa technique était peut-être meilleure que celle du prêtre. Il ne pouvait gagner à long terme. Bon nombre d'hommes de guerre célèbres, vaincus à Sekigahara, se déguisaient encore en prêtres errants. Impossible de savoir qui cet homme pouvait bien être.

— ... Je ne peux affronter d'étranger, dit-il en secouant la tête.

— Je viens de demander le règlement, et l'on m'a répondu que c'était possible.

— C'est peut-être possible pour les autres, mais je préfère ne pas combattre d'étrangers. Quand je combats, ce n'est pas dans l'intention de vaincre mon adversaire. Il s'agit d'une activité religieuse où je me discipline l'âme au moyen de la lance.

— Je vois, dit le prêtre avec un petit rire.

Il semblait avoir quelque chose à ajouter, mais il hésitait.

Après l'avoir quelques instants retourné dans sa tête, il quitta le cercle, restitua le sabre de bois et disparut. Nankōbō choisit ce moment pour effectuer sa sortie, sans tenir compte des commentaires chuchotés jugeant qu'il était lâche de sa part de reculer. Escorté par deux ou trois disciples, il s'éloigna à grands pas majestueux comme un général vainqueur.

— Qu'est-ce que je vous disais ? fit Hyōgo.

— Vous ne vous trompiez pas.

— Cet homme est sans aucun doute un de ceux qui se cachent sur le mont Kudo. Troquez sa robe blanche et son écharpe contre un casque et une armure, vous aurez devant vous l'un des grands hommes d'épée d'il y a quelques années.

Quand la foule s'éclaircit, Sukekurō se mit à chercher autour de lui Ushinosuke. Il ne le trouva pas. Sur un signe d'Iori, l'enfant s'était rendu à la pagode où maintenant ils se foudroyaient l'un l'autre du regard.

— Ça ne sera pas ma faute si tu es tué, dit Iori.

— Assez de grands mots, répliqua Ushinosuke en ramassant un bâton pour s'en servir comme d'une arme.

Iori brandit son sabre et s'élança à l'assaut. Ushinosuke bondit en arrière. Iori crut qu'il avait peur, et courut droit sur lui. Ushinosuke sauta par-dessus lui en lui donnant un coup de pied à la tempe. Iori porta la main à sa tête, et s'abattit par terre. Prompt à se remettre, il se releva en un clin d'œil. Les deux garçons s'affrontaient, l'arme haute.

Oubliant ce que lui avaient enseigné Musashi et Gonnosuke, Iori chargea les yeux fermés. Ushinosuke s'écarta légèrement, et le fit choir avec son bâton.

Iori gisait à plat ventre, gémissant, le sabre encore en main.

— Ha ! j'ai gagné ! cria Ushinosuke.

Puis, constatant qu'Iori ne bougeait pas du tout, il prit peur et s'enfuit.

— Non, tu n'as pas gagné ! rugit Gonnosuke, dont le gourdin long de quatre pieds atteignit le garçon à la hanche.

Ushinosuke tomba en poussant un cri de douleur ; mais, sur un coup d'œil à Gonnosuke, il se releva et détala comme un lièvre, pour se heurter la tête la première à Sukekurō.

— Ushinosuke ! Qu'est-ce qui se passe, ici ?

Ushinosuke se cacha promptement derrière Sukekurō, laissant le samouraï face à face avec Gonnosuke. Un instant, il parut que l'affrontement était inévitable. La main de Sukekurō se porta à son sabre ; Gonnosuke serra la sienne sur son gourdin.

— ... Auriez-vous la bonté de me dire, demanda Sukekurō, pourquoi vous donnez la chasse à un simple enfant comme si vous vouliez le tuer ?

— Avant de répondre, permettez-moi de poser une question. L'avez-vous vu abattre ce garçon ?

— Il vous accompagne ?

— Oui. Celui-ci est-il un de vos serviteurs ?

— Pas officiellement.

Il regarda Ushinosuke avec sévérité, et lui demanda :

— ... Pourquoi donc as-tu frappé ce garçon et t'es-tu enfui ? Allons, dis la vérité.

Ushinosuke n'eut pas le temps d'ouvrir la bouche ; Iori leva la tête et cria :

— C'était un duel !

Il se mit avec peine sur son séant, et précisa :

— ... Nous nous sommes battus en duel, et j'ai perdu.

— Vous êtes-vous défiés l'un l'autre selon les règles ? demanda Gonnosuke, une lueur amusée dans les yeux.

Ushinosuke, très embarrassé, répondit :

— Je ne savais pas que c'était sa natte, quand je l'ai ramassée.

Les deux hommes s'adressèrent un large sourire : tous deux étaient conscients que s'ils n'avaient pas eux-mêmes agi avec retenue, une affaire banale et puérile se fût terminée dans le sang.

— Je regrette beaucoup cette histoire, dit Sukekurō.

— Moi aussi. J'espère que vous me pardonnerez.

— N'en parlons plus. Mon maître nous attend ; aussi, je crois que nous ferions mieux d'y aller.

Ils sortirent du portail en riant ; Gonnosuke et Iori allaient à gauche ; Sukekurō et Ushinosuke, à droite. Alors, Gonnosuke se retourna pour dire :

— Puis-je vous demander un renseignement ? Si nous suivons tout droit cette route, nous conduira-t-elle au château de Koyagyū ?

Sukekurō s'approcha de Gonnosuke ; quelques minutes plus tard, quand Hyōgo les rejoignit, il lui dit qui étaient les voyageurs et pourquoi ils se trouvaient là. Hyōgo eut un soupir de sympathie :

— Quel dommage ! Si seulement vous étiez venus voilà trois semaines, avant qu'Otsū ne partît rejoindre Musashi à Edo !...

— Il n'est pas à Edo, répondit Gonnosuke. Nul ne sait où il se trouve, pas même ses amis.

— Qu'est-ce qu'elle va faire, maintenant ? dit Hyōgo qui regrettait de n'avoir pas ramené Otsū à Koyagyū.

Iori avait beau retenir ses larmes, en réalité il eût voulu aller quelque part, tout seul, pleurer tout son soûl. En arrivant, il parlait sans cesse de rencontrer Otsū ; du moins le semblait-il à Gonnosuke. Tandis que la conversation des hommes passait aux événements d'Edo, il s'écarta lentement. Hyōgo demanda à Gonnosuke un supplément d'information sur Musashi, des nouvelles de son oncle, des détails sur la disparition d'Ono Tadaaki. Ses questions et les renseignements fournis par Gonnosuke semblaient sans fin. Ushinosuke rejoignit Iori et lui posa la main sur l'épaule.

— Où vas-tu ? lui demanda-t-il. Tu pleures ?

— Bien sûr que non.

Mais tandis qu'il secouait la tête, ses larmes volaient.

— Hum... Sais-tu arracher les pommes de terre sauvages ?

— Bien sûr.

— Il y a des pommes de terre, là-bas. Tu veux savoir lequel est capable de les arracher le plus vite ?

Iori releva le défi, et ils se mirent à creuser.

Il se faisait tard, et, comme il restait beaucoup à dire, Hyōgo pressa Gonnosuke de passer quelques jours au château. Mais Gonnosuke répondit qu'il préférait poursuivre son voyage. Comme ils se disaient adieu, ils s'aperçurent que les garçons avaient de nouveau disparu. Au bout d'un moment, Sukekurō les désigna en disant :

— Les voilà, là-bas. On dirait qu'ils creusent.

Iori et Ushinosuke s'absorbaient dans leur tâche qui, en raison de la fragilité des racines, les obligeait à creuser avec précaution à une grande profondeur. Les hommes, qu'amusait leur concentration, s'avancèrent sans bruit derrière eux pour les observer durant plusieurs minutes, avant qu'Ushinosuke ne levât les yeux et ne les vît. Il tressaillit légèrement ; Iori se retourna et sourit. Puis ils redoublèrent d'efforts.

— Je la tiens ! s'écria Ushinosuke en tirant une pomme de terre allongée qu'il posa sur le sol.

Voyant le bras d'Iori enfoncé dans le trou jusqu'à l'épaule, Gonnosuke lui dit avec impatience :

— Si tu n'as pas bientôt fini, je pars seul.

Iori, la main sur la hanche ainsi qu'un vieux paysan, se releva péniblement et dit :

— Je n'y arrive pas. Ça me prendrait la fin de la journée.

La mine résignée, il épousseta son kimono.

— Tu ne peux pas attraper la pomme de terre après avoir creusé jusque-là ? demanda Ushinosuke. Tiens, je vais te l'arracher.

— Non, dit Iori en retirant la main d'Ushinosuke. Tu l'abîmerais.

Il reboucha doucement le trou, et le tassa.

— Salut ! lui cria Ushinosuke en brandissant fièrement sa pomme de terre, ce qui révéla que le bout en était brisé.

Ce que voyant, Hyōgo lui déclara :

— Tu as perdu. Tu as peut-être gagné le combat mais tu es disqualifié au concours d'arrachage de pommes de terre.

Balayeurs et marchands

Les fleurs de cerisier étaient pâles, passées, et les fleurs de chardons se fanaient, allusion nostalgique à l'époque, plusieurs siècles auparavant, où Nara était la capitale. Il faisait un peu chaud pour marcher mais ni Gonnosuke, ni Iori ne se lassaient de la route. Iori tira Gonnosuke par la manche et dit d'un air inquiet :

— Ce bonhomme nous suit toujours.

Gardant les yeux droit devant lui, Gonnosuke répondit :

— Fais semblant de ne pas le voir.

— Il est derrière nous depuis que nous avons quitté le Kōfukuji.

— Hum...

— Et il était à l'auberge où nous sommes descendus, non ?

— Ne te tracasse pas. Nous n'avons rien qui mérite d'être volé.

— Nous avons nos vies ! Ça n'est pas rien.

— Ha ! ha ! Je garde ma vie sous clé. Pas toi ?

— Je saurai me défendre, dit Iori en serrant son fourreau de la main gauche.

Gonnosuke savait que l'homme était le prêtre montagnard qui avait défié Nankōbō la veille, mais il n'avait aucune idée de la raison qui le poussait à les suivre. Iori se retourna de nouveau, et dit :

— ... Il n'est plus là.

Gonnosuke se retourna, lui aussi :

— Il se sera lassé.

Il prit une inspiration profonde et ajouta :

— ... Mais je me sens mieux.

Ils passèrent la nuit dans une ferme, et le lendemain matin de bonne heure atteignirent Amano, dans la province de Kawachi. C'était un petit village aux maisons à auvents bas, derrière lequel courait un ruisseau de montagne. Gonnosuke était venu faire poser la plaque funéraire de sa mère au Kongōji, surnommé le mont Kōya des femmes. Mais d'abord il voulait aller voir une femme appelée Oan, qu'il connaissait depuis l'enfance, afin qu'il y eût quelqu'un pour brûler de l'encens devant la plaque, de temps à autre. S'il ne la trouvait pas, il avait l'intention de pousser jusqu'au mont Kōya, le cimetière des riches et des puissants. Il espérait ne pas avoir à s'y rendre ; y aller lui eût donné l'impression d'être un mendiant.

Il s'informa auprès de la femme d'un boutiquier qui lui répondit qu'Oan était l'épouse d'un brasseur appelé Tōroku, et que leur maison était la quatrième à droite, passée l'entrée du temple.

En franchissant le portail, Gonnosuke se demanda si la femme savait de quoi elle parlait : un écriteau déclarait qu'il était interdit d'introduire du saké dans l'enceinte sacrée. Comment pouvait-il y avoir une brasserie à cet endroit ?

Ce petit mystère fut éclairci le soir même par Tōroku, qui leur avait souhaité la bienvenue et avait accepté volontiers de parler à l'abbé de la plaque funéraire. Tōroku raconta que Toyotomi Hideyoshi avait une fois goûté le saké préparé à l'usage du temple, et exprimé son admiration. Les prêtres avaient alors fondé la brasserie pour fabriquer du saké destiné à Hideyoshi et aux autres daimyōs qui contribuaient à l'entretien du temple. Après la mort de Hideyoshi, la production avait un peu baissé mais le temple approvisionnait toujours un certain nombre de bienfaiteurs particuliers.

Le lendemain matin, quand Gonnosuke et Iori se réveillèrent, Tōroku était déjà parti. Il revint un peu après midi, et dit que des dispositions avaient été prises.

Le Kongōji se trouvait situé dans la vallée de la rivière Amano, parmi des pics de la couleur du jade. Gonnosuke, Iori et Kōroku s'arrêtèrent une minute sur le pont menant au portail principal. Des fleurs de cerisier flottaient sur l'eau, sous le pont. Gonnosuke redressa les épaules, et prit une expression respectueuse. Iori arrangea son col.

En s'approchant de la grande salle, ils furent accueillis par l'abbé, un homme de haute taille, assez corpulent, qui portait la robe d'un prêtre ordinaire. Un chapeau de vannerie usée, un long bâton n'eussent pas surpris.

— Est-ce l'homme qui veut faire organiser une cérémonie funèbre pour sa mère ? demanda-t-il d'un ton cordial.

— Oui, monsieur, répondit Tōroku en se prosternant.

Gonnosuke, qui s'était attendu à un ecclésiastique au visage sévère, en brocart d'or, fut un peu confus de cet accueil. Il s'inclina et regarda l'abbé descendre du portique, glisser ses grands pieds dans des sandales de paille sale, et s'arrêter devant lui. Son chapelet à la main, l'abbé leur dit de le suivre, et un jeune prêtre leur emboîta le pas.

Ils passèrent devant la salle de Yakushi, le réfectoire, la pagode d'un étage au trésor et le logis des prêtres. Lorsqu'ils arrivèrent à la salle de Dainichi, le jeune prêtre s'avança et parla à l'abbé. Ce dernier acquiesça d'un signe de tête, et le prêtre ouvrit la porte avec une énorme clé.

Gonnosuke et Iori pénétrèrent ensemble dans la vaste salle, et s'agenouillèrent devant l'estrade des prêtres. Trois bons mètres au-dessus, se dressait une gigantesque statue dorée de Dainichi, le Bouddha universel des sectes ésotériques. Quelques instants plus tard, l'abbé parut derrière l'autel, en soutane, et s'installa sur l'estrade. La psalmodie du sutra commença ; l'abbé sembla subtilement se métamorphoser en grand prêtre plein de dignité ; son autorité se manifestait dans le port de ses épaules.

En face de lui, Gonnosuke joignit les mains. Ce fut comme si un petit nuage lui passait devant les yeux, d'où sortait une image du col de Shiojiri, où lui et Musashi s'étaient mis l'un l'autre à l'épreuve. Sa mère était assise d'un côté, droite comme un I, l'air inquiet, tout comme lorsqu'elle avait crié le mot qui l'avait sauvé pendant ce combat.

« Mère, pensa-t-il, tu n'as pas à t'inquiéter de mon avenir. Musashi a consenti à devenir mon maître. Le jour n'est pas loin où je serai en mesure de fonder ma propre école. Quels que soient les bouleversements du monde, je ne m'écarterai pas de la Voie. Je ne négligerai pas non plus mes devoirs de fils...

Quand Gonnosuke sortit de sa rêverie, la psalmodie avait cessé et l'abbé avait disparu. Assis à côté de lui, Iori était cloué sur place, les yeux rivés au visage de Dainichi, miracle de sensibilité sculpturale, œuvre du grand Unkei au XIIIe siècle.

— Qu'est-ce que tu regardes comme ça, Iori ?

Sans détourner les yeux, le garçon répondit :

— C'est ma sœur. Ce Bouddha ressemble à ma sœur.

Gonnosuke éclata de rire.

— Qu'est-ce que tu racontes ? Tu ne l'as jamais vue. En tout cas, aucun être humain ne saurait avoir la compassion et la sérénité de Dainichi.

Iori secoua la tête avec énergie.

— Je l'ai vue. Près de la résidence du seigneur Yagyū, à Edo. Et je lui ai parlé. Alors, je ne savais pas qu'elle était ma sœur, mais tout à l'heure, pendant que l'abbé chantait, la figure du Bouddha s'est transformée en celle de ma sœur. Elle avait l'air de me dire quelque chose.

Ils sortirent et s'assirent sur le seuil, répugnant à rompre le charme des visions qu'ils venaient d'avoir.

— Le service funèbre était pour ma mère, dit pensivement Gonnosuke. Mais la journée a été bonne aussi pour les vivants. Assis ici, comme cela, on a peine à croire que l'on se batte et que le sang coule.

La flèche métallique de la pagode au trésor étincelait comme une épée ouvragée aux rayons du couchant ; tous les autres bâtiments étaient plongés dans les ténèbres. Des lanternes de pierre bordaient le sentier assombri qui grimpait la colline abrupte jusqu'à une maison de thé de style Muromashi et un petit mausolée.

Près de la maison de thé, une vieille religieuse, coiffée de soie blanche, et un homme grassouillet d'une cinquantaine d'années, balayaient des feuilles avec des balais de paille. La religieuse soupira et dit :

— Il me semble que c'est mieux que ça n'était.

Peu de gens venaient jusqu'à cette partie du temple, fût-ce pour enlever l'accumulation hivernale des feuilles et les squelettes d'oiseaux.

— Tu dois être fatiguée, mère, dit l'homme. Tu devrais t'asseoir et te reposer. Je termine.

Il portait un simple kimono de coton, un manteau sans manches, des sandales de paille, des guêtres de cuir à motif représentant une fleur de cerisier, ainsi qu'un sabre court à poignée en peau de requin sans ornement.

— Je ne suis pas fatiguée, répondit-elle avec un petit rire. Mais toi ? Tu n'es pas habitué à ceci. Tu n'as pas de crevasses aux mains.

— Non, pas de crevasses, mais elles sont couvertes d'ampoules.

La femme se remit à rire en disant :

— Alors, n'est-ce pas un bon souvenir à rapporter chez soi ?

— Ça m'est égal. J'ai le sentiment de m'être purifié le cœur. J'espère que ça veut dire que notre petite offrande de labeur a fait plaisir aux dieux.

— Oh ! il fait tellement sombre, maintenant ! Laissons le reste pour demain matin.

Maintenant, Gonnosuke et Iori se tenaient debout près du portique. Kōetsu et Myōshū descendirent lentement le sentier, main dans la main. Quand ils furent près de la salle de Dainichi, tous deux sursautèrent et s'écrièrent :

— Qui va là ?

Puis Myōshū dit :

— Belle journée, n'est-ce pas ? Vous êtes venus visiter ?

Gonnosuke s'inclina et répondit :

— Non, j'ai fait lire un sutra pour ma mère.

— C'est agréable de rencontrer des jeunes gens qui ont de la reconnaissance envers leurs parents.

Elle tapota la tête d'Iori d'un geste maternel.

— ... Kōetsu, te reste-t-il de ces gâteaux de froment ?

Kōetsu tira de sa manche un petit paquet qu'il offrit à Iori en disant :

— Excuse-moi de t'offrir des restes.

— Gonnosuke, est-ce que je peux accepter ? demanda Iori.

— Oui, répondit Gonnosuke, qui remercia Kōetsu de la part d'Iori.

— A votre façon de parler, il semble que vous soyez de l'Est, dit Myōshū. Puis-je savoir où vous allez ?

— Il semble que ce soit un voyage sans fin sur une route interminable. Ce garçon et moi sommes disciples du même maître sur la Voie du sabre.

— C'est un chemin ardu que vous avez choisi là. Quel est votre maître ?

— Il s'appelle Miyamoto Musashi.

— Musashi ? Pas possible !... s'exclama Myōshū, le regard au loin comme afin d'évoquer un souvenir agréable.

— Où se trouve Musashi, en ce moment ? demanda Kōetsu. Il y a longtemps que nous ne l'avons vu.

Gonnosuke les mit au courant des aventures de Musashi au cours des deux années précédentes. En écoutant, Kōetsu approuvait de la tête et souriait comme pour dire : « C'est bien là ce que j'espérais de lui. » Quand il eut terminé, Gonnosuke ajouta :

— Puis-je demander qui vous êtes ?

— Oh ! pardonnez-moi de ne pas vous l'avoir dit plus tôt,

répondit Kōetsu qui se présenta, ainsi que sa mère. Musashi a séjourné quelque temps chez nous, voilà plusieurs années. Nous l'aimons beaucoup, et parlons souvent de lui, encore maintenant.

Alors, il raconta à Gonnosuke deux ou trois incidents qui s'étaient produits quand Musashi se trouvait à Kyoto. Gonnosuke connaissait de longue date la réputation de Kōetsu en tant que polisseur de sabres ; plus récemment, il avait appris les relations de Musashi avec l'homme. Pourtant, jamais il ne se fût attendu à rencontrer ce riche bourgeois en train de mettre de l'ordre dans le parc négligé d'un temple.

— Y a-t-il ici la tombe de l'un de vos proches ? demanda-t-il. A moins que vous ne soyez venu en excursion ?

— Non, rien d'aussi frivole qu'une excursion ! s'exclama Kōetsu. Pas dans un lieu saint comme celui-ci... Les prêtres vous ont-ils raconté l'histoire du Kongōji ?

— Non.

— Dans ce cas, permettez-moi, à la place des prêtres, de vous mettre un peu au courant. Mais comprenez bien, je vous en prie, que je ne fais que répéter ce que l'on m'a dit.

Kōetsu fit une pause, promena lentement les yeux autour de lui, puis reprit :

— ... Ce soir, nous avons juste la lune qu'il faut.

Et il désigna au-dessus d'eux le mausolée, Mieidō et Kangetsutei ; au-dessous, le Taishidō, le sanctuaire shinto, la pagode au trésor, le réfectoire et le portail à deux étages.

— ... Regardez bien, dit-il, apparemment sous le charme de ce décor solitaire. Ce pin, ces rochers, chaque arbre, chaque brin d'herbe, ici, participent de l'invisible pérennité, de la tradition d'élégance de notre pays.

Il poursuivit dans cette veine, et raconta avec solennité comment au XIVe siècle, lors d'un conflit entre les cours du Sud et du Nord, la montagne avait été une citadelle de la cour du Sud. Comment le prince Morinaga, également connu sous le nom de Daitō no Miya, avait tenu de secrètes conférences en vue de renverser les régents Hōjō. Comment Kusunoki Masashige et d'autres loyalistes avaient combattu les armées de la cour du Nord. Plus tard, les Ashikaga avaient accédé au pouvoir, et l'empereur Go-Murakami, délogé du mont Otoko, avait été forcé de fuir d'un lieu à l'autre. Il finit par se réfugier au temple, et durant nombre d'années mena le même genre de vie que les prêtres montagnards, souffrit les mêmes privations. Il utilisa le réfectoire pour siège de son gouvernement, et travailla inlassablement à recouvrer les prérogatives impériales dont s'étaient emparés les militaires.

A une époque antérieure, quand samouraïs et courtisans s'étaient rassemblés autour des ex-empereurs Kōgon, Kōmyō et Sukō, le moine Zen'e avait écrit de façon poignante : « Les logis des prêtres et les temples montagnards ont tous été balayés. La perte est incalculable. »

Gonnosuke écoutait humblement, respectueusement. Iori, qu'impressionnait la gravité du ton de Kōetsu, ne pouvait détacher les yeux du visage de cet homme. Ce dernier respira profondément et reprit :

— ... Tout, ici, est une relique de cette époque. Le mausolée est la dernière demeure de l'empereur Kōgon. Depuis le déclin des Ashikaga, rien n'a été entretenu comme il faut. Voilà pourquoi nous avons décidé, ma mère et moi, de faire un peu de ménage en signe de respect.

Content de l'attention de son auditoire, Kōetsu chercha les mots capables d'exprimer son émotion sincère :

— ... Alors que nous balayions, nous avons trouvé une pierre avec un poème gravé dessus, peut-être par un prêtre-soldat de ce temps-là. Cela disait :

> La guerre aura beau durer
> Même un siècle,
> Le printemps reviendra.
> Vivez avec une chanson dans le cœur,
> Vous, les sujets de l'empereur.

« Songez au courage, à la grandeur d'âme qu'il fallait à un simple soldat, après s'être battu des années, voire des décennies, afin de protéger l'empereur, pour pouvoir se réjouir et chanter. Je suis certain que c'est parce que l'esprit de Masashige était passé en lui. Bien qu'un siècle de combats se soit écoulé, ce lieu reste un monument élevé à la dignité impériale. N'est-ce pas là quelque chose dont nous devrions être bien reconnaissants ?

— Je ne savais pas que c'était le site d'une bataille sacrée, dit Gonnosuke. J'espère que vous me pardonnerez mon ignorance.

— Je suis content d'avoir eu l'occasion de partager avec vous quelques-unes de mes idées sur l'histoire de notre pays.

Tous quatre descendirent la colline ensemble. Au clair de lune, leurs ombres paraissaient ténues, immatérielles. En passant devant le réfectoire, Kōetsu dit :

— ... Nous sommes ici depuis sept jours. Nous partons demain. Si vous rencontrez Musashi, veuillez lui dire de revenir nous voir.

Gonnosuke lui assura qu'il n'y manquerait pas.

Le cours d'eau rapide et peu profond qui longeait le mur d'enceinte du temple ressemblait à un fossé naturel, enjambé par un pont à chaussée en terre battue.

A peine Gonnosuke et Iori avaient-ils mis le pied sur le pont qu'une imposante silhouette blanche armée d'un gourdin sortit de l'ombre et s'élança derrière Gonnosuke, lequel évita l'attaque en s'écartant ; mais Iori fut jeté à bas du pont.

L'homme dépassa Gonnosuke et se précipita sur la route. Il se retourna et se mit en garde, sur ses jambes robustes comme de petits troncs d'arbres. Gonnosuke vit que c'était le prêtre qui le suivait la veille.

— Qui êtes-vous ? cria Gonnosuke.

Le prêtre ne répondit pas. Gonnosuke brandit son gourdin et cria :

— ... Qui êtes-vous ? Pour quelle raison vous attaquez-vous à Musō Gonnosuke ?

Le prêtre fit la sourde oreille. Ses yeux lançaient des flammes tandis que ses orteils, saillant des lourdes sandales de paille, s'avançaient centimètre par centimètre.

Gonnosuke grondait et jurait à mi-voix. Ses membres courts et pesants gonflés par la volonté de combattre, lui aussi s'avançait centimètre par centimètre.

Le bâton du prêtre se cassa en deux avec un craquement sonore. Une partie vola dans les airs : le prêtre précipita l'autre de toutes ses forces au visage de Gonnosuke. Il le manqua ; mais tandis que Gonnosuke reprenait son équilibre, son adversaire tirait son sabre et sautait sur le pont.

— Espèce de salaud ! cria Iori.

Le prêtre, le souffle coupé, porta la main à son visage. Les petites pierres lancées par Iori avaient atteint leur but ; l'une l'avait frappé en plein dans l'œil. Il tourbillonna sur lui-même et s'enfuit sur la route.

— ... Arrête ! cria Iori en grimpant sur la berge, la main pleine de cailloux.

— Laisse, dit Gonnosuke, prenant le bras d'Iori.

— Ça lui apprendra, triompha Iori, qui lança les pierres en direction de la lune.

Peu après qu'ils furent rentrés chez Tōroku et se furent couchés, une bourrasque se leva. Le vent rugissait à travers les arbres, menaçait d'arracher le toit, mais ce n'était pas la seule chose qui les empêchait de s'endormir.

Gonnosuke demeurait éveillé, à songer au passé et au présent, à se demander si le monde avait réellement progressé par rapport à autrefois. Nobunaga, Hideyoshi et Ieyasu avaient gagné le cœur du peuple, ainsi que le pouvoir ; mais, se demandait Gonnosuke, n'avait-on pas presque oublié le véritable souverain, et poussé le peuple à adorer de faux dieux ? L'époque des Hōjō et des Ashikaga avait été détestable, en contradiction flagrante avec le principe même sur quoi le pays reposait. Pourtant, même alors, de grands hommes de guerre tels que Masashige et son fils, et des loyalistes venus de nombreuses provinces, avaient suivi le vrai code du guerrier. Qu'était devenue la Voie du samouraï ? se demandait Gonnosuke. Pareille à la Voie du citadin et à la Voie du paysan, elle ne semblait plus exister que pour le compte du chef militaire.

Les pensées de Gonnosuke lui échauffaient tout le corps. Les pics de Kawachi, les bois qui entouraient le Kongōji, les hurlements de la tempête, semblaient devenir des êtres vivants qui l'appelaient en rêve.

Iori ne pouvait chasser de son esprit le prêtre inconnu. Beaucoup plus tard, quand la tempête s'intensifia, il songeait encore à la silhouette blanche et fantomatique. Il tira les couvertures par-dessus ses yeux et tomba dans un sommeil profond, sans rêve.

Le lendemain, lorsqu'ils se mirent en route, les nuages au-dessus des montagnes avaient les couleurs de l'arc-en-ciel. Juste au sortir du village, un marchand ambulant sortit de la brume du matin et leur souhaita jovialement le bonjour.

Gonnosuke répondit pour la forme. Iori, absorbé dans les pensées qui l'avaient tenu éveillé la veille au soir, n'était pas plus causant. L'homme essaya de lier conversation :

— Vous avez passé la nuit chez Tōroku, n'est-ce pas ? Je le connais depuis des années. Des gens bien, lui et sa femme.

Ce qui ne tira qu'un grognement aimable de Gonnosuke.

— Je passe aussi de temps en temps au château de Koyagyū, dit le marchand. Kimura Sukekurō est fort aimable avec moi.

Nouveau grognement.

— ... Je vois que vous êtes allés au « mont Kōya des femmes ». Je suppose que vous allez maintenant au mont Kōya proprement dit. C'est juste le bon moment de l'année. Il n'y a plus de neige et l'on a réparé toutes les routes. Vous pouvez prendre votre temps pour franchir les cols d'Amami et Kiimi, passer la nuit à Hashimoto ou Kamuro...

Cette enquête de l'homme sur leur itinéraire rendit Gonnosuke soupçonneux.

— Que vendez-vous ? demanda-t-il.

— De la corde tressée , répondit l'homme en désignant le petit ballot qu'il portait sur le dos. Cette corde est en coton tressé à plat. L'invention en est récente, mais devient vite populaire.

— Je vois, dit Gonnosuke.

— Tōroku m'a beaucoup aidé en parlant de ma corde aux fidèles du Kongōji. Au fait, je me proposais de passer la nuit dernière chez lui, mais il m'a dit qu'il avait déjà deux hôtes. Ça m'a un peu déçu. Quand je couche chez lui, il me remplit toujours de bon saké, ajouta-t-il en riant.

Gonnosuke se détendit un peu, et se mit à poser des questions sur certains endroits de la route : le marchand connaissait comme sa poche la campagne environnante. Le temps d'arriver au plateau d'Amami, la conversation était devenue assez cordiale.

— Hé, Sugizō !

Un homme leur courait après sur la route.

— ... Pourquoi es-tu parti en me laissant tomber ? Je t'attendais au village d'Amano. Tu avais dit que tu passerais m'y prendre.

— Pardon, Gensuke, dit Sugizō. J'ai fait route avec ces deux-là, et nous avons lié conversation. Je t'ai complètement oublié, ajouta-t-il en riant et en se grattant la tête.

Gensuke, habillé comme Sugizō, se révéla être aussi marchand de corde. En cheminant, les deux marchands se mirent à parler affaires.

Ils arrivèrent à un ravin profond d'environ six mètres. Soudain, Sugizō se tut et le désigna.

— Oh ! voilà qui est dangereux, dit-il.

Gonnosuke s'arrêta pour examiner le ravin, peut-être un trou laissé par un très ancien tremblement de terre.

— Qu'est-ce qui ne va pas ? demanda-t-il.

— Ces planches... elles ne sont pas sûres à traverser. Voyez, là : certaines des pierres qui les soutiennent ont été emportées par l'eau. Nous allons réparer ça pour que les planches soient solides. Il faut le faire dans l'intérêt des autres voyageurs, ajouta-t-il.

Gonnosuke les regarda, accroupis au bord de la falaise, entasser pierres et terre sous les branches. Tout en songeant que ces deux marchands voyageaient beaucoup, et par conséquent connaissaient mieux que personne les aléas du voyage, il était un peu surpris. Rares étaient leurs pareils qui se souciaient assez d'autrui pour se donner la peine de réparer un pont.

Iori ne réfléchissait pas à la question. Impressionné par leur étalage d'altruisme, il les aidait en ramassant des pierres à leur intention.

— Ça devrait aller, dit Gensuke, qui posa le pied sur le pont, conclut qu'il était sûr et dit à Gonnosuke : Je passe en premier.

Les bras écartés pour assurer son équilibre, il passa rapidement de l'autre côté puis fit signe à ses compagnons de le suivre. Sur les instances de Sugizō, Gonnosuke le suivit, Iori sur ses talons. Ils n'étaient pas tout à fait au milieu lorsqu'ils laissèrent échapper un cri de surprise. Devant eux, Gensuke les menaçait d'une lance. Gonnosuke regarda derrière lui, et vit que Sugizō s'était lui aussi muni d'une lance.

« D'où viennent ces lances ? » se demanda Gonnosuke. Il jura et se mordit les lèvres de colère, devant cette situation délicate.

— Gonnosuke, Gonnosuke...

Dépassé par les événements, Iori se cramponnait à la taille de son ami tandis que ce dernier, entourant le garçon de son bras, fermait un instant les yeux et confiait sa vie à la volonté du ciel.

— ... Les gredins !

— Silence ! cria le prêtre, qui se tenait plus haut sur la route, derrière Gensuke, l'œil gauche noir et enflé.

— Reste calme, dit Gonnosuke à Iori d'un ton apaisant. Puis il cria :

— ... Ainsi, vous êtes derrière cela ! Eh bien, prenez garde, espèces de sales voleurs ! Cette fois, vous vous êtes trompés d'adresse !

Le prêtre considéra froidement Gonnosuke.

— Tu ne vaux pas la peine qu'on te vole. Nous le savons. Si tu n'es pas plus malin que ça, à quoi bon essayer d'être un espion ?

— Tu me traites d'espion ?

— Chien de Tokugawa ! Jette ce gourdin. Mets les mains derrière le dos. Et n'essaie pas de jouer au plus fin.

— Ah ! soupira Gonnosuke, comme si la volonté de se battre l'abandonnait. Ecoutez-moi : vous vous trompez. Je viens bien d'Edo, mais je ne suis pas un espion. Je m'appelle Musō Gonnosuke. Je suis un *shugoyōsha.*

— Trêve de mensonges.

— Qu'est-ce qui vous fait croire que je suis un espion ?

— Nos amis de l'Est nous ont dit, voilà quelque temps, de nous méfier d'un homme qui voyage avec un jeune garçon. Tu es envoyé ici par le seigneur Hōjō d'Awa, n'est-ce pas ?

— Non.

— Lâche ce bâton et suis-nous sans résistance.

— Je n'ai l'intention de vous suivre nulle part.

— Alors, tu vas mourir ici même.

Gensuke et Sugizō se rapprochaient d'eux par l'avant et l'arrière, lances pointées.

Pour mettre Iori hors de danger, Gonnosuke le poussa dans le dos. Avec un cri aigu, Iori plongea dans les buissons qui tapissaient le fond du ravin.

Gonnosuke tonna : « Ya-a-ah ! » et se jeta sur Sugizō.

Pour être efficace, la lance a besoin d'espace et d'un bon synchronisme. Sugizō tendit le bras pour frapper mais manqua l'instant exact. Son fer ne rencontra que l'air. Gonnosuke se rua sur lui et il tomba en arrière, son adversaire au-dessus de lui. Quand Sugizō tenta de se relever, Gonnosuke lui envoya son poing en pleine figure. Sugizō montra les dents mais l'effet était grotesque : sa face était déjà une bouillie sanglante. Gonnosuke se releva, et se servit de la tête de Sugizō comme d'un tremplin pour gagner l'extrémité du pont. Le gourdin brandi, il cria :

— ... Je vous attends ici, espèces de lâches !

Au moment même où il criait, trois cordes se glissèrent en haut de la pente d'herbe. L'une s'enroula autour du bras de Gonnosuke, l'autre autour de ses jambes, et la troisième autour de son cou. Un instant plus tard, une quatrième corde s'enroula autour de son bâton.

Gonnosuke se tortilla comme un insecte pris dans une toile d'araignée, mais pas longtemps. Une demi-douzaine d'hommes s'élancèrent hors des bois, derrière lui. Il fut bientôt par terre, réduit à l'impuissance, ficelé plus serré qu'un ballot de paille. A l'exception du prêtre peu amène, tous ses ravisseurs étaient vêtus en marchands de corde.

— Pas de chevaux ? demanda le prêtre. Je ne veux pas faire à pied, avec lui, tout le chemin du mont Kudo.

— Nous pourrons probablement louer un cheval au village d'Amami.

Une fleur de poirier

Dans la sombre et solennelle forêt de cryptomerias, les voix des humbles pies-grièches, mêlées à celles des célestes bulbuls, évoquaient les sonorités précieuses du mythique oiseau Kalavinka.

Deux hommes, qui descendaient du sommet du mont Kōya, où ils avaient visité les salles et les pagodes du Kongōbuji et s'étaient prosternés dans le sanctuaire intérieur, s'arrêtèrent sur un petit pont en dos d'âne entre les enceintes intérieure et extérieure du temple.

— Nuinosuke, dit pensivement le plus âgé, le monde est bien fragile et impermanent, tu ne trouves pas ?

D'après son lourd manteau sans apprêt et son *hakama* utilitaire, on aurait pu le prendre pour un samouraï campagnard, n'eût été ses sabres d'une exceptionnelle qualité, et le fait que son compagnon était beaucoup trop courtois et bien tenu pour un serviteur de samouraï provincial.

— ... Tu les as vus, n'est-ce pas ? continua-t-il. Les tombeaux d'Oda Nobunaga, Akechi Mitsuhide, Ishida Mitsunari, Kobayakawa Kingo : tous, voilà quelques années à peine, de brillants et célèbres généraux. Et là-bas, ces pierres couvertes de mousse marquent l'emplacement funéraire de membres importants des clans Minamoto et Taira.

— Amis et ennemis... tous ensemble ici, n'est-ce pas ?

— Tous, rien de plus que des pierres solitaires. Des noms comme Uesugi et Takeda étaient-ils vraiment grands, ou ne faisions-nous que rêver ?

— Cela me donne une étrange impression. En quelque sorte, il me semble que le monde où nous vivons est irréel.

— Est-ce bien cela ? A moins que ce ne soit cet endroit-ci qui est irréel ?

— Hum... Qui sait ?

— Qui crois-tu qui ait eu l'idée de nommer ceci le pont des Illusions ?

— C'est un nom bien choisi, vous ne trouvez pas ?

— Je crois que l'illusion est la vérité, tout comme l'illumination est la réalité. Si l'illusion était irréelle, le monde ne pourrait exister. Un samouraï qui consacre sa vie à son maître ne saurait un seul instant se permettre d'être nihiliste. Et voilà pourquoi le Zen que je pratique est un Zen vivant. C'est le Zen du monde corrompu, le Zen de l'enfer. Un samouraï qui tremble à la pensée de l'impermanence ou méprise le monde ne peut accomplir ses devoirs... Assez de cet endroit. Retournons à l'autre monde.

Il marchait vite, d'un pas remarquablement assuré pour un homme de son âge. Apercevant des prêtres du Seiganji, il fronça le sourcil et bougonna :

— ... Pourquoi ont-ils fait cela ?

Il avait passé la nuit précédente au temple ; et voici qu'une vingtaine de jeunes prêtres, alignés le long de l'allée, attendaient son départ, bien qu'il eût fait ses adieux le matin dans l'intention d'éviter ce genre de manifestation. Il endura l'épreuve, distribua des au-revoir polis, et se hâta de prendre la route qui dominait la bigarrure des vallées appelées Kujūkutani. Il ne se détendit qu'en regagnant le monde ordinaire. Conscient qu'il était du caractère faillible de son propre cœur humain, le parfum de ce monde le soulageait.

— Salut, qui êtes-vous ?

Cette question l'atteignit comme un coup à un tournant de la route.

— Qui êtes-vous, vous-même ? demanda Nuinosuke.

Le samouraï bien bâti, au teint clair, qui se tenait au milieu de la route, répondit poliment :

— Pardonnez-moi si je me trompe, mais n'êtes-vous pas le vassal principal du seigneur Hosokawa Tadatoshi, Nagaoka Sado ?

— Je suis bien Nagaoka. Qui donc êtes-vous, et comment saviez-vous que j'étais dans les parages ?

— Je m'appelle Daisuke. Je suis le fils unique de Gessō, qui vit retiré sur le mont Kudo.

Voyant que ce nom restait sans effet, Daisuke reprit :

— ... Mon père a depuis longtemps rejeté son ancien nom, mais jusqu'à la bataille de Sekigahara il se nommait Sanada Saemonnosuke.

— Vous voulez dire Sanada Yukimura ?

— Oui, monsieur.

Avec une timidité peu compatible avec son allure, Daisuke ajouta :

— ... Un prêtre du Seiganji est passé chez mon père, ce matin. Il a dit que vous étiez venu faire un bref séjour au mont Kōya. Bien que nous ayons appris que vous voyagiez incognito, mon père a pensé qu'il serait dommage de ne pas vous inviter à prendre avec lui une tasse de thé.

— C'est fort aimable de sa part, répondit Sado.

Il fronça un instant le sourcil, puis dit à Nuinosuke :

— ... Je crois que nous devrions accepter, tu ne crois pas ?

— Oui, monsieur, répondit Nuinosuke sans enthousiasme.

— Il est encore assez tôt dans la journée, dit Daisuke, mais mon père serait honoré si vous passiez la nuit sous notre toit.

Sado eut un moment d'hésitation : il se demandait s'il était sage d'accepter l'hospitalité d'un homme considéré comme un ennemi des Tokugawa ; puis il acquiesça de la tête et répondit :

— Nous pourrons décider cela plus tard, mais je serais enchanté de prendre une tasse de thé avec votre père. Tu es d'accord, Nuinosuke ?

— Oui, monsieur.

Nuinosuke paraissait un peu nerveux ; mais en se mettant en route derrière Daisuke, maître et serviteur échangèrent des coups d'œil d'intelligence.

A partir du village du mont Kudo, ils grimpèrent un peu plus haut à flanc de montagne jusqu'à une résidence située à l'écart des autres maisons. Le terrain, entouré d'un mur bas de pierre surmonté d'une clôture, évoquait la demeure à demi fortifiée d'un seigneur de la guerre provincial de moindre importance ; mais en fin de compte, on avait une impression de raffinement plutôt que d'efficacité militaire.

— Mon père est là-bas, près de ce bâtiment couvert de chaume, déclara Daisuke alors qu'ils franchissaient le portail.

Il y avait un petit jardin potager, suffisant pour fournir en oignons et en légumes verts les soupes du matin et du soir. La maison principale se dressait devant une falaise ; près de la véranda latérale s'étendait un bosquet de bambou, au-delà duquel on devinait deux autres maisons.

Nuinosuke s'agenouilla sur la véranda, à l'extérieur de la pièce où l'on introduisit Sado. Ce dernier s'assit et remarqua :

— Quel calme !

Quelques minutes plus tard, une jeune femme qui paraissait être l'épouse de Daisuke servit le thé et se retira.

En attendant son hôte, Sado contempla la vue : le jardin et la vallée. Au-dessous était le village, et au loin le bourg de Kamuro. Des fleurs minuscules s'épanouissaient sur la mousse accrochée au toit de chaume en surplomb, et l'on respirait l'agréable parfum d'un encens rare. Bien qu'il ne pût le voir, Sado entendait le ruisseau qui traversait le boqueteau de bambou.

La pièce elle-même donnait un sentiment d'élégance discrète ; elle rappelait sans emphase que le possesseur de cette demeure sans prétention était le deuxième fils de Sanada Masayuki, seigneur du château d'Ueda et bénéficiaire d'un revenu de cent quatre-vingt-dix mille boisseaux.

Les montants et les poutres étaient fins, le plafond bas. Derrière la petite alcôve rustique, le mur était de simple argile rouge. L'arrangement floral, dans l'alcôve, consistait en un seul rameau de fleurs de poirier dans un mince vase de céramique jaune et vert pâle. Sado songeait à la « solitaire fleur de poirier baignée par la pluie printanière » de Po Chü-i, et à l'amour qui unissait l'empereur de Chine et Yang Kuei-fei, ainsi que le raconte le *Chang He Ke*. Il avait l'impression d'entendre un sanglot silencieux.

Son regard se posa sur le rouleau mural accroché au-dessus de l'arrangement floral. Les caractères, gros et naïfs, formaient « Hōkoku Daimyōjin », nom donné à Hideyoshi lorsqu'il fut élevé au rang de dieu après sa mort. D'un côté, une note en caractères beaucoup plus petits indiquait que c'était l'œuvre du fils de Hideyoshi, Hideyori, à l'âge de huit ans. Trouvant discourtois envers la mémoire de Hideyoshi de tourner le dos au rouleau, Sado changea légèrement de place. Ce faisant, il se rendit soudain compte que l'agréable odeur provenait non d'un encens qui brûlait au moment même, mais des murs et du shoji qui devaient avoir absorbé l'arôme alors que l'encens était disposé là matin et soir pour purifier la pièce en l'honneur de Hideyoshi. Vraisemblablement, il était fait aussi une offrande quotidienne de saké, comme pour les divinités shinto établies.

« Ah ! pensa-t-il, Yukimura a bien envers Hideyoshi la dévotion que l'on dit. » Ce qu'il n'arrivait pas à comprendre, c'est pourquoi Yukimura ne cachait pas le rouleau. Il avait la réputation d'être un homme imprévisible, un homme de l'ombre, guettant le moment propice pour regagner le centre des affaires du pays. Il ne fallait pas beaucoup d'imagination pour se représenter des hôtes en train de rapporter ensuite ses sentiments au gouvernement Tokugawa.

Des pas s'approchèrent le long du corridor extérieur. Le petit homme mince qui pénétra dans la pièce portait un manteau sans manches, avec uniquement un sabre court sur le devant de son obi. Il respirait la modestie. Tombant à genoux et se prosternant, Yukimura dit :

— Pardonnez-moi d'avoir envoyé mon fils vous chercher et d'avoir interrompu votre voyage.

Cette manifestation d'humilité rendait Sado mal à l'aise. Du point de vue légal, Yukimura avait renoncé à son rang. Il n'était maintenant qu'un rōnin qui avait pris le nom bouddhiste de Denshin Gessō. Il n'en était pas moins fils de Sanada Masayuki, et son frère aîné, Nobuyuki, était un daimyō étroitement lié aux Tokugawa. Simple vassal, Sado était d'un rang bien inférieur.

— Il ne faut pas vous prosterner devant moi de la sorte, protesta-t-il en rendant le salut. C'est un honneur et un plaisir inattendus que de vous rencontrer de nouveau. Je suis content de voir que vous êtes en bonne santé.

— Vous paraissez l'être aussi, répondit Yukimura qui se détendait alors que Sado se trouvait encore prosterné. Je suis content d'apprendre que le seigneur Tadatoshi a bien regagné Buzen.

— Merci. Voilà trois ans que le seigneur Yūsai est décédé ; aussi a-t-il pensé que le moment était venu.

— Il y a si longtemps ?

— Oui. Je suis allé moi-même à Buzen, bien que je n'aie aucune idée de l'utilité que peut avoir pour le seigneur

Tadatoshi une relique telle que moi. J'ai servi son père et son grand-père également, comme vous savez.

Une fois terminées les civilités, lorsqu'ils se mirent à parler de choses et d'autres, Yukimura demanda :

— Avez-vous vu notre maître du Zen, ces temps-ci ?

— Non, voilà quelque temps que je n'ai pas vu Gudō, et que je suis sans nouvelles de lui. Cela me rappelle que c'est dans sa salle de méditation que je vous ai rencontré pour la première fois. Vous n'étiez qu'un enfant alors, et vous vous trouviez avec votre père.

Sado souriait, heureux d'évoquer l'époque où il avait été chargé de construire le Shupoin, un édifice dont les Hosokawa avaient fait don au Myōshinji.

— Ils étaient nombreux à venir trouver Gudō pour se faire arrondir les angles, dit Yukimura. Il les acceptait tous, jeunes ou vieux, daimyōs ou rōnins.

— En réalité, je crois qu'il aimait surtout les jeunes rōnins, dit Sado, rêveur. Il avait coutume de déclarer qu'un véritable rōnin ne recherchait pas la renommée ou le profit, ne s'insinuait pas dans les bonnes grâces des puissants, n'essayait pas d'utiliser le pouvoir politique à ses propres fins, ne se dispensait pas des jugements moraux. Plutôt, il était aussi large d'esprit que les nuées flottantes, aussi prompt à l'action que la pluie, et parfaitement satisfait au sein de la pauvreté. Jamais il ne se fixait de buts, et jamais il ne nourrissait de rancunes.

— Après tant d'années, vous vous souvenez de cela ? demanda Yukimura.

Sado acquiesça très légèrement de la tête.

— Il assurait aussi qu'un vrai samouraï est aussi difficile à trouver qu'une perle dans la vaste mer bleue. Les os enfouis des innombrables rōnins qui sacrifièrent leur vie pour le bien du pays, il les comparait à des colonnes soutenant la nation.

Ce disant, Sado regardait Yukimura droit dans les yeux ; mais ce dernier ne parut pas saisir l'allusion aux hommes du rang que lui-même avait adopté.

— A propos, dit-il, l'un des rōnins assis aux pieds de Gudō à l'époque était un jeune homme de Mimasaka du nom de Miyamoto...

— Miyamoto Musashi ?

— C'est cela, Musashi. Il me donnait l'impression d'être un homme d'une grande profondeur, bien qu'il n'eût qu'une vingtaine d'années dans ce temps-là, et son kimono était toujours dégoûtant.

— Ce doit être lui.

— Alors, vous vous le rappelez ?

— Non ; je n'ai entendu parler de lui que récemment, quand j'étais à Edo.

— C'est un homme à suivre. Gudō disait que sa façon d'aborder le Zen était prometteuse ; aussi, je gardais un œil sur lui. Et puis, il a disparu soudain. Un an ou deux plus tard, j'ai appris qu'il avait remporté une brillante victoire contre la Maison de Yoshioka. Je me rappelle avoir pensé à l'époque que Gudō devait être un juge fort perspicace.

— Je l'ai rencontré tout à fait par hasard. Il était à Shimōsa, et enseignait à des villageois comment se protéger contre les bandits. Plus tard, il les a aidés à transformer en rizière une terre inculte.

— Peut-être est-il le véritable rōnin que Gudō avait en tête : la perle dans la vaste mer bleue.

— Vous le croyez vraiment ? Je l'ai recommandé au seigneur Tadatoshi, mais je crains fort qu'il ne soit aussi difficile à trouver qu'une perle. Vous pouvez être certain d'une chose. Si un samouraï comme celui-là prenait un poste officiel, ce ne serait pas pour l'argent. Il lui importerait avant tout d'accorder son travail à ses idéaux. Peut-être Musashi préférerait-il le mont Kudo à la Maison de Hosokawa.

— Comment ?

Sado écarta sa remarque d'un petit rire, comme si la langue lui avait fourché.

— ... Vous plaisantez, bien sûr, dit Yukimura. Dans ma situation présente, j'ai à peine les moyens d'engager un serviteur, à plus forte raison un rōnin célèbre. Je doute que Musashi viendrait, même si je l'y invitais.

— Inutile de le nier, dit Sado, ce n'est un secret pour personne que les Hosokawa sont dans le camp des Tokugawa. Et chacun sait que vous êtes le soutien sur lequel Hideyori compte le plus. En regardant le rouleau dans l'alcôve, j'étais impressionné par votre loyalisme.

Apparemment offensé, Yukimura déclara :

— Ce rouleau m'a été donné par une certaine personne du château d'Osaka en guise de portrait funéraire de Hideyoshi. J'essaie d'en prendre bien soin. Mais Hideyoshi est mort.

Il avala sa salive et reprit :

— ... Les temps changent, bien sûr. Point n'est besoin d'être spécialiste pour constater qu'Osaka est tombé dans une mauvaise passe alors que la puissance des Tokugawa ne cesse d'augmenter. Mais je suis incapable, par nature, de changer de loyalisme pour servir un second seigneur.

— Je me demande si les gens croiront que c'est aussi simple. S'il m'est permis de parler franchement, tout le monde dit que Hideyori et sa mère vous versent chaque année de fortes sommes, et que d'un signe de la main vous pourriez rassembler cinq ou six mille rōnins.

Yukimura eut un rire de mépris.

— Pas un mot de vrai là-dedans. Je vous le dis, Sado : il n'y a rien de pire que de faire passer les gens pour plus qu'ils ne sont.

— Vous n'en sauriez blâmer personne. Vous êtes allé jeune à Hideyoshi, et il vous a préféré à tout le monde. Si je comprends bien, l'on a entendu votre père déclarer que vous êtes le Kusunoki Masashige ou le K'ung-ming de notre temps.

— Vous m'embarrassez.

— N'est-ce pas la vérité ?

— Je veux passer le restant de mes jours ici, tranquillement, à l'ombre de la montagne où l'on conserve la Loi du Bouddha. C'est tout. Je ne suis pas un raffiné. Il me suffit de pouvoir agrandir un peu mes champs, vivre assez pour voir naître l'enfant de mon fils, avoir en automne des nouilles de sarrasin fraîches, et manger des légumes verts au printemps. Outre cela, j'aimerais jouir d'une longue existence, très loin des guerres ou des bruits de guerre.

— C'est là vraiment tout ? demanda Sado avec douceur.

— Riez si vous voulez, mais j'ai consacré mes loisirs à lire Lao-tseu et Tchouang-tseu. J'en suis arrivé à la conclusion que la vie est joie. Sans joie, à quoi bon vivre ?

— Tiens, tiens ! s'exclama Sado en feignant la surprise.

Ils causèrent encore une heure environ, devant des tasses de thé servies par l'épouse de Daisuke. Sado finit par déclarer :

— Je crains d'être resté trop longtemps à vous faire perdre votre temps avec mon bavardage. Nuinosuke, partons-nous ?

— Rien ne presse, dit Yukimura. Mon fils et sa femme ont fait des nouilles. Une pauvre nourriture campagnarde, mais je voudrais que vous en mangiez avec nous. Si vous avez l'intention de faire étape à Kamuro, vous avez tout le temps.

A ce moment, Daisuke parut pour demander à son père si l'on pouvait servir le repas. Yukimura se leva et les précéda le long d'un corridor qui menait à la partie arrière de la maison. Lorsqu'ils furent assis, Daisuke tendit à Sado une paire de baguettes en disant :

— J'ai bien peur que la nourriture ne soit pas trop bonne ; essayez tout de même.

Son épouse, peu habituée à recevoir des inconnus, tendit avec gêne une coupe de saké que Sado refusa poliment. Daisuke et sa femme s'attardèrent encore un moment avant de s'excuser.

— Quel est ce bruit que j'entends ? demanda Sado.

Cela ressemblait assez à un métier à tisser, mais en plus fort et d'un caractère un peu différent.

— Oh ! ça ? C'est une roue en bois pour fabriquer de la corde. J'ai le regret de vous dire que j'ai dû mettre famille et serviteurs au travail pour tresser de la corde, que nous vendons pour améliorer nos finances. Nous y sommes tous habitués, mais je suppose que cela risque d'être agaçant pour qui ne l'est pas. Je vais faire dire que l'on cesse.

— Non, ça n'a pas d'importance. Ça ne me gêne pas. Je ne voudrais à aucun prix vous empêcher de travailler.

En se mettant à manger, Sado pensa à la nourriture, qui parfois renseigne sur la situation d'un homme. Mais il n'y trouva rien de révélateur. Yukimura ne ressemblait nullement au jeune samouraï qu'il avait connu des années auparavant, mais il paraissait avoir enveloppé d'un voile d'ambiguïté sa situation présente.

Sado réfléchit alors aux sons qu'il entendait : bruits de cuisine, allées et venues, et par deux fois un tintement d'argent que l'on compte. Les daimyōs dépossédés n'avaient pas l'habitude du labeur physique, et tôt ou tard leurs trésors à vendre s'épuisaient. L'on pouvait concevoir que le château d'Osaka eût cessé de fournir des fonds. L'idée de Yukimura en difficultés financières n'en était pas moins étrangement troublante.

Sado s'était dit que peut-être son hôte essayait de rassembler des bribes de conversation pour former une image de la façon dont les choses allaient avec la Maison de Hosokawa ; mais rien ne l'indiquait. Ce qui ressortait de ses souvenirs de leur rencontre, c'est que Yukimura n'avait pas posé de question sur sa visite au mont Kōya. Sado eût répondu bien volontiers : il n'y avait rien de mystérieux là-dedans. Bien des années plus tôt, Hosokawa Yūsai avait été envoyé par Hideyoshi au Seiganji, où il avait séjourné un bon moment. Il avait laissé des livres, des écrits et des effets personnels qui étaient devenus des souvenirs importants. Sado les avait recensés, triés, et pris des dispositions pour que le temple les rendît à Tadatoshi.

Nuinosuke, qui n'avait pas bougé de la véranda, jeta un regard anxieux vers le fond de la maison. Les relations entre Edo et Osaka étaient tendues, c'est le moins que l'on pouvait dire. Pourquoi Sado prenait-il un risque pareil ? Il n'imaginait pas que Sado courait un danger immédiat mais il avait appris que le seigneur de la province de Kii, Asano Nagaakira, avait des instructions pour surveiller de près le mont Kudo. Si l'un des hommes d'Asano rapportait que Sado avait effectué une visite secrète à Yukimura, le shogunat soupçonnerait la Maison de Hosokawa.

« Voici ma chance », se dit-il tandis que le vent balayait soudain les fleurs de forsythias et de kerrias du jardin. Des nuages noirs se formaient rapidement, et il commençait à pleuvoter. Nuinosuke se précipita pour annoncer :

— Il commence à pleuvoir, monsieur. Si nous devons partir, je crois que c'est le moment.

Reconnaissant de l'occasion de prendre congé, Sado se leva tout de suite.

— Merci, Nuinosuke, répondit-il. Bien sûr, nous partons.

Yukimura s'abstint de presser Sado de passer la nuit. Il appela Daisuke et son épouse et dit :

— Donnez à nos hôtes des capes de paille contre la pluie. Et toi, Daisuke, accompagne-les à Kamuro.

Au portail, après avoir remercié Yukimura de son hospitalité, Sado lui déclara :

— Je suis certain que nous nous rencontrerons de nouveau un de ces jours. Peut-être sera-ce encore un jour de pluie, ou peut-être soufflera-t-il un vent violent. D'ici là, je vous souhaite la meilleure des santés.

Yukimura fit un grand sourire et approuva de la tête. Oui, un de ces jours... Un instant, chacun vit l'autre en pensée, à cheval et armé d'une lance. Mais pour le moment, il n'y avait que l'hôte incliné parmi les pétales d'abricotier qui tombaient, et l'invité qui partait en cape de paille rayée de pluie.

Tandis qu'ils cheminaient lentement, Daisuke dit :

— La pluie ne durera guère. A cette époque-ci de l'année, nous avons chaque jour une petite averse comme ça.

Les nuages, au-dessus de la vallée de Senjō et des pics de Kōya, n'en paraissaient pas moins menaçants, et ils pressaient inconsciemment le pas.

A l'entrée de Kamuro, ils eurent le spectacle d'un homme qui partageait le dos d'un cheval avec des fagots ; il était ligoté au point de ne pouvoir bouger. Le cheval était mené par un prêtre en robe blanche, lequel appela Daisuke par son nom et courut vers lui. Daisuke fit l'œil de verre.

— Quelqu'un vous appelle, dit Sado en échangeant un coup d'œil avec Nuinosuke.

Forcé de tenir compte du prêtre, Daisuke s'exclama :

— Tiens, Rinshōbō ! Pardon, je ne vous avais pas vu.

— J'arrive tout droit du col de Kiimi, dit le prêtre d'une voix forte, excitée. L'homme d'Edo — celui que l'on nous avait dit de guetter —, je l'ai repéré à Nara. Il s'est défendu comme un lion mais nous l'avons capturé vivant. Maintenant, si nous l'emmenons à Gessō et le forçons à parler, nous découvrirons...

— Que me racontez-vous ? l'interrompit Daisuke.

— L'homme sur le cheval... C'est un espion d'Edo.

— Tu ne peux donc pas te taire, espèce d'idiot ? lui souffla Daisuke. Tu ne sais donc pas qui est l'homme qui m'accompagne ? Nagaoka Sado, de la Maison de Hosokawa. Nous avons rarement le privilège de le voir, et je ne veux pas que tu nous déranges avec ta plaisanterie stupide.

Les yeux de Rinshōbō, en se tournant vers les deux voyageurs, trahirent son saisissement, et il se retint de justesse de répéter : « La Maison de Hosokàwa ? »

Sado et Nuinosuke essayaient de paraître calmes, indifférents ; mais le vent fouettait leurs capes de pluie, les faisait battre comme de grandes ailes, et gâtait un peu leurs efforts.

— Pourquoi ? demanda Rinshōbō à voix basse.

Daisuke l'entraîna à l'écart et lui chuchota quelque chose. Lorsqu'il revint à ses hôtes, Sado lui dit :

— Pourquoi ne rentrez-vous pas, maintenant ? Je serais consterné de vous causer d'autres ennuis.

Après les avoir regardés disparaître, Daisuke dit au prêtre :

— Comment as-tu pu être aussi bête ? Tu n'es donc pas assez grand pour ouvrir les yeux avant d'ouvrir la bouche ? Mon père ne serait pas content d'apprendre ça.

— Oui, monsieur. Je regrette. Je ne savais pas.

Malgré son habit, cet homme n'était pas un prêtre, mais Toriumi Benzō, l'un des principaux acolytes de Yukimura.

Le port

— Gonnosuke !... Gonnosuke !... Gonnosuke !

Iori ne semblait pas devoir s'arrêter. Il criait, criait, criait ce nom. Ayant trouvé par terre des affaires de Gonnosuke, il était persuadé que l'homme était mort.

Une nuit et un jour avaient passé. Il avait marché comme un somnambule, oublieux de sa fatigue. Ses jambes, ses mains, sa tête étaient en sang, son kimono tout déchiré.

Pris d'un spasme, il levait les yeux vers le ciel en criant : « Je suis prêt ! » Ou bien il regardait fixement le sol en jurant.

« Est-ce que je deviens fou ? » se demanda-t-il, soudain glacé. Dans une mare d'eau, il reconnut son propre visage et se sentit soulagé. Mais il était seul, sans personne vers qui se tourner ; il ne croyait qu'à moitié qu'il vivait encore. Quand il avait repris ses sens au fond du ravin, il ne pouvait se rappeler où il avait été les jours précédents. Il ne lui vint pas à l'idée d'essayer de retourner au Konjōji ou à Koyagyū.

Quelque chose qui brillait des couleurs de l'arc-en-ciel attira son regard : un faisan. Il prit conscience d'un parfum de glycine sauvage, et s'assit. Alors qu'il essayait de comprendre la situation où il se trouvait, il songea au soleil. Il l'imaginait comme étant partout : derrière les nuages, parmi les pics, dans les vallées. Il s'agenouilla, mains jointes, ferma les yeux et se mit à prier. Quand il rouvrit les yeux quelques minutes plus tard, la première chose qu'il aperçut fut l'océan, bleu et brumeux, entre deux montagnes.

— Petit garçon, dit une voix maternelle, tu n'es pas malade ?

— Hein ?

Iori sursauta et tourna ses yeux vides vers les deux femmes qui le regardaient avec curiosité.

— Pourquoi veux-tu qu'il soit malade, mère ? demanda la plus jeune en considérant Iori avec dégoût.

L'air perplexe, l'aînée s'avança vers Iori, et, voyant le sang sur ses vêtements, fronça le sourcil.

— Ces entailles ne te font pas mal ? demanda-t-elle.

Iori secoua la tête. Elle se tourna vers sa fille et lui déclara :

— ... Il paraît comprendre ce que je lui dis.

Elles lui demandèrent son nom, d'où il venait, où il était né, ce qu'il faisait là, et à qui s'adressaient ses prières. Peu à peu, en cherchant les réponses, la mémoire lui revint. Avec plus de sympathie maintenant, la fille, qui s'appelait Otsuru, dit :

— Ramenons-le avec nous à Sakai. Il sera peut-être utile à la boutique. Il a juste l'âge qu'il faut.

— C'est peut-être une bonne idée, dit sa mère, Osei. Viendra-t-il ?

— Il viendra... N'est-ce pas, que tu viendras ?

Iori acquiesça de la tête.

— ... Alors, viens, mais il faudra porter ton bagage.

Iori leur répondait par des grognements ; il ne dit rien d'autre en descendant la montagne, en suivant une route de campagne et en entrant à Kishiwada. Mais de nouveau parmi les humains, il devint bavard :

— Où habitez-vous ? demanda-t-il.

— A Sakai.

— C'est près d'ici ?

— Non, c'est près d'Osaka.

— Où est Osaka ?

— Nous prendrons le bateau ici pour aller à Sakai. Alors, tu verras.

— Vraiment ! Le bateau ?

Tout excité à cette perspective, il continua de jaser pendant plusieurs minutes, leur disant qu'il avait pris des quantités de bacs sur la route d'Edo à Yamato mais que, bien que l'océan ne fût pas loin de Shimōsa, son lieu de naissance, il n'avait jamais été sur mer en bateau.

— Ça te fera plaisir, alors ? lui dit Otsuru. Mais il ne faut pas appeler ma mère « tantine ». Dis-lui « madame » quand tu lui parles.

— Ouais.

— Et tu ne dois pas répondre « ouais ». Dis : « Oui, madame. »

— Oui, madame.

— A la bonne heure. Et maintenant, si tu restes avec nous et travailles dur, je ferai de toi un garçon de magasin.

— Que fait votre famille ?

— Mon père est courtier maritime.

— Qu'est-ce que c'est que ça ?

— C'est un marchand. Il possède quantité de bateaux qui font voile à travers tout l'ouest du Japon.

— Ah ! un simple marchand ? remarqua Iori, dédaigneux.

— Un simple marchand ! Quoi !... s'exclama la jeune fille.

La mère était encline à fermer les yeux sur la rudesse d'Iori, mais la fille s'indignait. Puis elle hésita, disant :

— ... Je suppose qu'il n'a jamais vu d'autres marchands que des confiseurs ou des fripiers.

L'orgueil forcené des marchands de Kansai prit la relève, et elle informa Iori que son père avait trois magasins, des grands, à Sakai, et plusieurs dizaines de vaisseaux. Elle lui donna à entendre qu'il y avait des succursales à Shimonoseki, Marukame et Shikama, et que les services effectués pour la Maison de Hosokawa, à Kokura, étaient d'une telle importance que les bateaux de son père avaient rang de vaisseaux officiels.

— ... Et, continua-t-elle, il est autorisé à porter un nom de famille et deux sabres, comme un samouraï. Tout le monde, à l'ouest de Honshu et de Kyushu, connaît le nom de Kobayashi Tarōzaemon, de Shimonoseki. En temps de guerre, des daimyōs tels que Shimazu et Hosokawa n'ont jamais assez de navires ; aussi mon père est-il tout aussi important qu'un général.

— Je n'avais pas l'intention de vous mettre en colère, dit Iori.

Les deux femmes éclatèrent de rire.

— Nous ne sommes pas en colère, dit Otsuru. Mais un enfant comme toi, que sait-il du monde ?

— Pardon.

A un tournant, ils respirèrent une bouffée d'air salin. Otsuru désigna un bateau amarré à la jetée de Kishiwada. Ce navire de cinq cents tonneaux était chargé de produits locaux.

— C'est le bateau qui va nous ramener à la maison, déclara-t-elle avec fierté.

Le capitaine du vaisseau et deux agents de Kobayashi sortirent d'une maison de thé du quai pour les accueillir.

— Vous avez fait une bonne promenade ? demanda le capitaine. J'ai le regret de vous dire que nous sommes très chargés ; aussi n'ai-je pu vous réserver beaucoup de place. Nous montons à bord ?

Il les conduisit à l'arrière du navire, où l'on avait ménagé un espace entre des rideaux. Un tapis rouge avait été déployé, et d'élégants ustensiles laqués de style Momoyama contenaient en abondance nourriture et saké. Iori avait l'impression de pénétrer dans une petite chambre bien installée de la résidence d'un daimyō.

Le navire atteignit Sakai dans la soirée après une traversée sans incident de la baie d'Osaka. Les voyageurs allèrent droit à l'établissement de Kobayashi, face au môle, où ils furent accueillis par le directeur, appelé Sahei, et un groupe nombreux d'employés qui s'étaient rassemblés dans la spacieuse entrée. En pénétrant dans la maison, Osei se retourna pour dire :

— Sahei, voulez-vous vous occuper de l'enfant, je vous prie ?

— Vous voulez parler du petit galopin sale qui a débarqué ?

— Oui. Il m'a l'air d'avoir l'esprit vif ; aussi, vous devriez pouvoir le mettre au travail... Et faites quelque chose au sujet de ses vêtements. Il a peut-être des poux. Veillez à ce qu'il se décrasse bien, et changez-le de kimono. Ensuite, il pourra aller se coucher.

Durant les quelques jours qui suivirent, Iori ne vit ni la maîtresse de maison ni sa fille. Un rideau mi-long séparait les bureaux des lieux d'habitation, au fond. L'on eût dit un mur. Sans autorisation spéciale, pas même Sahei n'osait le franchir.

Iori se vit donner un coin de la « boutique », ainsi que l'on appelait le bureau, pour y dormir ; bien qu'il fût reconnaissant d'avoir été secouru, son nouveau mode de vie ne tarda pas à lui déplaire.

L'atmosphère cosmopolite où il se trouvait plongé le fascinait. Il contemplait bouche bée les innovations étrangères qu'il voyait dans les rues, les bateaux du port et les signes de prospérité manifestes dans la façon de vivre des gens. Mais c'était toujours : « Hé, mon garçon, fais-moi ci !... Fais-moi ça ! » Du dernier des employés au directeur, ils le faisaient courir comme un chien ; cela ne ressemblait pas du tout à leur attitude quand ils s'adressaient à un membre de la maisonnée ou à un client. Alors, ils se transformaient en flagorneurs. Et du matin au soir, ils ne parlaient qu'argent, argent. Ou bien alors, travail, travail.

« Et ils se croient des êtres humains ! » se disait Iori. Il avait la nostalgie du ciel bleu, de l'odeur de l'herbe chaude sous le soleil ; cent fois, il résolut de fuir. La nostalgie était la plus forte lorsqu'il se rappelait Musashi parlant des moyens de se nourrir l'esprit. Il revoyait Musashi, le visage du pauvre Gonnosuke. Et Otsū. La situation explosa le jour où Sahei l'appela :

— Io ! Io, où donc es-tu ?

N'obtenant pas de réponse, il se leva et se rendit à la poutre *keyaki* laquée de noir qui formait le seuil du bureau.

— ... Toi, là-bas, le nouveau garçon ! cria-t-il. Pourquoi ne viens-tu pas lorsque l'on t'appelle ?

Iori balayait l'allée entre les bureaux et l'entrepôt. Il leva les yeux et demanda :

— Vous m'avez appelé ?

— Vous m'avez appelé, *monsieur !*

— Je vois.

— Je vois, *monsieur !*

— Bien, monsieur.

— Tu es sourd ? Pourquoi ne m'as-tu pas répondu ?

— Je vous ai entendu dire « Io ». Ça ne pouvait être moi. Je m'appelle Iori... monsieur.

— Io suffit. Autre chose. Je t'ai dit, l'autre jour, de ne plus porter ce sabre.

— Oui, monsieur.

— Donne-le-moi.

Iori hésita un instant puis répondit :

— C'est un souvenir de mon père. Je ne pourrais m'en séparer.

— Espèce de moutard effronté ! Donne-le-moi.

— De toute façon, je ne veux pas devenir marchand.

— Sans les marchands, la vie serait impossible, dit Sahei avec force. Qui donc apporterait les produits des pays étrangers ? Nobunaga et Hideyoshi sont de grands hommes, mais ils n'auraient pu construire tous ces châteaux — Azuchi, Jurakudai, Fushimi — sans l'aide des marchands. Regarde seulement les hommes d'ici, à Sakai : Namban, Ruzon, Fukien, Amoi. Tous font de grosses affaires.

— Je sais.

— Comment le saurais-tu ?

— N'importe qui peut voir les grandes manufactures de tissage d'Ayamachi, Kinumachi et Nishikimachi, et là-haut, sur la colline, l'entreprise de Ruzon'ya ressemble à un château. Il y a des rangées et des rangées d'entrepôts et de demeures de riches marchands. Cette maison-ci... eh bien, je sais que Madame et Otsuru en sont fières, mais elle n'est rien en comparaison.

— Comment, petit gredin ?

Sahei n'eut pas le temps de sortir : Iori avait lâché son balai et pris la fuite. Sahei appela des dockers et leur ordonna de le rattraper. Quand on ramena Iori, Sahei écumait :

— ... Que faire d'un garçon pareil ? Il répond et se moque de nous tous. Aujourd'hui, donnez-lui une bonne punition.

En regagnant le bureau, il ajouta :

— ... Enlevez-lui ce sabre.

Ils prirent l'arme indésirable, et lièrent les mains d'Iori derrière son dos. Quand ils eurent attaché la corde à une grosse caisse de fret, Iori eut l'air d'un singe en laisse.

— Tu vas rester là un moment, dit l'un des hommes avec un sourire ironique. Que les gens se moquent de toi.

Les autres pouffèrent de rire et retournèrent à leur tâche. Rien n'était plus odieux à Iori que cela. Combien de fois Musashi et Gonnosuke lui avaient-ils enjoint de ne rien faire dont il risquât d'avoir honte !

D'abord, il essaya les supplications, puis promit de s'amender. Cela s'étant révélé inefficace, il passa aux invectives :

— Le directeur est un idiot... un vieux fou ! Détachez-moi et rendez-moi mon sabre ! Je ne veux pas rester dans une maison pareille.

Sahei sortit en criant :

— La paix !

Alors, il essaya de bâillonner Iori, mais le garçon lui mordit le doigt ; aussi renonça-t-il, et le fit-il faire par les dockers. Iori tirait sur ses liens. Déjà terriblement vexé d'être exposé au pilori, il éclata en sanglots quand un cheval urina et que le liquide écumeux lui coula vers les pieds.

Alors qu'il se calmait, il vit quelque chose qui le fit presque s'évanouir. De l'autre côté d'un cheval, il y avait une jeune femme, la tête protégée du soleil accablant par un chapeau laqué à larges bords. Son kimono de chanvre était retroussé pour le voyage, et elle portait une fine perche de bambou.

En vain essaya-t-il de crier son nom. Ses efforts pour tendre le cou le faisaient presque étouffer. Il avait les yeux secs, mais des sanglots lui secouaient les épaules. C'était enrageant. Otsū se trouvait si proche ! Où donc allait-elle ? Pourquoi donc avait-elle quitté Edo ?

Plus tard au cours de la journée, lorsqu'un navire accosta au môle, le quartier s'affaira davantage encore.

— Sahei, que fait ce garçon dehors, l'air d'un ours savant en montre ? C'est cruel de le laisser ainsi. De plus, c'est mauvais pour les affaires.

L'homme qui entrait au bureau était un cousin de Tarōzaemon. On avait coutume de l'appeler Namban'ya, du nom de la boutique où il travaillait. Des marques noires de petite vérole ajoutaient un caractère un peu sinistre à l'expression irritée de son visage. En dépit de son aspect, c'était un homme cordial qui donnait souvent des bonbons à Iori.

— ... Que vous le punissiez m'est égal, poursuivit-il. Il ne faut pas le faire dehors, dans la rue. C'est mauvais pour le nom de Kobayashi. Détachez-le.

— Bien, monsieur.

Sahei obéit aussitôt, tout en gratifiant Namban'ya d'un compte rendu détaillé de l'inutilité absolue d'Iori.

— Si vous ne savez que faire de lui, dit Namban'ya, je le prends chez moi. J'en parlerai aujourd'hui à Osei.

Le directeur, craignant ce qui se produirait quand la maîtresse de céans apprendrait ce qui s'était passé, éprouva soudain le besoin pressant d'apaiser Iori, lequel, pour sa part, ne voulut rien avoir à faire avec cet homme du reste de la journée. En sortant, ce soir-là, Namban'ya s'arrêta dans le coin de la boutique occupé par Iori. Un peu ivre, mais d'excellente humeur, il déclara :

— Eh bien, en fin de compte, tu ne viendras pas avec moi. Les femmes n'en ont pas voulu entendre parler. Ha ! ha !

Pourtant, sa conversation avec Osei et Otsuru avait eu un effet salutaire. Dès le lendemain, Iori entrait à l'école d'un temple du voisinage. Il fut autorisé à porter son sabre pour aller à l'école, et ni Sahei ni les autres ne l'ennuyèrent plus.

Mais il demeurait incapable de se fixer. Lorsqu'il se trouvait à l'intérieur, ses yeux s'égaraient souvent du côté de la rue. Chaque fois que passait une jeune femme qui ressemblait à Otsū même de loin, il changeait de couleur. Il lui arrivait de courir au-dehors pour l'examiner de plus près.

Un matin, vers le commencement du neuvième mois, une

quantité prodigieuse de bagages se mit à affluer par péniche de Kyoto. Dès midi, coffres et paniers s'amoncelaient devant le bureau. Des étiquettes indiquaient que cela appartenait à des samouraïs de la Maison de Hosokawa. Ils s'étaient rendus à Kyoto pour des affaires pareilles à celles qui avaient amené Sado au mont Kōya : la succession de Hosakawa Yūsai. Maintenant, ils buvaient de l'infusion d'orge et s'éventaient, assis les uns dans le bureau, d'autres dehors, sous les auvents.

Au retour de l'école, Iori parvint jusqu'à la rue. Là, il s'arrêta et pâlit. Kojirō, assis sur un grand panier, disait à Sahei :

— Il fait trop chaud, ici. Notre bateau n'a pas encore accosté ?

Sahei leva les yeux de la brochure qu'il avait en main et désigna le môle :

— Votre bateau est le *Tatsumimaru*. Il est là-bas. Comme vous pouvez le voir, on n'a pas fini de le charger ; aussi, vos places à bord ne sont-elles pas encore prêtes. Je regrette.

— J'aimerais beaucoup mieux attendre à bord. Il doit y faire un peu plus frais.

— Bien, monsieur. Je vais voir comment les choses tournent.

Trop pressé pour essuyer la sueur de son front, il se précipita dans la rue où il aperçut Iori.

— ... Qu'est-ce que tu fais là comme une borne ? Va donc t'occuper des passagers. Infusion d'orge, eau froide, eau chaude... donne-leur tout ce qu'ils veulent.

Iori se rendit à un hangar, à l'entrée de l'allée qui jouxtait l'entrepôt ; là, une bouilloire d'eau était toujours prête. Mais au lieu de faire son travail, il se tenait là, à foudroyer Kojirō du regard.

Maintenant, on l'appelait Ganryū le plus souvent, ce nom de consonance assez scolaire paraissant plus approprié à son âge et à son rang actuels. Il était plus pesant, plus solide. Son visage s'était rempli ; ses yeux, autrefois perçants, étaient sereins, impassibles. Il ne faisait plus un fréquent usage de sa langue acérée, qui dans le passé avait causé tant de mal. En quelque sorte, la dignité de son sabre était devenue partie intégrante de son caractère.

Résultat : les autres samouraïs l'avaient accepté peu à peu.

Non seulement ils disaient grand bien de lui mais le respectaient.

En nage, Sahei revint du bateau, s'excusa de nouveau pour la longue attente et annonça :

— ... Les places du milieu du navire ne sont pas encore prêtes, mais celles de l'avant le sont.

Cela signifiait que les simples soldats et les plus jeunes samouraïs pouvaient monter à bord. Ils rassemblèrent leurs affaires et partirent ensemble. Ne restèrent plus que Kojirō et six ou sept aînés, tous personnages d'une certaine importance dans le fief.

— Sado n'est pas encore arrivé, n'est-ce pas ? demanda Kojirō.

— Non, mais il ne devrait pas tarder.

— Le soleil sera bientôt à l'ouest, dit Sahei à Kojirō. Vous aurez plus frais à l'intérieur.

— Les mouches sont terribles, gémit Kojirō. Et j'ai soif. Puis-je avoir une autre tasse de thé ?

— Tout de suite, monsieur.

Sans se lever, Sahei cria vers le hangar à l'eau chaude :

— ... Io, qu'est-ce que tu fabriques ? Apporte du thé à nos hôtes.

Et il se replongea dans sa brochure ; mais, s'apercevant qu'Iori n'avait pas répondu, il se mit en devoir de réitérer son ordre. Alors, il vit le garçon s'approcher lentement avec plusieurs tasses de thé sur un plateau. Iori offrit du thé à chacun des samouraïs en s'inclinant chaque fois poliment. Debout devant Kojirō avec les deux dernières tasses, il lui demanda :

— Voulez-vous du thé ?

Distrait, Kojirō tendit la main, mais la retira soudain tandis que ses yeux rencontraient ceux d'Iori. Saisi, il s'exclama :

— Comment ! Mais c'est...

Avec un large sourire, Iori répliqua :

— La dernière fois que j'ai eu la malchance de vous rencontrer, c'était à Musashino.

— Quoi ? aboya Kojirō d'un ton qui ne convenait guère à son rang actuel.

Il allait dire autre chose quand Iori s'écria :

— Tiens, vous vous souvenez de moi ?, et lui jeta le plateau à la figure.

— Oh ! cria Kojirō en saisissant Iori par le poignet.

Le plateau le manqua mais il reçut dans l'œil gauche un jet de thé chaud. Le reste du thé se répandit sur sa poitrine et ses genoux. Le plateau alla s'écraser contre un poteau d'angle.

— ... Espèce de petit gredin ! vociféra Kojirō.

Il jeta Iori sur le sol en terre battue et l'y maintint du pied.

— ... Directeur ! appela-t-il avec colère. Ce moutard est l'un de vos garçons, n'est-ce pas ? Venez ici, et maintenez-le. Il a beau n'être qu'un enfant, je ne tolérerai pas cela.

Epouvanté, Sahei se précipita pour obéir. Mais Iori parvint à tirer son sabre et à en frapper le bras de Kojirō. Ce dernier l'envoya d'un coup de pied au milieu de la pièce, et sauta d'un pas en arrière.

Sahei fit demi-tour en poussant des cris d'égorgé. Il atteignit Iori à l'instant où le garçon se relevait d'un bond.

— Vous, ne vous mêlez pas de ça ! lui cria Iori, puis, regardant Kojirō droit dans les yeux, il lui lança : « Bien fait ! » et se précipita au-dehors.

Kojirō ramassa une perche de portefaix qui se trouvait à portée de sa main, et la lança en direction du garçon ; il fit mouche, et l'atteignit au jarret. Iori mordit la poussière.

Sur l'ordre de Sahei, plusieurs hommes se jetèrent sur Iori et le traînèrent au hangar à eau chaude où un serviteur détachait le kimono et le *hakama* de Kojirō.

— Je vous en prie, pardonnez cet outrage, suppliait Sahei.

— Nous ne savons comment nous excuser, dit l'un des employés.

Sans leur accorder un regard, Kojirō prit des mains du serviteur une serviette humide et s'essuya le visage. On maintenait Iori au sol, les bras étroitement serrés derrière lui.

— Lâchez-moi, suppliait-il en se tordant de douleur. Je ne m'enfuirai pas. Je suis fils de samouraï. Je l'ai fait exprès, et je subirai mon châtiment en homme.

Kojirō acheva de mettre de l'ordre dans ses vêtements et sa chevelure.

— Lâchez-le, dit-il tranquillement.

Ne sachant comment prendre l'expression placide du samouraï, Sahei bégaya :

— Vous... vous êtes sûr que ça ira ?

— Oui. Mais — ce mot rendait le son d'un clou que l'on enfonce dans une planche —, bien que je n'aie pas la moindre intention d'avoir affaire à un simple enfant, si vous croyez devoir le punir je puis vous suggérer une méthode. Versez-lui sur la tête une pleine louche d'eau bouillante. Il n'en mourra pas.

— De l'eau bouillante !

Sahei eut un recul à cette idée.

— Oui. Si vous voulez le laisser libre, c'est très bien aussi.

Sahei et ses hommes se regardèrent entre eux d'un air incertain.

— Nous ne pouvons laisser pareil crime impuni.

— Il a le diable au corps.

— Il a de la chance de s'en tirer vivant.

— Apportez une corde.

Alors qu'ils entreprenaient de le ligoter, Iori les repoussa :

— Qu'est-ce que vous faites ? s'écria-t-il.

Assis par terre, il continua :

— ... Je vous ai dit que je ne m'enfuirais pas, n'est-ce pas ? Je subirai mon châtiment. J'avais une raison de faire ce que j'ai fait. Un marchand peut présenter des excuses. Moi pas. Un fils de samouraï ne va pas pleurer pour un peu d'eau chaude.

— Très bien, dit Sahei. Tu l'auras voulu.

Il se retroussa la manche, emplit une louche d'eau bouillante et s'avança lentement vers Iori.

— Ferme les yeux, Iori. Sinon, tu deviendras aveugle, dit une voix qui venait de l'autre côté de la rue.

Sans oser regarder à qui cette voix appartenait, Iori ferma les yeux. Il se rappelait une histoire que Musashi lui avait racontée un jour à Musashino. Elle concernait Kaisen, un prêtre zen que révéraient fort les hommes de guerre de la province de Kai. Quand Nobunaga et Ieyasu attaquèrent le temple de Kaisen et l'incendièrent, le prêtre s'assit calmement à l'étage supérieur du portail, et, tout en brûlant vif, prononça ces mots : « Si l'illumination annule ton cœur, le feu est frais. »

« Ce n'est qu'une petite louche d'eau chaude, se dit Iori. Je ne dois pas penser comme ça. » Il essaya désespérément de devenir un vide sans ego, libéré de l'illusion, sans chagrins. Peut-être, s'il eût été plus jeune ou beaucoup plus vieux... mais à son âge, il faisait trop partie du monde où il vivait.

Quand cela viendrait-il ? Durant un moment d'hébétude, il prit la sueur qui lui dégouttait du front pour de l'eau bouillante. Une minute paraissait un siècle.

— Tiens, mais c'est Sado ! dit Kojirō.

Sahei et tous les autres se détournèrent, les yeux fixés sur le vieux samouraï.

— Qu'est-ce qui se passe, ici ? demanda Sado en traversant la rue, Nuinosuke à son côté.

Kojirō se mit à rire et dit avec désinvolture :

— Vous nous surprenez dans un drôle de moment. Ils sont en train de punir ce garçon.

Sado examina intensément Iori.

— De le punir ? Eh bien, s'il a fait quelque chose de mal, il faut le punir. Continuez. Je regarderai.

Sahei considéra du coin de l'œil Kojirō, lequel évalua aussitôt la situation ; il savait qu'on le tiendrait responsable de la sévérité du châtiment.

— Ça suffit, dit-il.

Iori ouvrit les yeux. Il avait quelque difficulté à accommoder, mais en reconnaissant Sado il s'exclama joyeusement :

— Je vous connais ! Vous êtes le samouraï qui est venu au Tokuganji, à Hōtengahara.

— Tu te souviens de moi ?

— Oui, monsieur.

— Qu'est devenu ton maître, Musashi ?

Iori renifla et porta les mains à ses yeux.

Que Sado connût le garçon fut un choc pour Kojirō. En y réfléchissant, il se dit que cela devait concerner la recherche de Musashi par Sado. Mais, bien sûr, il ne voulait pas que le nom de Musashi fût prononcé dans une conversation entre lui-même et le vieux vassal. Il savait qu'un de ces jours il aurait à combattre Musashi, mais ce n'était plus une affaire strictement privée.

En fait, une scission s'était produite au sein de la Maison de Hosokawa : une faction tenait Musashi en haute estime ; l'autre avait un préjugé favorable envers l'ancien rōnin devenu principal instructeur au sabre du clan. D'aucuns affirmaient que la véritable raison qui rendait le combat inévitable était la rivalité de coulisse entre Sado et Kakubei.

Au vif soulagement de Kojirō, le maître d'équipage du *Tatsumimaru* arriva à cet instant précis pour annoncer que le bateau était prêt. Sado, resté en arrière, dit :

— Le bateau ne part pas avant le coucher du soleil, n'est-ce pas ?

— Non, répondit Sahei, lequel arpentait le bureau, inquiet des conséquences de l'affaire du jour.

— En ce cas, j'ai le temps de prendre un peu de repos ?

— Amplement le temps. Prenez donc le thé.

Otsuru parut à la porte intérieure et fit signe au directeur. Après l'avoir écoutée deux minutes, Sahei revint à Sado et lui déclara :

— En vérité, le bureau n'est pas un endroit pour vous recevoir. La maison n'est qu'à deux pas, de l'autre côté du jardin. Voulez-vous vous donner la peine de vous y rendre ?

— C'est fort aimable, répondit Sado. A qui dois-je cet honneur ? A la maîtresse de maison ?

— Oui. Elle dit qu'elle aimerait vous remercier.

— De quoi donc ?

Sahei se gratta la tête.

— De... euh... d'avoir veillé à ce qu'Iori s'en tire sain et sauf, j'imagine. Etant donné l'absence du maître...

— A propos d'Iori, j'aimerais lui parler. Voulez-vous l'appeler ?

Le jardin était bien ce à quoi Sado se fût attendu chez un riche marchand de Sakai. Quoiqu'un entrepôt le limitât d'un côté, il s'agissait d'un monde à part du bureau bruyant, étouffant. Rocailles et plantes étaient arrosées de frais ; un ruisseau coulait.

Osei et Otsuru étaient agenouillées dans une petite pièce élégante qui donnait sur le jardin. Il y avait un tapis de laine sur le tatami, des plateaux de gâteaux et de tabac. Sado remarqua le parfum capiteux du mélange d'encens. Il s'assit sur le seuil en disant :

— ... Je n'entre pas. J'ai les pieds sales.

Tout en lui servant le thé, Osei s'excusa de ses employés, et le remercia d'avoir sauvé Iori. Sado répondit :

— J'ai eu l'occasion, il y a quelque temps, de rencontrer ce garçon. Je suis content de le retrouver. Par quel hasard est-il sous votre toit ?

Après avoir entendu les explications d'Osei, Sado la mit au courant de sa longue recherche de Musashi. Ils bavardèrent amicalement quelque temps, puis Sado déclara :

— Depuis plusieurs minutes, j'observais Iori de l'autre côté de la rue. J'admirais sa faculté de rester calme. Il se conduisait fort bien. En réalité, je crois que c'est une erreur que d'élever dans une entreprise commerciale un garçon d'un tel courage. Je me demande si vous consentiriez à me le remettre. A Kokura, l'on pourrait lui donner une éducation de samouraï.

Osei accepta volontiers, disant :

— Il ne pourrait rien lui arriver de mieux.

Otsuru se leva pour aller chercher Iori, mais à cet instant il sortit de derrière un arbre où il avait surpris toute la conversation.

— Vois-tu un inconvénient à venir avec moi ? lui demanda Sado.

Fou de joie, Iori le supplia de l'emmener à Kokura.

Tandis que Sado buvait son thé, Otsuru préparait Iori pour le voyage : kimono, *hakama,* guêtres, chapeau de vannerie — le tout flambant neuf. C'était la première fois de sa vie qu'il portait un *hakama.*

Ce soir-là, au moment où le *Tatsumimaru* déploya ses ailes noires pour voguer sous des nuages dorés par le soleil couchant, Iori regarda derrière lui un océan de visages : celui d'Otsuru, celui de la mère d'Otsuru, celui de Sahei, ceux d'un groupe nombreux qui assistait à leur départ, le visage de la ville de Sakai.

Avec un large sourire, il ôta son chapeau de vannerie et l'agita dans leur direction.

Le maître de calligraphie

A l'entrée d'une étroite allée du quartier des poissonniers d'Okazaki, l'enseigne indiquait : « Illumination pour les jeunes. Leçons de lecture et d'écriture », et portait le nom de Muka, selon toute apparence un des nombreux rōnins appauvris mais honnêtes qui gagnaient leur vie en faisant profiter de leur éducation d'hommes de guerre les enfants de roturiers.

Le curieux amateurisme de la calligraphie amenait un sourire aux lèvres des passants ; pourtant, Muka déclarait qu'il n'en avait pas honte. Chaque fois que l'on en parlait, il répondait : « De cœur, je suis encore un enfant. Je m'exerce en même temps que les enfants. »

L'allée aboutissait à un bosquet de bambous au-delà duquel s'étendait le manège de la Maison de Honda. Par beau temps, il était toujours couvert d'un nuage de poussière : les cavaliers s'y entraînaient souvent de l'aube au crépuscule. Le lignage militaire dont ils étaient si fiers était celui des célèbres guerriers Mikawa, la tradition qui avait produit les Tokugawa.

Muka se leva de sa sieste de la mi-journée, alla au puits tirer de l'eau. Son kimono sans doublure d'un gris uni, son capuchon gris auraient pu être l'habit d'un quadragénaire ; or, il n'avait pas trente ans. Après s'être lavé la figure, il entra dans le boqueteau où il abattit un épais bambou d'un seul coup de sabre.

Après avoir lavé le bambou au puits, il rentra. Des stores pendus d'un côté protégeaient contre la poussière du manège ; mais comme la lumière venait de cette direction l'unique pièce paraissait plus petite et plus sombre qu'elle ne l'était en réalité. Une planche reposait à plat dans un coin : au-dessus d'elle pendait un portrait anonyme d'un prêtre zen. Muka disposa le morceau de bambou sur la table et ficha dans le centre creux une fleur de liseron.

« Pas mal », pensa-t-il en reculant pour examiner son œuvre.

Il s'assit à sa table, prit son pinceau et se mit à s'exercer en employant pour modèles un manuel de caractères officiels assez carrés de Ch'u Sui-liang et un calque de la calligraphie du prêtre Kōbō Daishi. De toute évidence, il avait progressé de façon régulière au cours de l'année qu'il avait passée là, car les caractères qu'il traçait maintenant étaient fort supérieurs à ceux de l'enseigne.

— Je vous dérange ? demanda la voisine, épouse d'un marchand de pinceaux à écrire.

— Entrez donc, répondit Muka.

— Rien qu'un instant. Je me demandais... Voilà quelques minutes, j'ai entendu un grand bruit. On aurait dit quelque chose qui se cassait. Vous l'avez entendu ?

— Muka se mit à rire :

— Ce n'était que moi : je coupais un morceau de bambou.

— Ah ! ça m'inquiétait. Je me demandais s'il ne vous était rien arrivé. Mon mari dit que les samouraïs qui rôdent par ici veulent vous tuer.

— S'ils le faisaient, ça n'aurait pas d'importance. De toute façon, je ne vaux pas trois sous.

— Ne soyez pas aussi insouciant. Des tas de gens se font tuer pour des choses qu'ils ne se rappellent même pas avoir commises. Pensez à la tristesse de toutes les filles, s'il vous arrivait malheur.

Elle retourna à ses fourneaux sans demander comme elle faisait souvent : « Pourquoi ne vous mariez-vous pas ? Ce n'est pas que vous n'aimez pas les femmes, n'est-ce pas ? » Muka ne donnait jamais de réponse claire ; pourtant il en avait révélé assez pour laisser entendre qu'il ferait une belle prise. Ses voisins savaient qu'il était un rōnin de Mimasaka qui aimait l'étude et avait quelque temps vécu à Kyoto, Edo et près d'Edo. Il affirmait vouloir s'établir à Okazaki pour diriger une bonne école. Sa jeunesse, son assiduité, son honnêteté sautaient aux yeux ; il n'y avait donc rien de surprenant à ce qu'un certain nombre de jeunes filles eussent manifesté leur désir de l'épouser, ainsi que plusieurs parents de filles à marier.

Ce petit coin de la société exerçait une certaine fascination aux yeux de Muka. Le marchand de pinceaux et sa femme le traitaient avec bonté ; la femme lui apprenait à faire la cuisine ; elle se chargeait parfois de son blanchissage et de son raccommodage. Tout compte fait, la vie à cet endroit lui plaisait. Tout le monde se connaissait ; chacun cherchait de nouveaux moyens de rendre sa vie intéressante. Il se passait toujours quelque chose, sinon une fête, des danses de rue ou une cérémonie religieuse, du moins un enterrement ou un malade à soigner. Ce soir-là, il passa devant chez le marchand de pinceaux alors que lui et sa femme étaient en train de dîner. La femme fit claquer sa langue et dit :

— ... Où va-t-il, comme ça ? Il donne des leçons aux enfants le matin, fait une sieste ou étudie l'après-midi, et le soir, le voilà parti. On dirait tout à fait une chauve-souris.

Le mari gloussa.

— Qu'est-ce qu'il y a de mal à ça ? Il est célibataire. Il ne faut pas lui reprocher ses excursions nocturnes.

Dans les rues d'Okazaki, les sons d'une flûte de bambou se mêlaient au bourdonnement d'insectes captifs dans des cages de bois, aux plaintes rythmiques de chanteurs aveugles, aux cris des marchands de melons et de *sushi.* Rien ici de l'agitation frénétique qui caractérisait Edo. Les lanternes clignotaient ; les gens se promenaient en kimono d'été. Dans la chaleur d'une belle fin de journée, tout paraissait détendu, à sa place.

Sur le passage de Muka, les filles chuchotaient :

— Le voilà encore.

— Il ne s'intéresse à personne, comme d'habitude.

Quelques-unes des jeunes femmes le saluaient puis se tournaient vers leurs amies et s'interrogeaient sur l'endroit où il se rendait.

Muka marchait sans se retourner, dépassait les rues transversales où il aurait pu s'acheter les faveurs des prostituées d'Okazaki, considérées par beaucoup comme une des principales attractions locales au long de la grand-route de Tōkaidō. A l'extrémité ouest de la ville, il s'arrêta, s'étira. Devant lui, les eaux tumultueuses du fleuve Yahagi, et le pont de Yahagi, le plus long sur le Tōkaidō. Il s'avança vers la mince silhouette qui l'attendait à la première borne.

— Musashi ?

Musashi sourit à Matahachi, qui portait son habit de prêtre.

— Le maître est revenu ? demanda-t-il.

— Non.

Côte à côte, ils franchirent le pont. Sur une colline couverte de pins, sur la rive opposée, se dressait un vieux temple zen. Le nom de la colline étant Hachijō, l'on en était venu à appeler le temple Hachijōji. Ils grimpèrent la pente sombre, devant le portail.

— Comment ça va ? demanda Musashi. La pratique du Zen doit être difficile.

— Oh ! que oui, répondit Matahachi d'un air abattu, en inclinant son crâne rasé, bleuâtre. J ai souvent songé à m'enfuir. Si je dois subir des tortures mentales pour devenir un être humain convenable, autant passer la tête dans un nœud coulant et n'y plus penser.

— Ne te laisse pas décourager. Tu n'en es encore qu'au début. Ta véritable formation n'aura lieu que lorsque tu auras convaincu le maître de te prendre pour disciple.

— Ça n'est pas toujours impossible. J'ai appris à me discipliner un peu. Et chaque fois que je me sens abattu, je pense à toi. Si tu peux surmonter tes difficultés, je devrais être capable de surmonter les miennes.

— Voilà qui est bien. Je ne peux rien faire que tu ne puisses faire aussi.

— Le souvenir de Takuan m'aide. Sans lui, on m'aurait exécuté.

— Si tu peux supporter les rigueurs, tu connais un plaisir plus grand que la souffrance, dit avec solennité Musashi. Jour et nuit, heure après heure, on est ballotté par des vagues de souffrance et de plaisir, l'une après l'autre. Si l'on essaie de n'éprouver que du plaisir, on cesse d'être vraiment vivant. Alors, le plaisir s'évanouit.

— Je commence à comprendre.

— Pense à un simple bâillement. Celui d'une personne qui vient de travailler dur est différent de celui d'un paresseux. Des tas de gens meurent sans connaître le plaisir que peut apporter le bâillement.

— Hum, j'entends ce genre de discours au temple.

— J'espère que viendra bientôt le jour où je te confierai au maître. Je veux lui demander de me guider, moi aussi. J'ai besoin d'en savoir davantage au sujet de la Voie.

— Quand donc crois-tu qu'il reviendra ?

— Difficile à dire. Les maîtres du Zen dérivent quelquefois à travers le pays comme un nuage durant deux ou trois ans de suite. Maintenant que tu es ici, tu devrais prendre la décision de l'attendre quatre ou cinq ans s'il le faut.

— Toi aussi ?

— Oui. Vivre dans cette allée écartée, parmi des gens pauvres et honnêtes, est un bon entraînement — ça fait partie de mon éducation. Ce n'est pas du temps perdu.

Après avoir quitté Edo, Musashi avait traversé Atsugi. Puis, poussé par des doutes au sujet de son avenir, il avait disparu dans les monts Tanzawa pour en ressortir deux mois après, plus inquiet et hagard que jamais. Résoudre un problème ne faisait que le conduire à un autre. Il était parfois si torturé que son sabre avait l'air d'une arme tournée contre lui.

Parmi les possibilités qu'il avait envisagées se trouvait le choix de la voie facile. S'il pouvait se résoudre à vivre d'une manière confortable, ordinaire avec Otsū, la vie serait simple. Presque tous les fiefs accepteraient de le payer assez, peut-être cinq cents à mille boisseaux. Mais lorsqu'il se posait la question, la réponse était toujours non. Une existence facile imposait des restrictions ; il ne pouvait s'y soumettre.

A d'autres moments, il se sentait comme perdu dans des illusions basses, lâches, ainsi que les démons affamés en enfer ; alors, un temps, son esprit s'éclaircissait et il se vautrait dans le plaisir de son fier isolement. Son cœur était le théâtre d'une lutte continuelle entre la lumière et l'ombre. Nuit et jour, il oscillait entre l'exubérance et la mélancolie. Il pensait à son art du sabre et en était insatisfait. En songeant à la longueur de la Voie, à la distance qui le séparait de la maturité, il était écœuré. D'autres jours, la vie à la montagne le ragaillardissait et ses pensées s'égaraient vers Otsū.

En descendant dans la vallée, il s'était rendu au Yuggōji, à Fujisawa, passer quelques jours, et de là à Kamakura. C'était là qu'il avait rencontré Matahachi. Résolu à ne pas retomber dans une vie d'indolence, Matahachi se trouvait à Kamakura en raison des nombreux temples zen qu'on pouvait y trouver ; mais il souffrait d'un sentiment de malaise encore plus profond que Musashi. Ce dernier le rassura :

— Il n'est pas trop tard. Si tu apprends à te discipliner, tu peux repartir à neuf. Il serait fatal de te dire que les jeux sont faits, que tu n'es bon à rien.

Il se sentit contraint d'ajouter :

— ... A vrai dire, je suis moi-même dans une impasse. Quelquefois, je me demande si j'ai un quelconque avenir. Je me sens complètement vide. On dirait que je suis emprisonné dans une coquille. Je me déteste. Je me dis que je ne vaux rien. Mais en me punissant, en me forçant à continuer, je réussis à sortir de ma coquille. Alors, un nouveau chemin s'ouvre à moi... Crois-moi, cette fois, c'est un vrai combat. Je me débats dans ma coquille, incapable de rien faire. Si je suis descendu des montagnes, c'est que je me souvenais de quelqu'un qui, je crois, peut m'aider.

Il s'agissait du prêtre Gudō. Matahachi répondit :

— C'est celui qui t'a aidé quand tu as commencé à chercher la Voie, n'est-ce pas ? Ne pourrais-tu me présenter et le prier de m'accepter comme disciple ?

Au début, Musashi ne crut guère à la sincérité de Matahachi ; mais après avoir appris les ennuis qu'il avait eus à Edo, il conclut qu'il était sincère. Tous deux s'enquirent de Gudō dans un certain nombre de temples zen, mais n'apprirent pas grand-chose. Musashi savait que le prêtre n'était plus au Myōshinji de Kyoto. Il l'avait quitté plusieurs années auparavant pour voyager quelque temps dans l'Est et le Nord-Est. Il savait également qu'il était un homme des plus imprévisibles, qui pouvait se trouver à Kyoto, donnant des leçons de Zen à l'empereur un jour, et le lendemain errer dans la campagne. On savait que Gudō s'était arrêté plusieurs fois au Hachijōji d'Okazaki, et un prêtre suggéra que c'était peut-être le meilleur endroit pour l'attendre.

Musashi et Matahachi étaient assis dans le petit hangar où Matahachi dormait. Musashi venait souvent l'y voir, et ils causaient tard dans la nuit. Matahachi n'était pas autorisé à coucher au dortoir qui, à l'instar des autres bâtiments du

Hachijōji, était une construction rustique, au toit de chaume, — car il n'avait pas encore été officiellement accepté comme prêtre.

— Oh ! ces moustiques ! s'écria Matahachi en chassant de la main la fumée qui servait à chasser les insectes, puis frottant ses yeux irrités. Allons dehors.

Ils allèrent au bâtiment principal et s'assirent sur le seuil. Les jardins étaient déserts et il soufflait une brise fraîche.

— ... Ça me rappelle le Shippōji, dit Matahachi d'une voix à peine audible.

— C'est vrai, dit Musashi.

Ils se turent. Ils se taisaient toujours en des moments pareils : penser au pays ramenait invariablement des souvenirs d'Otsū, d'Osugi ou d'événements dont aucun d'eux ne voulait parler, crainte de bouleverser leur présente relation. Mais, au bout de quelques instants, Matahachi demanda :

— Le Shippōji était sur une colline plus haute, n'est-ce pas ? Et il n'y a pas ici de vieux cryptomeria.

Il observa une pause, regarda un moment le profil de Musashi puis reprit avec hésitation :

— ... Je voulais te demander quelque chose, mais...

— Qu'est-ce que c'est ?

— Otsū...

Sa voix s'étrangla. Quand il s'en crut capable, il poursuivit :

— ... Je me demande ce que fait Otsū, en cet instant précis, et ce qui va lui arriver. Je pense souvent à elle, ces jours-ci, et en moi-même, je lui demande pardon pour ma conduite. J'ai honte à l'avouer, mais à Edo je l'ai fait vivre avec moi. Pourtant, rien ne s'est passé. Elle a refusé de se laisser toucher. Je suppose qu'après mon départ pour Sekigahara, Otsū devait ressembler à une fleur tombée. Maintenant, c'est une fleur qui s'épanouit sur un arbre différent, dans un col différent.

Son visage montrait sa sincérité, et sa voix était grave.

— ... Takezō — non... Musashi, je t'en supplie, épouse Otsū. Tu es le seul être qui puisse la sauver. Je n'ai jamais pu me résoudre à dire ça, mais maintenant que je suis décidé à devenir un disciple de Gudō je suis résigné au fait qu'Otsū ne m'appartient pas. Pourtant, je m'inquiète pour elle. Ne veux-tu pas la rechercher et lui donner le bonheur qu'elle désire si ardemment ?

Il était environ trois heures du matin quand Musashi se mit à redescendre l'obscur sentier de montagne. Il croisait les bras, tête basse ; les paroles de Matahachi résonnaient à ses oreilles. L'angoisse entravait sa marche. Il se demanda combien de nuits de torture Matahachi devait avoir passées à rassembler le courage nécessaire pour parler. Toutefois, il semblait à Musashi que son propre dilemme était plus honteux et plus pénible.

Matahachi, se disait-il, espérait fuir les flammes du passé dans le salut de l'illumination.

Musashi n'avait pas été capable de répondre : « Je ne puis faire cela », et bien moins encore : « Je ne veux pas épouser Otsū. Elle est ta fiancée. Repens-toi, purifie ton cœur, et regagne-la. » En fin de compte, il n'avait rien dit : tout ce qu'il aurait pu dire eût été mensonge. Matahachi avait plaidé avec ferveur :

— ... Si je n'ai pas la certitude que l'on s'occupera d'Otsū, devenir un disciple ne m'apportera rien de bon. C'est toi qui as insisté pour que je me discipline. Si tu es mon ami, sauve Otsū. C'est le seul moyen de me sauver.

Musashi avait été surpris quand Matahachi avait éclaté en sanglots. Il ne l'avait pas cru capable d'une telle profondeur de sentiment. Et quand il s'était levé pour partir, Matahachi s'était accroché à sa manche en le suppliant de lui donner une réponse. Musashi ne put que dire :

— Laisse-moi réfléchir.

Maintenant, il se maudissait de sa lâcheté, et gémissait sur son incapacité à surmonter son inertie. Il songeait tristement que ceux qui n'ont pas souffert de cette maladie n'en peuvent connaître les affres.

S'irriter contre soi-même, se rappeler tout ce qu'il avait fait de mal, n'avançait à rien. C'était parce qu'il éprouvait les premiers symptômes de sa maladie qu'il s'était séparé d'Iori et Gonnosuke, et avait tranché les liens qui l'unissaient à ses amis d'Edo.

Il continuait sa route incertaine. Il aperçut le large fleuve Yahagi, et sentit sur son visage la fraîcheur du vent.

Soudain, mis en garde par un sifflement perçant, il s'écarta d'un bond. Le coup passa à moins d'un mètre cinquante de lui, et la détonation d'un mousquet résonna en écho sur le fleuve. Ayant compté deux respirations entre la balle et le bruit, Musashi en conclut que l'on avait tiré d'assez loin. Il sauta sous le pont et s'accrocha comme une chauve-souris à un pilier.

Plusieurs minutes s'écoulèrent; trois hommes dévalèrent soudain la colline de Hachijō comme des pommes de pin poussées par le vent. Près de l'extrémité du pont, ils s'arrêtèrent pour se mettre à chercher le corps. Le mousquetaire, convaincu d'avoir fait mouche, jeta sa mèche. En vêtements plus sombres que les deux autres, il était masqué, les yeux seuls visibles. Le ciel s'étant un peu éclairci, les ornements de cuivre de la crosse luisaient doucement.

Musashi ne voyait pas du tout qui, à Okazaki, voulait sa mort. Non par manque de candidats. Au cours de ses combats, il avait vaincu bien des hommes qui risquaient de brûler encore d'un désir de vengeance. Il en avait tué bien d'autres dont les familles ou les amis risquaient de souhaiter poursuivre une vendetta.

Quiconque suivait la Voie du sabre était sans cesse en danger de mort.

Tandis que Musashi se cachait sous le pont, la froide réalité de la situation le stimula, et sa lassitude s'évanouit. Respirant à peine et sans bruit, il laissa ses assaillants s'approcher. Comme ils ne trouvaient pas le cadavre, ils fouillèrent la route déserte et l'espace situé sous l'extrémité du pont.

Les yeux de Musashi s'écarquillèrent. Quoique habillés de noir ainsi que des bandits, ces hommes portaient des sabres de samouraïs et étaient bien chaussés. Les seuls samouraïs du district étaient ceux qui servaient la Maison de Honda à Okazaki et la Maison Owari de Tokugawa à Nagoya.

Un homme plongea dans l'ombre et ramassa la mèche, puis l'alluma et l'agita, ce qui donna à penser à Musashi qu'il y avait aussi des hommes de l'autre côté du pont. Il ne pouvait bouger, du moins pas maintenant. S'il se montrait, il provoquerait d'autres coups de mousquet. Même s'il gagnait la berge opposée, un danger peut-être plus grand l'attendait. Pourtant, il ne pouvait non plus rester beaucoup plus longtemps où il se trouvait. Sachant qu'il n'avait pas traversé le pont, ils se rapprocheraient de lui et découvriraient peut-être sa cachette.

Son plan lui vint comme un trait de lumière. Il n'était pas raisonné suivant les théories de l'Art de la guerre.

— Inutile d'essayer de vous cacher ! cria-t-il. Si vous me cherchez, je suis ici même.

Maintenant, le vent était assez fort ; Musashi n'était pas certain que sa voix portât. Un second coup de feu répondit à sa question. Musashi, bien sûr, était loin. La balle était encore en l'air que, d'un bond, il se rapprochait de près de trois mètres de l'extrémité du pont.

Il se précipita au milieu d'eux. Ils s'écartèrent légèrement, lui faisant face de trois côtés mais sans la moindre coordination. Il frappa de haut en bas avec son long sabre l'homme qui se trouvait au centre, tout en attaquant de son sabre court l'homme qui se trouvait à sa gauche. Le troisième s'enfuit à travers le pont ; il courut, trébucha et rebondit par-dessus le parapet.

Musashi le suivit au pas en restant d'un côté et en s'arrêtant de temps en temps pour écouter. Comme rien d'autre ne se produisait, il rentra chez lui se coucher.

Le lendemain matin, deux samouraïs se présentèrent à son domicile. Trouvant l'entrée pleine de sandales d'enfants, ils la contournèrent.

— Etes-vous Muka *Sensei ?* demanda l'un d'eux. Nous sommes de la Maison de Honda.

Musashi leva les yeux de sa calligraphie et répondit :

— Oui, je suis Muka.

— Votre vrai nom est-il Miyamoto Musashi ? Si oui, n'essayez pas de le cacher.

— Je suis Musashi.

— Je suppose que vous connaissez Watari Shima.

— Je ne crois pas le connaître.

— Il assure avoir assisté à deux ou trois séances de haïku, où vous étiez présent.

— Maintenant que vous me le dites, je me le rappelle en effet. Nous nous sommes rencontrés chez un ami commun.

— Il se demandait si vous ne viendriez pas passer une soirée avec lui.

— S'il cherche quelqu'un avec qui composer des haïkus, il tombe mal. Il est vrai que l'on m'a invité à quelques séances de ce genre, mais je suis un homme simple, sans grande expérience de ces choses.

— Je crois qu'il a plutôt l'intention de discuter avec vous des arts martiaux.

Les élèves de Musashi considéraient d'un air inquiet les deux samouraïs. Musashi les regarda lui aussi quelques instants puis répondit :

— En ce cas, je serai enchanté d'aller le voir. Quand ?

— Pourriez-vous venir ce soir ?

— Très bien.

— Il vous enverra un palanquin.

— C'est fort aimable à lui. J'attendrai.

Après leur départ, il se retourna vers ses élèves :

— ... Allons, dit-il. Ne vous laissez pas distraire. Au travail. Regardez-moi. Je m'exerce, moi aussi. Vous devez apprendre à vous concentrer si complètement que vous ne puissiez entendre les gens parler ni les cigales chanter. Si vous êtes paresseux quand vous êtes jeunes, vous deviendrez pareils à moi, et devrez vous exercer quand vous serez grands.

Il éclata de rire en considérant le cercle de visages et de mains tachés d'encre.

Au crépuscule, ayant passé un *hakama,* il était prêt à partir Au moment précis où il rassurait la femme du marchand de pinceaux, qui paraissait au bord des larmes, en disant qu'il ne courait aucun danger, le palanquin arriva — non le simple modèle en vannerie que l'on voyait en ville, mais une chaise à porteurs laquée, escortée de deux samouraïs et trois serviteurs.

Les voisins, éblouis du spectacle, s'attroupaient en chuchotant. Les enfants appelaient leurs camarades et bavardaient avec animation :

— Seuls, les grands personnages circulent dans des palanquins pareils.

— Notre maître doit être quelqu'un.

— Où va-t-il ?

— Reviendra-t-il jamais ?

Les samouraïs fermèrent la portière du palanquin, écartèrent la foule, et l'on se mit en route.

Bien qu'il ne sût à quoi s'attendre, Musashi soupçonnait qu'il y avait un lien entre cette invitation et l'incident du pont de Yahagi. Peut-être Shima allait-il le réprimander pour avoir tué deux samouraïs de Honda. A moins que Shima ne fût derrière l'espionnage et l'attaque par surprise, et ne fût maintenant prêt à affronter ouvertement Musashi. Celui-ci n'augurait rien de bon de la rencontre de la soirée, et se résignait à faire face à une situation difficile.

Le palanquin se balançait doucement comme un bateau sur la mer. En entendant le vent murmurer à travers les pins, Musashi se dit qu'ils devaient être dans la forêt, près de la muraille nord du château. Il ne ressemblait pas à un homme qui se prépare à un assaut imprévisible. Les yeux mi-clos, il paraissait faire un somme.

Après que la porte du château se fut ouverte en grinçant, les porteurs ralentirent, et les samouraïs baissèrent le ton. Ils passèrent devant des lanternes clignotantes et parvinrent aux bâtiments du château. Quand Musashi eut mis pied à terre, des serviteurs l'introduisirent en silence, mais avec politesse, dans un pavillon ouvert. Les stores étant relevés des quatre côtés, la brise circulait en bouffées agréables. Les lampes baissaient ou flamboyaient. La nuit d'été ne paraissait plus étouffante.

— Je suis Watari Shima, dit l'hôte, un samouraï de Mikawa typique : bien bâti, viril, aux aguets mais sans ostentation, ne trahissant aucun signe de faiblesse.

— Je suis Miyamoto Musashi.

Cette réponse également simple s'accompagnait d'une révérence. Shima rendit la révérence, dit : « Mettez-vous à l'aise », et entra sans plus de formalités dans le vif du sujet :

— ... J'apprends que vous avez tué deux de nos samouraïs la nuit dernière. Est-ce vrai ?

— Oui, c'est vrai, dit Musashi en regardant Shima droit dans les yeux.

— Je vous dois des excuses, reprit gravement Shima. J'ai appris l'incident aujourd'hui quand les décès m'ont été rapportés. Il y a eu enquête, bien sûr. Je vous connaissais de nom de longue date, mais j'apprends seulement que vous viviez à Okazaki... Quant à l'attaque, on m'a déclaré qu'un groupe de nos hommes, dont l'un est un disciple de Miyake Gumbei, spécialiste martial du style Tōgun, a ouvert le feu sur vous.

Musashi, qui ne subodorait aucun subterfuge, prit les propos de Shima pour ce qu'ils se donnaient, et l'histoire se précisa peu à peu. Le disciple de Gumbei était au nombre de plusieurs samouraïs de Honda qui avaient étudié à l'école Yoshioka. Les plus agressifs d'entre eux se réunirent et décidèrent de tuer l'homme qui avait mis fin à la gloire de l'école Yoshioka.

Musashi savait que le nom de Yoshioka Kempō était encore révéré dans tout le pays. A l'ouest du Japon, notamment, l'on aurait eu peine à trouver un fief où aucun samouraï n'aurait étudié sous sa direction. Musashi dit à Shima qu'il comprenait la haine qu'ils lui portaient, mais la considérait comme une rancune personnelle plutôt qu'un motif de vengeance légitime, conforme à l'Art de la guerre. Shima parut approuver :

— J'ai fait venir les survivants pour les réprimander. J'espère que vous nous pardonnerez et oublierez cette affaire. Gumbei, lui aussi, était fort mécontent. Si vous n'y voyez pas d'inconvénient, j'aimerais vous le présenter. Il souhaiterait vous exprimer ses excuses.

— Ce n'est pas nécessaire. Il s'agit d'un incident courant pour tout homme qui se consacre aux arts martiaux.

— Néanmoins...

— Allons, laissons là les excuses. Mais s'il souhaite parler de la Voie, je serai charmé de le rencontrer. Son nom m'est familier.

On envoya chercher Gumbei; après les présentations, la conversation passa au sabre et à l'art du sabre :

— J'aimerais vous entendre parler du style Tōgun, dit Musashi. L'avez-vous créé ?

— Non, répondit Gumbei. Je l'ai appris de mon maître, Kawasaki Kaginosuke, de la province d'Echizen. D'après le manuel qu'il m'a donné, il l'a élaboré alors qu'il vivait en ermite sur le mont Hakuun, à Kōzuke. Il semble avoir appris beaucoup de ses techniques d'un moine Tendai du nom de Tōgumbo... Mais parlez-moi de vous. J'ai maintes fois entendu citer votre nom. J'avais l'impression que vous étiez plus âgé. Et puisque vous êtes ici, je me demande si vous m'accorderiez la faveur d'une leçon.

Le ton était cordial. Il ne s'agissait pas moins d'une invitation à se battre.

— Une autre fois, répondit Musashi d'un ton léger. Maintenant, il faut que je parte. Je ne connais pas bien le chemin du retour.

— Quand vous partirez, dit Shima, je vous ferai raccompagner.

— En apprenant que deux hommes avaient été abattus, reprit Gumbei, je suis allé voir. J'ai constaté que je ne pouvais faire concorder la position des corps avec les blessures ; aussi ai-je interrogé l'homme qui en est réchappé. Il avait l'impression que vous vous serviez de deux sabres à la fois. Est-ce possible ?

Avec un sourire, Musashi répondit qu'il ne l'avait jamais fait consciemment. Il considérait ce qu'il faisait comme un combat avec un corps et un sabre.

— Vous êtes trop modeste, dit Gumbei. Parlez-nous-en. Comment vous entraînez-vous ?

Comprenant qu'il ne pourrait partir avant d'avoir fourni une explication quelconque, Musashi regarda tout autour de lui. Ses yeux s'arrêtèrent sur deux mousquets dans l'alcôve ; il demanda à les emprunter. Shima consentit, et Musashi se rendit au milieu de la salle en tenant les deux armes par le canon, un dans chaque main. Musashi leva un genou et dit :

— Deux sabres sont comme un sabre. Un sabre est comme deux sabres. Nos bras sont distincts ; l'un et l'autre appartiennent au même corps. En toute chose, le raisonnement suprême n'est pas duel, mais unique. Je vais vous montrer.

Les mots sortaient spontanément ; lorsqu'il s'arrêta, Musashi leva le bras et dit :

— ... Avec votre permission.

Alors, il se mit à faire tourbillonner les mousquets. Les autres hommes pâlirent. Musashi s'arrêta et ramena les coudes au corps. Il se dirigea vers l'alcôve et remit les mousquets en place. Avec un léger rire, il déclara :

— ... Peut-être cela vous aidera-t-il à comprendre.

Sans s'expliquer davantage, il s'inclina devant son hôte et prit congé. Abasourdi, Shima oublia complètement de le faire raccompagner. Le portail franchi, Musashi se retourna pour jeter un dernier regard, soulagé d'avoir échappé à l'emprise de Watari Shima. Il ignorait toujours les véritables intentions de cet homme, mais une chose était claire. Non seulement son identité était connue, mais il s'était trouvé mêlé à un incident. Le plus sage serait de quitter Okazaki le soir même.

Il songeait à la promesse qu'il avait faite à Matahachi d'attendre le retour de Gudō quand les lumières d'Okazaki apparurent ; une voix l'appela d'un petit sanctuaire du bord de la route :

— Musashi, c'est moi, Matahachi. Nous étions inquiets à ton sujet ; c'est pourquoi nous sommes venus t'attendre ici.

— Inquiets ?

— Nous sommes allés chez toi. La voisine a dit que l'on t'avait espionné, ces temps-ci.

— Nous ?

— Le maître est revenu aujourd'hui.

Gudō était assis sur le péristyle du sanctuaire. Il s'agissait d'un homme à l'allure insolite, la peau aussi noire que celle d'une cigale géante, les yeux profondément enfoncés brillant sous de hauts sourcils. Il avait l'air d'avoir entre quarante et cinquante ans, mais il était impossible d'en décider chez un pareil homme. Mince comme un fil, il avait une voix de stentor. Musashi alla à lui, s'agenouilla, se prosterna. Gudō le considéra en silence une minute ou deux.

— Cela fait longtemps... dit-il.

Levant la tête, Musashi répondit doucement :

— Très longtemps.

Gudō ou Takuan... de longue date, Musashi avait la conviction que l'un ou l'autre de ces deux hommes pourrait seul le délivrer de son impasse actuelle. Enfin, après toute une année d'attente, Gudō se trouvait là. Il contemplait la face du prêtre comme il eût contemplé la lune par une sombre nuit. Brusquement, avec force, il s'écria :

— *Sensei !*

— Qu'y a-t-il ?

Gudō n'avait pas besoin de le demander ; il savait ce que voulait Musashi, le prévoyait comme une mère devine les besoins de son enfant. Musashi, de nouveau prosterné, répondit :

— Voilà bientôt dix ans que j'étudiais sous votre direction.

— Si longtemps ?

— Oui. Pourtant, même après tant d'années, je doute que mon progrès le long de la Voie soit mesurable.

— Tu parles toujours comme un enfant, n'est-ce pas ? Tu ne saurais avoir beaucoup avancé.

— Je suis plein de regrets.

— Vraiment ?

— Mon entraînement et mon autodiscipline ont accompli si peu de chose !

— Tu parles toujours de ces questions. Aussi longtemps que tu le feras, ce sera en vain.

— Si je renonçais, qu'arriverait-il ?

— Tu serais un rebut de l'humanité, plus mal parti qu'avant, alors que tu n'étais qu'un fol ignorant.

— Si j'abandonne la Voie, je sombre dans les abîmes. Pourtant, quand j'essaie de la suivre jusqu'au sommet, je m'aperçois que je ne suis pas digne de la tâche. Je reste à mi-pente, ni l'homme d'épée ni l'être humain que je veux être.

— Voilà qui semble résumer la question.

— Vous ne pouvez savoir par quel désespoir je suis passé. Que dois-je faire ? Dites-le-moi ! Comment puis-je me libérer de l'inaction et de la confusion ?

— Pourquoi me demander cela à moi ? Tu ne peux compter que sur toi-même.

— Laissez-moi m'asseoir à vos pieds de nouveau, et recevoir votre châtiment. Moi et Matahachi. Ou donnez-moi un coup de votre bâton pour me réveiller de ce vide noir. Je vous en supplie, *Sensei,* aidez-moi.

Musashi n'avait pas levé la tête. Il ne pleurait pas mais sa voix s'étranglait. Sans la moindre émotion, Gudō dit : « Viens, Matahachi », et ils s'éloignèrent ensemble du sanctuaire.

Musashi courut après le prêtre, s'accrocha à sa manche, pria, supplia. Le prêtre secoua la tête en silence. Musashi insistant, il lui répondit :

— Pas question !

Puis, avec colère :

— ... Qu'ai-je à te dire ? Qu'ai-je à te donner de plus ? Seulement un coup sur la tête.

Il brandissait le poing, mais sans frapper. Musashi, lâchant sa manche, allait reprendre la parole. Le prêtre s'éloigna rapidement, sans s'arrêter pour regarder en arrière. A côté de Musashi, Matahachi déclara :

— Quand je l'ai vu au temple pour lui expliquer nos sentiments et pourquoi nous voulions devenir ses disciples, c'est à peine s'il écoutait. Quand j'ai eu terminé, il a fait : « Ah ? », et m'a déclaré que je pouvais l'accompagner pour le servir. Peut-être que si tu te contentes de nous suivre, chaque fois qu'il aura l'air de bonne humeur tu pourras lui demander ce que tu veux.

Gudō se retourna pour appeler Matahachi.

— Je viens, répondit ce dernier. Fais ce que je t'ai dit, conseilla-t-il à Musashi en s'élançant pour rattraper le prêtre.

Musashi pensa que perdre à nouveau de vue le prêtre lui serait fatal ; aussi décida-t-il de suivre le conseil de Matahachi. Dans le cours du temps universel, les soixante ou soixante-dix années de vie d'un homme n'étaient qu'un éclair. Si dans ce bref laps de temps il avait le privilège de rencontrer un homme tel que Gudō, il serait fou de laisser cette chance lui échapper. « C'est une occasion sacrée », se dit-il. Des larmes brûlantes lui vinrent aux yeux. Il devait suivre Gudō jusqu'au bout du monde, s'il le fallait, le harceler jusqu'à entendre la parole qu'il brûlait d'entendre.

Gudō s'éloignait de la colline de Hachijō : le temple qui s'y dressait ne paraissait plus l'intéresser. En arrivant au Tōkaidō, il tourna vers l'ouest, vers Kyoto.

Le cercle

La façon de voyager du maître zen était d'une excentricité capricieuse. Un jour de pluie, il resta du matin au soir à l'auberge, et se fit administrer par Matahachi un traitement de moxa. Dans la province de Mino, il passa sept jours au Daisenji puis quelques jours dans un temple zen de Hikone ; aussi furent-ils lents à s'approcher de Kyoto.

Musashi dormait où il pouvait. Quand Gudō descendait à l'auberge, il passait la nuit ou bien à la belle étoile, ou bien dans une autre auberge. Si le prêtre et Matahachi s'arrêtaient dans un temple, Musashi s'abritait sous le porche. Les privations n'étaient rien, comparées à son besoin d'une parole de Gudō.

Une nuit, à l'extérieur d'un temple, au bord du lac Biwa, s'apercevant soudain de la venue de l'automne, Musashi se regarda et vit qu'il ressemblait fort à un mendiant. Ses cheveux, bien sûr, étaient un nid à rats puisqu'il avait résolu de ne pas les peigner tant que le prêtre n'aurait pas cédé. Depuis des semaines, il ne s'était ni baigné ni rasé. Ses vêtements devenaient rapidement des haillons.

Il considéra sa natte de roseaux et pensa : « Quel fou je suis ! » Tout à coup, son attitude lui paraissait insensée. Il eut un rire amer. Qu'attendait-il du maître zen ? Etait-il impossible de vivre sans se torturer à ce point ?

Gudō avait déclaré sans équivoque qu'il n'avait rien à offrir. Il était déraisonnable d'insister pour obtenir de lui quelque chose qu'il ne possédait pas, mal de lui en vouloir, même s'il témoignait moins de considération qu'il n'aurait dû à un chien perdu au bord de la route.

Musashi leva les yeux à travers les cheveux qui lui pendaient sur le front. Aucun doute là-dessus : il s'agissait d'une lune d'automne. Mais les moustiques... Sa peau, déjà criblée de marques rouges, n'était plus sensible à leurs morsures.

Si sa quête de la Voie devait s'achever là, il préférerait mourir, car il ne voyait aucune autre raison de vivre. Il s'étendit sous le toit du portail. Le sommeil ne venant pas, il se demanda pourquoi. Une technique du sabre ? Non ; pas seulement cela.

Un secret pour réussir dans le monde ? Non ; plus que cela. Une solution au problème d'Otsū ? Non ; aucun homme ne pouvait être à ce point malheureux pour l'amour d'une femme. Il devait s'agir d'une réponse qui englobât tout ; pourtant, malgré toute son ampleur, il se pouvait en même temps qu'elle ne fût pas plus grosse qu'une graine de pavot.

Enveloppé dans sa natte, il avait l'air d'une chenille. Il se demanda si Matahachi dormait bien. En se comparant à son ami, il éprouva de l'envie. Les difficultés de Matahachi ne semblaient pas le paralyser. Musashi paraissait toujours chercher de nouveaux motifs de torture.

Ses yeux s'arrêtèrent sur une plaque apposée à un montant du portail. Il se leva et s'en approcha pour l'examiner mieux. A la lueur de la lune, il lut :

> Je vous en prie, essayez de trouver la source fondamentale.
> Pai-yün fut ému des mérites de Pai-ch'ang ;
> Hu-ch'iu soupira sur les enseignements laissés par Pai-[yün.
> A l'exemple de nos grands prédécesseurs,
> Ne vous contentez pas de cueillir les feuilles,
> Ou de ne vous intéresser qu'aux branches.

Il semblait que ce fût une citation du *Testament* de Daitō Kokuchi, le fondateur du Daitokuji. Musashi relut les deux derniers vers. Feuilles et branches... Pourquoi son sabre ne lui obéissait-il pas ? Pourquoi ses yeux se détachaient-ils de son but ? Qu'est-ce qui l'empêchait d'atteindre la sérénité ?

> Je ris de mes dix années de pèlerinage :
> Habit fané, chapeau en loques, portes zen où l'on frappe.
> En réalité, la Loi du Bouddha est simple :
> Mange ton riz, bois ton thé, porte tes vêtements.

Musashi se rappelait cette strophe écrite par Gudō pour se moquer de lui-même. A l'époque où il la composait, Gudō avait à peu près l'âge actuel de Musashi.

Quand Musashi avait été le voir pour la première fois au

Myōshinji, le prêtre avait failli le mettre à la porte à coups de pied. « Quel étrange raisonnement vous conduit chez moi ! » criait-il. Mais Musashi insista ; plus tard, une fois qu'il fut reçu, Gudō lui fit connaître cette strophe ironique. Et il se moqua de lui, disant ce qu'il avait dit quelques semaines auparavant : « Tu parles toujours... C'est inutile. »

Complètement découragé, Musashi renonça à dormir et contourna le portail, juste à temps pour voir deux hommes sortir du temple.

Gudō et Matahachi marchaient à une vitesse inhabituelle. Peut-être étaient-ils convoqués d'urgence au Myōshinji, le temple principal de la secte de Gudō. Quoi qu'il en fût, celui-ci dépassa en trombe les moines rassemblés pour le voir partir, et se dirigea droit vers le pont de Kara, à Seta.

Musashi suivait à travers la ville de Sakamoto endormie, les ateliers de gravure sur bois, l'épicerie et même les auberges bondées, tout cela barricadé de volets. La seule présence était celle de la lune spectrale.

Quittant la ville, ils gravirent le mont Hiei, dépassèrent le Miidera et le Sekiji dans leurs voiles de brume. Ils ne rencontrèrent presque personne. Quand ils atteignirent le col, Gudō s'arrêta et dit quelque chose à Matahachi. Au-dessous d'eux s'étendait Kyoto, de l'autre côté la surface calme du lac Biwa. En dehors de la lune elle-même, tout ressemblait à du mica, un océan de douce brume argentée.

Quelques instants plus tard, en arrivant au col, Musashi tressaillit de se trouver à quelques pas seulement du maître. Leurs yeux ne s'étaient pas rencontrés depuis plusieurs semaines.

Gudō se taisait.

Musashi se taisait.

« Maintenant... il faut que ce soit maintenant », se dit Musashi. Si le prêtre allait jusqu'au Myōshinji, peut-être faudrait-il attendre un grand nombre de semaines l'occasion de le revoir.

— S'il vous plaît, monsieur... dit-il.

Sa poitrine se gonflait ; son cou se tordait. Sa voix sonnait comme celle d'un enfant effrayé qui tâche de dire à sa mère quelque chose qu'il ne veut pas vraiment dire. Il s'avançait timidement. Le prêtre ne daigna pas lui demander ce qu'il voulait. Son visage aurait pu être celui d'une statue laquée. Les yeux seuls se détachaient en blanc, qui foudroyaient Musashi.

— ... S'il vous plaît, monsieur...

Musashi, n'écoutant que l'élan irrésistible qui le poussait en avant, tomba à genoux et inclina la tête.

— ... Un mot de sagesse. Un seul mot...

Il attendit ce qui lui parut des heures. Quand il fut incapable de se contenir davantage, il renouvela sa supplication.

— Je sais tout ça, l'interrompit Gudō. Matahachi me parle de toi chaque soir. Je sais tout ce qu'il y a à savoir, même au sujet de cette femme.

Ces mots ressemblaient à des éclats de glace. Musashi n'aurait pu lever la tête, même s'il l'avait voulu.

— ... Matahachi, un bâton !

Musashi ferma les yeux, se préparant au coup ; mais au lieu de le frapper, Gudō traça un cercle autour de lui. Sans une explication, il jeta le bâton et dit :

— ... Allons, Matahachi.

Et ils partirent rapidement. Musashi était indigné. Après les semaines de cruelles mortifications qu'il avait subies dans un effort sincère pour recevoir un enseignement, le refus de Gudō était bien plus qu'un manque de compassion. C'était un brutal manque de cœur. Gudō jouait avec la vie d'un homme.

— Sale prêtre !

Musashi, serrant les dents, regardait avec fureur s'éloigner les deux hommes.

« Rien ». En réfléchissant à la parole de Gudō, il conclut qu'elle était trompeuse, du fait qu'elle donnait à entendre que cet homme avait quelque chose à offrir, alors qu'en réalité il n'y avait « rien » dans sa tête folle.

« Attends un peu, songeait Musashi. Je n'ai pas besoin de toi ! » Il ne s'appuierait sur personne. En dernière analyse, il n'y avait bien personne d'autre que lui-même sur qui s'appuyer. Il était un homme, tout comme Gudō était un homme, et tous les maîtres précédents étaient des hommes.

Il se leva, à demi soulevé par sa propre fureur. Durant

plusieurs minutes, il regarda fixement la lune ; mais, sa colère s'apaisant, ses yeux s'arrêtèrent sur le cercle. Encore à l'intérieur de lui, il fit le tour complet. Ce faisant, il se rappela que le bâton ne l'avait pas frappé.

« Un cercle ? Qu'est-ce que ça pouvait bien vouloir dire ? » Il laissa courir sa pensée.

Une ligne parfaitement ronde, sans commencement, sans fin, sans déviation. Elargie à l'infini, elle deviendrait l'univers. Rétrécie, elle équivaudrait au point infinitésimal dans lequel résidait l'âme de Musashi. L'âme de Musashi était ronde. L'univers était rond. Pas deux. Un. Une seule entité : lui-même et l'univers.

Dans un cliquetis, il tira son sabre et le tendit en diagonale. Son ombre ressemblait au symbole qui désigne « o » [才]. Le cercle universel demeurait le même. De plus, lui-même était inchangé. L'ombre seule était différente.

« Seulement une ombre, se dit-il. Elle n'est pas mon vrai moi. » Le mur contre lequel il s'était heurté la tête n'était qu'une ombre, celle de son esprit confus.

Il leva la tête, et un cri furieux lui jaillit des lèvres.

De la main gauche, il tendit son sabre court. L'ombre changea de nouveau, mais l'image de l'univers... pas d'un iota. Les deux sabres n'étaient qu'un. Et ils faisaient partie du cercle.

Musashi poussa un profond soupir ; ses yeux s'étaient ouverts. En regardant de nouveau la lune, il constata que son vaste cercle pouvait être considéré comme identique au sabre ou à l'âme d'un habitant de la terre.

— ... *Sensei !* cria-t-il en bondissant à la suite de Gudō. Il ne demandait plus rien au prêtre, mais lui devait des excuses pour l'avoir haï avec une telle véhémence. Au bout d'une douzaine de pas, il s'arrêta. « Ce ne sont que des feuilles et des branches », se dit-il.

Bleu de Shikama

— Otsū est là ?

— Oui, je suis là.

Un visage apparut au-dessus de la haie.

— Vous êtes le marchand de chanvre Mambei, n'est-ce pas ? demanda Otsū.

— Exact. Pardon de vous déranger alors que vous êtes occupée, mais j'ai appris des nouvelles qui vous intéresseront peut-être.

— Entrez.

Elle désignait du geste la porte de bois ménagée dans la clôture. Le linge pendu aux branches et aux perches le montrait : la maison appartenait à l'un des teinturiers qui fabriquaient le tissu robuste connu dans tout le pays sous le nom de « bleu de Shikama ». Cela consistait à plonger le linge plusieurs fois dans une teinture d'indigo, et à le pilonner dans un grand mortier après chaque immersion.

Otsū n'avait pas encore l'habitude de manier le maillet, mais elle travaillait dur et ses doigts étaient teints en bleu. A Edo, après avoir appris le départ de Musashi, elle avait rendu visite aux résidences Hōjō et Yagyū, puis avait aussitôt repris ses recherches. A Sakai, l'été précédent, elle s'était embarquée sur un des bateaux de Kobayashi Tarōzaemon, et elle était venue à Shikama, village de pêcheurs situé sur l'estuaire triangulaire où le fleuve Shikama se jette dans la mer Intérieure.

S'étant souvenue que sa nourrice était mariée à un teinturier de Shikama, Otsū était allée la voir et habitait chez elle. La famille était pauvre ; Otsū se sentait donc obligée d'aider à la teinture, ouvrage des jeunes femmes non mariées. Souvent, elles chantaient en travaillant ; les villageois assuraient qu'ils pouvaient distinguer, au son de voix d'une fille, si elle était amoureuse de l'un des pêcheurs.

Après s'être lavé les mains et avoir essuyé la transpiration de son front, Otsū invita Mambei à s'asseoir pour se reposer sur la véranda. Il refusa d'un geste de la main, et dit :

— Vous venez bien du village de Miyamoto, n'est-ce pas ?

— Oui.

— Je monte par là pour affaires, pour acheter du chanvre, et l'autre jour j'ai entendu une rumeur...

— Oui ?

— Sur vous.

— Sur moi ?

— J'ai aussi entendu parler d'un homme appelé Musashi.

— Musashi ?

Otsū avait le cœur dans la gorge, et ses joues s'empourprèrent. Mambei eut un petit rire. Bien que ce fût l'automne, le soleil était encore assez fort. Mambei plia un mouchoir, s'en couvrit la tête et s'accroupit sur ses talons.

— Connaissez-vous une femme appelée Ogin ? demanda-t-il.

— Vous voulez dire la sœur de Musashi ?

Mambei acquiesça énergiquement du chef.

— Je l'ai rencontrée au village de Mikuzaki, dans le Sayo. Par hasard, j'ai cité votre nom. Elle a paru très surprise.

— Lui avez-vous dit où j'étais ?

— Oui. Je ne voyais aucun mal à ça.

— Où donc habite-t-elle, maintenant ?

— Chez un samouraï du nom de Hirata... un parent à elle, je crois. Elle dit qu'elle aimerait beaucoup vous voir. Elle a répété plusieurs fois combien vous lui manquiez, qu'elle avait tant de choses à vous raconter ! Certaines de ces choses étaient secrètes, qu'elle disait. Je croyais qu'elle allait se mettre à pleurer.

Les yeux d'Otsū rougirent.

— ... Là, au milieu de la route, ce n'était pas un endroit pour écrire une lettre, bien sûr ; aussi, m'a-t-elle chargé de vous dire d'aller à Mikazuki. Elle a ajouté qu'elle aimerait venir ici mais ne le pouvait pour le moment.

Mambei fit une pause.

— ... Elle n'est pas entrée dans les détails, mais elle a déclaré qu'elle avait des nouvelles de Musashi.

Il ajouta qu'il se rendait à Mikazuki le lendemain, et lui proposa de l'accompagner. Bien qu'Otsū y fût décidée aussitôt, elle croyait devoir en discuter avec l'épouse du teinturier.

— Je vous donnerai ce soir la réponse, dit-elle.

— Parfait. Si vous décidez d'y aller, nous devrons partir de bonne heure.

Tandis que Mambei franchissait la porte, un jeune samouraï qui jusqu'alors était assis sur la plage se leva pour le regarder de ses yeux perçants, comme afin de vérifier ce qu'il pensait de l'homme. Elégamment vêtu, coiffé d'un chapeau de paille tressée en forme de feuille de ginkgo, il paraissait âgé de dix-huit ou dix-neuf ans. Quand le marchand de chanvre eut disparu, il se retourna pour contempler la maison du teinturier.

Malgré l'excitation provoquée par les nouvelles de Musashi, Otsū ramassa son maillet et reprit son travail. Le bruit d'autres maillets, accompagné de chants, flottait dans l'air. Aucun son ne sortait des lèvres d'Otsū tandis qu'elle travaillait, mais dans son cœur elle chantait son amour pour Musashi. Elle chuchotait en silence un poème extrait d'un recueil ancien :

> Depuis notre première rencontre,
> Mon amour est plus profond
> Que celui des autres,
> Sans pourtant égaler les teintes
> Du linge de Shikama.

Elle était sûre que si elle allait voir Ogin, elle apprendrait où se trouvait Musashi. Et Ogin était femme, elle aussi. Il serait facile de lui dire ses sentiments.

Les bruits de son maillet ralentirent jusqu'à un rythme presque languide. Otsū était plus heureuse qu'elle ne l'avait été depuis longtemps. Elle comprenait les sentiments du poète. Souvent, la mer paraissait mélancolique, étrangère ; ce jour-là, elle était éblouissante, et les vagues, bien que douces, semblaient éclater d'espérance.

Elle pendit le linge sur une haute perche à sécher, et, le cœur toujours chantant, sortit par la porte ouverte. Du coin de l'œil elle aperçut le jeune samouraï qui se promenait sans hâte au bord de l'eau. Elle ignorait tout à fait qui c'était ; il n'en retint pas moins son attention, et elle ne remarqua rien d'autre, pas même un oiseau porté par la brise saline.

Ils n'allaient pas très loin ; même une femme pouvait couvrir à pied sans difficulté la distance, en s'arrêtant une seule fois en route. Il était maintenant près de midi.

— Je regrette de vous causer tous ces ennuis, dit Otsū.

— Il n'y a aucun ennui. Vous avez de bonnes jambes, à ce qu'il semble, dit Mambei.

— J'ai l'habitude des voyages.

— J'ai appris que vous étiez allée à Edo. C'est un vrai voyage pour une femme seule.

— C'est la femme du teinturier qui vous a dit ça ?

— Oui. Je sais tout. Les gens de Miyamoto en parlent aussi.

— Ah ! vraiment, dit Otsū avec un léger froncement de sourcils. C'est bien gênant.

— Vous n'avez pas à être gênée. Si vous aimez autant quelqu'un, qui peut dire si l'on doit vous plaindre ou vous féliciter ? Mais il me semble que ce Musashi a le cœur un peu froid.

— Oh ! non... pas du tout.

— Vous ne lui en voulez pas de la façon dont il s'est comporté ?

— C'est ma faute. Son entraînement, sa discipline sont la seule chose qui l'intéresse dans la vie, et je ne peux m'y résigner.

— Je ne vois rien de mal à vos sentiments.

— Pourtant, il me semble que je lui ai causé beaucoup d'ennuis.

— Tiens, mon épouse devrait entendre ça. C'est ainsi que les femmes devraient être.

— Ogin est mariée ? demanda Otsū.

— Ogin ? Oh ! je n'en suis pas tout à fait sûr, dit Mambei qui changea de conversation : Voilà une maison de thé. Reposons-nous un moment.

Ils entrèrent et commandèrent du thé pour accompagner leurs déjeuners portatifs. Comme ils terminaient, des palefreniers et des porteurs qui passaient hélèrent Mambei sur un ton familier :

— Dis donc, toi, pourquoi ne viens-tu pas faire un tour au jeu à Handa, aujourd'hui ? Tout le monde se plaint : tu es parti avec tout notre argent, l'autre jour.

Un peu confus, il cria en réponse, comme s'il ne les avait pas compris :

— Je n'ai pas besoin de vos chevaux, aujourd'hui.

Puis rapidement, à Otsū :

— ... Nous partons ?

Comme ils sortaient précipitamment de la maison de thé, l'un des palefreniers dit :

— Pas étonnant qu'il nous envoie promener. Regarde la fille !

— Je vais tout raconter à ta vieille, Mambei.

En poursuivant rapidement leur chemin, ils entendirent d'autres commentaires du même genre. La boutique d'Asaya Mamba à Shikama ne figurait certes pas au nombre des plus importantes maisons de commerce de cette localité. Mambei achetait du chanvre dans les villages proches, et le partageait entre les épouses et filles de pêcheurs afin d'en faire des voiles, des filets et d'autres articles. Mais il était propriétaire de son entreprise, et Otsū trouva bizarre qu'il fût en des termes aussi cordiaux avec de simples porteurs. Comme pour dissiper des doutes informulés, Mambei lui dit :

— Que faire avec une pareille racaille ? Je leur demande de transporter de la marchandise des montagnes, mais ce n'est pas une raison pour qu'ils deviennent familiers !

Ils passèrent la nuit à Tatsuno ; lorsqu'ils en repartirent, le lendemain matin, Mambei était aussi aimable et attentionné que jamais. Le temps d'atteindre Mikazuki, il commençait à faire sombre au pied des montagnes.

— Mambei, demanda Otsū, anxieuse, n'est-ce pas Mikazuki ? Si nous franchissons la montagne, nous serons à Miyamoto.

Elle avait appris qu'Osugi se trouvait de retour à Miyamoto. Mambei s'arrêta.

— Mais oui, c'est juste de l'autre côté. Ça vous donne le mal du pays ?

Otsū leva les yeux vers la crête noire, onduleuse des montagnes et le ciel du soir. La région semblait fort désolée.

— ... C'est un peu plus loin, dit Mambei qui ouvrait la marche. Vous êtes fatiguée ?

— Oh ! non. Et vous ?

— Non. J'ai l'habitude de cette route. Je viens tout le temps par ici.

— Où se trouve au juste la maison d'Ogin ?

— Par là, répondit-il, l'index tendu. Elle nous attend sûrement.

Ils pressèrent un peu le pas. Quand ils arrivèrent à l'endroit où la pente devenait plus raide, ils trouvèrent quelques maisons clairsemées. C'était une étape sur la grand-route de Tatsuno, guère assez importante pour être qualifiée du nom de ville, bien qu'elle s'enorgueillît d'un restaurant bon marché « à plat unique » pour palefreniers, et de quelques auberges de même niveau disséminées des deux côtés de la route. Une fois qu'ils eurent dépassé le village, Mambei déclara :

— ... Maintenant, il va nous falloir grimper un peu.

Se détournant de la route, il entreprit de gravir des marches de pierre abruptes qui menaient au sanctuaire local. Comme un petit oiseau se plaint d'un soudain abaissement de la température, Otsū devina quelque chose d'anormal :

— Vous êtes sûr que nous sommes sur le bon chemin ? Il n'y a pas de maisons par ici, dit-elle.

— Ne vous inquiétez pas. L'endroit est solitaire, mais asseyez-vous juste pour vous reposer sous le porche du sanctuaire. Je vais chercher Ogin.

— Pourquoi cela ?

— Auriez-vous oublié ? Je suis certain de vous l'avoir signalé. Ogin a dit qu'elle risquait d'avoir des hôtes qu'il ne convenait pas que vous rencontriez. Sa maison est de l'autre côté du petit bois. Je reviens tout de suite.

Et il s'éloigna précipitamment le long d'un étroit sentier qui traversait les sombres cryptomerias. Tandis que s'obscurcissait le ciel du soir, Otsū commença à éprouver un net malaise. Des feuilles mortes, agitées par le vent, vinrent se poser sur ses genoux. Rêveuse, elle en ramassa une et la tourna entre ses doigts. Folie ou pureté : elle était l'image même de la virginité.

Un violent ricanement se fit soudain entendre derrière le sanctuaire ; Otsū se releva d'un bond.

— Ne bouge pas, Otsū ! ordonna une voix rauque, épouvantable.

Otsū, le souffle coupé, se boucha les oreilles.

Plusieurs ombres, sorties de derrière le sanctuaire, entourèrent sa forme tremblante. Elle avait beau fermer les yeux, elle voyait distinctement l'une d'elles, plus effrayante et plus vaste, semblait-il, que les autres, la sorcière à cheveux blancs qu'elle avait si souvent vue dans ses cauchemars.

— ... Merci, Mambei, dit Osugi. Et maintenant, bâillonnez-la avant qu'elle ne se mette à crier, et emmenez-la à Shimonoshō. Vite !

Elle parlait avec l'autorité effrayante du roi des Enfers en train de condamner un pécheur. Les quatre ou cinq hommes étaient, semblait-il, des brutes de village ayant un lien quelconque avec le clan d'Osugi. En vociférant leur assentiment, ils se jetèrent sur Otsū comme des loups se disputent une proie, et la ligotèrent de manière à ne laisser libres que ses jambes.

— Prenez le raccourci.

— En avant !

Osugi demeura en arrière afin de régler Mambei. Tout en extrayant l'argent de son obi, elle dit :

— Bravo de l'avoir amenée. Je craignais que vous n'y réussissiez pas.

Puis elle ajouta :

— ... N'en soufflez mot à personne.

Avec une expression satisfaite, Mambei fourra l'argent dans sa manche.

— Oh ! ça n'était pas si difficile, assura-t-il. Votre plan a fonctionné à merveille.

— Ah ! ça valait le coup d'œil. Elle avait peur, hein ?

— Elle ne pouvait même pas s'enfuir. Elle restait là, debout. Ha ! ha ! Mais peut-être... c'était plutôt mal de notre part.

— Qu'y a-t-il de mal à ça ? Si seulement vous saviez par quoi je suis passée...

— Oui, oui ; vous m'avez tout raconté.

— Allons, je ne dois pas perdre mon temps ici. A un de ces jours. Venez nous voir à Shimonoshō.

— Attention, ce chemin n'est pas commode ! cria-t-il en se mettant à redescendre le long escalier sombre.

Osugi entendit haleter, tournoya sur elle-même et s'écria :

— Mambei ! C'était vous ? Qu'est-ce qui ne va pas ?

Pas de réponse.

Osugi courut au sommet de l'escalier. Elle laissa échapper un petit cri puis retint son souffle en scrutant l'ombre debout à côté du corps tombé, et le sabre ruisselant de sang, dans la main de l'ombre.

— ... Qui... qui va là ?

Pas de réponse.

— ... Qui êtes-vous ?

Sa voix était sèche, fatiguée, mais les ans n'avaient pas diminué son audace. Le rire secoua légèrement les épaules de l'homme.

— C'est moi, espèce de vieille sorcière.

— Qui êtes-vous ?

— Vous ne me reconnaissez pas ?

— Je n'ai jamais entendu votre voix de ma vie. Un voleur, je suppose.

— Aucun voleur ne se soucierait d'une vieille femme aussi pauvre que vous.

— Pourtant, vous m'avez guettée, n'est-ce pas ?

— Oui.

— Moi ?

— Je viens de vous le dire. Je n'aurais pas fait tout le chemin de Mikazuki pour tuer Mambei. Je viens vous donner une leçon.

— Quoi ?

L'on eût dit que le gosier d'Osugi se rompait.

— ... Vous vous trompez d'adresse. Et d'abord, qui êtes-vous ? Je m'appelle Osugi. Je suis la douairière de la famille Hon'iden.

— Ah ! que c'est bon de vous entendre dire ça ! Ça fait renaître toute ma haine. Sorcière ! Avez-vous oublié Jōtarō ?

— Jō... Jō... tarō ?

— En trois ans, un nouveau-né cesse d'être un bébé pour devenir un enfant de trois ans. Vous êtes un vieil arbre ; je suis un jeune arbre. Je regrette, vous ne pouvez plus me traiter en marmot pleurnicheur.

— Sûrement, je rêve. Vous êtes vraiment Jōtarō ?

— Vous devriez payer pour tout le tort que vous avez fait à mon maître à longueur d'années. Il ne vous a évitée que parce que vous êtes vieille et qu'il ne voulait pas vous faire de mal. Vous en avez profité, allant partout, même à Edo, répandre sur lui des bruits malveillants comme si vous aviez une raison légitime de vous venger de lui. Vous avez été jusqu'à empêcher sa nomination à un bon poste.

Osugi se taisait.

— ... Pourtant, votre rancune ne s'est pas bornée là. Vous avez tourmenté Otsū, tâché de lui nuire. Je croyais que vous aviez enfin renoncé pour vous retirer à Miyamoto. Mais vous continuez, en vous servant de ce Mambei pour tramer quelque chose contre elle.

Osugi se taisait toujours.

— ... Vous ne vous lasserez donc jamais de haïr ? Il me serait facile de vous couper en deux, mais heureusement pour vous je ne suis plus le fils d'un samouraï rebelle. Mon père, Aoki Tanzaemon, est retourné à Himeji, et, depuis le printemps dernier, sert la Maison d'Ikeda. Pour éviter de la déshonorer je m'abstiendrai de vous tuer.

Jōtarō fit deux pas vers elle. Ignorant si elle devait le croire ou non, Osugi recula et chercha autour d'elle un moyen de s'échapper. Elle crut en voir un, et bondit vers le sentier qu'avaient pris les hommes. Jōtarō la rattrapa d'un saut, et la saisit par la peau du cou. Elle ouvrit la bouche toute grande et cria :

— Quelle audace !

Elle se retourna et du même élan tira son sabre, frappa vers Jōtarō et le manqua. Tout en esquivant, Jōtarō la poussa violemment en avant. Sa tête alla heurter durement le sol.

— ... Alors, tu as appris deux ou trois petites choses, n'est-ce pas ? gémit-elle, la figure à demi enfouie dans l'herbe.

Elle avait l'air incapable de réaliser que Jōtarō n'était plus un enfant. Avec un grondement, il posa le pied sur sa colonne vertébrale, qui paraissait très fragile, et sans pitié lui tordit le bras derrière le dos.

Il la traîna devant le sanctuaire, la maintint du pied par terre, mais sans pouvoir décider que faire d'elle.

Il fallait penser à Otsū. Où se trouvait-elle ? Il avait appris sa présence à Shikama en grande partie par hasard, bien que ce fût peut-être parce que leurs karmas étaient entremêlés. En même temps que l'on réintégrait son père dans ses fonctions, Jōtarō s'était vu décerner un poste. Au cours d'une de ses missions, il avait aperçu par une fente de la clôture une femme qui ressemblait à Otsū. Etant retourné l'avant-veille à la plage, il avait vérifié son impression.

Il remerciait les dieux de lui avoir fait retrouver Otsū, mais la haine longtemps assoupie qu'il nourrissait envers Osugi pour la façon dont elle avait persécuté Otsū s'était rallumée. Si l'on ne se débarrassait de la vieille femme, il serait impossible à Otsū de vivre en paix. La tentation était là. Mais la tuer mêlerait son père à une querelle avec une famille de samouraïs campagnards. C'étaient pour le moins des gens à histoires ; offensés par un vassal direct de daimyō, ils feraient sûrement des ennuis.

Jōtarō conclut que le mieux était de punir vite Osugi puis de secourir Otsū.

— Je connais l'endroit qu'il vous faut, dit-il. Venez.

Osugi s'accrochait farouchement au sol en dépit des tentatives de Jōtarō pour la tirer. Il la saisit par la taille et la transporta sous son bras derrière le sanctuaire. Le flanc de la colline avait été mis à nu lors de la construction du sanctuaire, et il y avait là une petite caverne dont l'entrée était juste assez grande pour permettre à une personne de s'y glisser.

Otsū ne voyait au loin qu'une seule lumière. Autrement, tout n'était que ténèbres : les montagnes, les champs, les cours d'eau, le col de Mikazuki, qu'ils venaient de franchir par un sentier pierreux. Les deux hommes du devant la menaient avec une corde ainsi qu'une criminelle. En arrivant à la rivière Sayo, l'homme qui se trouvait derrière elle dit :

— Arrêtez une minute. Qu'est-ce qui a bien pu arriver à la vieille, d'après vous ? Elle a dit qu'elle nous suivait.

— Ouais ; elle devrait nous avoir rattrapés, à l'heure qu'il est.

— Nous pourrions faire halte ici quelques minutes. Ou bien aller à Sayo l'attendre à la maison de thé. Tout le monde doit être au lit mais nous pourrions les réveiller.

— Allons là-bas. Nous pourrons prendre une ou deux coupes de saké.

Ils cherchèrent un gué le long de la rivière, et commençaient à traverser lorsqu'ils entendirent une voix les héler de loin. Elle se refit entendre une ou deux minutes après, beaucoup plus proche.

— La vieille ?

— Non ; on dirait une voix d'homme.

— Ça ne doit pas s'adresser à nous.

L'eau était glaciale ainsi qu'une lame de sabre, surtout pour Otsū. Quand ils entendirent courir, leur poursuivant se trouvait presque sur eux. A grand renfort d'éclaboussures, il les dépassa vers l'autre rive pour les affronter.

— Otsū ? appelait Jōtarō.

Tout frissonnants de l'eau qu'ils avaient reçue, les trois hommes entourèrent la jeune fille.

— ... Ne bougez pas ! cria Jōtarō, les bras tendus.

— Qui êtes-vous ?

— Peu importe. Relâchez Otsū !

— Vous êtes fou ? Vous ne savez donc pas que vous risquez de vous faire tuer à vous mêler des affaires des autres ?

— Osugi a dit que vous deviez me remettre Otsū.

— Tu mens comme un arracheur de dents.

Les trois hommes éclatèrent de rire.

— Non, je ne mens pas. Regardez ceci.

Il tendait une feuille de papier de soie où figurait l'écriture d'Osugi. Le message était bref : « Les choses ont mal tourné. Vous n'y pouvez rien. Remettez Otsū à Jōtarō, puis revenez me chercher. » Les hommes, le sourcil froncé, levaient les yeux vers Jōtarō en montant sur la berge.

— ... Vous ne savez pas lire ? persiflait Jōtarō.

— La ferme. C'est toi, Jōtarō, j'imagine.

— Exact. Je m'appelle Aoki Jōtarō.

Otsū le regardait fixement, tremblant de frayeur et de doute.

Et voici que, presque inconsciente, elle cria, haleta et trébucha en avant. L'homme le plus rapproché de Jōtarō s'exclama :

— Son bâillon s'est desserré ! Resserrez-le !

Puis, menaçant, à Jōtarō :

— ... C'est bien l'écriture de la vieille, ça ne fait aucun doute Mais qu'est-ce qu'elle est devenue ? Qu'est-ce qu'elle veut dire par : « Revenez me chercher » ?

— Elle est mon otage, répondit Jōtarō avec hauteur. Remettez-moi Otsū, et je vous dirai où elle se trouve.

Les trois hommes se regardèrent entre eux.

— Tu veux rire ? demanda l'un d'eux. Tu sais qui nous sommes ? N'importe quel samouraï de Himeji, si c'est de là que tu viens, devrait connaître la Maison de Hon'iden à Shimonoshō.

— Oui ou non... répondez ! Si vous ne rendez pas Otsū, je laisse la vieille femme où elle est jusqu'à ce qu'elle meure de faim.

— Espèce de petit salaud !

Un homme empoigna Jōtarō ; un autre dégaina son sabre et se mit en garde. Le premier gronda :

— Si tu continues à débiter des absurdités pareilles, je te mets en pièces. Où est Osugi ?

— Me donnerez-vous Otsū ?

— Non !

— Alors, vous ne trouverez pas. Remettez-moi Otsū, et nous pourrons mettre un terme à cette affaire sans que personne y laisse des plumes.

L'homme qui avait saisi le bras de Jōtarō le tira pour essayer de le faire trébucher.

Utilisant la force de son adversaire, Jōtarō le jeta par-dessus sa propre épaule. Mais la seconde suivante, assis sur le derrière, il serrait sa cuisse droite. Prompt comme l'éclair, l'homme avait dégainé et frappé d'un mouvement fauchant. Heureusement, la blessure n'était pas profonde. Jōtarō se releva d'un bond en même temps que son assaillant. Les deux autres marchèrent sur lui.

— Ne le tuez pas. Nous devons le prendre vivant si nous voulons revoir Osugi.

Jōtarō perdit bientôt sa répugnance à verser le sang. Dans la mêlée qui s'ensuivit, les trois hommes parvinrent à un certain moment à le jeter au sol. Il poussa un rugissement, et recourut à la tactique même dont, quelques instants plus tôt, l'on s'était servi contre lui. Il dégaina son petit sabre, et transperça le ventre de l'homme qui allait lui tomber dessus. La main et le bras de Jōtarō, jusqu'au coude, en sortirent aussi rouges que s'il les avait plongés dans un tonneau de vinaigre de prune.

S'étant relevé, il cria et frappa vers le bas l'homme qui se trouvait devant lui. La lame heurta une omoplate, et, en déviant, déchira un morceau de chair de la taille d'un filet de poisson. L'homme poussa un cri, empoigna son sabre, mais trop tard.

— Salauds ! Salauds !

En vociférant à chaque coup de son sabre, Jōtarō tint les deux autres en respect, puis réussit à blesser gravement l'un d'eux. Ils avaient cru que leur supériorité allait de soi ; mais voici qu'ils perdaient leur sang-froid, et se mettaient à faire avec leurs bras des moulinets désespérés. Hors d'elle, Otsū courait en cercles, tordant frénétiquement ses mains liées :

— Au secours ! Sauvez-le !

Mais ses paroles se perdaient bientôt, noyées par le bruit de la rivière et la voix du vent. Soudain, elle se rendit compte qu'au lieu d'appeler au secours, elle devait compter sur ses propres forces. Avec un petit cri de désespoir, elle se laissa glisser au sol et se mit à frotter la corde contre le tranchant d'une pierre. Ce n'était qu'une corde de paille lâche, ramassée au bord de la route, et la jeune fille fut prompte à se libérer. Elle ramassa des pierres, et courut droit au lieu de l'action :

— ... Jōtarō, s'écria-t-elle en lançant une pierre à la face de l'un des hommes, je suis là, moi aussi ! Tout va s'arranger !

Autre pierre.

— ... Tiens bon !

Encore une pierre ; mais, pareille aux deux premières, elle manqua son but. Otsū retourna précipitamment en chercher d'autres.

— La garce !

En deux bonds, l'un des hommes se dégagea d'avec Jōtarō et

se lança à la poursuite d'Otsū. Il était sur le point de lui assener un coup dans le dos quand Jōtarō l'atteignit. Jōtarō lui enfonça son sabre si profond que la lame ressortit par le nombril. L'autre homme, blessé, étourdi, commença par s'éloigner avec prudence, puis se mit tant bien que mal à courir. Jōtarō, les pieds plantés solidement de chaque côté du cadavre, retira le sabre et cria :

— Halte !

Comme il allait se lancer à sa poursuite, Otsū se jeta sur lui en criant :

— Non ! Il ne faut pas s'attaquer à un grand blessé en train de s'enfuir.

La ferveur de son plaidoyer stupéfia le jeune homme. Il ne comprenait pas quelle bizarrerie psychologique pouvait bien la pousser à compatir envers un homme qui venait de la tourmenter. Elle lui dit :

— ... Je veux savoir ce que tu as fait durant toutes ces années. J'ai moi aussi des choses à te dire. Et nous devrions partir d'ici le plus vite possible.

Jōtarō fut prompt à acquiescer, sachant bien que si la nouvelle de l'incident atteignait Shimonoshō, les Hon'iden lanceraient le village entier à leurs trousses.

— Vous pouvez courir, Otsū ?

— Oui. Ne te fais pas de souci pour moi.

Et ils coururent, coururent, coururent à travers l'obscurité jusqu'à ce qu'ils fussent à bout de souffle.

A Mikazuki, les seules lumières visibles étaient celles de l'auberge. L'une brillait dans le bâtiment principal où, un peu plus tôt, un groupe de voyageurs — un marchand de métal que ses affaires amenaient aux mines de l'endroit, un vendeur de fil venu de Tajima, un prêtre itinérant — se trouvaient assis à parler et à rire. Ils étaient tous allés se coucher.

Jōtarō et Otsū, assis, causaient à l'autre lumière, dans une petite pièce retirée que la mère de l'aubergiste occupait avec son rouet et les pots où elle faisait bouillir des vers à soie. L'aubergiste avait beau soupçonner le couple d'être illégitime, il lui avait fait préparer la chambre. Otsū disait :

— Alors, tu n'as pas vu non plus Musashi à Edo.

Et elle lui donna un compte rendu des récentes années. Attristé d'apprendre qu'elle n'avait pas vu Musashi depuis leur rencontre sur la grand-route de Kiso, Jōtarō avait du mal à parler. Pourtant, il crut pouvoir offrir une lueur d'espérance :

— Ce n'est pas grand-chose, déclara-t-il, mais j'ai ouï dire à Himeji que Musashi allait bientôt y venir.

— A Himeji ? Serait-ce possible ? demanda-t-elle, anxieuse de s'accrocher à l'espoir même le plus ténu.

— Ce n'est qu'un bruit, mais les hommes de notre fief en parlent comme d'une affaire déjà décidée. Ils assurent que Musashi traversera la ville pour se rendre à Kokura, où il a promis de relever le défi de Sasaki Kojirō. Sasaki Kojirō fait partie de la suite du seigneur Hosokawa.

— J'ai entendu dire quelque chose de ce genre, moi aussi, mais je n'ai pu trouver personne qui eût des nouvelles de Musashi, ou même qui sût où il était.

— Eh bien, la rumeur qui court au château de Himeji doit être digne de foi. Il semble que le Hanazono Myōshinji de Kyoto, lequel est en rapport étroit avec la Maison de Hosokawa, ait informé le seigneur Hosokawa de l'endroit où se trouvait Musashi, et que Nagaoka Sado — un vassal principal — ait remis à Musashi la lettre de défi.

— Croit-on que cela aura lieu bientôt ?

— Je ne sais pas. Personne ne paraît le savoir au juste. Mais si ça a lieu à Kokura, et si Musashi se trouve à Kyoto, il traversera Himeji pour s'y rendre.

— Il peut y aller par bateau.

Jōtarō secoua la tête.

— Je ne crois pas. Les daimyōs de Himeji, d'Okayama et d'autres fiefs, le long de la mer Intérieure, l'inviteront à passer la nuit. Ils veulent voir quel genre d'homme il est en réalité, et le sonder pour savoir si un poste l'intéresse. Le seigneur Ikeda a écrit à Takuan. Alors, il a enquêté au Myōshinji, et donné instruction aux marchands de gros de sa région de signaler s'ils voient quelqu'un qui réponde à la description de Musashi.

— Raison de plus pour supposer qu'il n'ira pas par terre. Il ne hait rien tant que les cérémonies. S'il est au courant, il fera de son mieux pour les éviter.

Otsū paraissait déprimée, comme si elle avait soudain perdu tout espoir.

— ... Qu'en penses-tu, Jōtarō ? demanda-t-elle d'un ton plaintif. Si j'allais au Myōshinji, crois-tu que je pourrais découvrir quelque chose ?

— Mon Dieu, peut-être, mais il faut vous rappeler que ce ne sont là que des bruits.

— Pourtant, il doit bien y avoir quelque chose là-dessous, tu ne crois pas ?

— Vous avez envie d'aller à Kyoto ?

— Oh ! oui. J'aimerais partir tout de suite... Eh bien, demain.

— Ne soyez pas si pressée. Voilà pourquoi vous manquez toujours Musashi. Dès l'instant où vous entendez une rumeur, vous l'admettez comme un fait et vous élancez. Si vous voulez repérer un rossignol, il faut regarder en un point situé devant l'endroit d'où vient sa voix. J'ai l'impression que vous êtes toujours à la remorque de Musashi, au lieu de prévoir où il peut se trouver ensuite.

— Eh bien, c'est possible, mais l'amour est illogique.

N'ayant pas pris le temps de réfléchir à ce qu'elle disait, elle eut la surprise de voir s'empourprer le visage du jeune homme à la mention du mot « amour ». Elle se ressaisit vite, et reprit :

— ... Merci du conseil. J'y penserai.

— Faites-le, mais d'ici là revenez à Himeji avec moi.

— Très bien.

— Je veux que vous veniez chez nous.

Otsū gardait le silence.

— ... D'après ce que dit mon père, je devine qu'il vous connaissait assez bien avant votre départ du Shippōji... Je ne sais pas ce qu'il a en tête, mais il a déclaré qu'il aimerait vous revoir une fois pour causer avec vous.

La chandelle menaçait de s'éteindre. Otsū se détourna et regarda le ciel, sous l'auvent délabré.

— La pluie, dit-elle.

— La pluie ? Et demain, nous devons gagner à pied Himeji.

— Qu'est-ce qu'une averse d'automne ? Nous mettrons des chapeaux de pluie.

— J'aimerais mieux qu'il fît beau.

Ils fermèrent les volets de bois ; dans la chambre, il fit bientôt très chaud et humide. Jōtarō avait une conscience aiguë du parfum féminin d'Otsū.

— ... Couchez-vous, déclara-t-il. Je dormirai par ici.

Il disposa un oreiller sous la fenêtre, et s'étendit sur le côté, face au mur.

— ... Vous ne dormez pas encore ? grommelait Jōtarō. Il faut vous coucher.

Il tira au-dessus de sa tête les minces couvertures, mais remua et se retourna encore un moment avant de sombrer dans un profond assoupissement.

La miséricorde de Kannon

Otsū, assise, écoutait l'eau dégoutter d'une fuite du toit. Poussée par le vent, la pluie entrait en rafales sous l'auvent, et fouettait les volets. Mais c'était l'imprévisible automne : il se pouvait que le matin se levât éclatant.

Alors, Otsū pensa à Osugi : « Je me demande si elle est dehors par cette tempête, toute mouillée et transie. Elle est vieille. Elle risque de ne pas durer jusqu'au matin. Et même, des jours peuvent s'écouler avant qu'on ne la trouve. Elle risque de mourir de faim. »

— Jōtarō, appela-t-elle doucement. Réveille-toi.

Elle avait peur qu'il n'eût commis quelque chose de cruel : elle l'avait entendu dire aux acolytes de la vieille femme qu'il la punissait, et il avait fait en passant une remarque similaire sur le chemin de l'auberge. « Elle n'est pas vraiment mauvaise, au fond, pensait-elle. Si je suis honnête avec elle, un de ces jours elle me comprendra... Il faut que j'aille à sa recherche. »

En songeant : « Si Jōtarō se met en colère, je ne pourrai rien », elle ouvrit un volet. Sur les ténèbres du ciel, la pluie paraissait blanche. Ayant retroussé ses jupes, Otsū prit au mur un chapeau de vannerie en écorce de bambou, et l'attacha sur sa tête. Puis elle jeta sur ses épaules une volumineuse cape de pluie en paille, chaussa une paire de sandales, et s'élança à travers le rideau de pluie qui se déversait du toit.

En s'approchant du sanctuaire où Mambei l'avait amenée, elle constata que l'escalier de pierre qui y montait était devenu une chute d'eau à multiples étages. Au sommet, le vent soufflait beaucoup plus fort : il hurlait à travers les cryptomerias comme une meute de chiens en colère.

« Où peut-elle bien être ? » se demanda-t-elle en scrutant des yeux l'intérieur du sanctuaire. Elle appela dans l'espace obscur situé dessous, mais sans recevoir de réponse.

Elle contourna l'édifice, et se tint là quelques minutes. Les gémissements du vent passaient au-dessus d'elle comme les brisants d'un océan démonté. Peu à peu, elle prit conscience d'un autre son, presque impossible à distinguer de la tempête. Cela s'arrêtait et recommençait :

— Oh-h-h ! Ecoutez-moi, quelqu'un... Il n'y a donc personne, par là ?... Oh-h-h !

— Grand-mère ! s'écria Otsū. Où donc êtes-vous ?

Comme elle criait littéralement contre le vent, le son ne portait guère. Mais par un moyen quelconque, le sentiment se communiqua :

— Oh ! Il y a quelqu'un là. Je le sais... Sauvez-moi. Ici ! Sauvez-moi !

Dans les bribes sonores qui lui parvenaient aux oreilles, Otsū percevait le cri du désespoir.

— Où êtes-vous ? s'écria-t-elle d'une voix enrouée. Grand-mère, où êtes-vous ?

Elle fit tout le tour du sanctuaire, s'arrêta un instant puis refit le tour. Presque par hasard, elle remarqua une sorte de caverne d'ours, à une vingtaine de pas, presque au bas du sentier escarpé qui montait au sanctuaire intérieur. En s'approchant, elle acquit la certitude que la voix de la vieille femme venait de l'intérieur. Arrivée à l'entrée, elle s'arrêta, les yeux fixés sur les grosses pierres qui l'obstruaient.

— Qui est-ce ? Qui est là ? Etes-vous une manifestation de

Kannon ? Je l'adore chaque jour. Ayez pitié de moi. Sauvez une pauvre vieille femme prise au piège par un démon.

Les supplications d'Osugi prenaient un ton hystérique. Mi-pleurant, mi-suppliant, dans le sombre intervalle entre la vie et la mort elle se formait l'image de la compatissante Kannon, et lui adressait sa fervente prière : elle voulait survivre.

— ... Que je suis heureuse ! s'exclamait-elle en son délire. Kannon la toute-miséricordieuse a distingué la bonté de mon cœur et m'a prise en pitié. Elle est venue me secourir ! Grande compassion ! Grande miséricorde ! Gloire à la Bodhisattva Kannon, gloire à la Bodhisattva Kannon, gloire à...

Sa voix s'interrompit brusquement. Peut-être croyait-elle que cela suffisait car il était tout naturel que dans l'extrémité où elle se trouvait Kannon, sous une forme ou sous une autre, lui vînt en aide. Elle était le chef d'une bonne famille, une bonne mère, et se croyait un être humain droit et sans défaut. Tout ce qu'elle faisait était moralement juste, cela va sans dire.

Mais alors, sentant que la personne, quelle qu'elle fût, qui se trouvait devant la caverne n'était pas une apparition mais un être véritable, elle se détendit et perdit connaissance.

Dans l'ignorance de ce que signifiait l'arrêt soudain des cris d'Osugi, Otsū perdait la tête. D'une façon quelconque, il fallait déblayer l'orifice de la caverne. Comme elle redoublait d'efforts, le ruban qui retenait son chapeau de vannerie se dénoua ; chapeau et tresses noires flottaient furieusement au vent.

Se demandant comment Jōtarō avait bien pu mettre lui-même en place les pierres, elle poussait, tirait de toutes ses forces, mais rien ne bougeait. Epuisée par l'effort, elle éprouva un accès de haine envers Jōtarō, et le soulagement initial qu'elle avait ressenti en repérant Osugi fit place à une insupportable angoisse.

— Tenez bon, grand-mère. Encore un tout petit peu de patience. Je vais vous tirer de là ! criait-elle.

Elle avait beau presser les lèvres contre une fente, elle n'arrivait pas à obtenir de réponse. Bientôt, elle distingua une psalmodie basse, faible :

« Ou si, rencontrant des diables anthropophages,
Des dragons venimeux et des démons,
Il pense au pouvoir de Kannon,
Aussitôt, aucun n'osera lui nuire.
Si, entouré de bêtes féroces
Aux défenses acérées, aux griffes effrayantes,
Il pense au pouvoir de Kannon... »

Osugi entonnait le *Sutra de Kannon*. Seule, la voix de la bodhisattva lui était perceptible. Mains jointes, elle se trouvait maintenant à son aise ; ses lèvres tremblaient tandis que les paroles sacrées s'en déversaient. Frappée d'un sentiment bizarre, Osugi abandonna sa psalmodie pour mettre l'œil à une fente.

— ... Qui est là ? cria-t-elle. Je vous demande qui vous êtes.

Le vent avait arraché à Otsū sa cape de pluie. Hagarde, épuisée, couverte de boue, elle se pencha pour crier :

— Tout va bien, grand-mère ? C'est Otsū.

— Qui avez-vous dit ? demanda Osugi, soupçonneuse.

— J'ai dit que c'est Otsū.

— Je vois.

Il s'écoula un long temps mort avant la question suivante, incrédule :

— ... Que voulez-vous dire : vous êtes Otsū ?

Pour la première fois Osugi sentit ses convictions religieuses chanceler.

— ... Pou... pourquoi es-tu venue ? Ah ! je sais. Tu cherches ce démon de Jōtarō !

— Non. Je viens à votre secours, grand-mère. Je vous en prie, oubliez le passé. Je me rappelle combien vous étiez bonne pour moi quand j'étais petite. Ensuite, vous vous êtes retournée contre moi pour essayer de me faire du mal. Je ne vous en garde pas rancune. Je reconnais que j'étais très entêtée.

— Ah ! ainsi tes yeux sont ouverts, maintenant, et tu vois la vilenie de ta conduite. C'est bien ça ? Veux-tu dire par là que tu souhaiterais réintégrer la famille Hon'iden en tant qu'épouse de Matahachi ?

— Oh ! non, pas ça, répondit rapidement Otsū.

— Alors, que fais-tu ici ?

— J'avais tant de peine pour vous que je n'ai pu le supporter.

— Et maintenant, tu veux me créer des obligations envers toi. C'est bien là ce que tu essaies de faire, n'est-ce pas ?

Otsū était trop choquée pour souffler mot.

— ... Qui t'a priée de venir à mon secours ? Pas moi ! Et maintenant, je n'ai pas besoin de ton aide. Si tu crois qu'en me rendant service tu peux faire cesser ma haine envers toi, tu te trompes. Ça m'est égal, d'être en mauvaise posture ; j'aime mieux mourir que de perdre mon honneur.

— Mais, grand-mère, comment pouvez-vous supposer que je laisse une personne de votre âge dans un terrible endroit comme celui-ci ?

— La voilà bien, avec ses paroles mielleuses ! Crois-tu donc que je ne sache pas ce que vous manigancez, toi et Jōtarō ? Tous deux, vous avez comploté de m'enfermer dans cette caverne pour vous moquer de moi, et, quand je serai sortie, je me vengerai. Tu peux en être sûre.

— Je suis sûre que le jour est tout proche où vous comprendrez mes véritables sentiments. Quoi qu'il en soit, vous ne pouvez rester là-dedans. Vous allez tomber malade.

— Je suis lasse de ces absurdités.

Otsū se redressa, et l'obstacle qu'elle avait été incapable de remuer par la force fut pour ainsi dire délogé par ses larmes. Une fois que la pierre du haut eut roulé au sol, Otsū eut la surprise de n'éprouver guère de difficulté à écarter celle du dessous.

Mais ce n'étaient pas les seules larmes d'Otsū qui avaient ouvert la caverne. Osugi avait poussé de l'intérieur. Elle jaillit au-dehors, la face empourprée.

Encore chancelante de son effort, Otsū poussa un cri de joie ; mais à peine Osugi fut-elle à l'air libre qu'elle empoigna Otsū au collet. A la fureur de cet assaut, l'on eût dit que son seul but, en voulant rester vivante, avait été de s'attaquer à sa bienfaitrice.

— Oh ! Que faites-vous ? Oh !

— Silence !

— Pou... pou... pourquoi...

— Qu'espérais-tu donc ? s'exclama Osugi en courbant Otsū à terre avec une furie sauvage.

L'horreur d'Otsū était indicible.

— ... Et maintenant, en route, lança Osugi en commençant de traîner la jeune fille sur le sol détrempé.

— Je vous en supplie ! s'écriait Otsū, les mains jointes. Punissez-moi si vous le voulez, mais vous ne devez pas rester dehors par cette pluie.

— Quelle sottise ! N'as-tu pas honte ? Crois-tu pouvoir m'apitoyer sur ton sort ?

— Je ne m'enfuirai pas. Je vous le jure... Oh ! vous me faites mal !

— Bien sûr, que je te fais mal.

— Laissez-moi...

Par un soudain effort, Otsū se dégagea et se releva d'un bond.

— Mais non ! Mais non !

Repassant aussitôt à l'attaque, Osugi empoigna Otsū par les cheveux. Le pâle visage de la jeune fille se retourna vers le ciel ; la pluie l'inondait. Elle ferma les yeux.

— ... Espèce de gueuse ! Combien j'ai souffert à cause de toi, toutes ces années !

Chaque fois qu'Otsū ouvrait la bouche pour parler, ou s'efforçait de se libérer, la vieille femme lui tirait méchamment les cheveux. Sans les lâcher, elle jeta la jeune fille à terre, la piétina et la bourra de coups de pied.

Alors, Osugi, l'air effrayé, lâcha la chevelure.

— ... Oh ! qu'ai-je fait là ? haleta-t-elle, consternée. Otsū ? appela-t-elle anxieusement, en considérant la forme inanimée qui gisait à ses pieds. Otsū !

Penchée, elle scrutait le visage trempé de pluie, aussi froid au toucher qu'un poisson mort. Pour autant qu'elle en pouvait juger, la jeune fille ne respirait pas.

— ... Elle est... elle est morte.

Osugi était consternée. Bien qu'elle ne voulût pas pardonner à Otsū, elle n'avait pas eu l'intention de la tuer. Elle se redressa, gémit et recula.

Peu à peu, elle se calma et ne fut pas longue à se dire : « Eh bien, je suppose qu'il n'y a rien d'autre à faire qu'à aller chercher du secours. » Elle commença à s'éloigner, hésita, tourna bride et revint. Elle prit dans ses bras le corps froid d'Otsū, et le transporta dans la caverne.

L'entrée avait beau être étroite, l'intérieur était spacieux. Près d'un mur, se trouvait un endroit où, dans un lointain passé, des pèlerins en quête de la Voie s'étaient assis pour méditer durant de longues heures.

Quand la pluie se calma, Osugi se rendit à l'entrée et allait se glisser au-dehors lorsque les nuages crevèrent une seconde fois. L'eau éclaboussait presque jusqu'au fond de la grotte.

« Le matin n'est pas loin », songea-t-elle. Avec indifférence, elle s'accroupit et attendit que la tempête s'apaisât de nouveau.

Se trouver dans l'obscurité complète avec le corps d'Otsū commença de lui monter au cerveau. Elle avait le sentiment que le visage livide et glacé la fixait d'un regard accusateur. D'abord, elle se rassura en se disant : « Tout ce qui arrive doit arriver. Prends ta place en paradis comme un Bouddha nouveau-né. Ne me garde pas rancune. » Mais bientôt, la peur et le sentiment de son affreuse responsabilité la poussèrent à chercher refuge dans la piété. Fermant les yeux, elle entonna un sutra. Plusieurs heures s'écoulèrent.

Lorsque enfin ses lèvres se turent et qu'elle ouvrit les yeux, elle entendit pépier des oiseaux. L'air était immobile ; la pluie avait cessé. A travers l'orifice de la caverne, un soleil doré l'aveuglait.

— ... Qu'est cela, je me le demande, dit-elle à voix haute en se levant, les yeux sur une inscription gravée au mur de la caverne par une main inconnue.

Debout devant, elle déchiffra : « En l'an 1544, j'ai envoyé mon fils âgé de seize ans, appelé Mori Kinsaku, prendre part à la bataille du château de Tenjinzan, dans le camp du seigneur Uragami. Depuis, je ne l'ai jamais revu. Poussée par le chagrin, j'erre en divers endroits consacrés au Bouddha. Aujourd'hui, je place dans cette caverne une image de la Bodhisattva Kannon. Je prie pour que cette image, et les larmes d'une mère, protègent Kinsaku dans son existence future. Si plus tard quelqu'un passe par ici, je le supplie d'invoquer le nom du Bouddha. Voilà vingt et un ans que Kinsaku est mort. Donatrice : la mère de Kinsaku, village d' Aita. »

Les caractères effacés étaient par endroits difficiles à lire. Cela faisait près de soixante-dix ans que les villages voisins — Sanumo, Aita, Katsuta — avaient été attaqués par la famille Amako, et que le seigneur Uragami avait été expulsé de son château. Un souvenir d'enfance qui ne s'effacerait jamais de la mémoire d'Osugi était l'incendie de cette forteresse. Elle voyait encore les tourbillons de fumée noire s'élever dans le ciel, les cadavres d'hommes et de chevaux joncher les champs et les chemins durant des jours ensuite. On s'était battu presque jusqu'aux maisons des paysans.

En songeant à la mère du garçon, à son chagrin, à ses errances, à ses prières et à ses offrandes, Osugi éprouva de la peine. « Pour elle, ç'a dû être terrible », se dit-elle. Elle s'agenouilla et joignit les mains :

— ... Gloire au Bouddha Amida. Gloire au Bouddha Amida...

Elle sanglotait ; ses larmes lui tombaient sur les mains ; mais il fallut attendre qu'elle eût pleuré tout son soûl pour qu'elle reprît conscience du visage d'Otsū, froid et insensible à la lumière du matin, à côté de son genou.

— ... Pardonne-moi, Otsū. C'était mauvais de ma part, abominable ! Je t'en prie, pardonne-moi, je t'en prie.

La face convulsée de remords, elle souleva doucement le corps d'Otsū dans ses bras.

— ... Effrayant... effrayant... Aveuglée par l'amour maternel... Par dévotion envers mon propre enfant, je suis devenue une diablesse pour l'enfant d'une autre femme. Tu avais une mère, toi aussi. Si elle m'avait connue, elle m'aurait considérée comme... comme un horrible démon... J'étais sûre d'avoir raison, mais pour les autres j'étais un sale monstre.

Les mots paraissaient remplir la caverne, et rebondir à ses propres oreilles. Il n'y avait là personne, aucun œil pour regarder, aucune oreille pour entendre. Les ténèbres de la nuit étaient devenues la lumière de la sagesse du Bouddha.

— ... Que tu étais donc bonne, Otsū ! Etre tourmentée durant tant d'années par cette horrible vieille folle, sans jamais lui rendre sa haine... Venir en dépit de tout essayer de me sauver... Maintenant, j'y vois clair. Je me trompais. Toute la bonté de ton cœur, je la considérais comme mauvaise, je t'en remerciais par de la haine. J'avais l'esprit déformé. Oh ! pardonne-moi, Otsū.

Elle pressait son visage humide contre celui de la jeune fille.

— ... Si seulement mon fils était aussi gentil que toi... Ouvre à nouveau les yeux, vois-moi implorer ton pardon. Ouvre la bouche, insulte-moi. Je le mérite. Otsū... pardonne-moi.

Tandis qu'elle contemplait ce visage en versant des larmes amères, elle se vit elle-même telle qu'elle devait être apparue lors de toutes ces affreuses rencontres passées avec Otsū. La prise de conscience de sa méchanceté noire lui serra le cœur. Elle ne cessait de murmurer :

— ... Pardonne-moi... pardonne-moi.

Elle se demandait même si elle ne devrait pas rester assise là jusqu'à ce qu'elle rejoignît la jeune fille dans la mort.

— ... Non ! s'exclama-t-elle résolument. Trêve de larmes et de gémissements. Peut-être... peut-être qu'elle n'est pas morte. Si j'essaie, peut-être pourrai-je la ramener à la vie. Elle est jeune. Elle a encore la vie devant elle.

Doucement, elle reposa Otsū à terre et se glissa hors de la caverne, dans l'aveuglant soleil. Elle ferma les yeux et mit les mains en porte-voix autour de sa bouche :

— ... Il y a quelqu'un ? Vous, les gens du village, venez ici ! Au secours !

Elle rouvrit les yeux et fit quelques pas en courant et en continuant à appeler. Un mouvement se produisit dans le petit bois de cryptomerias, puis un cri :

— Elle est ici ! Elle est saine et sauve, en fin de compte !

Une dizaine de membres du clan Hon'iden sortirent du bosquet. Après avoir entendu l'histoire racontée par le survivant de la bataille avec Jōtarō, ils avaient organisé des recherches et s'étaient mis en route aussitôt malgré l'orage. Ils portaient encore leurs capes de pluie et étaient tout crottés.

— Ah ! vous êtes sauve ! s'exclama, exultant, le premier homme qui atteignit Osugi.

Ils l'entourèrent, l'air immensément soulagé.

— Ne vous inquiétez point pour moi, leur ordonna Osugi. Vite, allez voir si vous pouvez faire quelque chose pour la jeune fille qui est dans la caverne. Voilà des heures qu'elle a perdu connaissance. Si nous ne lui donnons pas des médicaments tout de suite...

Sa voix était rauque. Presque en transe, elle désignait la caverne. Peut-être était-ce la première fois, depuis la mort de l'oncle Gon, qu'elle versait des larmes de chagrin.

Les saisons de la vie

L'automne passa. Et l'hiver.

Un des premiers jours du quatrième mois de 1612, des passagers s'installaient sur le pont du bateau régulier entre Sakai, dans la province d'Izumi, et Shimonoseki, dans celle de Nagato.

Informé que le navire était prêt à prendre le départ, Musashi se leva d'un banc, dans la boutique de Kobayashi Tarōzaemon, et salua les gens qui étaient venus le voir partir.

— Bon courage ! lui disaient-ils en faisant avec lui le bref trajet à pied jusqu'au môle.

Hon'ami Kōetsu était là. La maladie avait empêché son bon ami Haiya Shōyū de venir, mais son fils Shōeki le représentait. Shōeki se trouvait accompagné de son épouse, dont l'éblouissante beauté faisait tourner les têtes partout où elle passait.

— C'est bien Yoshino, n'est-ce pas ? chuchota un homme en tirant son compagnon par la manche.

— De Yanagimachi ?

— Oui. Yoshino Dayū de l'Ōgiya.

Shōeki l'avait présentée à Musashi sans mentionner son ancien nom. Son visage n'était pas familier à Musashi, bien sûr, car il s'agissait de la seconde Yoshino Dayū. Nul ne savait ce qu'était devenue la première, où elle se trouvait maintenant, si elle était mariée ou célibataire. Depuis longtemps, l'on ne parlait plus de sa grande beauté. Des fleurs s'épanouissaient ; des fleurs tombaient. Dans le monde fugace du quartier réservé, le temps passait vite.

Yoshino Dayū... Ce nom eût évoqué des souvenirs de nuits de neige, d'un feu de bois de pivoines, d'un luth brisé.

— Cela fait maintenant huit ans que nous nous sommes rencontrés pour la première fois, observa Kōetsu.

— Oui, huit ans, répondit en écho Musashi, lequel se demandait où ces années avaient bien pu passer.

Il avait le sentiment que son embarquement de ce jour-là marquait la fin d'une phase de sa vie. Matahachi était au nombre des amis, ainsi que plusieurs samouraïs de la résidence Hosokawa à Kyoto. D'autres samouraïs transmettaient les meilleurs vœux du seigneur Karasumaru Mitsuhiro ; un groupe de vingt à trente hommes d'épée, en dépit des protestations de Musashi, se considéraient comme ses disciples parce qu'ils l'avaient connu à Kyoto.

Il se rendait à Kokura, dans la province de Buzen, où il affronterait Sasaki Kojirō lors d'une épreuve d'adresse et de maturité. Grâce aux efforts de Nagaoka Sado, cette confrontation fatidique, depuis si longtemps préparée, devait finalement avoir lieu. Les négociations, longues et difficiles, avaient nécessité l'envoi de nombreux courriers. Même après que Sado se fut assuré, l'automne précédent, que Musashi se trouvait chez Hon'ami Kōetsu, l'achèvement des dispositions avait demandé six mois encore.

Etre le champion d'un grand nombre de disciples et d'admirateurs : même dans ses rêves les plus fous, Musashi n'avait pu l'imaginer. L'importance de la foule le gênait. En outre, elle lui interdisait de parler comme il l'aurait souhaité avec certaines personnes.

Ce qui le frappait le plus dans ces grands adieux, c'était leur absurdité. Il n'avait aucun désir d'être l'idole de quiconque. Pourtant, ces gens se trouvaient là pour exprimer leur bienveillance. Il n'existait aucun moyen de les en empêcher.

Il avait le sentiment que certains le comprenaient. Il leur était reconnaissant de leurs bons vœux. En même temps, il éprouvait presque une réaction de frayeur : qu'une telle adulation lui montât à la tête. Après tout, il n'était qu'un homme.

Autre chose le troublait : ce long prélude. Si l'on pouvait dire que lui et Kojirō voyaient où leurs relations les menaient, l'on pouvait dire aussi que le monde les avait dressés l'un contre l'autre, et avait décrété une fois pour toutes qu'ils devaient décider lequel était le meilleur.

D'abord, on avait déclaré : « J'apprends qu'ils vont en découdre. »

Puis, ce fut : « Oui, ils vont sûrement s'affronter. »

Plus tard encore : « Quand a lieu le combat ? »

Enfin, le bruit du jour et de l'heure mêmes circulait avant que les principaux intéressés n'en eussent officiellement décidé.

Etre un héros public déplaisait à Musashi. Ses exploits rendaient la chose inévitable, mais il ne la recherchait pas. Ce qu'il voulait en réalité, c'était plus de temps personnel pour la méditation. Il avait besoin de développer l'harmonie, de s'assurer que ses idéaux n'outrepassaient point ses capacités d'agir. Grâce à sa plus récente expérience avec Gudō, il avait avancé d'un pas vers l'illumination. Et il en était venu à sentir de façon plus aiguë la difficulté à suivre la Voie — la longue Voie à travers la vie.

« Et pourtant... » se disait-il. Où serait-il, sans la bonté des gens qui le soutenaient ? Serait-il en vie ? Aurait-il ces vêtements sur le dos ? Il portait un kimono noir à manches courtes, cousu pour lui par la mère de Kōetsu. Ses sandales neuves, le chapeau de vannerie neuf qu'il tenait à la main, toutes ses affaires lui avaient été données par quelqu'un qui l'estimait. Le riz qu'il mangeait... d'autres l'avaient fait pousser. Il vivait du fruit d'un labeur qui n'était pas le sien. Comment rétribuer tout ce que les gens avaient fait pour lui ?

L'heure était venue de mettre à la voile. On pria pour un bon voyage ; on prononça les derniers adieux.

On lâcha les amarres, le bateau dériva vers la pleine mer, et la grand-voile se déploya comme une aile dans le ciel d'azur.

Un homme courut au bout de la jetée, s'arrêta, frappa du pied, plein de contrariété.

— Trop tard ! grondait-il. Je n'aurais pas dû faire la sieste.

Kōetsu s'approcha de lui pour lui demander :

— N'êtes-vous pas Musō Gonnosuke ?

— Si, répondit-il en mettant son gourdin sous son bras.

— Je vous ai rencontré un jour au Kongōji, à Kawachi.

— Oui, bien sûr. Vous êtes Hon'ami Kōetsu.

— Je suis content de vous voir en bonne santé. D'après ce que j'avais entendu dire, je n'étais pas certain que vous fussiez encore en vie.

— Entendu dire par qui ?

— Par Musashi.

— Par Musashi ?

— Oui ; il séjournait chez moi jusqu'à hier. Il a reçu plusieurs lettres de Kokura. Dans l'une, Nagaoka Sado écrivait que vous aviez été fait prisonnier sur le mont Kudo. Il estimait que vous risquiez d'avoir été blessé ou tué.

— Tout ça n'était qu'une erreur.

— Nous avons appris également qu'Iori vit chez Sado.

— Il est donc sain et sauf ! s'exclama Gonnosuke avec une expression de vif soulagement.

— Oui. Asseyons-nous quelque part pour bavarder.

Il conduisit le robuste spécialiste du gourdin à une boutique proche. En buvant du thé, Gonnosuke raconta son histoire. Heureusement pour lui, après un coup d'œil, Sanada Yukimura était parvenu à la conclusion qu'il ne s'agissait pas d'un espion. Gonnosuke avait été relâché, et les deux hommes étaient devenus bons amis, Yukimura non seulement le pria d'excuser l'erreur de ses subordonnés, mais envoya un groupe d'hommes à la recherche d'Iori.

Comme ils ne retrouvaient pas le corps du garçon, Gonnosuke conclut qu'il était encore en vie. Depuis lors, il avait passé son temps à fouiller les provinces voisines. A la nouvelle que Musashi se trouvait à Kyoto et qu'un combat entre lui et Kojirō était imminent, il avait intensifié ses efforts. Puis, de retour au mont Kudo la veille, il avait appris de Yukimura que Musashi devait s'embarquer ce jour-là pour Kokura. Il avait redouté d'affronter Musashi sans Iori à son côté, et sans la moindre nouvelle de lui. Mais ignorant s'il reverrait jamais son maître vivant, il était venu tout de même. Il présentait des excuses à Kōetsu comme si ce dernier eût été victime de sa négligence.

— Ne vous inquiétez pas, dit Kōetsu. Il y aura un autre bateau dans quelques jours.

— Je voulais vraiment faire le voyage avec Musashi.

Il observa une pause, puis reprit avec ardeur :

— ... Je crois que ce voyage peut être le tournant décisif dans la vie de Musashi. Il ne cesse de se discipliner. Il ne risque pas d'être vaincu par Kojirō. Pourtant, dans un combat de ce genre, on ne sait jamais. Un élément plus qu'humain est en cause. Tous les guerriers doivent l'affronter ; la victoire ou la défaite est en partie une question de chance.

— Je ne crois pas que vous deviez vous inquiéter. L'attitude de Musashi est parfaite. Il avait l'air plein de confiance.

— Je n'en doute pas, mais Kojirō jouit lui aussi d'une réputation considérable. Et l'on dit que, depuis qu'il est entré au service du seigneur Tadatoshi, il s'entraîne et se maintient en forme.

— Cela sera une épreuve de force entre un homme qui est un génie, quoique en vérité un peu suffisant, et un homme ordinaire qui a poli ses talents au maximum, vous ne croyez pas ?

— Je ne qualifierais pas Musashi d'ordinaire.

— Pourtant, il l'est. Voilà bien ce qu'il y a d'extraordinaire en lui. Il ne se contente pas de compter sur les dons naturels qu'il peut avoir. Se sachant ordinaire, il essaie toujours de s'améliorer. Nul ne se fait la moindre idée de l'effort surhumain qu'il a dû fournir. Maintenant que ses années d'entraînement ont donné des résultats aussi spectaculaires, tout le monde parle de ses « talents innés ». Ainsi se consolent les gens qui manquent de courage.

— Merci de ces paroles, dit Gonnosuke.

A son avis, Kōetsu parlait peut-être de lui autant que de Musashi. En regardant le profil serein de cet homme plus âgé, il pensa : « Il en va de même pour lui. » Kōetsu avait l'air de ce qu'il était : un homme de loisir qui s'était mis délibérément à l'écart du reste du monde. Pour le moment, ses yeux manquaient de l'éclat qu'ils avaient lorsqu'il se concentrait sur la création artistique. Ils étaient comme une mer d'huile sous un ciel clair. Un jeune homme passa la tête à la porte, et dit à Kōetsu :

— Nous rentrons ?

— Tiens, Matahachi ! répondit aimablement Kōetsu.

Il se tourna vers Gonnosuke et lui dit :

— Je crois que je vais devoir vous quitter. Mes compagnons semblent m'attendre.

— Vous rentrez par Osaka ?

— Oui. Si nous y arrivons à temps, j'aimerais prendre le bateau du soir pour Kyoto.

— Eh bien, dans ce cas, j'irai à pied avec vous jusque-là.

Au lieu d'attendre le prochain bateau, Gonnosuke avait résolu de voyager par terre. Tous trois cheminèrent donc côte à côte ; leurs propos s'écartaient rarement de Musashi, de son rang actuel et de ses exploits passés. A un certain moment, Matahachi exprima de l'inquiétude :

— J'espère que Musashi gagnera mais Kojirō n'est pas commode. Il a une technique terrifiante, vous savez.

Le souvenir de sa propre rencontre avec Kojirō demeurait vif dans son esprit.

Au crépuscule, ils étaient dans les rues populeuses d'Osaka. Ensemble, Kōetsu et Gonnosuke s'aperçurent que Matahachi ne se trouvait plus avec eux.

— Où peut-il être passé ? demanda Kōetsu.

En revenant sur leurs pas, ils le trouvèrent debout près de l'extrémité du pont. Il regardait, fasciné, la berge du fleuve où les ménagères des maisons proches lavaient des ustensiles de cuisine, du riz non décortiqué, des légumes.

— Il a l'air bizarre, dit Gonnosuke.

Lui et Kōetsu, un peu à l'écart, l'observaient.

— C'est elle ! criait Matahachi. Akemi !

Dès qu'il la reconnut, il fut frappé par le caractère capricieux du destin. Mais aussitôt, il en alla autrement. Le destin ne lui jouait pas de tours — il le confrontait seulement à son passé. Akemi avait été son épouse. Leurs karmas étaient liés. Tant qu'ils habiteraient la même planète, ils étaient voués à se trouver de nouveau réunis, tôt ou tard.

Il avait eu du mal à la reconnaître. Le charme et la coquetterie qu'elle manifestait deux ans seulement auparavant s'étaient évanouis. Elle avait un visage incroyablement émacié, des cheveux sales, noués en chignon. Elle portait un kimono de coton à manches tubulaires qui lui descendait à peine au-dessous des genoux, vêtement utilitaire de toutes les ménagères des classes inférieures de la ville. On était loin des soieries bariolées qu'elle avait arborées en tant que prostituée.

Courbée dans la position propre aux marchands à la sauvette, elle avait entre les bras un lourd panier dont elle tirait des palourdes et des ormeaux qu'elle vendait. Les articles encore invendus laissaient à penser que les affaires n'étaient guère florissantes.

Attaché à son dos par une bande de tissu sale, un bébé d'environ un an.

Plus que toute autre chose, c'était l'enfant qui faisait battre plus rapidement le cœur de Matahachi. Les paumes pressées contre les joues, il comptait les mois. Si le bébé était dans sa deuxième année, il avait été conçu lorsqu'ils se trouvaient à Edo... Or, Akemi était enceinte lorsqu'on les avait publiquement fouettés.

La lumière du soleil du soir, reflétée par la rivière, dansait sur le visage de Matahachi, comme s'il avait été baigné de larmes. Il était sourd au vacarme de la circulation. Akemi longeait lentement le bord du fleuve. Matahachi se lança à sa poursuite en agitant les bras et en criant. Kōetsu et Gonnosuke lui emboîtèrent le pas :

— Matahachi, où allez-vous ?

Il avait complètement oublié les deux hommes. Il s'arrêta pour leur permettre de le rattraper.

— Excusez-moi, murmura-t-il. A vrai dire...

A vrai dire ? Comment leur expliquer ce qu'il allait faire alors qu'il était dans l'incapacité de se l'expliquer à lui-même ? Il lui était pour le moment impossible de voir clair dans ses émotions mais il finit par laisser échapper :

— ... J'ai résolu de ne pas me faire prêtre... d'en revenir à la vie ordinaire. Je n'ai pas encore été ordonné.

— D'en revenir à la vie ordinaire ? s'exclama Kōetsu. Si soudainement ? Hum... Vous avez l'air étrange.

— Je suis incapable de vous l'expliquer pour le moment. Même si je le pouvais, j'aurais probablement l'air d'un fou. Je viens de voir la femme avec laquelle je vivais. Et elle porte un bébé sur le dos. Je crois qu'il est de moi.

— Vous êtes sûr ?

— Mon Dieu, oui...

— Allons, calmez-vous et réfléchissez. C'est réellement votre enfant ?

— Oui ! Je suis père !... Je regrette. Je ne savais pas... J'ai honte. Je ne peux la laisser vivre ainsi... à vendre des marchandises dans un panier comme la dernière des dernières. Je dois travailler pour élever mon enfant.

Kōetsu et Gonnosuke se regardaient l'un l'autre, consternés. Bien qu'il ne fût pas tout à fait sûr que Matahachi eût toute sa tête, Kōetsu lui dit :

— Je suppose que vous savez ce que vous faites.

Matahachi retira l'habit de prêtre qui recouvrait son kimono ordinaire, et le tendit à Kōetsu ainsi que son chapelet :

— Je regrette de vous ennuyer, mais voulez-vous remettre ceci à Gudō, au Myōshinji ? Je vous serais obligé de lui dire que je vais rester ici, à Osaka, trouver du travail et être bon père.

— Vous êtes bien certain que c'est là ce que vous voulez ? Renoncer à la prêtrise, sur un coup de tête ?

— Oui. De toute façon, le maître m'a dit que je pouvais retourner à la vie ordinaire à n'importe quel moment.

— Hum...

— Il dit qu'il n'est pas nécessaire d'être dans un temple pour pratiquer la discipline religieuse. C'est plus difficile, mais il assure qu'il est plus méritoire d'être capable de se maîtriser et de garder sa foi au milieu des mensonges, des saletés, des conflits — de toutes les laideurs du monde extérieur —, que dans l'environnement propre et pur d'un temple.

— Je suis bien certain qu'il a raison.

— Voilà maintenant plus d'un an que je suis auprès de lui ; or, il ne m'a pas donné de nom de prêtre. Toujours, il m'appelle seulement Matahachi. Peut-être qu'il se produira dans l'avenir quelque chose que j'ignore. Alors, j'irai le trouver aussitôt. Dites-lui cela de ma part, voulez-vous ?

Sur quoi, Matahachi s'éloigna.

Le bateau du soir

Un seul nuage rouge, qui ressemblait à une grande banderole, planait bas au-dessus de l'horizon. Au fond de la mer transparente, sans ride, il y avait une pieuvre.

Aux environs de midi, un petit bateau s'était amarré dans l'estuaire du fleuve Shikama, discrètement hors de vue. Maintenant, cependant que tombait le crépuscule, une mince colonne de fumée s'élevait d'un brasero d'argile, sur le pont. Une vieille femme cassait des morceaux de bois pour alimenter le feu.

— As-tu froid ? demanda-t-elle.

— Non, répondit la jeune fille étendue au fond du bateau derrière la natte de roseaux.

Elle secoua faiblement la tête, puis la leva pour considérer la vieille femme.

— ... Ne vous inquiétez pas pour moi, grand-mère. Vous-même, soyez prudente. Vous m'avez l'air un peu enrouée.

Osugi mit un pot de riz sur le brasero pour préparer du gruau.

— Ce n'est rien, dit-elle. Mais tu es malade. Tu dois manger comme il faut pour te sentir forte quand arrivera le bateau.

Otsū retint une larme et regarda la mer. Des bateaux pêchaient la pieuvre, et il y avait deux navires marchands. On ne voyait nulle part le vaisseau de Sakai.

— ... Il se fait tard, dit Osugi. On prétendait que le bateau arriverait avant le soir.

Sa voix était légèrement plaintive. La nouvelle du départ du bateau de Musashi s'était rapidement répandue. Lorsqu'elle atteignit Jōtarō à Himeji, il envoya un messager en informer Osugi. Elle, à son tour, était allée droit au Shippōji, où Otsū était alitée, souffrant des effets des coups que lui avait administrés la vieille femme.

Depuis cette nuit-là, Osugi avait imploré son pardon si fréquemment et avec tant de larmes que c'en était plutôt devenu un fardeau pour Otsū. Celle-ci ne la tenait pas pour responsable de sa maladie ; elle estimait qu'il s'agissait d'une rechute des maux qui l'avaient clouée au lit plusieurs mois chez le seigneur

Karasumaru, à Kyoto. Matin et soir, elle toussait beaucoup et avait un peu de fièvre. Elle maigrissait, ce qui rendait plus beau que jamais son visage ; mais il s'agissait d'une beauté excessivement délicate, laquelle attristait ceux qui la rencontraient.

Pourtant, ses yeux brillaient. D'abord, elle était heureuse du changement survenu chez Osugi. Ayant fini par comprendre qu'elle s'était trompée au sujet d'Otsū et de Musashi, la douairière Hon'iden ressemblait à une ressuscitée. Et Otsū nourrissait un espoir, né de la certitude que le jour était proche où elle reverrait Musashi. Osugi lui avait dit :

— Afin de réparer tous les désagréments que je t'ai causés, je vais me jeter aux pieds de Musashi pour le supplier de régulariser la situation. Je me prosternerai. Je lui présenterai des excuses. Je le convaincrai.

Après avoir annoncé à sa propre famille et à tout le village que les fiançailles de Matahachi et d'Otsū étaient rompues, elle détruisit le document qui témoignait de la promesse de mariage. Dès lors, elle se fit un devoir de déclarer à tous et à chacun que le seul mari convenable, pour Otsū, était Musashi.

Le village avait changé ; la personne qu'Otsū connaissait le mieux à Miyamoto était donc Osugi, laquelle avait à cœur de soigner la jeune fille : chaque matin, chaque soir, elle arrivait au Shippōji avec les mêmes questions pleines de sollicitude :

— As-tu mangé ? As-tu pris ton médicament ? Comment te sens-tu ?

Un jour, elle déclara, les larmes aux yeux :

— Si tu n'étais pas revenue à la vie, cette nuit-là, dans la caverne, j'aurais voulu y mourir aussi.

Auparavant, la vieille femme n'avait jamais hésité à gauchir la vérité ou à dire carrément des mensonges ; l'un des derniers avait concerné la présence à Sayo d'Ogin. En réalité, nul n'avait vu Ogin depuis des années, ni eu de ses nouvelles. Tout ce que l'on savait, c'est qu'elle s'était mariée et était partie dans une autre province.

Donc, d'abord, Otsū trouva les protestations d'Osugi incroyables. Même si elle était sincère, il paraissait vraisemblable que ses remords s'useraient au bout d'un moment. Mais à mesure que les jours se transformaient en semaines, elle devenait plus dévouée, plus attentive à l'égard d'Otsū.

« Je n'aurais jamais imaginé qu'elle fût si bonne, au fond » : voilà ce qu'Otsū en vint à penser d'elle. Et comme la chaleur humaine et la bonté neuves d'Osugi s'étendaient à tout son entourage, ce sentiment se trouvait largement partagé tant par la famille que par les villageois ; pourtant, beaucoup exprimaient leur étonnement avec moins de délicatesse, en demandant par exemple : « Quelle mouche a bien pu piquer la vieille sorcière ? »

Même Osugi s'émerveillait de la gentillesse universelle envers elle, maintenant. Autrefois, même son entourage le plus proche tremblait à son seul aspect ; maintenant, tout le monde souriait et lui parlait cordialement. Enfin, à un âge où le simple fait d'être en vie devait lui inspirer de la reconnaissance, elle apprenait pour la première fois ce que c'était que d'être aimée et respectée par autrui. Une personne de connaissance lui demanda franchement :

— Que vous arrive-t-il ? Votre visage paraît plus séduisant chaque fois que je vous vois.

« Peut-être », songea Osugi plus tard au cours de la même journée en se regardant dans le miroir. Le passé avait laissé son empreinte. A son départ du village, ses cheveux étaient encore poivre et sel. Maintenant, ils étaient tout blancs. Ça lui était égal, car elle estimait que son cœur, du moins, était maintenant exempt de noirceur.

Le navire à bord duquel se trouvait Musashi faisait régulièrement une escale d'une nuit à Shikama pour décharger et recharger. La veille, après en avoir informé Otsū, Osugi lui avait demandé :

— Que vas-tu faire ?

— J'y serai, bien sûr.

— Dans ce cas, j'y vais aussi.

Otsū se leva de son lit de malade, et elles se mirent en route sur l'heure. Il leur fallut jusqu'à la fin de l'après-midi pour marcher jusqu'à Himeji ; tout ce temps, Osugi veilla sur Otsū comme sur une enfant.

Chez Aoki Tanzaemon, ce soir-là, on projeta d'organiser au château de Himeji un dîner en l'honneur de Musashi. On estimait qu'en raison de ses expériences précédentes dans ce château, il considérerait comme un privilège d'être fêté de la sorte. Jōtarō lui-même était de cet avis.

On décida aussi, d'un commun accord avec les autres samouraïs, qu'il ne convenait pas pour Otsū d'être vue de tous en compagnie de Musashi. Les gens risqueraient d'en conclure qu'elle était en secret sa maîtresse. Tanzaemon fit part à Otsū et à Osugi de l'essentiel de la chose, et leur conseilla de rester dans le bateau. Ainsi Otsū serait présente, sans donner prise à de gênants commérages.

La mer s'assombrit ; au ciel, les couleurs s'estompèrent. Des étoiles commencèrent à scintiller. Près de la maison du teinturier où avait habité Otsū, une vingtaine de samouraïs de Himeji attendaient depuis le milieu de l'après-midi pour accueillir Musashi.

— Peut-être que nous nous sommes trompés de jour, observa l'un d'eux.

— Non, sois sans crainte, répondit un autre. J'ai envoyé un homme à l'agent local de Kobayashi pour être sûr.

— Dis donc, ce n'est pas ça ?

— On dirait la bonne voile.

Ils se rapprochèrent bruyamment du bord de l'eau.

Jōtarō les quitta pour courir au petit bateau dans l'estuaire :

— Otsū ! Grand-mère ! Le navire est en vue... le navire de Musashi ! cria-t-il aux femmes tout excitées.

— Tu l'as vraiment vu ? Où cela ? demanda Otsū qui faillit tomber par-dessus bord en se levant.

— Attention ! s'écria Osugi, la retenant.

Debout côte à côte, elles fouillaient des yeux les ténèbres. Peu à peu, un minuscule point, au loin, grandit pour devenir une vaste voile, noire à la clarté des étoiles, et qui paraissait arriver droit sur elles.

— Le voilà ! cria Jōtarō.

— Vite, prends la rame, dit Otsū. Conduis-nous au bateau.

— Inutile de se presser. L'un des samouraïs de la plage ira en barque chercher Musashi.

— Alors, nous devons y aller maintenant ! Une fois qu'il sera au milieu de cette bande, Otsū ne pourra plus lui parler.

— Impossible. Tous la verraient.

— Tu te soucies trop de ce que penseront les autres samouraïs. Voilà pourquoi nous sommes clouées là, dans ce petit bateau. Si tu veux mon avis, nous aurions dû attendre chez le teinturier.

— Non, vous vous trompez. Vous ne vous rendez pas compte à quel point les gens bavardent. Calmez-vous. Mon père et moi trouverons le moyen de l'amener ici.

Il s'arrêta pour réfléchir quelques secondes.

— ... En débarquant, il ira prendre un peu de repos chez le teinturier. A ce moment-là, je le rejoindrai pour veiller à ce qu'il vienne ici vers vous. Contentez-vous d'attendre ici. Je serai bientôt de retour.

Et il s'élança vers la plage.

— Tâche de te reposer un peu, dit Osugi.

Otsū eut beau s'étendre avec obéissance, elle semblait avoir du mal à reprendre souffle.

— ... Encore cette maudite toux ? demanda Osugi, qui s'agenouilla pour masser le dos de la jeune fille. Ne t'inquiète pas. Musashi sera bientôt là.

— Merci. Maintenant, je vais bien.

Une fois que sa toux se fut calmée, elle tapota et lissa sa chevelure afin de se rendre un peu plus présentable. Le temps passait ; Musashi ne paraissait pas ; Osugi devint nerveuse. Laissant Otsū dans le bateau, elle monta sur la berge.

Quand elle fut hors de vue, Otsū poussa sa couche et son oreiller derrière des nattes, renoua son obi et rajusta son kimono. Les palpitations de son cœur ne lui paraissaient en aucune façon différentes de ce qu'elle avait connu à dix-sept ou dix-huit ans. Elle tendit son délicat bras blanc par-dessus le plat-bord, mouilla son peigne et se le passa de nouveau dans les cheveux. Puis elle se poudra les joues, mais si légèrement qu'il n'y paraissait presque pas.

Que dirait-elle à Musashi ? Telle était la question qui la tracassait en réalité. Elle craignait de rester muette, comme au cours d'autres rencontres avec lui. Elle ne voulait rien dire qui risquât de le bouleverser. Il se rendait à un combat. Tout le pays parlait de lui.

A ce tournant de sa vie, Otsū ne croyait pas qu'il serait vaincu par Kojirō ; pourtant, il n'était pas absolument certain qu'il gagnerait. Un accident pouvait arriver. Si elle commettait ce jour-là une erreur, et si Musashi était tué ensuite, elle le regretterait tout le reste de sa vie. Il ne lui resterait qu'à mourir de chagrin en espérant, comme l'ancien empereur de Chine, que l'objet aimé la rejoindrait dans l'au-delà.

Elle devait dire ce qu'elle avait à dire, quoi que lui-même pût dire ou faire. Elle avait eu la force de venir jusque-là. Maintenant, la rencontre était proche, et le pouls de la jeune fille s'accélérait follement.

Osugi n'avait pas de pareils problèmes. Elle choisissait les mots dont elle se servirait pour s'excuser de son incompréhension et de sa haine, pour se décharger le cœur et demander pardon. Preuve de sa sincérité : elle veillerait à confier à Musashi la vie d'Otsū.

Seul un reflet dans l'eau, de temps en temps, perçait les ténèbres. Et le silence régna jusqu'à ce que l'on entendît courir Jōtarō.

— Enfin ! s'exclama Osugi, toujours debout sur la berge. Où donc est Musashi ?

— Grand-mère, je suis désolé.

— *Désolé ?* Que veux-tu dire ?

— Ecoutez-moi. Je vais tout vous expliquer.

— Je ne veux pas d'explications. Musashi vient, oui ou non ?

— Il ne vient pas.

— Il ne vient pas ?

Sa voix exprimait la déception. Jōtarō, l'air fort embarrassé, rapporta ce qui s'était passé : au samouraï qui avait gagné en barque le navire, on avait répondu qu'il ne faisait pas escale. Aucun passager ne voulait débarquer à Shikama ; la cargaison avait été déchargée par allège. Le samouraï avait demandé à voir Musashi, lequel était venu au flanc du bateau s'entretenir avec l'homme, mais avait déclaré qu'il était hors de question de descendre. Lui et le capitaine voulaient arriver à Kokura le plus rapidement possible.

A peine le samouraï rejoignait-il la plage avec ce message, que déjà le bateau regagnait la haute mer.

— On ne peut même plus le voir, dit avec abattement Jōtarō. Il a déjà contourné les pinèdes, à l'autre bout de la plage. Je suis désolé. Ce n'est la faute de personne.

— Pourquoi n'as-tu pas pris la barque avec le samouraï ?

— Je n'y ai pas pensé... De toute façon, nous n'y pouvons rien ; inutile de revenir là-dessus.

— Je suppose que tu as raison, mais quelle tristesse ! Qu'allons-nous dire à Otsū ? Tu vas devoir le faire, Jōtarō ; je n'en ai pas le courage. Tu peux lui dire exactement ce qui s'est passé... mais tâche de la calmer d'abord ; sinon, sa maladie risque d'empirer.

Mais Jōtarō n'eut pas besoin de s'expliquer. Otsū, assise derrière un morceau de natte, avait tout entendu.

« Si je l'ai manqué ce soir, se dit-elle, je le verrai un autre jour, sur une autre plage. »

Elle croyait comprendre pourquoi Musashi ne voulait pas quitter le bateau. Dans tout l'ouest de Honshu et de Kyushu, Sasaki Kojirō était considéré comme le plus grand de tous les hommes d'épée. En défiant sa primauté, Musashi devait brûler de la détermination de vaincre. Il ne devait songer qu'à cela.

« Penser qu'il était si proche ! » soupira-t-elle.

Les joues ruisselantes de larmes, elle cherchait des yeux l'invisible voile qui s'avançait lentement vers l'ouest. Inconsolable, elle s'appuyait au plat-bord.

Alors, pour la première fois, elle prit conscience d'une énorme force qui montait en elle avec ses larmes. En dépit de sa fragilité, quelque part au fond de son être jaillissait une source d'énergie surhumaine. Elle ne s'en était pas rendu compte, mais son indomptable volonté lui avait permis de persévérer à travers ces longues années de maladie et d'angoisse. Un sang neuf irriguait ses joues d'une vie nouvelle.

— Grand-mère ! Jōtarō !

Comme ils descendaient lentement la berge, Jōtarō demanda :

— Qu'y a-t-il, Otsū ?

— J'ai entendu ce que vous avez dit.

— Vraiment ?

— Oui. Mais je ne pleurerai plus. J'irai à Kokura. Je verrai de mes yeux le combat... Il n'est pas sûr que Musashi gagne. Sinon, j'ai l'intention de recueillir ses cendres et de les rapporter.

— Mais vous êtes malade !

— Malade ?

Elle avait chassé de son esprit la notion même de maladie ; elle paraissait remplie d'une vitalité qui transcendait la faiblesse de son corps.

— ... N'y pensez plus. Je vais parfaitement bien. Mon Dieu, je suis peut-être encore un peu malade, mais tant que je n'aurai pas vu le résultat du combat...

« ... je suis bien décidée à ne pas mourir » : tels étaient les mots qui faillirent s'échapper de ses lèvres. Elle les retint et s'activa dans les préparatifs de son voyage. Quand elle fut prête, elle descendit toute seule du bateau bien qu'elle dût pour cela se cramponner au plat-bord.

Un faucon et une femme

A l'époque de la bataille de Sekigahara, Kokura avait été le site d'une forteresse commandée par le seigneur Mōri Katsunobu d'Iki. Depuis lors, le château, reconstruit, agrandi, avait un nouveau seigneur. Ses tours et ses murailles d'un blanc éclatant témoignaient de la grande puissance et dignité de la Maison de Hosokawa, avec à sa tête, maintenant, Tadatoshi, lequel avait succédé à son père, Tadaoki.

Depuis la récente arrivée de Kojirō, le style Ganryū, développé à partir de ce qu'il avait appris de Toda Seigen et Kanemaki Jisai, s'était répandu dans tout Kyushu. Certains hommes venaient même de Shikoku étudier sous lui dans l'espoir qu'au bout d'un an ou deux d'entraînement ils se verraient décerner un certificat les autorisant à retourner chez eux enseigner ce nouveau style.

Kojirō jouissait de l'estime de son entourage, y compris Tadatoshi que l'on avait entendu remarquer avec satisfaction : « Je me suis découvert un très bon homme d'épée. » Dans toute l'importante Maison Hosokawa, l'on s'accordait sur le fait que Kojirō était un « caractère ». Et lorsqu'il se déplaçait entre son domicile et le château, il le faisait en grande pompe, escorté de sept lanciers. Les gens se détournaient de leur chemin pour s'approcher de lui et lui rendre hommage.

Jusqu'à sa venue, Ujiie Magoshirō, qui pratiquait le style Shinkage, avait été le principal instructeur du clan ; mais son étoile pâlit rapidement à mesure que celle de Kojirō devenait plus brillante. Ce dernier lui décernait des éloges. Au seigneur Tadatoshi, il avait déclaré : « Vous ne devez pas laisser partir Ujiie. Bien que son style ne soit pas tapageur, il présente une certaine maturité qui nous manque, à nous autres jeunes. » Il suggéra que lui et Magoshirō donneraient des leçons dans le dōjō du château chacun un jour sur deux, ce qui fut mis en pratique.

A un certain moment, Tadatoshi déclara : « Kojirō dit que la méthode de Magoshirō n'est pas tapageuse, mais empreinte de maturité. Magoshirō dit que Kojirō est un génie avec lequel il ne saurait croiser le fer. Lequel a raison ? J'aimerais en voir une démonstration. » Les deux hommes acceptèrent par la suite de s'affronter au sabre de bois en présence de Sa Seigneurie. A la première occasion, Kojirō rejeta son arme, et, s'asseyant aux pieds de son adversaire, déclara :

— Je ne suis pas digne de vous. Pardonnez ma présomption.

— Ne soyez pas modeste, répondit Magoshirō. C'est moi qui ne suis pas un adversaire digne de vous.

Les témoins étaient divisés sur la question de savoir si Kojirō agissait ainsi par pitié ou par intérêt personnel. En tout cas, sa réputation s'en accrut davantage encore.

Si Kojirō conservait envers Magoshirō une attitude charitable, chaque fois que quelqu'un citait favorablement la renommée grandissante de Musashi à Edo et à Kyoto, il était prompt à le remettre à sa place :

« Musashi ? disait-il avec dédain. Oh ! il a eu l'astuce de se faire un certain nom. Il parle de son style à deux sabres, à ce que l'on me rapporte. Il a toujours possédé une certaine habileté naturelle. Je doute qu'il y ait personne, à Kyoto et Osaka, qui soit capable de le vaincre. » Il faisait toujours comme s'il se retenait d'en dire davantage. Un homme de guerre expérimenté, en visite chez Kojirō, déclara un jour :

— Je n'ai jamais rencontré l'homme, mais on assure que ce Miyamoto Musashi est le plus grand homme d'épée depuis Kōizumi et Tsukahara, à l'exception de Yagyū Sekishūsai, bien sûr. Tout le monde semble estimer que s'il n'est pas le plus grand homme d'épée, il a du moins atteint le niveau d'un maître.

Kojirō se mit à rire et son visage s'empourpra.

— Eh bien, les gens sont aveugles, dit-il d'un ton mordant. Cela vous montre uniquement à quel point l'Art de la guerre a décliné, en ce qui concerne tant le style que la conduite personnelle. Nous vivons à une époque où un habile quêteur de publicité peut faire la loi, du moins aux yeux des gens du commun... Inutile d'ajouter que je considère cela différemment. J'ai vu Musashi tâcher de se faire valoir à Kyoto, voilà quelques années. Il a donné une exhibition de sa brutalité et de sa couardise au cours de son combat contre l'école Yoshioka, à Ichijōji. Couardise n'est pas un mot assez bas pour ses pareils. Soit, ses adversaires étaient supérieurs en nombre, mais qu'a-t-il fait ? Il a tourné les talons à la première occasion. Etant donné son passé et son ambition outrecuidante, je le considère comme un être méprisable... Ha ! ha ! Si un homme qui passe sa vie à étudier l'Art de la guerre est un expert, alors, je suppose que Musashi est un expert. Mais un maître du sabre... non, pas ça.

De toute évidence, il considérait l'éloge de Musashi comme un affront personnel ; pourtant, son insistance à gagner à son point de vue tout le monde et n'importe qui était si véhémente que même ses plus fervents admirateurs commencèrent à se poser des questions. Finalement, le bruit se répandit qu'il y avait une longue inimitié entre Musashi et Kojirō. Bientôt, des rumeurs d'affrontement circulèrent.

Ce fut sur l'ordre du seigneur Tadatoshi que Kojirō finit par lancer un défi. Au cours des mois qui s'étaient écoulés depuis, tout le fief Hosokawa avait bourdonné de spéculations quant à la date où le combat aurait lieu et quant à son issue.

Iwama Kakubei, maintenant assez âgé, venait voir Kojirō matin et soir, à la moindre occasion. Un soir, au début du quatrième mois, alors que même les fleurs doubles des cerisiers roses étaient tombées, Kakubei traversa le jardin de Kojirō, dépassant les azalées rouge vif qui fleurissaient à l'ombre des rocailles. On l'introduisit dans une chambre intérieure, éclairée uniquement par la lumière déclinante du soleil couchant.

— Ah ! maître Iwama, quel plaisir de vous voir ! dit Kojirō, debout sur le seuil, en train de nourrir le faucon qu'il tenait sur son poing.

— J'ai des nouvelles pour vous, dit Kakubei sans s'asseoir. Aujourd'hui, en présence de Sa Seigneurie, le conseil du clan a discuté du lieu du combat, et est parvenu à une décision.

— Prenez un siège, dit un serviteur de la pièce voisine.

Avec un simple grognement en guise de remerciement, Kakubei s'assit et poursuivit :

— Un certain nombre d'emplacements ont été proposés, dont Kikunonagahama et la berge de la rivière Murasaki, mais on les a tous rejetés parce qu'ils étaient trop petits ou trop accessibles au public. Nous pourrions élever une clôture en bambou, bien sûr ; pourtant, même cela n'empêcherait pas la berge d'être envahie par une foule en quête de sensations.

— Je vois, répondit Kojirō qui regardait toujours attentivement les yeux et le bec du faucon.

Kakubei, qui s'attendait à ce que son rapport fît plus d'effet, en fut tout déconfit. Contrairement aux usages de la part d'un invité, il dit :

— Entrez donc. Impossible de parler de ça si vous restez là-bas.

— Une minute, dit Kojirō, désinvolte. Je veux finir de nourrir cet oiseau.

— C'est le faucon que le seigneur Tadatoshi vous a donné après que vous êtes allés chasser ensemble, l'automne dernier.

— Oui. Il s'appelle Amayumi. Plus je m'habitue à lui, plus il me plaît.

Il jeta le reste de la nourriture, et, enroulant le cordon à pompon rouge attaché au cou de l'oiseau, dit au jeune serviteur qui se tenait derrière lui :

— ... Tiens, Tatsunosuke... remets-le dans sa cage.

L'oiseau passa d'un poing à l'autre, et Tatsunosuke traversa le spacieux jardin. Au-delà de l'habituelle butte artificielle s'étendait une petite pinède, bordée de l'autre côté par une clôture. La propriété longeait la rivière Itatsu ; beaucoup d'autres vassaux Hosokawa demeuraient dans le voisinage.

— Pardonnez-moi de vous faire attendre, dit Kojirō.

— Je vous en prie. Je ne suis pas un véritable étranger. Quand je viens ici, j'ai l'impression d'être chez mon fils.

Une servante d'une vingtaine d'années entra et versa gracieusement le thé. Jetant un coup d'œil au visiteur, elle l'invita à en prendre une tasse. Kakubei hocha la tête avec admiration :

— Je suis content de vous voir, Omitsu. Vous êtes toujours si jolie !

Elle rougit jusqu'à son col de kimono.

— Et vous, vous vous moquez toujours de moi, répliqua-t-elle avant de se glisser rapidement hors de la pièce.

— Vous déclarez que plus vous vous habituez à votre faucon, plus vous l'aimez, dit Kakubei. Et Omitsu ? Ne vaudrait-il pas mieux l'avoir à vos côtés qu'un oiseau de proie ? Voilà un moment que je me propose de vous interroger sur vos intentions à son sujet.

— Ne serait-elle pas allée en secret chez vous, par hasard ?

— J'avoue qu'elle est venue me parler.

— La sotte ! Elle ne m'en a pas soufflé mot, dit-il en jetant au shoji blanc un regard de colère.

— Que cela ne vous trouble pas. Elle n'a aucune raison de ne pas venir.

Il attendit que les yeux de Kojirō se fussent un peu radoucis puis reprit :

— ... Pour une femme, s'inquiéter n'est que trop naturel. Je ne crois pas qu'elle doute de votre affection pour elle, mais à sa place, n'importe qui s'inquiéterait de l'avenir. Je veux dire : que va-t-il advenir d'elle ?

— Je suppose qu'elle vous a tout dit.

— Pourquoi ne l'aurait-elle pas fait ? Entre un homme et une femme, c'est la chose la plus ordinaire du monde. Un de ces jours, vous désirerez vous marier. Vous avez cette grande maison et des tas de domestiques. Qu'est-ce qui vous en empêche ?

— Imaginez ce que l'on dirait si j'épousais une fille que j'aurais eue chez moi comme servante ?

— La belle affaire, en vérité ! Vous ne pouvez certainement pas la rejeter maintenant. Si elle n'était pas un parti convenable pour vous, cela risquerait d'être gênant mais elle est d'un bon sang, n'est-ce pas ? On me dit qu'elle est la nièce d'Ono Tadaaki.

— C'est exact.

— Et vous l'avez rencontrée lorsque vous êtes allé au dōjō de Tadaaki lui ouvrir les yeux sur le triste état dans lequel se trouvait son école d'escrime.

— Oui. Je n'en suis pas fier, mais je ne puis le cacher à quelqu'un d'aussi proche de moi que vous l'êtes. J'avais l'intention de vous raconter un jour ou l'autre toute cette histoire... Ainsi que vous le dites, cela s'est produit après mon combat avec Tadaaki. Quand je me suis mis en route pour rentrer chez moi, il faisait déjà sombre, et Omitsu — elle habitait chez son oncle, à l'époque — a apporté une petite lanterne pour me raccompagner au bas de la pente de Saikachi. Sans y accorder d'importance, je lui ai fait un peu la cour en chemin, mais elle m'a pris au sérieux. Après la disparition de Tadaaki, elle est venue me voir et...

Maintenant, c'était au tour de Kakubei d'être gêné. Il agita la main pour signifier à son protégé qu'il en avait entendu assez. En réalité, il ne savait que depuis très peu de temps que Kojirō avait recueilli la jeune fille avant de quitter Edo pour Kokura. Il s'étonnait non seulement de sa propre naïveté mais aussi de l'adresse de Kojirō à séduire une femme, à avoir une liaison avec elle et à garder tout cela secret.

— Remettez-vous-en à moi pour tout, dit-il. Pour le moment, il serait assez peu séant de votre part d'annoncer votre mariage. Chaque chose en son temps. Cela peut se faire après votre combat.

Pareil à tant d'autres, il avait confiance : la justification définitive de la renommée et du rang de Kojirō aurait lieu dans les quelques jours qui allaient suivre. Se rappelant l'objet de sa visite, Kakubei continua :

— ... Je vous l'ai dit, le conseil a décidé du lieu de combat. Un impératif était qu'il se déroulât à l'intérieur du domaine du seigneur Tadatoshi mais dans un endroit où la foule ne pût accéder facilement ; il a donc été convenu qu'une île serait l'idéal. On a choisi une petite île appelée Funashima, entre Shimonoseki et Moji.

Durant quelques instants, il parut songeur, puis reprit :

— ... Je me demande s'il ne serait pas sage d'examiner les lieux avant l'arrivée de Musashi. Cela vous conférerait peut-être un certain avantage.

Il raisonnait ainsi : connaître la disposition du terrain donnerait à un homme d'épée une idée de la façon dont le combat se déroulerait, dont il convenait de serrer ses cordons de sandales, et de faire usage de la position du soleil. A tout le moins, Kojirō éprouverait un sentiment de sécurité, ce qui ne saurait être le cas s'il découvrait l'endroit pour la première fois. Kakubei proposait de louer un bateau de pêche pour aller tous deux reconnaître Funashima le lendemain. Kojirō n'était pas d'accord :

— Tout le but de l'Art de la guerre est d'être assez prompt pour saisir une occasion. Même lorsqu'un homme prend des précautions, il advient souvent que son adversaire les prévoie et trouve moyen de les déjouer. Il vaut beaucoup mieux aborder la situation avec un esprit ouvert, et agir en toute liberté.

Comprenant la logique de cet argument, Kakubei ne parla plus de se rendre à Funashima.

Convoquée par Kojirō, Omitsu leur servit du saké ; les deux hommes burent et bavardèrent jusque tard dans la soirée. D'après la façon détendue dont Kakubei sirotait son saké, il était évident qu'il était content de vivre et qu'il estimait que ses efforts pour aider Kojirō se trouvaient récompensés. Pareil à un père fier de son fils, il déclara :

— Je crois que nous pouvons mettre Omitsu au courant. Quand cette affaire sera terminée, nous pourrons inviter ici ses parents et amis à la cérémonie de mariage. Il est bel et bon de vous consacrer à votre épée, mais vous devez aussi fonder une famille en vue de perpétuer votre nom. Quand vous serez marié, j'aurai le sentiment d'avoir accompli mon devoir envers vous.

A la différence du joyeux vieux vassal aux nombreuses années de service, Kojirō ne manifestait aucun signe d'ébriété. Mais de toute manière, ces jours-là, il était enclin au silence. Une fois que l'on se fut décidé sur le combat, Kakubei avait suggéré — et Tadatoshi avait accepté — de décharger Kojirō de ses fonctions. D'abord, il avait joui de ces loisirs inhabituels ; mais à mesure qu'approchait la date et que des gens de plus en plus nombreux venaient le voir, il se sentait obligé de les recevoir. Ces temps derniers, les moments où il pouvait se reposer s'étaient faits rares. Pourtant, il répugnait à se claquemurer et à faire interdire sa porte. S'il agissait ainsi, les gens croiraient qu'il avait perdu son sang-froid.

L'idée lui vint d'aller chaque jour dans la campagne, son faucon au poing. Par beau temps, parcourir champs et monts avec ce seul oiseau pour compagnon lui faisait du bien à l'esprit.

Quand les vifs yeux d'azur du faucon repéraient dans le ciel une victime, Kojirō le lâchait. Alors, ses propres yeux, non moins vifs, le suivaient tandis qu'il s'élevait pour fondre sur sa proie. Jusqu'à ce que les plumes se missent à pleuvoir, il retenait son souffle, pétrifié, comme si lui-même eût été le faucon.

— Bon ! Voilà qui est bien ! s'exclamait-il au moment où le faucon tuait.

Cet oiseau de proie lui avait beaucoup appris ; résultat de ces parties de chasse : le visage de Kojirō exprimait chaque jour un peu plus de confiance.

Le soir, en rentrant chez lui, il était accueilli par les yeux d'Omitsu, gonflés de larmes. Les efforts qu'elle faisait pour les cacher le blessaient. Selon lui, être vaincu par Musashi n'était pas concevable. Néanmoins, la question de savoir ce qu'il adviendrait de la jeune fille s'il était tué se glissait dans son esprit.

Il en allait de même pour l'image de sa mère morte, à laquelle il n'avait guère accordé une pensée depuis des années. Et chaque soir, en s'endormant, il avait la vision des yeux d'azur du faucon et des yeux gonflés d'Omitsu, mêlée étrangement au souvenir fugace du visage de sa mère.

Avant le treizième jour

Shimonoseki, Moji, la ville à château de Kokura... depuis plusieurs jours, bien des voyageurs étaient arrivés mais peu étaient repartis. Toutes les auberges regorgeaient de monde, et les chevaux s'alignaient devant, côte à côte, attachés aux poteaux.

L'ordre édicté par le château déclarait :

> Le treizième jour de ce mois, à huit heures du matin, à Funashima dans le détroit de Nagato de Buzen, Sasaki Kojirō Ganryū, un samouraï de ce fief, disputera sur l'ordre de Sa Seigneurie un combat avec Miyamoto Musashi Masana, rōnin de la province de Mimasaka.
>
> Il est formellement interdit aux partisans de l'un et l'autre homme d'épée de se porter à son aide ou de s'avancer sur les eaux qui séparent la côte de Funashima. Jusqu'à dix heures, au matin du treize, aucun bateau de promeneurs, de voyageurs et de pêcheurs ne sera autorisé à pénétrer dans le détroit.
>
> Quatrième mois [1612].

Cette annonce fut placardée bien en vue à tous les principaux carrefours, quais et lieux de rassemblement.

— Le treize ? C'est bien après-demain ?

— Des gens de partout voudront voir le combat pour en parler de retour chez eux.

— Bien sûr, mais comment verra-t-on un combat qui a lieu sur une île située à trois kilomètres de la côte ?

— Eh bien, en montant au sommet du mont Kazashi, on peut distinguer les pins sur Funashima. Les gens viendront de toute manière lorgner les bateaux et les foules de Buzen et de Nagato.

— J'espère que le temps restera beau.

A cause des restrictions apportées aux activités maritimes, les loueurs de bateaux faisaient de mauvaises affaires. Pourtant, voyageurs et gens de la ville s'en accommodaient, et recherchaient activement les positions avantageuses d'où ils pourraient avoir un aperçu des événements passionnants de Funashima.

Le onze, vers midi, une femme qui donnait le sein à son bébé marchait de long en large devant une gargote à plat unique, à l'endroit où la route de Moji entrait à Kokura. Le bébé, fatigué du voyage, n'arrêtait pas de pleurer.

— Sommeil ? Allons, fais donc un petit somme. Là, là... Dors, dors.

Akemi n'était pas maquillée. Avec un bébé à élever, sa vie avait changé considérablement ; mais elle ne regrettait rien. Matahachi sortit de la boutique, vêtu d'un kimono sans manches d'une teinte discrète. L'unique allusion à l'époque où il avait aspiré à devenir prêtre était le foulard qu'il portait sur la tête afin de cacher son crâne autrefois rasé.

— Allons, allons ! s'écria-t-il. Encore en train de pleurer ? Tu dois dormir. Va, Akemi. Je le prendrai pendant que tu mangeras. Mange beaucoup pour avoir beaucoup de lait.

Prenant l'enfant dans ses bras, il se mit à lui chantonner une douce berceuse.

— Eh bien, en voilà une surprise ! fit une voix derrière eux.

— Quoi ? fit Matahachi en regardant l'homme, incapable de le situer.

— Je suis Ichinomiya Gempachi. Nous nous sommes rencontrés, voilà plusieurs années, à la forêt de pins proche de l'avenue Gojō, à Kyoto. Je suppose que vous ne vous souvenez pas de moi.

Matahachi continuant à le regarder sans comprendre, Gempachi reprit :

—... Vous vous faisiez partout passer pour Sasaki Kojirō.

— Oh ! s'écria Matahachi, le souffle coupé. Le moine au gourdin...

— Voilà. Ça me fait plaisir de vous revoir.

Matahachi se hâta de s'incliner, ce qui réveilla le bébé.

— Allons, ne recommence pas à pleurer, supplia-t-il.

— Je me demande, fit Gempachi, si vous pourriez me dire où se trouve la maison de Kojirō. Si je comprends bien, il habite ici, à Kokura.

— Je regrette, je n'en ai pas la moindre idée. J'arrive moi-même.

Deux serviteurs de samouraïs sortaient de la boutique ; l'un dit à Gempachi :

— Si vous cherchez la maison de Kojirō, elle est juste au bord de la rivière Itatsu. Nous vous montrerons le chemin, si vous voulez.

— Bien aimable à vous. Au revoir, Matahachi. A un de ces jours.

Les samouraïs s'éloignèrent, et Gempachi leur emboîta le pas. Matahachi, remarquant la boue et la saleté accrochées aux vêtements de l'homme, se dit : « Je me demande s'il a fait tout le chemin depuis Kōzuke. » Que la nouvelle du combat se fût répandue jusqu'à des endroits aussi éloignés l'impressionnait profondément. Alors, le souvenir de la rencontre avec Gempachi lui traversa l'esprit, et il frémit. Qu'il était donc sans intérêt, superficiel et sans vergogne à cette époque ! Penser qu'il avait eu le front d'essayer de faire passer pour sien le certificat de l'école Chūjō, de jouer le rôle de... Pourtant, qu'il pût comprendre maintenant combien il avait été grossier constituait un signe encourageant. Du moins avait-il changé depuis lors. « Je suppose, pensa-t-il, que même un idiot tel que moi peut s'améliorer s'il reste vigilant et s'il essaie. »

Entendant le bébé pleurer de nouveau, Akemi abrégea son repas et ressortit en toute hâte :

— Excuse-moi, dit-elle. Je le prends, maintenant.

Ayant installé le bébé sur le dos d'Akemi, Matahachi suspendit à son épaule une boîte de colporteur de bonbons, et se disposa à partir. Un certain nombre de passants considéraient avec envie ce couple pauvre, mais qui semblait heureux.

Une dame d'un certain âge, d'aspect distingué, s'approcha et dit :

— Quel joli bébé ! Quel âge a-t-il ? Oh ! vois donc comme il rit.

Comme sur commande, le serviteur qui l'accompagnait se baissa pour examiner le visage de l'enfant. Tout le monde fit ensemble un bout de chemin. Puis, tandis que Matahachi et Akemi s'engageaient dans une rue latérale en quête d'une auberge, la femme reprit :

— ... Ah ! vous allez par là ?

Elle leur dit au revoir, et, comme se ravisant, demanda :

— ... Il semble que vous soyez des voyageurs, vous aussi, mais sauriez-vous par hasard où se trouve la maison de Sasaki Kojirō ?

Matahachi lui fournit le renseignement qu'il venait d'apprendre des deux serviteurs. Tout en la regardant s'éloigner, il murmura d'un air sombre :

— Je me demande ce que devient ma mère.

Maintenant qu'il avait un enfant à lui, il commençait à comprendre ce qu'elle éprouvait.

— Allons, viens, dit Akemi.

Matahachi restait planté là, à regarder la vieille femme d'un air absent. Elle avait à peu près le même âge qu'Osugi.

La maison de Kojirō était pleine de visiteurs.

— Pour lui, c'est une grande chance.

— Oui, cela va asseoir une fois pour toutes sa réputation.

— Il sera connu partout.

— Certes, mais il ne faut pas oublier qui est son adversaire. Ganryū devra être très prudent.

Beaucoup étaient arrivés la veille au soir ; les visiteurs affluaient dans le grand hall d'entrée, dans les antichambres latérales, dans les galeries extérieures. Certains venaient de Kyoto ou d'Osaka, d'autres de l'ouest de Honshu, l'un d'eux du village de Jōkyōji dans la lointaine province d'Echizen. La maisonnée ne comportant pas assez de serviteurs, Kakubei avait envoyé quelques-uns des siens. Des samouraïs, élèves de Kojirō, allaient et venaient, le visage tout excité par l'attente.

Tous ces amis, tous ces disciples présentaient un point commun : qu'ils connussent ou non Musashi, il était l'ennemi.

Les samouraïs provinciaux qui, à telle ou telle époque, avaient étudié les méthodes de l'école Yoshioka, manifestaient une haine particulièrement virulente. L'humiliation de la défaite d'Ichijōji leur rongeait l'esprit et le cœur. De plus, l'exclusive détermination avec laquelle Musashi avait mené sa carrière lui avait fait de nombreux ennemis. Les élèves de Kojirō le méprisaient tout naturellement.

Un jeune samouraï amena un récent arrivant du hall d'entrée dans le salon plein de monde, et annonça :

— Cet homme a fait le voyage de Kōzuke.

— Je m'appelle Ichinomiya Gempachi, dit l'homme, qui prit modestement place parmi eux.

Un murmure d'admiration et de respect fit le tour de la pièce : Kōzuke se trouvait à quinze cents kilomètres au nord-est. Gempachi demanda qu'un talisman qu'il avait apporté du mont Hakuun fût placé sur l'autel domestique, ce qui redoubla les murmures d'approbation.

— Il fera beau le treize, remarqua un homme en jetant un coup d'œil à l'ardent soleil du soir, sous l'auvent. Aujourd'hui c'est le onze, demain le douze, après-demain...

Un visiteur dit à Gempachi :

— A mon avis, que vous soyez venu d'aussi loin prononcer une prière pour la réussite de Kojirō est bien remarquable. Vous avez des liens avec lui ?

— Je suis un vassal de la Maison de Kusanagi à Shimonida. Feu mon maître, Kusanagi Tenki, était le neveu de Kanemaki Jisai. Tenki connaissait Kojirō alors que celui-ci était encore enfant.

— Je savais que Kojirō avait été l'élève de Jisai.

— C'est exact. Kojirō venait de la même école qu'Itō Ittōsai. J'ai entendu Ittōsai déclarer à maintes reprises que Kojirō se battait brillamment.

Ensuite, il raconta comment Kojirō avait choisi de rejeter le certificat de Jisai pour créer son propre style. Il dit aussi combien Kojirō avait été tenace, même enfant. Donnant des réponses détaillées à des questions pleines de curiosité, Gempachi parla sans fin.

— Ganryū *Sensei* n'est pas là ? demanda un jeune serviteur en se glissant à travers la foule.

Comme il ne le voyait pas, il passa de chambre en chambre. Il grommelait tout seul quand il tomba sur Omitsu, qui faisait le ménage de la chambre de Kojirō.

— Si tu cherches le maître, dit-elle, tu le trouveras à la cage du faucon.

A l'intérieur de la cage, Kojirō scrutait les yeux d'Amayumi. Il avait nourri l'oiseau, l'avait débarrassé de ses plumes tombées, tenu un moment sur son poing ; maintenant, il le caressait affectueusement.

— *Sensei...*

— Oui ?

— Il y a une femme qui dit venir vous voir d'Iwakuni. Elle ajoute que vous la reconnaîtrez en la voyant.

— Hum... C'est peut-être la sœur cadette de ma mère.

— Quelle chambre dois-je lui donner ?

— Je ne veux pas la voir. Je ne veux voir personne... Ah ! je suppose que je le dois. C'est ma tante. Conduis-la dans ma chambre.

L'homme s'éloigna, et Kojirō appela par la porte :

— ... Tatsunosuke !

— Oui, monsieur.

Tatsunosuke entra dans la cage et se mit sur un genou derrière Kojirō. Elève à demeure, il s'éloignait rarement de son maître.

— Plus longtemps à attendre maintenant, n'est-ce pas ? dit Kojirō.

— Non, monsieur.

— Demain, j'irai au château saluer le seigneur Tadatoshi. Je ne l'ai pas vu, ces temps-ci. Après quoi, je veux passer une nuit tranquille.

— Il y a tous ces visiteurs. Pourquoi ne refusez-vous pas de les voir, de manière à bien vous reposer ?

— C'est là ce que j'ai l'intention de faire.

— Il y a tant de gens par ici que vous risqueriez d'être vaincu par vos propres partisans.

— Ne parle pas ainsi. Ils affluent de partout... Ma victoire ou ma défaite dépendent de ce qui se passera au moment fixé. Ce n'est pas entièrement une affaire de destinée, et pourtant... Ainsi en va-t-il des guerriers ; quelquefois ils gagnent, quelquefois ils perdent. Si Ganryū meurt, tu trouveras dans mon écritoire deux testaments. Donne l'un d'eux à Kakubei, et l'autre à Omitsu.

— Vous avez rédigé un testament ?

— Oui. Il convient à un samouraï de prendre cette précaution. Autre chose : le jour du combat, j'ai droit à un serviteur. Je veux que tu m'accompagnes. Viendras-tu ?

— C'est un honneur que je ne mérite pas.

— Amayumi aussi, ajouta-t-il en regardant le faucon. Pour moi, sur le bateau, ce sera un réconfort.

— Je comprends parfaitement.

— Bon. Maintenant, je vais voir ma tante.

Il la trouva assise dans sa chambre. Au-dehors, les nuages du soir avaient noirci comme de l'acier nouvellement forgé qui vient de refroidir. La lumière d'une chandelle éclairait la pièce.

— ... Merci d'être venue, dit-il en faisant montre d'un profond respect.

Après la mort de sa mère, sa tante l'avait élevé. A la différence de sa mère, elle ne l'avait pas gâté le moins du monde. Consciente de ses devoirs envers sa sœur aînée, elle s'était uniquement efforcée de faire de lui un digne successeur de la lignée Sasaki, et un homme remarquable en soi. Parmi tous ses parents, elle était celle qui avait prêté le plus d'attention à sa carrière et à son avenir.

— Kojirō, commença-t-elle avec solennité, il me semble que tu vas affronter l'un des moments décisifs de ta vie. Tout le monde en parle au pays, et j'ai pensé qu'il me fallait te voir au moins encore une fois. Je suis heureuse de constater que tu es arrivé aussi loin.

En silence, elle comparait le digne et riche samouraï qui se tenait devant elle avec l'adolescent qui avait quitté son foyer sans autre chose qu'une épée. La tête encore inclinée, Kojirō répondit :

— Que d'années que nous ne nous sommes vus ! J'espère que vous me pardonnerez de ne pas vous avoir donné de nouvelles.

J'ignore si l'on considère ou non que j'ai réussi, mais je n'ai nullement accompli tout ce que j'ai résolu d'accomplir. Voilà pourquoi je ne vous ai pas écrit.

— Peu importe. J'ai sans arrêt de tes nouvelles.

— Même à Iwakuni ?

— Mais oui. Là-bas, tout le monde est pour toi. Si tu devais être vaincu par Musashi, toute la famille Sasaki — toute la province — seraient couvertes de honte. Le seigneur Katayama Hisayasu de Hōki, lequel est l'hôte du fief de Kikkawa, se propose d'amener un groupe nombreux de samouraïs d'Iwakuni pour voir le combat.

— Vraiment ?

— Oui. Ils seront affreusement déçus, j'imagine, du fait qu'aucun bateau ne sera autorisé à sortir... Ah ! j'oubliais. Tiens, je t'ai apporté ceci.

Elle ouvrit un petit paquet dont elle tira un sous-vêtement plié. Il était en coton blanc ; dessus se trouvaient inscrits les noms du dieu de la guerre et d'une déesse protectrice adorée des guerriers. Un charme sanscrit avait été brodé sur les deux manches par cent femmes favorables à Kojirō. Il la remercia et tint le vêtement devant son front en signe de révérence. Puis il déclara :

— Vous devez être fatiguée par votre voyage. Vous pouvez rester ici, dans cette chambre, et vous coucher quand vous le désirerez. Maintenant, je vous prie de m'excuser.

Il la quitta pour aller s'asseoir dans une autre pièce où des invités vinrent bientôt lui offrir toute une variété de cadeaux : un charme sacré provenant du sanctuaire de Hachiman, sur le mont Otoko, une cotte de mailles, une énorme brème, un tonneau de saké. Bientôt, il n'y eut plus un endroit où s'asseoir.

Ces amis priaient sincèrement pour sa victoire ; il était non moins vrai que huit sur dix d'entre eux, ne doutant pas qu'il gagnerait, s'insinuaient dans ses bonnes grâces avec l'espoir de favoriser leurs propres ambitions par la suite.

« Et si j'étais un rōnin ? » songeait Kojirō. Bien que cette flagornerie le déprimât, il trouvait satisfaction dans le fait que c'était lui et nul autre qui avait amené ses partisans à croire en lui.

« Je dois gagner. Je le dois, je le dois. »

L'idée de la victoire était pour lui un fardeau psychologique. Il s'en rendait compte, mais n'y pouvait rien. « Gagner, gagner, gagner. » Comme une vague poussée par le vent, ce mot ne cessait de se répéter quelque part dans son esprit. Même Kojirō ne pouvait comprendre pourquoi le primitif besoin de vaincre lui battait le cerveau avec une telle persistance.

La nuit s'avançait, mais bon nombre de visiteurs restaient à boire et à causer. Il était fort tard quand parvint la nouvelle :

— Musashi est arrivé aujourd'hui. On l'a vu débarquer à Moji, et plus tard, marcher dans la rue à Kokura.

A l'aube

Musashi arriva à Shimonoseki avec plusieurs jours d'avance. Comme il n'y connaissait personne et que nul ne l'y connaissait, il passa tranquillement son temps, sans être gêné par les flatteurs et les fâcheux.

Le matin du onze, il traversa le détroit de Kammon jusqu'à Moji pour aller voir Nagaoka Sado, et confirmer qu'il acceptait l'heure et le lieu du combat. Un samouraï le reçut dans l'antichambre, le dévisageant sans vergogne et songeant : « Voilà donc le célèbre Miyamoto Musashi ! » Mais, tout haut, le jeune homme se contenta de déclarer :

— Mon maître est encore au château ; pourtant, il devrait rentrer bientôt. Je vous en prie, entrez l'attendre.

— Non, merci ; je n'ai rien d'autre à lui dire. Si vous aviez seulement l'amabilité de lui transmettre mon message...

— Mais vous avez fait tout ce chemin ! Il sera bien déçu de vous avoir manqué. S'il faut vraiment que vous partiez, je vous en prie, laissez-moi du moins dire aux autres que vous êtes là.

A peine avait-il disparu dans la maison qu'Iori accourait dans les bras de Musashi.

— *Sensei !*

Musashi lui tapota la tête.

— As-tu bien étudié ?
— Oui, monsieur.
— Que tu as grandi !
— Vous saviez que j'étais ici ?
— Oui ; Sado me l'a écrit. J'ai eu aussi de tes nouvelles chez Kobayashi Tarōzaemon, à Sakai. Je suis content que tu sois ici. Habiter une maison comme celle-ci te fera du bien.
L'air déçu, Iori se taisait.
— ... Qu'as-tu ? demanda Musashi. N'oublie pas que Sado a été très bon pour toi.
— Oui, monsieur.
— Tu dois faire plus que pratiquer les arts martiaux, tu sais. Il faut apprendre par des livres. Et bien que tu doives être le premier à aider quand c'est nécessaire, essaie d'être plus modeste que les autres garçons.
— Oui, monsieur.
— Et ne tombe pas dans le piège qui consiste à t'apitoyer sur toi-même. C'est le cas de nombreux garçons comme toi qui ont perdu un père ou une mère.
— Oui, monsieur.
— Tu es intelligent, Iori, mais attention. Ne laisse pas la rudesse de ton éducation prendre le dessus. Tiens-toi serré. Tu es encore un enfant ; tu as devant toi une longue existence. Protège-la bien. Epargne-la jusqu'à ce que tu puisses la donner pour une cause vraiment noble : pour ton pays, ton honneur, la Voie du samouraï. Cramponne-toi à ta vie ; rends-la honnête et courageuse.
Iori avait le sentiment désolant qu'il s'agissait d'une séparation, d'un adieu définitif. Son intuition le lui eût probablement dit même si Musashi n'avait pas traité de sujets aussi graves ; mais le mot « vie » ne laissait guère de doute. A peine Musashi l'eut-il prononcé qu'Iori enfouit la tête dans sa poitrine. L'enfant sanglotait sans pouvoir se maîtriser. Musashi, s'apercevant qu'Iori était fort bien tenu — ses cheveux bien peignés et attachés, ses chaussettes d'une blancheur immaculée —, regrettait maintenant son sermon.
— ... Ne pleure pas, dit-il.
— Mais si vous...

— Cesse tes jérémiades. On va te voir.

— Vous... vous allez après-demain à Funashima ?

— Oui, il le faut.

— Gagnez, je vous en prie, gagnez. Je ne peux supporter la pensée de ne plus vous revoir.

— Ha ! ha ! C'est à cause de ça que tu pleures ?

— Il y a des gens qui disent que vous ne pouvez pas battre Kojirō... d'abord, vous n'auriez pas dû accepter le combat.

— Tu ne me surprends pas. Les gens disent toujours ça.

— Mais vous pouvez gagner, n'est-ce pas, *Sensei ?*

— Je ne perdrai même pas mon temps à me poser la question.

— Vous voulez dire que vous êtes sûr que vous gagnerez ?

— Même si je perds, je promets de le faire bravement.

— Mais si vous pensez que vous risquez de perdre, ne pourriez-vous partir quelque part un moment ?

— Il y a toujours un germe de vérité dans le pire des commérages, Iori. J'ai peut-être commis une erreur ; mais au point où nous en sommes, fuir serait renoncer à la Voie du samouraï. Cela attirerait le déshonneur non seulement sur moi mais sur beaucoup d'autres.

— Pourtant, ne disiez-vous pas que je devais me cramponner à ma vie et la préserver avec soin ?

— Si, je l'ai dit, et si l'on m'enterre à Funashima, que cela te serve de leçon : évite de te mêler de combats qui risquent de te faire gaspiller ta vie.

Sentant qu'il allait trop loin, il changea de sujet :

— ... J'ai déjà demandé que l'on transmette à Nagaoka Sado mes respects. Je veux que tu les lui exprimes aussi, et lui dises que je le verrai à Funashima.

Musashi se dégagea doucement. Tandis qu'il se dirigeait vers le portail, Iori s'accrochait au chapeau de vannerie qu'il tenait à la main :

— Non... attendez... pouvait-il seulement dire.

De son autre main, il se cacha le visage. Les sanglots lui secouaient les épaules. Nuinosuke entra par une porte qui s'ouvrait à côté du portail, et se présenta à Musashi.

— Iori semble répugner à vous laisser partir, et je le

comprends. Je ne doute pas que vous ayez d'autres choses à faire, mais ne pourriez-vous passer ici une seule nuit ?

Musashi, lui rendant son salut, répondit :

— C'est aimable à vous de m'en prier, mais je ne crois pas devoir le faire. Après-demain, je dormirai peut-être pour de bon. Je ne pense pas qu'il serait bien de ma part de peser sur autrui maintenant. Par la suite, cela risquerait de se révéler une gêne.

— Voilà qui est fort délicat de votre part, mais je crains que le maître ne soit furieux contre nous de vous avoir laissé partir.

— Je lui enverrai un mot pour tout lui expliquer. Aujourd'hui, je suis seulement venu le saluer. Maintenant, je crois qu'il faut partir.

Après avoir franchi le portail, il se tourna vers la plage ; mais il n'avait pas fait la moitié du chemin qu'il entendit des voix l'appeler dans son dos. Se retournant, il vit une poignée de samouraïs d'un certain âge, de la Maison de Hosokawa ; deux d'entre eux avaient des cheveux gris. Comme il n'en reconnaissait aucun, il crut que leurs cris s'adressaient à quelqu'un d'autre, et il continua sa route.

Arrivé au rivage, il se tint là à contempler la mer. Un certain nombre de bateaux de pêche étaient ancrés au large, leurs voiles roulées toutes grises dans la lumière brumeuse du début de soirée. Au-delà de la masse plus vaste de Hikojima, les contours de Funashima se devinaient à peine.

— Musashi !

— Vous êtes bien Miyamoto Musashi, n'est-ce pas ?

Musashi se tourna vers eux, se demandant ce que ces guerriers âgés pouvaient lui vouloir.

— Vous ne vous souvenez pas de nous, n'est-ce pas ? Rien d'étonnant à cela. Ça fait trop longtemps. Je m'appelle Utsumi Magobeinojō. Tous les six, nous sommes de Mimasaka. Nous étions au service de la Maison de Shimmen, au château de Takeyama.

— Moi, je suis Koyama Handayū. Magobeinojō et moi, nous étions des amis intimes de votre père.

Musashi eut un large sourire.

— Eh bien, en voilà une surprise !

Leur accent traînant, sans conteste celui de son village natal, ressuscitait maints souvenirs d'enfance. Après avoir salué chacun d'eux, il reprit :

— ... Je suis content de vous voir. Mais dites-moi, comment se fait-il que vous soyez tous ici ensemble, si loin du pays ?

— Eh bien, comme vous le savez, la Maison de Shimmen a été démantelée après la bataille de Sekigahara. Devenus des rōnins, nous avons fui à Kyushu et sommes venus ici, dans la province de Buzen. Un temps, pour vivre, nous avons tressé des semelles de chevaux en paille. Par la suite, nous avons eu un coup de chance.

— Vraiment ? Eh bien, je dois le dire, jamais je n'aurais pensé rencontrer des amis de mon père à Kokura.

— C'est aussi pour nous un plaisir inattendu. Vous êtes un samouraï de belle mine, Musashi. Dommage que votre père ne soit pas ici pour vous voir maintenant.

Durant quelques minutes, ils commentèrent entre eux la belle prestance de Musashi. Puis Magobeinojō s'exclama :

— Quel âne je suis ! J'oubliais pourquoi nous vous cherchions. Nous venions de vous manquer chez Sado. Nous avions l'intention de passer une soirée avec vous. Tout a été arrangé avec Sado.

Handayū fit chorus :

— Exact. C'était bien grossier de votre part d'aller jusqu'à la porte d'entrée et de repartir sans avoir vu Sado ; vous êtes le fils de Shimmen Munisai. Vous ne devriez pas faire des choses pareilles. Allons, revenez avec nous.

Il semblait estimer que le fait d'avoir été un ami du père de Musashi l'autorisait à donner des ordres à son fils. Sans attendre de réponse, il commença à s'éloigner, escomptant que Musashi le suivrait. Le jeune homme, qui se disposait à les accompagner, s'arrêta.

— Je regrette, dit-il. Je ne crois pas devoir y aller. Excusez-moi d'être aussi grossier, mais je pense qu'il serait mal de ma part de me joindre à vous.

Tout le monde fit halte, et Magobeinojō s'écria :

— Mal ? Qu'y a-t-il de mal à cela ? Nous voulons vous

recevoir comme il convient : même village et tout, vous savez bien.

— Sado s'en réjouit d'avance, lui aussi. Vous ne voudriez pas l'offenser, n'est-ce pas ?

Magobeinojō, d'un ton froissé, ajouta :

— Qu'y a-t-il ? Vous nous en voulez de quelque chose ?

— J'aimerais y aller, dit Musashi poliment, mais il y a d'autres questions à envisager. Ce n'est sans doute qu'une rumeur, mais j'ai entendu dire que mon combat avec Kojirō est une source de friction entre les deux plus vieux vassaux de la Maison de Hosokawa, Nagaoka Sado et Iwama Kakubei. On prétend que le camp d'Iwama a l'approbation du seigneur Tadatoshi, et que Nagaoka tente de renforcer sa propre faction en s'opposant à Kojirō.

Un murmure de surprise accueillit ces propos.

— ... Je suis certain qu'il ne s'agit là que de spéculations oiseuses, continua Musashi ; il n'en reste pas moins que les bavardages publics sont chose dangereuse. Le sort d'un rōnin tel que moi n'a guère d'importance, mais je ne voudrais rien faire pour attiser les rumeurs et provoquer les soupçons au sujet de Sado ou de Kakubei. Tous deux sont précieux pour le fief.

— Je vois, dit Magobeinojō.

Musashi sourit.

— Mon Dieu, c'est du moins mon excuse. A vrai dire en ma qualité de garçon de la campagne, j'ai du mal à rester assis à dire des politesses toute une soirée. J'ai seulement envie de me reposer.

Impressionnés par la considération de Musashi envers autrui mais n'en répugnant pas moins à se séparer de lui, ils se rassemblèrent pour discuter de la situation.

— Nous sommes au onzième jour du quatrième mois, dit Handayū. Depuis dix ans, nous six nous réunissons à cette date. Nous avons pour règle impérative de ne pas inviter d'étrangers ; mais vous êtes du même village, vous êtes le fils de Munisai, aussi voudrions-nous vous prier de vous joindre à nous. Ce n'est peut-être pas le genre de divertissement que nous devrions vous procurer, mais vous n'aurez pas à vous soucier d'être bien élevé, d'être vu ou discuté.

— Dans ces conditions, dit Musashi, je ne vois pas comment je pourrais refuser.

Cette réponse fit un immense plaisir au vieux samouraï. A la suite d'un autre bref conciliabule, on convint que Musashi rencontrerait l'un d'eux, un homme appelé Kinami Kagashirō, devant un salon de thé deux heures plus tard, et l'on se sépara.

Musashi rencontra Kagashirō à l'heure dite, et ils marchèrent jusqu'à deux kilomètres environ du centre de la ville ; l'endroit se trouvait proche du pont d'Itatsu. Musashi ne vit ni maisons ni restaurants de samouraïs, rien que les lumières d'un débit de boissons solitaire et d'une auberge bon marché, l'un et l'autre à quelque distance. Toujours en alerte, il se mit à retourner dans son esprit des hypothèses. L'histoire de ces hommes n'avait rien de suspect ; leur âge paraissait convenir, et leur façon de parler concordait avec ce qu'ils disaient. Mais pourquoi donc un endroit écarté comme celui-ci ? Kagashirō laissa Musashi pour se diriger vers la berge. Puis il appela le jeune homme en disant :

— Ils sont tous là. Descendez.

Et il le précéda par l'étroit sentier sur le quai. « Peut-être que la réunion a lieu dans un bateau », se dit Musashi en souriant de son excès de prudence. Mais il n'y avait pas de bateau. Il les trouva assis sur des nattes de roseau, en posture de cérémonie.

— Pardonnez-nous de vous faire venir dans un pareil endroit, dit Magobeinojō. C'est ici que nous tenons notre réunion. Nous estimons qu'une chance particulière vous amène parmi nous. Asseyez-vous et reposez-vous un peu.

Avec des manières aussi graves que s'il accueillait un invité de marque dans un beau salon au shoji couvert d'argent, il avança une natte à l'intention de Musashi. Ce dernier se demanda s'il s'agissait de leur conception de l'élégance discrète ou s'ils avaient une raison spéciale de ne pas se rencontrer dans un lieu plus public. Mais, invité, il se sentait obligé de se conduire en invité. Il s'inclina et s'assit cérémonieusement sur la natte.

— ... Mettez-vous à l'aise, dit Magobeinojō. Plus tard, nous aurons une petite fête, mais d'abord nous devons célébrer notre cérémonie. Elle ne demandera pas longtemps.

Les six hommes prirent une attitude moins guindée ; chacun

se munit d'une gerbe de paille qu'ils avaient apportée, et ils entreprirent de tresser des semelles de paille pour chevaux. Leurs lèvres serrées, leurs yeux ne quittant jamais leur ouvrage, ils avaient un air de solennité presque pieuse. Musashi les considéra avec respect : il devinait de la force et de la ferveur dans leurs mouvements tandis qu'ils crachaient dans leurs mains, faisaient passer la paille à travers leurs doigts, et la nattaient entre leurs paumes.

— Je crois que ça ira, dit Handayū en reposant une paire achevée de semelles et en promenant sur les autres un regard circulaire.

— J'ai terminé, moi aussi.

Ils disposèrent leurs semelles de chevaux devant Handayū, se brossèrent et rajustèrent leurs vêtements. Handayū empila les patins de chevaux sur une petite table, au centre du cercle de samouraïs, et Magobeinojō, l'aîné, se leva.

— Douze ans se sont écoulés depuis la bataille de Sekigahara, depuis ce jour de défaite qui jamais ne s'effacera de nos mémoires, commença-t-il. Nous avons tous vécu plus longtemps que nous n'étions en droit de l'espérer. Cela, nous le devons à la protection généreuse du seigneur Hosokawa. Il faut veiller à ce que nos fils et petits-fils se souviennent des bontés de Sa Seigneurie à notre égard.

Des murmures d'assentiment firent le tour du groupe. Ils étaient assis dans une attitude respectueuse, les yeux baissés.

— ... Nous devons aussi nous rappeler à jamais les largesses des chefs successifs de la Maison de Shimmen, bien que cette grande maison n'existe plus. Nous ne devons jamais oublier non plus la misère et le désespoir qui étaient les nôtres à notre arrivée ici. C'est pour nous remémorer ces trois faits que nous tenons cette réunion chaque année. Et maintenant, prions ensemble pour le bien-être et la santé les uns des autres.

Les hommes répondirent en chœur :

— Les bontés du seigneur Hosokawa, les largesses de la Maison de Shimmen, la générosité du Ciel qui nous a délivrés de la détresse... nous ne les oublierons pas un seul jour.

— Et maintenant, rendez l'hommage, dit Magobeinojō.

Ils se tournèrent vers les murailles blanches du château de

Kokura, qui se détachaient à peine sur le ciel obscur, et se prosternèrent. Puis ils se tournèrent en direction de la province de Mimasaka, et se prosternèrent une troisième fois. Ils accomplissaient chaque mouvement avec un maximum de gravité et de sincérité. Magobeinojō dit à Musashi :

— ... Maintenant, nous allons au sanctuaire, au-dessus d'ici, faire offrande des patins de chevaux. Après quoi, nous pourrons continuer la soirée. Veuillez nous attendre ici.

L'homme qui menait le cortège portait à hauteur du front la table aux patins de chevaux ; les autres suivaient en file indienne. Ils attachèrent leur ouvrage aux branches d'un arbre, à côté de l'entrée du sanctuaire. Puis, ayant frappé une fois dans leurs mains devant la divinité, ils rejoignirent Musashi.

La chère était simple — un ragoût de taros, des pousses de bambou au beurre de fèves, et du poisson séché —, le genre de repas que l'on sert dans les fermes locales. Mais le saké coulait à flots ; l'on rit et bavarda beaucoup. Quand l'atmosphère devint chaleureuse, Musashi déclara :

— C'est un grand honneur d'avoir été prié de me joindre à vous, mais je me suis interrogé sur votre petite cérémonie. Elle doit avoir une signification très particulière à vos yeux.

— Certes, répondit Magobeinojō. A notre arrivée ici en tant que guerriers vaincus, nous n'avions personne vers qui nous tourner. Nous serions morts plutôt que de voler, mais il fallait manger. Finalement, nous avons eu l'idée d'ouvrir une boutique là-bas, à côté du pont, et de faire des patins de chevaux. L'entraînement à la lance nous avait rendu les mains calleuses ; aussi nous a-t-il fallu faire effort pour leur apprendre à tresser la paille. Nous avons fait cela trois années durant, à vendre notre ouvrage aux palefreniers de passage ; nous gagnions juste assez pour ne pas mourir de faim... Les palefreniers en sont venus à soupçonner que le tressage de la paille n'était pas notre métier habituel, et quelqu'un a fini par parler de nous au seigneur Hosokawa Sansai. Apprenant que nous étions d'anciens vassaux du seigneur Shimmen, il a envoyé un homme nous proposer des postes.

Il raconta comment le seigneur Sansai avait offert une solde collective de cinq mille boisseaux, qu'ils avaient refusée. Ils acceptaient de le servir de bonne foi, mais ils estimaient que la relation de seigneur à vassal devait être une relation d'homme à homme. Sansai comprit leur point de vue, et revint avec une offre de soldes individuelles. Il s'était aussi montré compréhensif quand ses vassaux avaient exprimé la crainte que les six rōnins ne fussent pas en mesure de s'habiller comme il convenait pour être présentés à Sa Seigneurie. Mais lorsque l'on suggéra une allocation spéciale pour acheter des vêtements, Sansai répondit que non, que cela ne ferait que gêner les rōnins. En réalité, ces craintes étaient sans fondement : si bas qu'ils fussent tombés, ils se trouvaient encore en mesure de mettre des vêtements empesés et de porter leurs deux sabres lorsqu'ils allèrent recevoir leur nomination.

— ... Si nous ne nous étions pas serré les coudes, nous serions morts avant d'être engagés par le seigneur Sansai. Nous ne devons pas oublier que la Providence a pris soin de nous durant ces années difficiles.

Son récit terminé, il leva une coupe en disant :

— ... Pardonnez-moi de vous avoir aussi longuement parlé de nous. Je voulais seulement vous faire savoir que nous sommes des hommes de bonne volonté, même si notre saké n'est pas de premier ordre et la nourriture très copieuse. Nous tenons à ce que vous vous battiez en brave, après-demain. Si vous perdez, nous enterrerons vos ossements, ne vous inquiétez pas.

En acceptant la coupe, Musashi répondit :

— Je me sens honoré d'être ici parmi vous. Cela vaut mieux que de boire le meilleur saké dans la plus belle demeure. J'espère uniquement avoir autant de chance que vous en avez eu.

— Ne dites pas ça ! Il vous faudrait apprendre à tresser des patins de chevaux.

Un bruit de terre éboulée brisa net leur éclat de rire. Ils portèrent leurs regards au quai où ils aperçurent, tapie comme une chauve-souris, une silhouette d'homme.

— Qui va là ? cria Kagashirō, aussitôt debout.

Un autre homme se leva, tirant son sabre ; tous deux

grimpèrent sur le quai pour scruter des yeux la brume. En riant, Kagashirō cria de là-haut :

— ... Ce devait être un des partisans de Kojirō. Il croit probablement que nous sommes les seconds de Musashi, et que nous tenons en secret une séance de stratégie. Il a filé avant que nous ayons bien pu le voir.

— Voilà qui sent à plein nez les partisans de Kojirō, commenta un homme.

L'atmosphère demeura détendue ; pourtant, Musashi résolut de ne pas s'attarder davantage. Pour rien au monde il ne voulait faire quoi que ce fût qui risquât par la suite de nuire à ces hommes. Il les remercia chaleureusement de leur affabilité, les laissa à leur réunion, et s'enfonça dans les ténèbres avec insouciance.

Du moins paraissait-il insouciant.

La colère froide de Nagaoka, due au fait que l'on eût laissé Musashi partir de sa maison, s'abattit sur plusieurs personnes, mais il attendit le matin du douze pour dépêcher des hommes à sa recherche.

Quand ces hommes rapportèrent qu'ils ne trouvaient pas Musashi — qu'ils n'avaient aucune idée de l'endroit où il était —, l'anxiété fit froncer les sourcils de Sado. « Que pouvait-il bien lui être arrivé ? Serait-il possible... » Il se refusait à aller jusqu'au bout de sa pensée.

Le douze aussi, Kojirō se présenta au château, et fut chaleureusement reçu par le seigneur Tadatoshi. Ensemble, ils burent le saké, et Kojirō repartit d'excellente humeur, sur le dos de son poney favori.

Le soir, la ville bourdonnait de rumeurs :

— Musashi a dû prendre peur et s'enfuir.

— Ça ne fait aucun doute. Il est parti.

Pour Sado, cette nuit-là fut une nuit blanche. Il essaya de se convaincre que c'était tout simplement impossible : Musashi n'était pas de ceux qui prennent la fuite... Pourtant, on citait le cas de personnes sûres en apparence, que la tension brisait. Redoutant le pire, Sado envisageait d'avoir à commettre le *seppuku,* seule solution honorable si Musashi, qu'il avait recommandé, ne paraissait pas.

L'aube éclatante du treize le trouva en train d'arpenter le jardin avec Iori, en se demandant sans arrêt : « Me suis-je trompé ? Ai-je mal jugé cet homme ? »

— Bonjour, monsieur.

Le visage las de Nuinosuke apparaissait au portail latéral.

— L'as-tu trouvé ?

— Non, monsieur. Aucun des aubergistes n'a vu personne qui lui ressemble.

— As-tu demandé aux temples ?

— Aux temples, aux dōjōs, à tous les autres endroits où vont ceux qui étudient les arts martiaux. Magobeinojō et sa bande ont été dehors toute la nuit, et...

— Ils ne sont pas encore rentrés.

Le front de Sado se plissa. A travers les jeunes feuilles de prunier, il apercevait la mer bleue ; les vagues semblaient battre contre sa poitrine même.

— ... Je ne comprends pas.

— On ne le trouve nulle part, monsieur.

L'un après l'autre, les chercheurs revinrent, fatigués, déçus. Rassemblés près de la véranda, ils discutaient de la situation avec colère et désespoir.

Selon Kinami Kagashirō, qui était passé près de chez Sasaki Kojirō, plusieurs centaines de partisans s'étaient réunis devant le portail. L'entrée se trouvait décorée de drapeaux armoriés d'une gentiane, et l'on avait disposé juste devant la porte par où Kojirō devait sortir un paravent d'or. Au petit jour, des groupes de ses partisans étaient allés dans les trois principaux sanctuaires prier pour sa victoire.

L'accablement dominait à la maison de Sado, pesant surtout sur les hommes qui avaient connu le père de Musashi. Ils se sentaient trahis. Si Musashi fuyait, il leur serait impossible de regarder en face les autres samouraïs ou le monde en général. Au moment où Sado les congédia, Kagashirō jura :

— Nous trouverons ce gredin. Sinon aujourd'hui, du moins un autre jour. Et quand nous l'aurons trouvé, nous le tuerons.

Sado regagna sa chambre, alluma l'encens dans l'encensoir

ainsi qu'il faisait chaque jour, mais Nuinosuke décela une gravité particulière dans le caractère délibéré de ses mouvements. « Il se prépare », pensa-t-il, peiné à l'idée que les choses en fussent arrivées là. A cet instant, Iori, debout à la lisière du jardin, en train de contempler la mer, se retourna pour demander :

— Avez-vous essayé la maison de Kobayashi Tarōzaemon ?

Nuinosuke se rendit compte instinctivement qu'Iori avait vu juste. Nul ne s'était rendu chez le courtier maritime ; or, il s'agissait exactement du type d'endroit qu'eût choisi Musashi pour se cacher.

— Ce garçon a raison ! s'exclama Sado, dont le visage s'éclaira. Que nous sommes bêtes ! Vas-y tout de suite !

— J'y vais aussi, dit Iori.

— Peut-il m'accompagner ?

— Oui. Et maintenant, cours... Non, attends une minute.

Il griffonna un mot, et fit part à Nuinosuke de son contenu : « Sasaki Kojirō effectuera la traversée de Funashima dans un bateau fourni par le seigneur Tadatoshi. Il arrivera vers huit heures. Vous pouvez encore y parvenir à la même heure. Je propose que vous veniez ici vous préparer. Je fournirai un bateau pour vous conduire à votre glorieuse victoire. »

De la part de Sado, Nuinosuke et Iori se procurèrent une embarcation rapide auprès du maître batelier du fief. Ils gagnèrent Shimonoseki en un temps record, puis se rendirent droit à la boutique de Tarōzaemon. En réponse à leur enquête, un employé déclara :

— J'ignore les détails, mais il semble bien qu'un jeune samouraï séjourne chez le maître.

— Voilà ! Nous l'avons trouvé.

Nuinosuke et Iori s'adressèrent l'un à l'autre un large sourire, et couvrirent rapidement la courte distance qui séparait la boutique de la maison. Nuinosuke alla droit à Tarōzaemon et lui dit :

— Il s'agit d'une affaire du fief, et c'est urgent. Miyamoto Musashi séjourne-t-il ici ?

— Oui.

— Dieu soit loué ! Mon maître en est malade d'inquiétude. Et maintenant, vite, dites à Musashi que je suis là.

Tarōzaemon entra dans la maison pour reparaître une minute plus tard en déclarant :

— Il est encore dans sa chambre. Il dort.

— Il dort ? répéta Nuinosuke, atterré.

— Il s'est couché tard hier au soir, à bavarder avec moi en buvant du saké.

— Ce n'est pas le moment de dormir. Réveillez-le. Tout de suite !

Le marchand, refusant de se laisser commander, fit entrer Nuinosuke et Iori dans un salon avant d'aller réveiller Musashi.

Quand ce dernier les rejoignit, il paraissait bien reposé, le regard aussi clair que celui d'un bébé.

— Bonjour, dit-il avec bonne humeur en s'asseyant. Que puis-je pour vous ?

Nuinosuke, décontenancé par la désinvolture de cet accueil, lui tendit la lettre de Sado.

— ... Que c'est aimable à lui de m'écrire ! dit Musashi en portant la lettre à son front avant d'en rompre le cachet pour l'ouvrir.

Iori dévorait des yeux son maître, qui se comportait comme s'il n'avait pas été là. Après avoir lu la lettre, il la roula en déclarant :

— ... Je suis reconnaissant à Sado de sa prévenance.

Ce n'est qu'à ce moment qu'il jeta un coup d'œil à Iori ; le garçon baissa la tête afin de cacher ses larmes. Musashi rédigea une réponse et la tendit à Nuinosuke.

— ... J'ai tout expliqué dans ma lettre, dit-il, mais n'oubliez pas de transmettre mes remerciements et mes meilleurs vœux.

Il ajouta qu'ils ne devaient pas s'inquiéter. Il irait à Funashima quand il le jugerait bon. Comme ils ne pouvaient rien faire d'autre, ils prirent congé. Iori n'avait pas dit un mot à Musashi, ni Musashi à Iori. Néanmoins, tous deux s'étaient communiqué l'un à l'autre la dévotion réciproque du maître et du disciple.

Tandis que Sado lisait la réponse de Musashi, une expression de soulagement se répandait sur ses traits. La lettre disait :

Je vous remercie bien sincèrement de votre offre d'un bateau pour m'emmener à Funashima. Je ne me juge pas digne d'un tel honneur. En outre, je ne crois pas devoir accepter. Veuillez prendre en considération le fait que Kojirō et moi nous affrontons en tant qu'adversaires, et qu'il utilise un bateau fourni par le seigneur Tadatoshi. Si je devais emprunter votre bateau, vous auriez l'air de vous opposer à Sa Seigneurie. Je ne crois pas que vous deviez faire quoi que ce soit pour moi.

J'aurais dû vous le dire plus tôt, mais je me suis tenu à l'écart car je savais que vous insisteriez pour m'aider. Pour ne pas vous mettre en cause, je suis venu loger chez Tarōzaemon. Je pourrai aussi me servir de l'un ses bateaux pour aller à Funashima, à l'heure que je jugerai appropriée. De cela vous pouvez être assuré.

Profondément impressionné, Sado considéra un moment cet écrit en silence. C'était une bonne lettre, modeste, prévenante, respectueuse, et maintenant, il avait honte de son agitation de la veille.

— Nuinosuke…

— Monsieur ?

— Prends cette lettre ; montre-la à Magobeinojō et ses camarades, ainsi qu'à tous les autres qui sont concernés.

Nuinosuke venait de sortir lorsqu un serviteur entra et dit :

— Si vous en avez terminé avec vos affaires, monsieur, vous devriez vous préparer à partir.

— Oui, bien sûr, mais j'ai amplement le temps, répondit Sado, paisible.

— Il n'est pas de bonne heure. Kakubei est déjà parti.

— Ça le regarde. Iori, viens ici une minute.

— Monsieur ?

— Es-tu un homme, Iori ?

— Je pense que oui.

— Te crois-tu capable de retenir tes larmes, quoi qu'il arrive ?

— Oui, monsieur

— Très bien, alors, tu peux m'escorter à Funashima. Mais souviens-toi d'une chose : nous risquons d'avoir à ramasser le cadavre de Musashi pour le ramener. Saurais-tu encore retenir tes larmes ?

— Oui, monsieur. Je les retiendrais, je le jure.

Nuinosuke avait à peine franchi le portail en coup de vent qu'une femme pauvrement vêtue l'appela :

— Pardonnez-moi, monsieur, mais êtes-vous un vassal de cette maison ?

Nuinosuke s'arrêta et la considéra d'un air soupçonneux.

— Que voulez-vous ?

— Pardonnez-moi. Je ne devrais pas, telle que je suis, me tenir devant votre portail.

— En ce cas, pourquoi le faites-vous ?

— Je voulais vous demander... c'est au sujet du combat d'aujourd'hui. Les gens disent que Musashi a pris la fuite. Est-ce vrai ?

— Espèce de sotte ! Comment osez-vous ?... Vous parlez de Miyamoto Musashi. Croyez-vous donc qu'il ferait une chose pareille ? Attendez seulement qu'il soit huit heures, et vous verrez. Je viens de parler à Musashi.

— Vous l'avez vu ?

— Qui êtes-vous ?

Elle baissa les yeux.

— Une relation de Musashi.

— Hum... Et ça ne vous empêche pas de vous tracasser pour des rumeurs sans fondement ? Bon... j'ai beau être pressé, je vais vous montrer une lettre de Musashi.

Il lui lut à haute voix la lettre, sans réaliser que l'homme aux yeux pleins de larmes regardait par-dessus son épaule. Quand il l'eut enfin remarqué, il fit un écart et s'écria :

— ... Qui êtes-vous ? En voilà des façons !

L'homme, s'essuyant les yeux, s'inclina d'un air penaud.

— Excusez-moi. Je suis avec cette femme.

— Son mari ?

— Oui, monsieur. Merci de nous avoir montré la lettre. j'ai l'impression d'avoir vu Musashi en personne. Pas toi, Akemi ?

— Si ; je me sens tellement soulagée ! Allons chercher une place d'où regarder.

L'irritation de Nuinosuke s'évapora.

— Si vous montez au sommet de cette colline, là-bas, près de la côte, vous devriez être en mesure de voir Funashima. Il fait si clair aujourd'hui que vous devriez même pouvoir distinguer les dunes.

— Nous regrettons de vous avoir ennuyé alors que vous êtes pressé. Veuillez nous pardonner.

Alors qu'ils commençaient à s'éloigner, Nuinosuke leur dit :

— Une minute... comment vous appelez-vous ? Si vous n'y voyez pas d'inconvénient, j'aimerais le savoir.

Ils se retournèrent et s'inclinèrent.

— Je m'appelle Matahachi. Je suis né dans le même village que Musashi.

— Je m'appelle Akemi.

Nuinosuke inclina la tête et s'éloigna au pas de course.

Ils le regardèrent quelques instants, échangèrent un coup d'œil et se hâtèrent en direction de la colline. De là, ils pouvaient voir Funashima se dresser parmi un certain nombre d'autres îles, les monts de Nagato au fond. Ils déployèrent des nattes de roseaux par terre et s'assirent. Les vagues grondaient au-dessous d'eux ; une ou deux aiguilles de pin tombèrent en planant. Akemi prit le bébé dans son dos et se mit à l'allaiter. Matahachi, les mains sur les genoux, regardait fixement le large.

Le mariage

Nuinosuke alla d'abord chez Magobeinojō, lui montια la lettre et le mit au courant des circonstances. Il repartit aussitôt sans même prendre le temps de boire une tasse de thé, et fit de brèves escales aux cinq autres maisons.

En haut de la plage, il se posta derrière un arbre pour observer le va-et-vient qui avait lieu depuis le petit matin. Plusieurs équipes de samouraïs étaient déjà parties pour Funashima — les nettoyeurs de terrain, les témoins, les gardes —, chaque groupe dans un bateau distinct. Sur la plage, un autre petit bateau se trouvait prêt pour Kojirō. Tadatoshi l'avait fait construire spécialement pour l'occasion.

Une centaine de personnes assistaient au départ de Kojirō. Nuinosuke reconnut en certains des amis de l'homme d'épée ; beaucoup d'autres lui étaient inconnus.

Kojirō termina son thé et sortit du bureau du commissaire, accompagné des personnalités officielles. Ayant confié son poney favori à des amis, il traversa la grève en direction du bateau. Tatsunosuke le suivait de près. En silence, la foule se disposa sur deux rangs pour laisser passer son champion.

Il portait un kimono de soie aux manches étroites, d'un blanc uni orné d'un motif en relief ; par-dessus, un manteau sans manches, rouge vif. Son *hakama* de cuir pourpre était du modèle bouffant jusqu'au dessous des genoux, et serré comme des guêtres sur le mollet. Ses sandales de paille semblaient avoir été un peu humectées pour les empêcher de glisser. Outre le sabre court qu'il portait toujours, il avait la « Perche à sécher », dont il ne s'était plus servi depuis son entrée dans la Maison de Hosokawa. Son visage blanc, aux joues pleines, était un modèle de calme au-dessus du rouge flamboyant de son manteau. Ce jour-là, Kojirō avait de la grandeur et presque de la beauté.

Nuinosuke pouvait constater que le sourire de Kojirō était paisible et confiant. Il l'arborait devant tous, et paraissait heureux et parfaitement à l'aise.

Kojirō monta dans le bateau. Tatsunosuke l'y suivit. Il y avait deux hommes d'équipage, l'un à la proue et l'autre maniant les rames. Amayumi se trouvait perché sur le poing de Tatsunosuke.

Une fois au large, le rameur donna de grands coups de bras tranquilles, et le petit vaisseau glissa doucement.

Effrayé par les cris des partisans, le faucon battait des ailes.

La foule se morcela en petits groupes et se dispersa lentement, s'émerveillant du calme de Kojirō et priant pour qu'il gagnât ce combat des combats.

« Je dois rentrer », se disait Nuinosuke, se rappelant qu'il lui fallait veiller à ce que Sado partît à l'heure. Et se détournant, il aperçut la jeune fille. Etroitement serrée contre un tronc d'arbre, Omitsu pleurait.

Trouvant peu convenable de la dévisager, Nuinosuke détourna le regard et s'éloigna sur la pointe des pieds. De nouveau dans la rue, il jeta un dernier coup d'œil au bateau de Kojirō, puis à Omitsu. « Tout le monde a une vie publique et une vie privée, songeait-il. Derrière toutes ces fanfares, il y a une femme qui pleure toutes les larmes de son corps. »

Sur le bateau, Kojirō demanda le faucon à Tatsunosuke, et tendit le bras gauche. Tatsunosuke fit passer Amayumi sur le poing de son maître et s'écarta respectueusement.

Le courant était rapide et la journée parfaite — ciel clair, eau cristalline —, mais les vagues assez hautes. Chaque fois que les embruns passaient par-dessus le plat-bord, le faucon, d'humeur combative, s'ébouriffait. Lorsqu'ils furent à mi-chemin environ de l'île, Kojirō lui ôta le ruban de la patte et lança l'oiseau dans les airs en lui disant :

— Retourne au château.

Comme au cours d'une chasse ordinaire, Amayumi s'attaqua à un oiseau de mer fugitif, faisant pleuvoir une nuée de plumes blanches. Mais son maître ne le rappelait pas ; alors, il piqua sur les îles, puis s'éleva dans les airs et disparut.

Après avoir lâché le faucon, Kojirō entreprit de se débarrasser des porte-bonheur bouddhistes et shintoïstes dont ses partisans l'avaient couvert ; il les jeta par-dessus bord un par un — même le sous-vêtement de coton brodé d'un charme sanscrit, que sa tante lui avait offert.

— ... Maintenant, dit-il doucement, je peux me détendre.

Au moment où il risquait la mort, il ne voulait pas s'encombrer de souvenirs. Celui de tous ces gens qui priaient pour sa victoire était un fardeau. Leurs bons vœux, quelques sincères qu'ils fussent, constituaient maintenant plus une entrave qu'une aide. Ce qui importait à présent, c'était lui-même, lui-même et rien d'autre. La brise saline caressait son visage silencieux. Il avait les yeux fixés sur les pins verts de Funashima.

A Shimonoseki, Tarōzaemon entra dans sa boutique.

— Sasuke ! appela-t-il. Personne n'a vu Sasuke ?

Sasuke était parmi les plus jeunes de ses nombreux employés, mais aussi l'un des plus brillants. Perle domestique, il aidait aussi de temps en temps à la boutique.

— Bonjour, dit le directeur de Tarōzaemon en sortant du bureau de la comptabilité. Sasuke était là voilà quelques minutes à peine.

Il se tourna vers un jeune assistant et lui dit :

— ... Va chercher Sasuke. Vite.

Le directeur commença à mettre Tarōzaemon au courant de questions d'affaires, mais le marchand l'interrompit en secouant la tête comme pour chasser un moustique.

— Ce que je veux savoir, c'est si quelqu'un est venu ici à la recherche de Musashi.

— A la vérité, quelqu'un est déjà venu ici ce matin.

— Le messager de Nagaoka Sado ? Je suis au courant. Personne d'autre ?

Le directeur se gratta le menton.

— Mon Dieu, je ne l'ai pas vu moi-même, mais on m'a dit qu'un homme sale, aux yeux perçants, était venu hier soir. Il portait un long gourdin de chêne, et a demandé à voir « Musashi *Sensei* ». On a eu du mal à s'en débarrasser.

— Quelqu'un a bavardé. Et après que j'aie dit combien il importait de se taire sur la présence ici de Musashi.

— Je sais. Je le leur ai dit moi aussi, en termes non équivoques. Mais on ne peut rien obtenir des jeunes. Avoir ici Musashi leur donne un sentiment d'importance.

— Comment vous êtes-vous débarrassés de l'homme ?

— Sōbei lui a répondu qu'il se trompait, que Musashi n'était jamais venu ici. Il a fini par s'en aller, convaincu ou non. Sōbei a remarqué que deux ou trois personnes l'attendaient au-dehors, dont une femme

Sasuke arriva en courant de la jetée.

— Vous me demandez, monsieur ?

— Oui. Je voulais m'assurer que tu étais prêt. C'est très important, tu sais.

— Je m'en rends compte, monsieur. Je suis debout depuis avant le lever du soleil. Je me suis lavé à l'eau froide, et j'ai mis une ceinture neuve en coton blanc.

— Bon. Le bateau est prêt, tout est comme je te l'avais demandé hier au soir ?

— Mon Dieu, il n'y avait pas grand-chose à faire. J'ai choisi le plus rapide et le plus propre des bateaux, j'ai répandu du sel pour le purifier, et l'ai récuré de fond en comble. Je suis prêt à partir aussitôt que Musashi le sera.

— Où donc est le bateau ?

— Sur le rivage, avec les autres bateaux.

Tarōzaemon, après un moment de réflexion, déclara :

— Nous ferions mieux de le changer de place. Trop de gens remarqueront le départ de Musashi. Il ne le veut pas. Mène le bateau près du grand pin, celui que l'on nomme le pin de Heike. Presque personne ne va par là.

— Bien, monsieur.

La boutique, très active en général, était à peu près déserte. Plein de nervosité, Tarōzaemon sortit dans la rue. Là et à Moji, sur la rive opposée, les gens prenaient le jour de congé : hommes qui semblaient être des samouraïs venus des fiefs environnants, rōnins, érudits confucéens, forgerons, armuriers, fabricants de laque, prêtres, bourgeois de tout poil, quelques paysans des campagnes voisines. Femmes parfumées, voilées, en large chapeau de voyage. Epouses de pêcheurs aux enfants sur le dos ou accrochés à leurs mains. Ils se dirigeaient tous dans le même sens, essayant vainement de se rapprocher de l'île, bien qu'il n'y eût aucune position avantageuse d'où l'on pût rien voir de plus petit qu'un arbre.

« Je comprends ce que Musashi veut dire », pensait Tarōzaemon. Etre harcelé par cette foule de badauds pour qui le combat n'était qu'un spectacle serait insupportable.

De retour chez lui, il trouva toute la maison d'une méticuleuse propreté. Dans la pièce qui donnait sur la plage, des reflets de vagues marbraient le plafond.

— Où donc étais-tu, père ? Je te cherchais, dit Otsuru en apportant le thé.

— Rien d'important, répondit-il, levant sa tasse et la contemplant d'un air pensif.

Otsuru venait passer un moment avec son père bien-aimé. Par hasard, en faisant la traversée de Sakai à bord du même vaisseau que Musashi, elle avait découvert que tous deux étaient liés à Iori. Quand Musashi vint saluer Tarōzaemon et le remercier d'avoir pris soin du garçon, le marchand avait insisté pour que Musashi séjournât sous son toit, et chargé Otsuru de s'occuper de lui.

La veille au soir, tandis que Musashi s'entretenait avec son hôte, Otsuru, assise dans la pièce voisine, cousait la ceinture neuve qu'il avait dit vouloir pour le jour du combat. Elle avait déjà préparé un nouveau kimono noir ; elle pourrait en un instant enlever le bâti qui maintiendrait les manches et les pans bien pliés jusqu'au dernier moment.

Il traversa l'esprit de Tarōzaemon qu'Otsuru risquait de tomber amoureuse de Musashi. Elle avait une expression soucieuse, et quelque chose de grave sur le cœur.

— ... Où est Musashi, Otsuru ? Lui as-tu donné son petit déjeuner ?

— Oh ! oui. Il y a longtemps. Après quoi, il s'est enfermé dans sa chambre.

— Pour se préparer, je suppose.

— Non, pas encore.

— Que fait-il ?

— Il semble qu'il peigne un tableau.

— Maintenant ?

— Oui.

— Hum... Nous parlions peinture, et je lui ai demandé s'il accepterait de peindre un tableau pour moi. Je n'aurais pas dû, j'imagine.

— Il a déclaré qu'il le terminerait avant de partir. Il en peint un autre pour Sasuke.

— Pour Sasuke ? répéta en écho Tarōzaemon, incrédule, et dont la nervosité augmentait. Il ne sait donc pas qu'il se fait tard ? Il faut voir tout le monde grouiller dans les rues.

— D'après l'expression de Musashi, on croirait qu'il a oublié le combat.

— Eh bien, ce n'est pas le moment de peindre. Va le lui dire. Sois polie, mais fais-lui savoir que cela peut attendre.

— Pourquoi moi ? Je ne pourrais pas...

— Et pourquoi non ?

Voilà qui confirmait ses soupçons qu'elle était amoureuse. Père et fille communiquaient en silence, mais à la perfection. En bougonnant gentiment : « ... Quelle enfant stupide ! Pourquoi pleures-tu ? », il se leva et se dirigea vers la chambre de Musashi.

Celui-ci était à genoux, silencieux, comme en méditation, son pinceau et son encrier à côté de lui. Il avait déjà fini une peinture : un héron sous un saule. Le papier qui se trouvait maintenant devant lui était encore vierge. Il se demandait quoi dessiner. Ou plutôt, il essayait en silence de se mettre dans l'état d'esprit qu'il fallait, car c'était nécessaire avant de pouvoir se représenter le tableau, ou de savoir quelle technique il emploierait.

Il considérait le papier blanc comme le grand univers de la non-existence. Un simple coup de pinceau y ferait naître l'existence. Il pouvait évoquer la pluie ou le vent à volonté ; mais quoi qu'il dessinât, son cœur subsisterait à jamais dans le tableau. Si son cœur était corrompu, le tableau serait corrompu ; si son cœur était agité, le tableau le serait aussi. S'il essayait de faire étalage de son adresse, impossible de le cacher. Le corps humain s'efface, mais l'encre survit. L'image de son cœur survivrait après que lui-même aurait disparu.

Il se rendit compte que ses pensées le retenaient. Il était sur le point d'entrer dans le monde de la non-existence, de laisser son cœur parler seul, indépendamment de son ego, libéré de la touche personnelle de sa main. Il essayait d'être vide, attendant l'état sublime où son cœur s'exprimerait à l'unisson de l'univers.

Les bruits de la rue n'atteignaient pas sa chambre. Le combat du jour lui paraissait tout à fait extérieur. Il n'était conscient que des frémissements des bambous dans le jardin clos.

— ... Puis-je vous déranger ?

Derrière lui, le shoji s'ouvrit sans bruit, et Tarōzaemon jeta un coup d'œil à l'intérieur. Il paraissait mal à propos d'intervenir, mais il se fit violence pour dire :

— ... Je suis désolé de vous déranger alors que vous semblez si heureux de travailler.

— Ah ! je vous en prie, entrez.

— Il va être temps de partir.

— Je sais.

— Tout est prêt. Tout ce dont vous aurez besoin se trouve dans la pièce voisine.

— C'est fort aimable à vous.

— Je vous en prie, ne vous faites pas de souci au sujet des tableaux. Vous pourrez les finir au retour de Funashima.

— Oh ! ce n'est rien. Je me sens très dispos, ce matin. C'est le bon moment pour peindre.

— Mais vous devez penser à l'heure.

— Oui, je sais.

— Dès que vous désirerez vous préparer, n'hésitez pas à appeler. Nous attendons pour vous aider.

— Merci beaucoup.

Tarōzaemon s'apprêtait à sortir, mais Musashi lui demanda :

— ... A quelle heure est la marée haute ?

— En cette saison, la marée est au plus bas entre six et huit heures du matin. Elle devrait remonter à peu près maintenant.

— Merci, répondit Musashi d'un air absent, de nouveau attentif au papier blanc.

Tarōzaemon ferma doucement le shoji et regagna le salon. Il avait l'intention de s'asseoir pour attendre tranquillement ; mais bientôt, ses nerfs prirent le dessus. Il se leva et sortit à grands pas sur la véranda, d'où il voyait le courant traverser le détroit. Sur la plage, l'eau montait déjà.

— Père...

— Qu'y a-t-il ?

— Il est temps pour lui de partir. J'ai mis ses sandales à l'entrée du jardin.

— Il n'est pas encore prêt.

— Toujours en train de peindre ?

— Oui.

— Je croyais que tu allais l'interrompre afin qu'il se prépare.

— Il sait quelle heure il est.

Un petit bateau accosta sur la plage, à proximité, et Tarōzaemon entendit appeler son nom. C'était Nuinosuke, qui demandait :

— Musashi est parti ?

Tarōzaemon ayant répondu que non, Nuinosuke reprit rapidement :

— Veuillez lui dire de se préparer et de se mettre en route le plus tôt possible. Kojirō est déjà parti, ainsi que le seigneur Hosokawa. Mon maître quitte à l'instant même Kokura.

— Je ferai de mon mieux.

— Je vous en prie ! Peut-être que vous trouvez que je radote, mais nous voulons être sûrs qu'il ne sera pas en retard.

Et il s'éloigna, laissant le courtier maritime et sa fille à leur propre impatience, sur la véranda. Ils comptaient les secondes, et jetaient de temps à autre un coup d'œil en direction de la petite chambre du fond, dont il ne provenait pas le moindre son. Bientôt, un second bateau arriva, avec un messager de Funashima, envoyé pour presser Musashi. Au bruit du shoji qui s'écartait, Musashi ouvrit les yeux. Otsuru n'eut pas besoin d'annoncer sa présence. Lorsqu'elle lui parla du bateau de Funashima, il acquiesça de la tête et sourit avec affabilité.

— Je vois, dit-il, et il quitta la pièce.

Otsuru jeta un coup d'œil par terre, là où il s'était assis. La feuille de papier était maintenant couverte d'encre. Au premier regard, l'image avait l'air d'un nuage indistinct, mais la jeune fille s'aperçut bientôt qu'il s'agissait d'un paysage. Il était encore humide.

— ... Veuillez donner cette image à votre père ! cria Musashi par-dessus le bruit d'éclaboussement d'eau. Et l'autre à Sasuke.

— Merci. Vous n'auriez vraiment pas dû faire cela.

— Je regrette de n'avoir rien de mieux à vous offrir après tout le mal que vous vous êtes donné, mais j'espère que votre père l'acceptera comme souvenir.

Otsuru répondit gravement :

— Ce soir, je vous en prie, revenez vous asseoir auprès du feu avec mon père, comme vous l'avez fait hier au soir.

La jeune fille fut contente d'entendre un froissement de vêtements dans la pièce voisine. Il s'habillait enfin. Puis, nouveau silence, et elle entendit Musashi parler à son père. La conversation fut très courte, uniquement quelques mots succincts. En traversant la pièce voisine, Otsuru remarqua qu'il avait plié avec soin ses vieux vêtements avant de les ranger dans un coffre. Un inexprimable sentiment de solitude s'empara d'elle. Elle se baissa pour enfouir son visage dans le kimono encore tiède.

— Otsuru ! appela son père. Que fais-tu ? Il part !

— Oui, père.

Elle s'essuya des doigts les joues et les paupières, et courut le rejoindre. Musashi se trouvait déjà à la porte du jardin, qu'il avait choisie afin de passer inaperçu. Le père, la fille, quatre ou cinq autres personnes de la maison et de la boutique, l'accompagnèrent jusqu'à cette porte. Otsuru se trouvait trop accablée pour prononcer une parole. Quand les yeux de Musashi se tournèrent vers elle, elle s'inclina comme les autres.

— Adieu, dit Musashi.

Il franchit la porte basse en herbe tressée, la referma derrière lui et ajouta :

— ... Prenez bien soin de vous-mêmes.

Quand ils relevèrent la tête, il s'éloignait à grands pas. Ils eurent beau le fixer des yeux, il ne se retourna pas. Otsuru disparut aussitôt. Quelques secondes plus tard, son père se retira dans la maison.

Le pin de Heike se dressait, solitaire, à environ deux cents mètres de la plage. Musashi marcha vers lui, l'esprit tout à fait en paix. Il avait mis toutes ses pensées dans l'encre noire du paysage. Ça lui avait fait du bien de peindre, et il estimait avoir réussi.

Et maintenant, à Funashima. Il partait calmement, comme pour un voyage quelconque. Il n'avait aucun moyen de savoir s'il en reviendrait jamais, mais il avait cessé d'y penser. Des années plus tôt, quand à l'âge de vingt-deux ans il s'était approché du pin parasol d'Ichijōji, il était fort tendu, assombri par un sentiment de tragédie imminente. Il avait empoigné son sabre solitaire avec une intense détermination. Maintenant, il n'éprouvait rien.

Non que l'ennemi d'aujourd'hui fût moins à redouter que les cent hommes qu'il avait affrontés alors. Loin de là. Kojirō, en se battant seul, était un plus formidable adversaire qu'aucune armée que l'école Yoshioka aurait pu lever contre Musashi.

Celui-ci ne doutait pas un seul instant qu'il se rendait au combat de sa vie.

— *Sensei !*

— Musashi !

Ce bruit de voix et la vue de deux personnes qui accouraient vers lui firent sursauter Musashi. Il eut un instant d'hébétude.

— Gonnosuke ! s'exclama-t-il. Et grand-mère ! Que faites-vous là tous les deux ?

L'un et l'autre, salis par le voyage, s'agenouillèrent devant lui dans le sable.

— Nous ne pouvions pas ne pas venir, dit Gonnosuke.

— Nous sommes venus te voir partir, dit Osugi. Et je suis là pour te présenter mes excuses.

— Vos excuses ? A moi ?

— Oui. Pour tout. Je dois te demander pardon.

Il la considéra d'un air interrogateur. Ces mots lui paraissaient irréels.

— Pourquoi dites-vous ça, grand-mère ? Il est arrivé quelque chose ?

Debout, elle joignait des mains suppliantes.

— Que dire ? J'ai commis tant de méfaits que je ne puis espérer me les faire pardonner tous. Tout cela, c'était… une horrible méprise. Mon amour pour mon fils m'aveuglait, mais je sais maintenant la vérité. Je t'en prie, pardonne-moi.

Il la regarda un moment, puis s'agenouilla et lui prit la main. Il n'osait lever les yeux de crainte qu'elle pût y voir briller des larmes. Voir la vieille femme aussi contrite lui donnait un sentiment de culpabilité. Mais il éprouvait aussi de la reconnaissance. La main d'Osugi tremblait ; la propre main de Musashi frémissait légèrement. Il lui fallut un moment pour se ressaisir.

— Je vous crois, grand-mère. Je vous sais gré d'être venue. Maintenant, je peux affronter sans regrets la mort, aller au combat l'esprit libre et le cœur sans trouble.

— Alors, tu me pardonneras ?

— Bien sûr, si vous me pardonnez tous les ennuis que je vous ai causés depuis mon enfance.

— Naturellement ; mais assez parlé de moi. Quelqu'un d'autre a besoin de ton aide. Quelqu'un de très, très triste.

Elle se retourna, l'invitant à regarder. Sous le pin de Heike, le visage pâle et emperlé par l'attente, se tenait Otsū qui les considérait timidement.

— Otsū ! cria-t-il.

En une seconde, il fut devant elle, sans savoir lui-même comment ses pieds l'avaient porté jusque-là. Gonnosuke et Osugi demeuraient où ils étaient, souhaitant se fondre dans l'air pour laisser le rivage au seul couple.

— ... Otsū, tu es venue.

Il n'existait pas de mots pour combler le gouffre béant des années, pour exprimer le monde de sentiments dont Musashi débordait.

— ... Tu n'as pas l'air bien. Es-tu malade ?

Il murmurait ces mots comme un vers isolé d'un long poème.

— Un peu.

Les yeux baissés, elle s'efforçait de rester calme, de ne pas perdre la tête. Il ne fallait pas gâcher ces instants... peut-être les derniers.

— N'est-ce qu'un rhume ? demanda-t-il. Ou quelque chose de grave ? Qu'est-ce qui ne va pas ? Où donc étais-tu, ces derniers mois ?

— A l'automne dernier, je suis retournée au Shippōji.

— Retournée au pays ?

— Oui.

Elle le regardait bien en face ; dans ses efforts pour retenir ses larmes, ses yeux devenaient aussi limpides que les profondeurs de l'océan.

— ... Mais il n'existe pas de véritable pays pour une orpheline telle que moi. Seulement le pays qui se trouve à l'intérieur de moi.

— Ne parle pas ainsi. Voyons ! Même Osugi semble t'avoir ouvert son cœur. Cela me rend très heureux. Tu dois guérir et apprendre le bonheur. Pour moi.

— Je suis heureuse en ce moment.

— Vraiment ? Si oui, j'en suis heureux aussi... Otsū...

Il se pencha vers elle. Elle se tenait raide, consciente de la présence d'Osugi et Gonnosuke. Musashi, qui les avait oubliés, l'entoura de son bras et frotta sa joue contre la sienne.

— ... Tu es si mince... si mince !

Il avait une conscience aiguë de sa respiration fiévreuse.

— ... Otsū, je t'en prie, pardonne-moi. Je peux paraître sans cœur, mais je ne le suis pas, pas en ce qui te concerne.

— Je... je le sais.

— Tu le sais ? Vraiment ?

— Oui, mais je t'en supplie, dis-moi un mot. Un seul mot. Dis-moi que je suis ton épouse.

— Cela gâcherait tout si je te disais ce que tu sais déjà.

— Pourtant... pourtant...

Elle sanglotait de tout son corps, mais dans une explosion d'énergie elle lui saisit la main et cria :

— ... Dis-le ! Dis que je suis ton épouse pour toute cette existence.

Lentement, silencieusement, il fit oui de la tête. Puis, un par un, il écarta de son bras les doigts délicats de la jeune fille et se redressa.

— L'épouse d'un samouraï ne doit pas pleurer ni se mettre dans tous ses états quand il part pour la guerre. Ris pour moi, Otsū. Envoie-moi là-bas avec un sourire. C'est peut-être le dernier départ de ton mari.

Tous deux savaient que l'heure était venue. Il la regarda quelques instants et sourit. Puis il dit :

— ... Au revoir.

— Oui. Au revoir.

Elle voulut lui rendre son sourire, mais ne parvint qu'à refouler ses larmes.

— Adieu.

Il se détourna, et gagna d'un pas ferme le bord de l'eau. Un mot d'adieu monta aux lèvres d'Otsū mais refusa de sortir. Les larmes jaillissaient, irrépressibles. Elle ne le voyait plus.

Le fort vent salin rebroussait les favoris de Musashi. Son kimono claquait.

— ... Sasuke ! Rapprochez un peu le bateau.

Bien qu'il attendît depuis plus de deux heures, et sût que Musashi se trouvait sur la plage, Sasuke avait pris soin de détourner les yeux. Maintenant, il regarda Musashi en disant :

— Tout de suite, monsieur.

En quelques coups de perche puissants et rapides, il amena le bateau. Lorsqu'il eut touché le rivage, Musashi sauta légèrement à l'avant, et ils gagnèrent le large.

— Otsū ! Arrêtez !

C'était Jōtarō qui criait. Otsū courait droit vers l'eau. Il courut après elle. Saisis, Gonnosuke et Osugi se joignirent à la poursuite.

— Otsū, arrêtez ! Que faites-vous ?

— Vous êtes folle !

Ils l'atteignirent ensemble, l'entourèrent de leurs bras et la retinrent.

— Non, non, protesta-t-elle en secouant lentement la tête. Vous ne comprenez pas.

— Que... qu'essayez-vous de faire ?

— Laissez-moi m'asseoir seule, répondit-elle d'une voix calme.

Ils la relâchèrent ; elle marcha avec dignité vers un endroit situé à quelques mètres, où elle s'agenouilla dans le sable, apparemment épuisée. Mais elle avait retrouvé ses forces. Elle redressa son col, se lissa les cheveux, s'inclina vers la petite embarcation de Musashi.

— ... Va sans regrets, dit-elle.

Osugi s'agenouilla et s'inclina. Puis Gonnosuke. Et Jōtarō. Après avoir fait tout le chemin depuis Himeji, Jōtarō avait manqué sa chance de parler à Musashi malgré son désir intense de lui dire un mot d'adieu. Sa déception fut adoucie à l'idée qu'Otsū avait bénéficié de ces quelques instants.

L'âme des profondeurs

A marée haute, le courant traversait le détroit comme un torrent en crue dans un ravin étroit. Ils avaient le vent en poupe, et le bateau volait sur les vagues. Sasuke se montrait fier ; ce jour-là, il entendait qu'on le félicitât pour son maniement de la rame. Musashi était assis au milieu de la barque, les genoux largement écartés.

— Cela prend longtemps d'aller là-bas ? demanda-t-il.

— Pas très longtemps avec cette marée, mais nous sommes en retard.

— Hum...

— Il est plus de huit heures.

— Oui. A quelle heure croyez-vous que nous arriverons ?

— Il sera probablement dix heures ou un peu davantage.

— Parfait.

Le ciel que Musashi regardait ce jour-là — le ciel que Ganryū regardait — était d'un profond azur. La neige qui couvrait la chaîne des monts Nagato ressemblait à une banderole blanche flottant à travers le ciel sans nuages. Les maisons de la ville de Mojigasaki, les rides et crevasses du mont Kazashi se distinguaient clairement. Aux flancs des montagnes, des foules écarquillaient les yeux en direction des îles.

— ... Sasuke, puis-je avoir ceci ?

— Qu'est-ce que c'est ?

— Cette rame cassée au fond du bateau.

— Je n'en ai pas besoin. Que voulez-vous en faire ?

— Elle a à peu près la bonne dimension, répondit mystérieusement Musashi.

Il ramassa d'une main la rame un peu imbibée d'eau, et regarda si elle était droite. Un bord du plat se trouvait arraché. Musashi posa la rame sur son genou, et, totalement absorbé, se mit à la tailler avec son sabre court. Plusieurs fois, Sasuke jeta des coups d'œil en arrière vers Shimonoseki, mais Musashi paraissait avoir oublié les gens qu'il avait quittés. Etait-ce ainsi qu'un samouraï abordait un combat à mort ? A un bourgeois tel que Sasuke, cela paraissait un comportement froid et sans cœur. Musashi termina son ouvrage et épousseta les copeaux de son *hakama*.

— ... Avez-vous quelque chose dont je pourrais m'envelopper ? demanda-t-il.

— Vous avez froid ?

— Non, mais il y a des embruns.

— Il devrait y avoir un manteau molletonné sous le siège.

Musashi prit le vêtement et se le jeta sur les épaules. Puis il tira du papier de son kimono, et se mit à rouler et tordre chaque feuille à la façon d'une ficelle. Quand il en eut accumulé plus de vingt, il les attacha ensemble bout à bout pour faire deux cordes, qu'ensuite il tressa de manière à fabriquer un *tasuki,* le lien qui sert à retrousser les manches au combat. Sasuke avait ouï dire que la fabrication des *tasukis* en papier était un art secret, transmis de génération en génération ; pourtant, entre les mains de Musashi, tout cela semblait facile. Sasuke admira l'adresse de ses doigts et la grâce avec laquelle il se glissait les *tasukis* sur les bras.

— C'est Funashima ? demanda Musashi, l'index tendu.

— Non. Ça, c'est Hikojima, qui fait partie de l'archipel Hahajima. Funashima se trouve à un kilomètre environ au nord-est. Elle est facile à reconnaître parce qu'elle est plate et ressemble à un long banc de sable. Là, entre Hikojima et Izaki, se trouve le détroit d'Ondo. Vous avez dû en entendre parler.

— A l'ouest, alors, ce doit être Dainoura, dans la province de Buzen.

— Exact.

— Maintenant, je me souviens. C'est dans ces criques et dans ces îles que Yoshitsune a gagné la dernière bataille contre les Heike.

La nervosité de Sasuke augmentait à chaque coup de rame. Il avait des sueurs froides et des battements de cœur. Il lui paraissait bien étrange de parler ainsi de choses et d'autres. Comment un homme qui allait se battre pouvait-il être aussi calme ?

Il s'agirait d'un combat à mort ; aucun doute là-dessus. Sasuke ramènerait-il un passager sur la côte, plus tard ? Ou un cadavre cruellement mutilé ? Impossible de le savoir. Musashi, songeait Sasuke, ressemblait à un nuage blanc qui flotte au ciel.

De la part de Musashi ce n'était pas une pose, car en fait il ne pensait à rien du tout. Pour autant qu'il éprouvât quelque chose, il s'ennuyait un peu.

Par-dessus bord, il regardait tourbillonner l'eau bleue. Elle était profonde, ici, infiniment profonde, et animée de ce qui semblait être la vie éternelle. Mais l'eau n'a pas de forme fixe, déterminée. N'est-ce pas parce que l'homme a une forme fixe, déterminée, qu'il ne peut posséder la vie éternelle ? La vraie vie ne commence-t-elle pas seulement lorsque la forme tangible a été perdue ?

Aux yeux de Musashi, la vie et la mort n'étaient qu'écume. Il avait la chair de poule, non pas à cause de l'eau froide, mais parce que son corps éprouvait une prémonition. Son esprit avait beau s'être élevé au-dessus de la vie et de la mort, le corps et l'esprit ne s'accordaient pas. Quand chaque fibre de son corps aurait oublié, il ne resterait au sein de son être que l'eau et les nuages.

Ils dépassaient l'anse de Teshimachi, à Hikojima. A leur insu, une quarantaine de samouraïs faisaient le guet sur le rivage. Tous étaient des partisans de Ganryū, et la plupart se trouvaient au service de la Maison de Hosokawa. En violation des ordres de Tadatoshi, l'avant-veille ils avaient fait la traversée de Funashima. Dans le cas où Ganryū serait vaincu, ils étaient prêts à le venger.

Ce matin-là, quand Nagaoka Sado, Iwama Kakubei et les gardes arrivèrent à Funashima, ils y trouvèrent cette bande de samouraïs, les tancèrent vertement et leur donnèrent l'ordre d'aller à Hikojima. Pourtant, comme la plupart des personnalités sympathisaient avec eux, ils demeurèrent impunis. Une fois hors de Funashima, ce qu'ils feraient n'était plus de la responsabilité des officiels.

— Tu es bien certain qu'il s'agit de Musashi ? demandait l'un d'eux.

— Qui veux-tu que ce soit ?

— Il est seul ?

— On dirait. Il a sur les épaules un manteau ou quelque chose de ce genre.

— Il doit porter une armure légère, qu'il veut cacher.

— Allons.

Assoiffés de combat, ils s'entassèrent dans leurs bateaux, à l'affût. Tous étaient armés de sabres, mais il y avait une longue lance au fond de chaque bateau.

— Voilà Musashi !

Ce cri retentit dans tout Funashima quelques instants plus tard.

Le bruit des vagues, les voix des pins et le froissement des bambous se mêlaient doucement. Depuis le début de la matinée, la petite île avait eu un air désolé malgré les présences officielles. Un nuage blanc, en s'élevant du côté de Nagato, effleura le soleil, assombrit les feuilles. Le nuage passa et la clarté revint.

L'île était fort petite. L'extrémité nord comportait une colline basse, couverte de pins. Au sud, le terrain était plat, à mi-hauteur environ de la colline, jusqu'à ce que l'île sombrât vers les hauts-fonds.

Très loin du rivage, on avait tendu un dais entre des arbres. Les officiels et leur escorte attendaient en silence, discrètement : ils ne souhaitaient pas donner à Musashi l'impression qu'ils essayaient d'ajouter à la dignité du champion local.

Maintenant, deux heures après le moment fixé, ils commençaient à manifester leur anxiété, leur ressentiment. A deux reprises, ils avaient envoyé des bateaux rapides pour presser Musashi.

Le guetteur du récif monta en courant vers les officiels et leur dit :

— C'est lui ! Aucun doute là-dessus.

— Il est vraiment venu ? demanda Kakubei qui se leva sans le vouloir.

Ce faisant, il commettait une grave entorse à l'étiquette. En sa qualité de témoin officiel, il était censé garder une froide réserve. Pourtant, sa bien naturelle excitation fut partagée par d'autres membres de son groupe, qui se levèrent aussi. S'apercevant de sa gaffe, Kakubei se ressaisit et fit signe à ses compagnons de se rasseoir. Il était essentiel qu'ils ne permissent pas à leur préférence personnelle pour Ganryū de colorer leurs actions ou leur décision. Kakubei jeta un coup d'œil vers l'endroit où Ganryū attendait. Tatsunosuke avait pendu un rideau, à l'emblème de la gentiane, à plusieurs pêchers sauvages. A côté du rideau se trouvait un seau de bois neuf avec une louche à poignée de bambou. Ganryū, impatienté par sa longue attente, avait demandé à boire de l'eau et se reposait maintenant à l'ombre du rideau.

Nagaoka Sado se tenait plus loin que Ganryū, et un peu plus haut. Il était environné de gardes et de serviteurs, Iori à son côté. Quand le guetteur arriva avec sa nouvelle, le visage du garçon — et jusqu'à ses lèvres — pâlirent. Sado était assis de façon protocolaire, droit, immobile. Son casque s'inclina légèrement à droite, comme s'il eût regardé sa manche de kimono. A voix basse, il appela Iori.

— Oui, monsieur.

Iori s'inclina jusqu'à terre avant de lever les yeux vers Sado qu'il regardait par-dessous son casque. Incapable de maîtriser son excitation, il tremblait de la tête aux pieds.

— Iori... dit Sado en considérant le garçon droit dans les yeux. Regarde tout ce qui se passe. Ne laisse pas échapper la moindre chose. N'oublie pas que Musashi a mis sa vie en jeu pour t'enseigner ce que tu vas voir.

Iori fit oui de la tête. Ses yeux, qui fixaient le récif, étincelaient. La blanche écume des vagues qui se brisaient contre lui éblouissait le garçon. Le récif était à quelque deux cents mètres de distance ; aussi, Iori ne pourrait-il distinguer le détail des mouvements ni la respiration des combattants. Mais ce n'étaient pas les aspects techniques que Sado voulait lui faire observer. C'était l'instant dramatique où un samouraï se lance dans une lutte à mort. Voilà qui survivrait dans l'esprit d'Iori, et l'influencerait toute son existence.

L'herbe ondoyait. Un petit papillon gracile voleta de brin d'herbe en brin d'herbe, puis disparut.

— Il approche, haletait Iori.

Le bateau de Musashi approchait lentement du récif. Il était presque dix heures juste.

Ganryū se leva et descendit sans hâte le tertre. Il salua les officiels, à sa droite et à sa gauche, et foula sans bruit l'herbe jusqu'au rivage. On accédait à l'île par une espèce de crique où les vagues devenaient des vaguelettes, puis de simples rides. Musashi voyait le fond à travers l'eau bleue, transparente.

— Où faut-il accoster ? demanda Sasuke, qui avait ralenti son rythme et scrutait des yeux le rivage.

— Allez tout droit, répondit Musashi en rejetant le manteau molletonné.

La proue avançait très lentement. Sasuke ne pouvait se résoudre à ramer avec vigueur. On entendait chanter les bulbuls.

— ... Sasuke...

— Monsieur ?

— L'eau est suffisamment peu profonde ici. Inutile de trop se rapprocher. Vous ne voudriez pas endommager votre bateau. En outre, c'est à peu près l'heure où la marée va redescendre.

En silence, Sasuke fixait des yeux un grand pin élancé qui se dressait solitaire. Dessous, le vent jouait avec un manteau rouge vif.

Sasuke était sur le point de le désigner lorsqu'il se rendit compte que Musashi avait déjà vu son adversaire. Les yeux fixés sur Ganryū, Musashi sortit de son obi un mouchoir de couleur fauve, le plia en quatre dans le sens de la longueur, et le noua autour de ses cheveux qu'ébouriffait le vent. Puis il glissa son sabre court sur le devant de son obi. Il ôta son sabre long, le déposa au fond du bateau et le couvrit d'une natte de roseaux. Dans la main droite, il tenait le sabre de bois qu'il s'était fabriqué avec la rame brisée.

— ... C'est assez loin, dit-il à Sasuke.

Devant eux, l'eau s'étendait sur près de soixante mètres. Sasuke donna deux longs coups de rame. Le bateau bondit en avant et s'échoua sur un haut-fond ; la quille frémit.

En cet instant, Musashi, son *hakama* retroussé haut des deux côtés, sauta légèrement dans la mer, si légèrement que c'est à peine s'il éclaboussa. Il gagna rapidement le bord, son sabre de bois fendant l'écume.

Cinq pas. Dix pas. Sasuke, lâchant sa rame, regardait avec stupeur, sans savoir où il était, ce qu'il faisait.

Tandis que Ganryū s'éloignait du pin comme une oriflamme rouge, son fourreau poli étincela au soleil.

Il évoquait à Sasuke une queue de renard argenté. « Dépêchez-vous ! » Ces mots lui jaillirent à l'esprit mais Ganryū se trouvait déjà au bord de l'eau. Sasuke, certain que Musashi était perdu, n'osait plus regarder Il tomba la face contre le fond du bateau, glacé, tremblant, se cachant le visage comme si c'était lui qui eût risqué à tout instant d'être fendu en deux.

— Musashi !

Ganryū planta résolument les pieds dans le sable, refusant de céder un seul pouce de terrain.

Musashi s'arrêta et se tint immobile, exposé à l'eau et au vent. Sur son visage apparut l'ombre d'un sourire.

— Kojirō, dit-il avec douceur.

Il avait dans les yeux une férocité inhumaine, une force si irrésistible qu'elle menaçait d'entraîner inexorablement Kojirō vers le péril et la destruction. Les vagues baignaient son sabre de bois. Les yeux de Ganryū lançaient des flammes, s'efforçaient de terrifier, d'affaiblir.

— Musashi !

Pas de réponse.

— Musashi !

Au loin, la mer grondait, menaçante ; la marée clapotait et murmurait au pied des deux hommes.

— ... Encore en retard, hein ? C'est donc là votre stratégie ? Je trouve ça lâche. Vous êtes en retard de deux heures. J'étais ici à huit heures, tout comme je l'avais promis. Je vous ai attendu.

Musashi ne répondit pas.

— ... Vous avez fait la même chose à Ichijōji, et avant cela au Rengeōin. Votre méthode semble être de démoraliser votre adversaire en le faisant attendre exprès. Avec Ganryū, cette ruse vous sera inutile. Et maintenant, avancez bravement pour que les générations futures ne se moquent pas de vous. En avant au combat, Musashi !

L'extrémité de son fourreau se dressa haut derrière lui tandis qu'il tirait la grande « Perche à sécher ». De la main gauche, il se débarrassa du fourreau qu'il jeta dans l'eau. Musashi attendit juste le temps qu'une vague battît le récif et se retirât pour déclarer soudain d'une voix douce :

— Tu as perdu, Kojirō.

— Quoi ? fit Ganryū, ébranlé au plus profond de lui-même.

— Le combat est terminé. Je te dis que tu es vaincu.

— Qu'est-ce que tu racontes ?

— Si tu devais gagner, tu ne jetterais pas ton fourreau. Tu as rejeté ton avenir, ta vie.

— Des mots ! Des sottises !

— Dommage, Kojirō. Prêt à tomber ? Veux-tu en terminer vite ?

— Viens donc... avance, espèce de coquin !

— Ho-o-o-o !

Le cri de Musashi et le mugissement des vagues allèrent ensemble crescendo. S'avançant dans l'eau, la « Perche à sécher » brandie au-dessus de sa tête, Ganryū affrontait Musashi bravement. Tandis que ce dernier montait en courant sur le rivage à gauche de son adversaire, un mince filet d'écume troubla la surface. Ganryū se lança à la poursuite de Musashi.

Les pieds de ce dernier quittèrent l'eau et touchèrent le sable presque à l'instant même où l'épée de Ganryū — tout son corps — se jeta sur lui comme un poisson volant. Quand Musashi sentit l'approche de la « Perche à sécher », son corps en était encore à la fin du mouvement qui l'avait amené hors de l'eau, légèrement penché en avant.

Il tenait à deux mains le sabre de bois, tendu vers la droite, derrière lui, en partie caché. Satisfait de sa position, il émit un grognement presque imperceptible. La « Perche à sécher » avait paru sur le point de s'abattre ; mais elle eut une hésitation légère, puis s'arrêta. A moins de trois mètres de Musashi, Ganryū changea de direction d'un bond agile vers la droite.

Les deux hommes se fixaient du regard. Musashi, à deux ou trois pas de l'eau, avait dans son dos la mer. Ganryū lui faisait face, l'épée brandie à deux mains.

D'innombrables spectateurs retenaient leur souffle.

Au-dessus de Ganryū planaient les prières et les espoirs de ceux qui croyaient en lui et voulaient qu'il vécût ; au-dessus de Musashi, les prières et les espoirs des autres.

De Sado et d'Iori, dans l'île.

D'Otsū, d'Osugi et de Gonnosuke, sur la plage de Shimonoseki.

D'Akemi et de Matahachi, sur leur colline à Kokura.

Toutes leurs prières s'adressaient au ciel.

Ici, espoirs, prières et dieux n'étaient d'aucun secours, non plus que la chance. Il n'y avait qu'un vide, impersonnel et parfaitement impartial.

Ce vide, si difficile à réaliser par un être doué de vie, est-il la parfaite expression de l'esprit qui s'est élevé au-dessus de la pensée et a transcendé les idées ?

Les deux hommes parlaient sans parler.

Muscles, chair, ongles, cheveux, sourcils — tous éléments corporels qui participent de la vie —, s'unissaient contre l'ennemi en une force unique, défendant l'organisme vivant dont ils faisaient partie. L'esprit seul ne faisait qu'un avec l'univers, clair et serein, pareil au reflet de la lune dans un étang lorsqu'un typhon fait rage. Atteindre cette immobilité sublime est le suprême accomplissement.

Des âges parurent s'écouler ; en réalité, l'intervalle fut bref : le temps nécessaire aux vagues pour s'approcher et se retirer une demi-douzaine de fois.

Alors, une grande clameur — plus que de la gorge, elle venait des profondeurs de l'être — fracassa le temps. Elle émanait de Ganryū, et fut suivie aussitôt par la clameur de Musashi.

Ces deux cris, pareils à des vagues furieuses qui fouettent un rivage rocheux, lancèrent leurs esprits vers le ciel. L'épée de l'assaillant, si haut brandie qu'elle semblait défier le soleil, stria l'air ainsi qu'un arc-en-ciel.

Musashi projeta l'épaule gauche en avant, recula le pied droit, et présenta la partie supérieure de son corps de trois quarts à son adversaire. Son épée de bois, qu'il tenait à deux mains, fendit l'air à l'instant même où la pointe de la « Perche à sécher » s'abattait en plein devant son nez.

Le souffle des deux combattants se mit à couvrir le bruit des vagues. Maintenant, le sabre de bois se trouvait tendu à hauteur de l'œil, et la « Perche à sécher » brandie au-dessus de la tête de celui qui la tenait. Ganryū avait bondi à quelque dix pas de distance ; là, il avait d'un côté la mer. Bien qu'il n'eût pas réussi à toucher Musashi lors de son premier assaut, il s'était placé dans une position bien meilleure. Fût-il resté où il se trouvait, avec dans les yeux les reflets du soleil dans l'eau, sa vision n'eût pas tardé à se troubler, puis son esprit, et il fût tombé à la merci de Musashi.

Avec une confiance renouvelée, Ganryū commença à avancer centimètre par centimètre en guettant une brèche dans la défense de son adversaire, et en se concentrant pour porter un coup décisif.

Musashi fit ce à quoi l'on ne s'attendait pas. Au lieu de s'avancer lentement, prudemment, il marcha hardiment sur Ganryū, son sabre pointé devant lui, prêt à crever les yeux de l'ennemi. La grossièreté de cette approche immobilisa Ganryū. Le sabre de bois se dressa dans l'air. D'un puissant coup de pied, Musashi sauta haut, et, pliant les jambes, réduisit ses un mètre quatre-vingts à un mètre vingt tout au plus.

« Ya-a-ah ! » L'épée de Ganryū déchira l'espace au-dessus de lui. Le coup manqua son but, mais l'extrémité de la « Perche à sécher » trancha le serre-tête de Musashi, qui vola dans les airs.

Ganryū prit à tort le serre-tête pour la tête même de son adversaire, et un sourire fugitif erra sur son visage. L'instant d'après, son crâne éclatait comme un caillou sous le coup du sabre de Musashi.

Tandis que Ganryū gisait à l'endroit où le sable rencontrait l'herbe, son visage ne trahissait aucune conscience de la défaite. Le sang avait beau lui jaillir de la bouche, ses lèvres formaient un sourire de triomphe.

— Oh ! non !

— Ganryū !

Iwama Kakubei s'oublia au point de se lever d'un bond, et avec lui toute son escorte ; le choc les faisait grimacer. Alors, ils virent Nagaoka Sado et Iori, assis calmes et maîtres d'eux-mêmes sur leurs bancs. Honteux, ils parvinrent à s'abstenir de courir. Ils tentèrent de retrouver une certaine dignité, mais il leur fut impossible de cacher leur chagrin, leur désillusion. Certains avaient du mal à avaler leur salive ; ils se refusaient à croire ce qu'ils venaient de voir, et demeuraient hébétés.

En un instant, l'île fut aussi calme et silencieuse qu'elle l'avait jamais été. Seuls, le froissement des pins et le balancement des herbes se moquaient de la fragilité et de l'impermanence humaines.

Musashi regardait un petit nuage au ciel. Cependant, son âme revenait à son corps, et il lui devenait possible de faire la distinction entre le nuage et lui-même, entre son corps et l'univers.

Sasaki Kojirō Ganryū ne revint pas au monde des vivants. Couché face contre terre, il tenait encore son épée. Sa ténacité était encore visible. Sur son visage, il n'y avait aucune trace d'angoisse. Rien que la satisfaction de s'être bien battu, pas l'ombre d'un regret.

La vue de son propre serre-tête gisant par terre donna des frissons dans le dos à Musashi. Jamais de sa vie, songeait-il, il ne rencontrerait pareil adversaire. Une vague d'admiration et de respect le parcourut. Il était reconnaissant à Kojirō de ce que cet homme lui avait apporté. En force, en volonté de se battre, il dépassait Musashi ; voilà pourquoi ce dernier avait pu se dépasser lui-même.

Qu'est-ce qui lui avait permis de vaincre Kojirō ? L'adresse ? Le secours des dieux ? Tout en sachant que ce n'était ni l'un ni l'autre, Musashi ne put jamais exprimer de raison avec des mots. A coup sûr, il s'agissait de quelque chose de plus important que la force ou la providence divine.

Kojirō avait placé sa confiance dans le sabre de la force et de l'adresse. Musashi, dans le sabre de l'esprit. C'était la seule différence entre eux.

En silence, Musashi parcourut les dix pas qui le séparaient de Kojirō, et s'agenouilla à côté de lui. Il approcha sa main gauche des narines de Kojirō, et constata qu'une trace de souffle subsistait. « Avec un traitement approprié, il s'en remettra peut-être », se dit Musashi. Il voulait le croire ; il voulait croire que cet adversaire, le plus vaillant de tous, serait épargné. Mais le combat était fini. Il était temps de partir.

— Adieu, dit-il à Kojirō, puis aux officiels, sur leurs bancs.

S'étant prosterné, il courut au récif et sauta dans le bateau. Sur son épée de bois, il n'y avait pas une goutte de sang.

La minuscule embarcation s'éloigna du rivage. Qui peut dire où elle alla ? Aucun document ne rapporte si les partisans de Ganryū, à Hikojima, tentèrent de le venger.

Jusqu'à leur dernier souffle, les gens ne renoncent ni à leurs amours, ni à leurs haines. Des vagues de sentiment vont et viennent à mesure que le temps passe. Durant toute la vie de

Musashi, il y eut ceux qui lui en voulurent de sa victoire, et critiquèrent sa conduite en cette occasion. S'il était parti précipitamment, disait-on, c'est qu'il craignait les représailles. Il était troublé. Il négligea même d'administrer le coup de grâce.

Le monde est toujours plein du bruit des vagues.

Les petits poissons, qui s'abandonnent aux vagues, dansent, chantent et jouent, mais qui connaît le cœur de la mer, cent pieds plus bas ? Qui connaît ses profondeurs ?

Table des matières

Livre V
LE CIEL

L'enlèvement 11
Le guerrier de Kiso 17
Crochets venimeux 28
Une mise en garde maternelle 33
L'idylle d'un soir 49
Un don en espèces 59
Un feu purificateur 70
Jouer avec le feu 79
Un grillon dans l'herbe 94
Les pionniers 102
Massacre au bord de la rivière 110
Copeaux 121
Le hibou 130
Un plat de loches 142
Tel maître, tel disciple 151
Démons de la montagne 165
Premières plantations 182
Les mouches 188
Le polisseur d'âmes 201
Le renard 211
Une lettre urgente 222
Piété filiale 231
Rouge averse de printemps 242
Un bloc de bois 251
Le prophète abandonné 259
Toute la ville en parle 265

Livre VI
LE SOLEIL ET LA LUNE

Une causette avec les hommes ... 275
Bourdonnements d'insectes ... 281
L'aigle ... 290
Kakis verts ... 299
Les yeux ... 307
Une seule lumière pour quatre sages ... 316
Le caroubier ... 327
La folie de Tadaaki ... 335
Le pathétique des choses ... 351
Deux baguettes de tambour ... 358
Le serviteur du démon ... 364
Codisciples ... 378
La grenade ... 397
Pays de rêve ... 400
Le défi ... 414
La porte de la gloire ... 424
La musique des sphères ... 433

Livre VII
LA PARFAITE LUMIÈRE

Le bœuf emballé ... 441
Graine de chanvre ... 453
Balayeurs et marchands ... 469
Une fleur de poirier ... 483
Le port ... 494
Le maître de calligraphie ... 509
Le cercle ... 526
Bleu de Shikama ... 531
La miséricorde de Kannon ... 547
Les saisons de la vie ... 556
Le bateau du soir ... 564
Un faucon et une femme ... 571
Avant le treizième jour ... 579
A l'aube ... 587
Le mariage ... 603
L'âme des profondeurs ... 616

Achevé d'imprimer en octobre
sur presse CAMERON
dans les ateliers de la S.E.P.C.
à Saint-Amand-Montrond (Cher)

ISBN 2-7158-0440-7
HSC 83-9-67-0886-1
Dépôt légal : octobre 1983
N° d'impression : 1680.